Denise Mina

Het einde van de wespentijd

Vertaald door Ineke Lenting

Anthos|Amsterdam

ISBN 978 90 414 1863 0
© 2011 Denise Mina
© 2012 Nederlandse vertaling Ambo|Anthos *uitgevers*,
Amsterdam en Ineke Lenting
Oorspronkelijke titel *The End of the Wasp Season*
Oorspronkelijke uitgever Orion
Omslagontwerp Studio Jan de Boer
Omslagillustratie © Marcus Garrett/Arcangel Images/Hollandse Hoogte
Foto auteur © Colin McPherson

Verspreiding voor België:
Veen Bosch & Keuning uitgevers n.v., Antwerpen

Het einde van de wespentijd

Voor Louise

I

Het was zo stil dat Sarah uit een bodemloze slaap wakker schrok. Ze opende haar ogen en zag het rode knipperlichtje van de digitale wekker: 16.32 uur.

Uit een van de tuinen aan de voet van de heuvel klonk het aanhoudende gekef van kleine hondjes. Het ketste van het plafond en tegen de halfronde muur van de kamer.

Stilte. De radio stond uit. Sarah liet de keukenradio altijd aan als ze thuis was, afgestemd op Radio 4. Het koerende gekeuvel maakte de leegte draaglijker. Vanuit andere vertrekken leek het net alsof het huis bevolkt was met charmante, gezellig babbelende mensen uit het zuiden van Engeland. In Glasgow zou een inbreker dat vreemd vinden, maar in het exclusieve dorp Thorntonhall viel het niet op. Ook liet Sarah op een aantal strategische plekken het licht branden: op de gang, op de trap, overal waar je niet rechtstreeks naar binnen kon kijken. Ze was goed in het creëren van schijn.

Stilte. Op dit uur van de dag werd er niet ingebroken. Het huis stond op de top van de heuvel en was overdag duidelijk zichtbaar, vooral rond deze tijd, als buren in hun tuin rondliepen om het werk van de tuinman te keuren of vadsige rashonden vooruit te branden. Een dief die nu inbrak, moest wel erg zeker van zichzelf zijn of anders erg dom.

Uitgeput en snakkend naar slaap bedacht ze een simpele verklaring: in de keuken was een stop doorgeslagen of de oude radio

7

had er eindelijk de brui aan gegeven. Alles in huis was oud en aan vervanging toe.

De radio was ermee opgehouden, concludeerde ze, en met een glimlach sloot ze haar ogen en nestelde zich onder het frisse dekbed, bijna blij dat ze wakker was geworden zodat ze zich nu weer heerlijk aan de slaap kon overgeven.

Zachtjes gleed haar geest de donkere warmte in.

Opeens kraakte er een vloerplank onder aan de trap. Haar ogen schoten weer open.

Ze tilde haar hoofd van het kussen om beter te kunnen horen.

Een schoen die over tapijt slofte, versterkt door het trappenhuis, en een kort, gefluisterd bevel. Een hoge stem. Een vrouwenstem. 'Toe dan.'

Versuft van de slaap ging Sarah rechtop zitten, en in gedachten zag ze haar moeder op haar traplift vastberaden naar de overloop zoemen. Haar moeder, dwingend en met samengeknepen mond. Haar moeder, die antwoorden verlangde: waarom hadden ze uitgerekend dat zorgplan gekozen? Waarom was Sarah er nooit om haar te baden? Waarom werd haar uitvaartmis niet door kardinaal Geoffrey geleid?

Onzin.

Ze wierp het dekbed van zich af, zette met een zwaai haar voeten op de vloer en probeerde te gaan staan, maar haar slaapdronken knieën weigerden dienst zodat ze achterover tuimelde en met een lompe smak weer op het bed terechtkwam.

Geërgerd besefte ze dat ze kwetsbaar was omdat ze thuis was. Sarah was in vreemde oorden geweest, op enge plekken, maar ze was altijd kalm en alert gebleven. Bij aankomst noteerde ze meteen waar de nooduitgangen waren en ze gaf de regie nooit uit handen, maar hier was ze weerloos.

Dit was anders dan in die vreemde kamers, want hier was ze een gewone bewoner. Ze zou de politie kunnen bellen, ze te hulp kunnen roepen.

Opgelucht hing ze over haar knieën naar voren en stak haar hand in haar handtas, die naast het bed stond. Haar nerveuze vingers tastten langs tissues, bonnetjes en paspoort tot ze op de koude metalen achterkant van haar iPhone stuitten. Terwijl ze het apparaat tevoorschijn haalde, drukte ze op het knopje en tot haar vreugde zag ze het scherm oplichten. Ze had het ingeschakeld toen ze op Glasgow Airport in het middenpad van de eerste klas stond te wachten tot ze van boord mocht. Dat deed ze niet altijd. Soms liet ze het een etmaal uit, tot ze had geslapen. Nu hield ze het ding met beide handen vast om zich op het scherm te kunnen concentreren, ontgrendelde het, selecteerde 'telefoon', selecteerde 'toetsenbord' en toetste 999 in, maar net toen ze op 'bellen' drukte, hoorde ze een gerucht aan de andere kant van haar slaapkamerdeur.

Het was eerder een gevoel dan een geluid, het verplaatsen van lucht op de overloop. Een lichaam streek laag langs de muur bij de deur, even alarmerend als koude vingers in de holte van een blote rug.

Ze schoof de iPhone in een kleine opening in het dekbed en stond op.

Zacht knarsend zwaaide de deur open.

Het was niet de geest van haar moeder, maar een stel klungelige, onbeholpen pubers. Ze droegen allebei een slobberige zwarte trainingsbroek en een bijpassend T-shirt, binnenstebuiten gekeerd en met de zoom duidelijk zichtbaar langs de armen en de benen. Ook droegen ze identieke zwarte sportschoenen. Door het merkwaardige uniform deden ze aan sekteleden denken.

Aanvankelijk wat aarzelend en schuifelend met hun voeten gingen ze in de deuropening staan. Toch waren ze niet vertwijfeld, maar zeker van hun zaak, jongens op avontuur.

Ze moest bijna lachen van opluchting. 'Wat doen jullie hier?'

Een van hen was lang en had een kaalgeschoren hoofd. Hij durfde haar niet aan te kijken, en onrustig wiebelend bij het horen van haar stem stond hij half afgewend in de deuropening, met zijn schouder naar de overloop gericht, alsof hij er het liefst vandoor zou gaan.

'Hé,' zei ze, 'mijn huis uit. Het staat niet leeg, hoor...'

De andere jongen had langer haar, zwart en dik, en van enige aarzeling was geen sprake meer. Hij was kwaad, had zich vierkant in de deuropening opgesteld, en met vaste blik bestudeerde hij haar gezicht.

Sarah wist dat ze niet beeldschoon was, maar ze maakte er het beste van, ze was slank en goed gekapt. In een bepaald soort licht zou je haar aantrekkelijk kunnen noemen. Deze knaap dacht er anders over. Hij vond haar walgelijk.

De lange jongen gaf zijn vriend een por. Met een ruk van zijn kin en zonder het oogcontact met haar te verbreken gebood de boze jongen de ander de kamer in te gaan. De lange jongen kromp ineen en schudde bijna onmerkbaar zijn hoofd. Ze communiceerden met behulp van microgebaartjes, en ondertussen bleef de boze jongen haar strak en vol haat aankijken.

'Mijn moeder is overleden,' zei ze, maar haar stem stierf weg toen ze besefte dat ze niet verbaasd waren haar hier aan te treffen. 'Ik leef nog...'

'Waar zijn je kinderen?' vroeg de boze jongen.

'Kinderen?'

'Je hebt kinderen.' Hij leek het heel zeker te weten.

'Nee...' zei ze. 'Ik heb geen kinderen.'

'Ja, die heb je wel, godverdomme.' Zijn blik dwaalde door de kamer, alsof haar kinderen onder de rand van het dekbed verstopt zaten, in de kleerkast, onder het bed.

Hij had een hoge stem, de stem die ze op de trap had gehoord, maar vooral het accent viel haar op: het was geen Glasgows accent, het was niet van de westkust afkomstig. Het was niet eens het afgezwakte, vage Schots van de kinderen uit de buurt. Zo te horen kwam hij van de oostkust, maar hij was Engels, een mengeling van Edinburgh en Londen misschien. Ze waren hiernaartoe gereisd in plaats van toevallig op dit huis te zijn gestuit. Opeens had ze geen flauw idee wat dit moest voorstellen.

Sarah deed een nieuwe poging. 'Je bent in het verkeerde huis.'

De jongen keek haar aan en zei gedecideerd: 'Nee, dat ben ik niet.'

Het geld. Ze waren op het geld uit. Het was het enige in het hele huis wat voor hen de moeite waard was. Maar het geld lag in de keuken, en om in deze kamer te komen moesten ze een deur door, een gang door, een hal oversteken en de trap op. Ze waren voor háár gekomen.

Ze vatte weer wat moed en bekeek ze nog eens goed. Ze kregen het geld niet. Ze zou ontkennen dat ze er ook maar iets van af wist, want ze had de politie nu gebeld, die zou de jongens ophalen en ondervragen, en dan moest ze een onschuldige indruk maken.

'Hoor eens.' Ze probeerde redelijk te klinken. 'Ga nou maar. Ik heb net de politie gebeld, die zijn al onderweg. Jullie krijgen geheid problemen als jullie hier blijven.'

Nog steeds met zijn blik op haar gericht schoof de boze jongen zijn voet de kamer in en raakte met zijn teen de rand van het gele Perzische tapijt, en zo drong hij de heilige, neutrale tussenruimte binnen. Hij zag haar schrikken, zij zag een sprankje medeleven op zijn gezicht voor het verhardde en hij zijn kin uitdagend naar voren stak. Weer verplaatste hij zijn voet een stukje, een paar centimeter, tot over de franje, om duidelijk te maken dat hij naar haar toe kon komen, dat hij dat ook zeker zou doen.

Opeens klaarwakker van ergernis nam ze de touwtjes in handen. 'Ik weet waarvoor jullie hier zijn.' Ze stapte op hem af en gebaarde naar de trap. 'Jullie weten helemaal niet wie ik ben, jullie hebben je vergist...'

'Staan blijven!' De boze jongen ontblootte zijn tanden. 'Terug, godverdomme.' Hij zette een ferme stap in haar richting, en nu glimlachte hij. Zijn tanden leken abnormaal droog en ze werd bang.

Sarah week terug naar het bed. Ze zag een hoekje van de telefoon uit het dekbed steken. Ze bewoog haar vingers, als een pistoolheld die zich gereedmaakt.

Zijn blik gleed weg van haar gezicht, slingerde over haar T-shirt naar haar dijen, en opeens wendde hij zich walgend af. Ze droeg geen slipje, besefte ze. Ze was zo moe geweest toen ze thuiskwam dat ze haar jas had uitgetrokken, haar schoenen in de hal had uitgeschopt en de trap op was gestampt, waarna ze haar jurk en slipje op de slaapkamervloer had laten vallen. Het oude T-shirt waarin ze sliep reikte slechts tot haar dijen en bedekte haar amper. Ze had al een etmaal niet geslapen. Alles deed pijn. Haar moeder was gestorven. Ze had recht op slaap.

'Mijn huis uit, onmiddellijk!' riep ze zo hard als ze kon.

De lange slungel kromp ineen, maar de boze jongen knipperde niet eens met zijn ogen. Zijn onderkaak schoot naar voren alsof hij haar wilde bijten. Het was zijn woede die ze herkende, dat zweempje diepgewortelde verbittering, en opeens wist ze van wie dat gezicht was.

'Wie ben je?' vroeg ze. 'Ik kén jou.'

Beduusd en bang keek de lange jongen zijn boze vriend aan.

'Ik ken jou, absoluut.' Toch was ze er niet echt zeker van; het was een korrelige herinnering, alsof hij ooit op tv was geweest of in een krant had gestaan. 'Ik heb een foto van je gezien.'

Op het gezicht van de boze jongen verschenen roze vlekken en toen hij sprak, stamelde hij. 'Foto? Heb je een fóto gezien?'

Wat onbeholpen haalde ze haar schouders op, en ze zag dat hij zijn vuisten balde.

Hij stak er een omhoog en sloeg ermee op zijn hart. 'Fuck, heeft-ie jóú míjn foto laten zien?'

Zijn stem ging omhoog en sloeg over. De hand van zijn vriend schoot uit, trok de vuist weg van zijn borst en rukte hem naar achteren. 'Stoppen. Stoppen, man. Ademen, haal eens adem!'

Sarah wierp een blik op de iPhone, zocht naar een glimpje hoop, maar zag niets.

Nog steeds stamelend zei de boze jongen: 'Haar tas, godsamme! Pak haar mobiel!' De kleur trok weg uit zijn gezicht en hij keek naar de vloer bij haar voeten. Zijn vriend volgde zijn blik, liet hem los en nam met twee losse, langbenige stappen de kostbare tussenafstand in bezit. Hij hurkte naast haar voeten neer en stak een ruwe hand in haar lievelingstas. Hij was op nog geen dertig centimeter van haar dijbeen. Sara deed haar benen iets uit elkaar en toonde hem haar naaktheid. Hij verstijfde van schrik.

Maar de boze jongen was niet onder de indruk. 'Squeak, wat de fuck, moven!'

De hurkende jongen wendde zijn blik met moeite af en haalde zijn hand uit de tas. Hij hield een mobiele telefoon vast. Het was een lomp geval, zo'n ding dat je bij een bejaarde zou verwachten. Van rode kunststof met grote toetsen en een schermpje waarop een palm stond afgebeeld. Van dichtbij zag het er vreemd uit, want het schermpje lichtte niet op – het was een neptelefoon. Ontzet besefte Sarah dat ze het ding helemaal vergeten was. Ze vergat het altijd, en uitgerekend nu had ze het kunnen gebruiken.

De jongen hield de telefoon boven zijn hoofd om hem aan zijn vriend bij de deur te laten zien. De boze jongen vertrok zijn gezicht. 'Wat zit er nog meer in?'

De hurkende jongen stak de lompe telefoon in zijn zak en liet zijn hand weer in de tas verdwijnen. Tot zijn vreugde stuitte hij op haar portemonnee. Hij stond op en hield hem triomfantelijk omhoog.

Sarah lachte bijna van opluchting. 'Zijn jullie op geld uit?'

Maar al hun aandacht ging nu naar de portemonnee. De lange jongen liep terug naar zijn vriend, met zijn buit nog steeds hoog in de lucht. Het was een stelletje straatrovers, meer niet, stomme jongens die hun kleren binnenstebuiten droegen, en opeens besefte ze dat ze een schoollogo verborgen.

Ze zag dat de boze jongen een ruk aan de rits van haar portemonnee gaf. Ze kende die neus met de korte voorkant en de brede, ronde neusgaten. Die kende ze heel goed.

'Ik ken je vader...' gokte ze.

Ze had gelijk: hij aarzelde even voor hij de rits opentrok, en daarom zei ze het nog eens, maar nu luider: 'Ik ken je vader.'

De lange, magere jongen liet zijn blik panisch van haar naar de boze jongen gaan. 'Ik zou maar snel vertrekken als ik jullie was,' zei ze met stemverheffing. 'Wat denk je dat hij zegt als ik hem vertel dat jullie hier hebben ingebroken?'

Een vader. Dat kon iedereen zijn. Een jankerd, een vader met macht of een trieste zatlap. Misschien was Lars van gedachten veranderd, vertrouwde hij haar niet langer en wilde hij het terug. Lars. Het was de neus van Lars.

'Lars!' gooide ze eruit. De boze jongen keek gekrenkt.

Heel even dacht ze dat hij de portemonnee zou laten vallen,

dat hij hem terug zou geven, zijn verontschuldigingen zou aanbieden en ervandoor gaan. Heel even vertraagde haar hartslag en kwam ze op adem. Een verbitterde Lars, gekwetst, een razende Lars die haar verachtte maar haar ook nodig had, terwijl hij nog nooit iemand nodig had gehad. Lars zou er niet voor terugdeinzen haar te doden als het hem uitkwam. Maar het kwam hem niet uit. Lars had deze jongens niet op haar afgestuurd.

De boze jongen keek haar aan, met diezelfde diep beledigde blik, en vol haat kneep hij zijn oogleden samen. Hij bleef haar aankijken terwijl zijn ruwe vingers rondtastten in haar portemonnee, zich om een paar grote bankbiljetten en een taxibonnetje klemden en die eruit haalden.

Sarah zag haar kans schoon en dook op haar iPhone. Ze liet zich op haar zij vallen, haar vingers stuitten op het koude metaal en klemden het vast, want ze wist hoe glad het was. Ze hield het apparaatje omhoog en priemde met haar vinger tegen het schermpje. Terwijl ze nog verbinding had, was het op slot gegaan en nu probeerde ze het te openen, maar tot twee keer toe mislukten haar pogingen.

'Politie! Help me! Er zijn twee jongens in mijn huis...'

De boze jongen was al bij haar. Hij pakte haar dichtgeknepen hand, trok haar overeind en plukte het gladde telefoontje moeiteloos uit haar vingers, maar Sarah bleef roepen: '... in mijn slaapkamer. Die ene – die ken ik...'

Verstijfd keken ze alle drie naar de telefoon; in hun verbeelding werden ze afgeluisterd, en opeens waren ze zich bewust van publiek bij hun spel. De boze jongen brak als eerste uit de verdoving en langzaam bracht hij het telefoontje naar zijn oor.

Zijn gezicht plooide zich tot een grijns. Hij stak zijn vinger naar het schermpje uit, verbrak de verbinding en wierp het ding op het bed.

Ze stonden dicht opeen, een samengebalde brok vijandigheid in het grillige omhulsel van een huis.

Achter haar zette de lange jongen schuifelend een stap naar voren, tot zijn adem over haar haar streek. Ze voelde hoe het vocht zich aan haar oor hechtte. De boze jongen las de ontreddering van haar gezicht af en zij zag zijn ogen overlopen van woede.

Achter haar schouder versnelde het ademen, werd oppervlakkiger.

Ooit had Sarah in een hotel in Dubai met een klant afgesproken, met wie ze was gaan eten. De man was dik. Hij had iets droevigs over zich, iets wanhopigs en afstandelijks, en hoewel ze het gesprek gaande probeerde te houden, was hij zwijgzaam tijdens het eten en dronk hij heel veel, wat het er niet beter op maakte. In de lift naar de kamer oefende ze haar tekst: het overkomt iedereen weleens, en strelen en praten is ook fijn, de volgende keer konden ze een pilletje gebruiken als hij dat wilde... Toen ze op het bed lag, met haar gezicht in het kussen zoals hij haar had opgedragen, hoorde ze datzelfde ademen achter zich, gejaagd en opeens dierlijk, en toen ze zich omdraaide zag ze een glimp van staal in zijn hand. Ze had hem van het bed geschopt, haar kleren meegegraaid en het op een lopen gezet. Ze kon alleen aan hem ontsnappen omdat hij te dik was om haar na te jagen.

'Ik heb geld...' zei ze tegen niemand in het bijzonder.

'Geld?' zei de boze jongen zachtjes. 'Denk je dat dít over geld gaat?'

'Waar gaat het dán over?' riep ze zo luid mogelijk in de hoop dat ze terug zouden schrikken. 'Wat komen jullie hier in godsnaam doen? Dit is mijn huis, godverdomme.'

Maar ze schrokken geen van beiden terug. De boze jongen zocht haar blik.

Ze huilde nu en stak smekend haar handen op. 'Heb ik jullie soms iets aangedaan? Ik ga het namelijk vertellen, echt waar.'

Hij verbrak het oogcontact en keek achteloos om zich heen.

Opeens snapte Sarah het: hij was niet bang dat ze zich zijn gezicht zou kunnen herinneren, want hij was hier gekomen om haar te doden. Ze kwam dit huis nooit meer uit. Ze kwam hier nooit meer weg.

Ze mocht hier niet sterven, in een koud, vervallen huis waaraan ze haar hele leven had proberen te ontsnappen, in haar blote kont en met die twee brutale jochies die het vertrek waren binnengedrongen dat ooit haar kinderkamer was geweest.

Door een waas van tranen zag ze de ruimte die hen van elkaar scheidde, en daarachter de open deur.

Sarah dook ineen en zette het op een lopen.

2

Kay zat bij het raam en keek glimlachend naar de kom. Die was heel wat waard, dat wist ze zeker. Eigenlijk zou ze hem niet als asbak moeten gebruiken. Als ze ermee naar de *Antiques Roadshow* ging, zou ze als laatste aan de beurt zijn, met het waardevolle voorwerp als verrassende uitsmijter, en er zou een schok door het publiek gaan als de deskundige de veilingprijs onthulde, puur voor de verzekering.

Met een zucht liet ze haar blik over de grauwe stad gaan. Castlemilk was gebouwd op een heuvelhelling die uitzicht bood over heel Glasgow. In elke andere stad zou dat uitzicht zijn voorbehouden aan de rijken, en zou de Cathkin-heuvel bezaaid zijn met grote huizen en prachtige tuinen, maar niet hier. Ze had het nooit goed begrepen. Misschien lag het te ver van het centrum.

Vanachter het raam leek de stad grauw, met vaalgeel straatlantaarnlicht dat net aanknipperde, maar misschien was het niet de stad zelf die grauw was. Het keukenraam was grauw, bedekt met een vuil waas dat ze er niet af kon wassen omdat het aan de buitenkant zat en het raam niet ver genoeg opening. Vaak keek ze omhoog naar de ramen als ze zich vanaf de bushalte heuvelopwaarts haastte. Dan zag ze de doffe laag op het glas en verbaasde zich over ramen die nooit gewassen konden worden. Wie had dat in godsnaam bedacht? Op goede dagen zag ze het als een ontwerpfoutje. Op slechte dagen kwam het doordat de architecten de toekomstige bewoners haatten, ze smerig vonden, minderwaardig, hun geen schone ramen gunden en hen benijdden vanwege het mooiste uitzicht van de hele stad.

Ze tikte de as van haar sigaret, een traag tik-tik-tik, als interpunctie in een gesprek met een onzichtbare tegenstander aan de andere kant van de tafel. Twee stoelen, aan weerszijden van het tafelblad. Ze waren met z'n vijven, maar aan tafel was slechts plaats voor twee.

Ze nam een diepe hijs van haar sigaret, voelde de rook door haar keel schrapen en haar longen vullen en ze lachte in zichzelf, want ze wist dat dit 'm was. Elke dag, twintig sigaretten per dag, zes, hooguit zeven trekken per sigaret en er was er maar één bij die echt lekker was. Eén trek uit honderdtwintig per dag. Het was een afkickoefening, om aan zichzelf te bewijzen dat ze roken eigenlijk niet lekker vond en dat het zinloos was. Het hielp niet. Ze genoot des te meer van die ene trek doordat ze besefte hoe zeldzaam die was. Tik-tik-tik. Ze glimlachte naar de asbak. Tik-tik. Een stukje roodgloeiende tabak viel eraf. Ze stopte en rolde de punt tot een keurig kegeltje langs de verzilverde schuine rand.

De deurtjes van de keukenkastjes hingen open en waar het kunststof had losgelaten, was het spaanplaten aanrechtblad opgezwollen van het vocht. Er was haar een nieuwe keuken beloofd, ze was op het kantoor van de woningbouwvereniging geweest, waar ze uit drie varianten een werkblad en deurtjes had uitgekozen, maar dat was alweer maanden geleden.

Op de gang ging een slaapkamerdeur open. Marie liep de keuken in, zonder Kay aan te kijken, alsof ze toevallig passeerde. Marie was dertien en zo verlegen dat ze het huis bijna niet uit kwam. Ze had nog meer nagellak op dan anders, deze keer blauw, en droeg een bijpassende haarband. Haar wangen glommen en er zaten roze rondjes op haar volle gezicht.

'Heb je make-up op, schat?'

Opeens was Marie een en al onverklaarbare gêne. 'Hou je kop.' Ze stormde haar slaapkamer weer in.

Kay beet op haar lip om niet te lachen. Ooit had Marie gehuild van schaamte toen Kay in aanwezigheid van een jongen uit haar klas had gezegd dat ze van vruchtensap hield.

'Lieverd!' riep ze. 'We hebben chips.'

Marie aarzelde even en liep toen weer terug door de gang, met haar hoofd naar beneden om haar moeders blik te mijden. Zonder te kijken tastte ze over het aanrechtblad tot ze op de grootverpakking stuitte en er een zakje *salt-and-vinegar* uit haalde.

'Mooie nagellak.'

Marie keek haar woedend aan. 'Wat je mooi noemt.'

'Doe eens normaal, Marie,' zei Kay met een zucht. 'Of anders mijn chips terug.'

Marie smoorde een lach en snoof, waardoor er wat snot uit haar neus kwam. Geschrokken raakte ze haar natte bovenlip aan en wierp een beschuldigende blik op haar moeder. 'Jezus!'

Nijdig liep ze de keuken uit, maar ze vergat niet de chips mee te nemen.

Kay nam weer een trek. Een slechte deze keer, wrang en scherp. Zo'n trek die je de lust tot roken benam.

'Waar zijn mijn gympen?' Het silhouet van Joe's magere lijf tekende zich af in de deuropening. 'Zijn dat chips?'

Zonder op antwoord te wachten stapte hij de schemerige keuken in, zocht in de grootverpakking en haalde er twee zakjes *cheese-and-onion* uit.

'Eentje!'

Hij liet een van de zakjes op het aanrecht vallen. 'Waar zijn mijn gympen?'

'Waar heb je ogen voor gekregen?'

'Geen idee, ik heb jóú toch?' Hij maakte het zakje open, haalde er een paar chips uit en propte ze in zijn mond.

Joe had charme, dat was zijn probleem – daarmee kreeg hij altijd alles van iedereen gedaan. Kay was niet van plan het aan te moedigen. 'Rot op. Ik heb net even menopauze.'

'Nee, serieus, waar zijn mijn gympen?'

Ze keerde zich weer naar het vuile raam toe.

'Mam?'

Verslagen liet ze zich vooroverzakken. 'Waar heb je ze uitgetrokken?'

'Bij de deur.'

'Heb je daar al gekeken?'

'Nee. Moet dat?'

Ze antwoordde niet.

Hij draaide zich om en keek naar de wasmand achter de voordeur. Die had ze daar neergezet om alle troep in te gooien die ze lieten slingeren. Hij was van doorzichtig plastic en ze zag de sportschoenen tegen de zijkant drukken.

Hij zag ze ook, bromde iets en liep naar de mand.

Hij zou nu uren wegblijven. Hij had de leeftijd bereikt dat het rondhangen op straathoeken iets onweerstaanbaars had, iets fascinerends, en het gezelschap van zijn vrienden was ronduit hypnotisch. Kay kon zich dat nog goed van zichzelf herinneren. Het was niet eens zo lang geleden, en hoewel ze inmiddels vier kinderen had, kon ze de opwinding, de aantrekkingskracht nog moeiteloos oproepen. Hormonen. En nu had ze vier kinderen, die vlak na elkaar geboren waren, en die zowat tegelijk aan het puberen sloegen. Ze waren niet te houden.

'Hé,' riep Joe vanuit de gang. Toen ze opkeek, zag ze hem wijdbeens op de vloer zitten om zijn gympen aan te trekken.

'Wat is er?'

'Wat zit je daar te somberen in het donker?'

Weer eens overrompeld door zijn charme, voelde ze zich opleven. 'Niks aan de hand, jongen. Ik zit gewoon een beetje bij te komen.'

'Echt? Zal ik anders patat voor je halen?'

'Nee, hoeft niet.'

Ze keek toe terwijl hij zijn jack uit de wasmand trok. Met die onwaarschijnlijke gratie van hem schoot hij het aan, waarna hij de voordeur opende en de gelige schemer van het trappenhuis in stapte. Een vlaag kou trok door de gang.

Ze hield het meest van Joe. Het was fout om er lievelingetjes op na te houden, maar zo was het nou eenmaal. Het waren allemaal pubers, maar hij zag als enige dat ze gevoelens had. Soms probeerde hij haar op te vrolijken.

Kay nam weer een trek. Buiten werd het donker, maar ze had geen zin om op te staan en het licht aan te doen, en daarom bleef ze in de steeds dieper wordende schemering zitten en genoot nog even van de rust voor ze met het eten begon en de overige karweitjes die op haar wachtten. Beneden op straat hoorde ze jongens schreeuwen en rennen en de klap van een leren voetbal. In haar verbeelding zag ze een groep meisjes aan de rand van het beton. Verder weg zag ze de stad, de barrière van hoge flatgebouwen in de Gorbals, het felverlichte stadscentrum en de puntige toren van de universiteit.

Het licht van de gang viel op de zijkant van de asbak, op de glanzende bloemblaadjes van rood email, op de slang van kronkelend zilverdraad, ooit gevormd door de handen van een voortreffelijk handwerksman in Moskou. Ze zuchtte, zo genoot ze van de kleuren. Gustav Klingert – ze had het waarmerk op internet opgezocht – uit de jaren tachtig van de negentiende eeuw.

Kay leunde achterover om het beter te kunnen zien. Het was een kleine kom, met een strak naar binnen vallende rand. De binnenkant was van verguld zilver en iets versleten zodat de waterige glans van het koude zilver door de warme gloed van het goud heen kwam. Aan de buitenkant was de geëmailleerde ondergrond geel, met rode bloemen en witte en blauwe blaadjes geaccentueerd met zilverdraad. Twee dunne blauwe stippellijntjes liepen langs de rand en de onderkant.

Ze stak haar hand uit en met haar vingertopje raakte ze de kom aan, betastte de randen van gedraaid zilverdraad rond de plasjes lichtgevend email. Vooral het rood trok haar aandacht. Het rode email was helder, doorschijnend, als de binnenkant van vruchtengelei. Ze wist niet eens hoe ze de naam van de stijl moest uitspreken: Ros-tov fin-ift. Ze vond het mooi dat het onuitspreekbaar was. Zo was het alsof het uit een andere wereld kwam, net als Obi-Wan Kenobi.

De kom was niet voor haar soort mensen. Maar de patronen van de Russische emailleerkunst waren afkomstig van boerenborduurwerk. Arme vrouwen hadden die patronen en kleurschema's ontworpen, ze hadden ze op hun eigen tafelkleden en de zomen van hun kleren geborduurd, ze hadden hard gewerkt in koude, donkere huizen en hun vingers geprikt. Het waren arme vrouwen met een diepe, schrijnende behoefte aan schoonheid om zichzelf overeind te houden in het donker, om het gevoel te hebben dat ze leefden.

Honderden jaren later hadden edelsmeden hun ontwerpen overgenomen en er kostbare dingen van gemaakt, zoals deze kom, gespen voor riemen, theedoosjes toen thee nog een luxe was, voorwerpen die zo kostbaar waren dat de bordurende vrouwen ze zich nooit zouden kunnen veroorloven. Zij was een van die vrouwen, van die bordurende vrouwen in de schemering, en de complexe patronen spraken van schoonheid die uit het niets ontstaat, van het belang schoonheid in dingen te kunnen zien en te kunnen waarderen, zelfs vanachter een vuil raam.

Kay wist dat geen van alle mensen die deze kom de afgelopen honderddertig jaar in bezit hadden gehad of hadden gebruikt of gezien, er zoveel van had gehouden als zij, die hem gestreeld had in de lange, donkere nachten waarin ze de slaap niet kon vatten, die met haar vinger de slingerende spiralen van zilverdraad had gevolgd door de plasjes vol schitterende kleur.

3

In de ijskoude vroege-ochtendregen stond Alex Morrow bij een open graf, met in haar hand het kwastje dat aan het uiteinde van een goudkleurig touw zat.

De schijnvertoning stond haar tegen. Ze lieten hem heus geen tweeënhalve meter aan die gordijnkoorden zakken – het echte werk werd verricht door de gemotoriseerde banden onder de kist. Niettemin had de begrafenisondernemer hun op gedempte toon verzocht elk een uiteinde van een touw te pakken: zijzelf en Danny, een grijze man die jarenlang een cel met haar vader had gedeeld, twee neven, een jeugdvriend en iemand van de begrafenisonderneming. Ze stonden om het gat geschaard waarin ze haar vader lieten verdwijnen en onderwierpen zich aan de poppenkast, terwijl een derde begrafenisman het apparaat bediende dat de kist daadwerkelijk in de grond liet zakken.

Toen de kist de boezem van de aarde had bereikt, keken ze allemaal op in afwachting van verdere aanwijzingen. Bedroefd liet de begrafenisondernemer zijn touw in het gat vallen en keek het na terwijl het wegkronkelde en met een doffe bonk op de kist plofte. Hij knikte plechtig naar het gat, alsof hij zich eindelijk verzoend had met de dood van een man van wiens bestaan hij zich pas bewust was geworden toen hij opdracht kreeg hem te begraven. Hij keek naar de overige dragers, die zich afvroegen hoe het in godsnaam verderging, en met een gebaar in de richting van het gat droeg hij hun op zijn voorbeeld te volgen.

Een van de neven strekte zijn arm en liet zijn kwastje recht het graf in vallen, zonder dat het de wanden raakte. Met een tevreden glimlachje om zijn open mond keek hij het na. De celgenoot wierp zijn kwastje plichtmatig naar beneden en wendde zich af nog voor het het hout had geraakt. Danny gaf een zwiep met zijn pols alsof hij een snoeppapiertje weggooide en terwijl hij wist dat hij geen rommel mocht maken zich er geen donder van aantrok. Morrow opende alleen maar haar vingers en met een gebaar dat van elke betekenis verstoken was, liet ze het touw in het gat vallen, zich er terdege van bewust dat haar bestudeerde onverschilligheid een treffende samenvatting was van haar gevoelens voor haar vader.

Achter haar stond Crystyl luidkeels te jammeren. Ze droeg een gigantische zwarte hoed, met zwartzijden rozen langs de rand, en wankelde af en toe als haar naaldhakken wegzakten in de modderige grond. Danny geneerde zich voor haar. Ze had de dode nooit ontmoet.

Morrow wilde weglopen, maar stuitte op de langwerpige hoop losse aarde, bedekt met felgroen kunstgras.

De opkomst was klein, treurig genoeg, maar nog altijd groter dan hij verdiende. Ze waren niet voor hem gekomen – het waren vooral mannen, en de meeste waren er uit trouw aan Danny. Ze verachtte zijn lakeien. Ze kleedden zich net als Danny, ze hadden hetzelfde kapsel en waren fan van zijn voetbalclub. Het was een trouw die voortkwam uit gedeelde inhaligheid en zelfzuchtige ambitie. De vijandigheid was wederzijds: ze wisten dat ze een diender was.

Danny haalde haar in toen ze zich voorzichtig een weg door de modder baande in de richting van het pad.

'Bedankt dat je gekomen bent,' zei hij stijfjes, en hij liep met haar op, hoewel ze inmiddels met kordate pas op het pad afstevende.

Morrow sloeg haar jas afwerend om zich heen. 'Hij was ook mijn vader.'

'Dat is zo, maar toch... bedankt.'

'En, eh, jij bedankt omdat je alles geregeld hebt.'

'Ach, dat was geen moeite.' Ze liepen nu schouder aan schouder de steile helling op naar haar auto, alsof ze bij elkaar hoorden, voortsnellend over een pad met een dikke laag zwarte grainietschilfers die vroegen om bedachtzaamheid. Danny wilde iets van haar.

'Wat is er?'

Hij schonk haar die blik, die half geloken uitkijken-jij-blik. 'Kon Brian niet?'

Danny had Brian nog nooit ontmoet en als het aan haar lag bleef dat zo. 'Die kon geen vrij krijgen.'

Danny knikte en met een lachje om zijn mond keek hij naar beneden. Ze had het gevoel dat hij wist dat Brian nog steeds niet aan het werk was. Ze had Brian gevraagd om niet te komen. Dat had ze gedaan omdat hij een goed mens was, niet in staat om Danny's listige charme te weerstaan. Binnen twee minuten zou Brian hem al een dienst bewijzen en zich laten meeslepen. Zo pakte Danny mensen in: hij vroeg om een kleine gunst, bewees een wederdienst die niet veel voorstelde, leende wat geld aan een armlastige neef, en voor hij het wist reed een volslagen brave burger met een auto vol heroïne Fraserburgh uit. Het enige veilige contact was geen contact.

Ze waren bij haar auto aangekomen, een vermoeide oude Honda, die Brian had gekocht in een vlaag van romantisch verlangen naar hun verleden, en Morrow rommelde in haar tas op zoek naar de sleutels.

Achter hen, bij het graf aan de voet van de heuvel, worstelde Crystyl luidkeels met haar verdriet, en een van Danny's trawanten, gekleed in een stemmig trainingspak, reikte haar op armlengte afstand een pakje tissues aan.

Terwijl Morrow haar sleutels opdiepte, stond ze zichzelf een sarcastische opmerking toe. 'Crystyl heeft het er maar moeilijk mee,' zei ze.

Vanuit haar ooghoek zag ze zijn kaak verstrakken.

'Alex, je wordt binnenkort door een vrouw gebeld. Een psychologe. Het gaat over John.'

Morrows hand verstijfde en ze keek hem aan. John, niet

Johnny, niet JJ, niet kleine John. Zijn officiële naam. Dan was het menens. 'Heb je iemand mijn naam gegeven in verband met John?'

Danny zoog lucht tussen zijn tanden door en staarde naar de granietschilfers rond zijn voeten. John was de zoon die Danny op zijn veertiende had verwekt. De moeder was destijds achttien en een van de seksbommen van de South Side, een echte trofee voor een jonge boef. Alex wist nog dat ze het hoorde toen ze op school zat en dat ze merkwaardig genoeg trots was op Danny. Ze was zelf veertien en dat iemand van haar leeftijd al een baby had, leek bespottelijk volwassen. Maar Johns leven was niet bepaald een aanbeveling geweest voor het tienerouderschap. Hij was op een snelle, harde manier volwassen geworden.

'Heeft hij het moeilijk in de bak?' vroeg ze, alsof het haar iets kon schelen.

'Hm.' Danny klemde zijn kaken zo hard opeen dat hij amper kon praten.

Hij wendde zijn blik af en slaagde er zowaar in zijn mond open te krijgen. 'Dat geval... met die vrouw...'

'Vijftien is geen vrouw, Danny.'

Hij keek haar recht aan en ze zag de haat in zijn ogen. Hij ademde gejaagd en oppervlakkig, alsof hij haar het liefst zou slaan. 'Je weet godverdomme ook van geen ophouden, hè?'

Ze keek naar haar autosleutel.

'Hij is godsamme mijn zóón. Daarom haatten we hem toch allebei' – hij wees naar het modderige gat in de vochtige aarde – 'omdat hij nooit een moer om ons heeft gegeven? Johnny is mijn zoon en ik doe godverdomme mijn best.'

Zijn nek kleurde roze. Morrow keek de andere kant op en in gedachten smeekte ze hem om niet te gaan huilen. Danny kuchte en fluisterde: 'Ik doe mijn bést.'

Hij deed zijn best voor zijn zoon-de-verkrachter die met een stanleymes de melkwitte dijen van een vijftienjarig meisje had opengehaald. Op een feestje. Van dat detail hadden de kranten maar geen genoeg kunnen krijgen: dat er aan de andere kant van de deur een feestje gaande was terwijl hij haar te pakken nam in de badkamer en suite van haar ouders. Een meisje uit de betere kringen, dat op een particuliere school zat. Een intelligent meisje dat te veel dronk en foute jongens binnenliet. De kranten hadden het hele scala aan sociale schrikbeelden de revue laten passeren: tieners die zich klem zopen, bendes, steekpartijen, tienerseks. Het was alsof het verhaal nooit uitgemolken zou raken, tot John werd gearresteerd en alle publiciteit werd verboden omdat het zijn proces kon beïnvloeden.

Danny kon dan wel zijn best doen voor John, maar hij was ook deel van het probleem: de hele stad wist dat John schuldig was omdat hij Danny als vader had. Als Danny ook maar even getwijfeld had aan Johns schuld zouden de jongens die hem aan de politie hadden verraden spoorloos verdwenen zijn. Zijn schuld stond al bij voorbaat vast.

'Krijgt hij hulp in de gevangenis?'

Danny haalde zijn schouders op.

'Waarom heb je gezegd dat ze contact met mij moesten opnemen? Ik ga echt niet over hem liegen, Danny. Bovendien staan al zijn eerdere veroordelingen in de processtukken.'

'Het gaat er niet om dat je bij de politie werkt, het gaat erom dat je familie bent. Ze willen zijn voorgeschiedenis weten, ze zijn alleen maar in feiten geïnteresseerd.'

'Tss.' Morrow stak haar sleutel in het bestuurdersportier. 'Danny, je kunt ons amper familie noemen.'

Hij knikte bevestigend. 'Maar ik heb alleen jou.'

'Kunnen ze niet met zijn moeder gaan praten?'

Danny schudde zijn hoofd. 'Die is opgenomen. Knettergek.'

'En zijn oma dan? Die leeft toch nog?'

'Die eh... zit er niet op te wachten.'

'Hm.' Morrow zei het ook maar niet hardop: JJ had zijn oma verrot geschopt en was daarvoor veroordeeld. Die oma kon nog veel ergere dingen over hem vertellen dan Morrow.

Weer keken ze allebei naar Crystyl, die nog steeds huilde terwijl ze van het graf werd weggeleid. De paar mannen die waren achtergebleven wendden beschaamd hun blik af, alsof ze vonden dat zelfs een dode psychopaat meer decorum verdiende.

'Als ik met haar ga praten,' zei Danny, 'gaat het uiteindelijk alleen maar over mij. Ik probeer me er niet mee te bemoeien, afstand te houden, want anders wordt hij in de gevangenis nog vermoord door een of ander lulletje dat erbij wil horen. Het is een te grote puinhoop. Die vrouw wil alleen wat achtergrondinformatie.'

'Waar wil ze het precies over hebben?'

'Wat achtergrond over Johns leven. Informatie over zijn leven. Waar hij heeft gewoond en bij wie en dat soort zaken.' Danny maakte een draai op zijn hak. Nu stond hij van haar afgewend, en ademde oppervlakkig en weifelend. 'Ik maak me er niet van af, Alex. Ik probeer het goed te doen. Het is moeilijk voor me om jou om een gunst te vragen.'

Ze zou Danny helemaal afbranden. Dat was precies wat hij wilde, want dat zou gunstig zijn voor John. Maar de meeste informatie die zij te bieden had, stond ook in zijn strafdossier. Maatschappelijk werk had ongetwijfeld rapporten opgesteld toen hij ervan werd beschuldigd zijn grootmoeder te hebben mishandeld. Ze keek naar haar hand. De sleutel stak in het portier, ze had haar hand aan de sleutel, ze hoefde hem alleen maar om te draaien, in de auto te stappen en weg te rijden. 'Zoveel weet ik nou ook niet over zijn achtergrond...'

'Het gaat niet om een behandeling, het gaat om zijn veroordeling – hoe waarschijnlijk het is dat hij dit nog eens doet met een ander meisje. Hij mag niet vrijkomen als...'

Morrow haalde eens diep adem. Danny wist als geen ander hoe hij haar bespelen moest: red de meisjes, zorg dat JJ niet vermoord wordt, laten we het beter doen dan onze vader. Hij wist waar hij haar moest raken en hoeveel druk hij daarbij moest uitoefenen. Heel even kwam de gedachte bij haar op dat ze deze keer misschien dezelfde belangen hadden, dat het redelijk was om aan zijn verzoek te voldoen. Ze liet het idee bezinken, tot de bizarre moederlijke warmte die ze voelde een alarmbel bij haar deed rinkelen. Het was niet uit redelijkheid dat ze al die chaos achter zich had gelaten en bij de politie was gegaan. Dat ze zich ervan had gedistantieerd of dat ze met zo'n aardige man als Brian was getrouwd, kwam niet doordat ze had gedaan wat Danny het best achtte.

Ze draaide de sleutel om, opende het portier naar haar eigen wereld en zette één voet in de auto.

'Nee. Ik doe het niet. En Danny, hierna...' Ze opende haar hand en maakte hetzelfde gebaar als aan het graf, toen ze de gouden kwast liet vallen. Ze liet zich op de bestuurdersstoel ploffen en trok het portier dicht.

Danny keek haar door de voorruit aan, heel even maar. Hij was zwaargebouwd, had een kaalgeschoren kop en vierkante schouders, en zijn hele houding diende om te intimideren. En nu stond hij daar, met zijn kleine tanden ontbloot in de strakke spleet van zijn mond, met zijn kin naar beneden, en keek haar woedend aan.

Die uitdrukking had ze nog nooit bij hem gezien, en een steek van angst trok door haar heen, door de tweeling in haar buik, door haar mooie oude auto. Danny brak kaken en verbrijzelde handen tussen autoportieren. Danny haalde met een kapotte fles gezichten open. Danny deed dat soort dingen als hij vond dat een ander hem iets schuldig was of als hij iets gedaan wilde krijgen. Alex had sterk het gevoel dat dit de laatste keer was dat ze een vriendelijk woord met elkaar hadden gewisseld, en ze was zich ervan bewust dat zij degene was die ervoor had gekozen weg te gaan.

Rustig ademend startte ze de motor en reed langs hem. Voorzichtig stuurde ze de auto over het hoge pad aan de andere kant van de begraafplaats, en tot haar vreugde zag ze de begrafenisstoet uit haar achteruitkijkspiegeltje verdwijnen.

Ze was al bij het hek toen er een ordinair, opgewekt deuntje uit haar werktelefoon klingelde. Het was Bannerman. Ze drukte op een toets van de handsfree en zijn stem knetterde de auto in: 'Waar zit je?'

Geen goedendag, geen inleidende opmerking, alleen maar geblaf. Ze had nog geen woord tegen hem gezegd, en nu klonk hij al geïrriteerd. 'Ik rij net bij de begraafplaats weg.'

'Mooi.'

'Zou je me niet eens vragen hoe het was?'

'O?' Het was niet tartend bedoeld, het was oprecht gemeend. Bannerman had promotie gekregen en was nu haar meerdere, en hoewel het niet onverwacht was gekomen, had het een verrassende uitwerking op hem gehad. Ze hadden maandenlang een kamer gedeeld, en Morrow wist dat hij onzeker was, dat had ze afgeleid uit het valse imago dat hij zich had aangemeten met zijn warrige haar en zonverbrande wangen, en uit zijn schrijnende behoefte populair en aantrekkelijk te zijn. Wat ze niet had verwacht was dat de mening van zijn ondergeschikten opeens zo weinig voor hem betekende. Dat alles had hij afgeworpen, hij trad nu op voor een ander publiek. Tegenwoordig was hij voortdurend kwaad, hij was lomp, cru en bekte iedereen af. De mannen van het team verafschuwden hem, iets wat hij met een zekere trots onderging. Nog merkwaardiger was dat zij plotseling heel geliefd was bij de mannen, mogelijk omdat haar norsheid in elk geval oprecht was.

'Waarom zou ik dat moeten vragen?'

'Omdat het van goede manieren getuigt om te doen alsof je in een familiebegrafenis geïnteresseerd bent.'

'Oké: hoe was de begrafenis van je tante?'

'Prima.'

'Hoe oud was ze?'

'Eh, behoorlijk oud. Ergens in de tachtig, meen ik.'

'Een mooie leeftijd...' zei Bannerman.

'Ja.' Ze wierp een blik in het spiegeltje, en over het pad achter haar zag ze een oude bajesklant met zijn handen diep in zijn zakken aan komen strompelen. 'Eigenlijk wel.'

'Tja...' Hij talmde, alsof het een hele toer was om afgezaagde gemeenplaatsen over de dood te verzinnen. 'Fantastisch. Goed, we hebben een moord in Thorntonhall, dus als je daar klaar bent...'

Ze keek in haar achteruitkijkspiegel en glimlachte. 'Ik ben hier klaar.'

4

Thomas ging op het kiezelstrand zitten en hoopte dat Squeak hem daar zou weten te vinden. Hij had er al moeten zijn. Een kille wind streek over de langgerekte watervlakte vóór hem. Verderop zag Thomas schapen op de heuvels, kleine grauw-witte stipjes op het onbeschutte gras. Lang geleden hadden ze eens een boerderij bezocht. En het jaarlijkse uitstapje was naar een landbouwtentoonstelling geweest. Dat was nog een overblijfsel uit de tijd dat de meeste jongens op school later een landgoed zouden erven en geïnteresseerd waren in schapen. Dat was niet langer het geval. Het was nu een heel ander publiek. Op de terugweg hadden ze in de bus over niets anders gepraat dan of je een schaap echt kon neuken en dat ze stonken en vettig aanvoelden.

De kiezels op het strand waren zwart en kwamen niet van hier, maar waren gedumpt door een vrachtwagen van een grondverzetbedrijf. Hij raapte er een op om die over het rimpelende water te keilen, maar zag er weer van af. Dat was iets voor kinderen. Hij was geen kind meer. Hij legde de steen neer en toen hoorde hij een voetstap achter zich.

Squeak ging naast hem zitten, maar op een afstandje.

Ze hadden ieder hun jack tot aan de kin dichtgeritst en hun handen staken diep in hun zakken. Het was nu lunch in de grote eetzaal, en daarna hadden ze pauze. Nog eenentwintig minuten voor ze werden gemist, en dat werden er snel minder. Ze waren elk langs een andere route gekomen – Squeak door het bos, vanaf de kapel, en Thomas via de begraafplaats –, want als iemand hen zag konden ze zeggen dat ze elkaar toevallig waren tegengekomen.

Hoewel ze al in een eeuwigheid niet meer samen op dit stuk strand waren geweest, had Thomas er niet aan getwijfeld dat Squeak hem zou vinden. Ze kenden elkaar.

Ze waren allebei op hun achtste op school gekomen en waren veruit de jongsten van hun jaar geweest. De meeste families wachtten nog een tijdje voor ze hun kinderen naar kostschool stuurden. Thomas' vader was er op zijn zesde naartoe gegaan, maar dat werd tegenwoordig als schadelijk en veel te jong beschouwd. Zij waren acht geweest en iedereen had medelijden met ze, dacht dat er thuis problemen waren of dat hun ouders niet van hen hielden. Daardoor kregen ze een hechte band, raakten ze vergroeid en ontwikkelden een soort eigen taal, met seintjes en blikken, en met namen voor jongens die de pik op hen hadden en woorden voor de redenen waarom ze de pik op hen hadden. Spelletjes met regels die verder niemand snapte.

Squeak keek zuchtend naar het water en Thomas wierp hem een woedende blik toe. Er viel heel veel te bepraten, maar ze wisten geen van beiden hoe ze moesten beginnen. Ieder bevond zich in zijn eigen onstuimige vloed, tolde rond in wrok tegen de ander, in heimelijke zorg en schaamte, niet om wat ze gedaan hadden, maar om wat de een van de ander vond.

Ze hadden geen woord meer gewisseld sinds ze in Thornton-hall in de auto waren gestapt. Squeak had al rokend achter het stuur gezeten en Thomas was gedurende de hele rit van twee uur met vochtige doekjes in de weer geweest. Hij had er twee complete pakjes doorgedraaid en stonk als een gigantische baby, want de olie met zijn weeë parfumlucht plakte aan zijn gezicht, kroop in zijn ogen en onder zijn nagels. Hij mocht pas over twee dagen in bad, en dat terwijl de geur van de doekjes hem bijna deed kotsen, hem aan nanny Mary deed denken, hem met zo'n intense walging vervulde dat het was alsof zijn darmen wegrotten.

'Er waren geen kinderen,' zei Squeak.

Aan het einde van de rit had Squeak de auto in het dorp geparkeerd. Ze klommen over de schoolmuur en staken sluipend het terrein over, via het veld aan de achterkant en buiten het bereik van de sensorlampen achter het slaapgebouw. Het kon Thomas niet schelen of ze betrapt werden. Hij wilde betrapt worden. Maar Squeak drong erop aan naar binnen te klimmen via Thomas' raam, dat ze opzettelijk open hadden gezet. Ze stonden in het donker en meden elkaars blik, tot Squeak 'trusten' mompelde en naar zijn eigen kamer ging.

Vanochtend hadden ze elkaar bij het ontbijt gezien, ieder vanaf zijn eigen kant van de eetzaal. Squeak met zijn roodomrande ogen maakte een vermoeide indruk; hij lepelde zijn pap werktuiglijk naar binnen terwijl zijn lege blik door de ruimte zwierf en heel even op Thomas' gezicht bleef rusten.

Nu klotste het water zachtjes tegen de stenen. Squeak haalde zijn tabaksblik uit zijn zak en opende het, nam er een blowtje uit, stak het aan en zoog de rook op. Hij hield zijn adem in, draaide van opluchting zijn ogen omhoog en blies weer uit, waarna hij Thomas de joint aanreikte.

Die wist niet hoe hij moest weigeren en nam hem aan. Hij deed alsof hij een hijs nam, hield de joint lang genoeg vast en zoog een beetje rook op zonder diep in te ademen. Hij gaf hem terug.

'Geen zin?' vroeg Squeak, om aan te geven dat hij het wel gezien had.

'Neu.' Thomas liet zich achterover op zijn ellebogen zakken, maar de vluchtige blik die hij op Squeaks rug wierp, logenstrafte zijn ontspannen houding. In de plotselinge overtuiging dat Squeak wist dat hij alleen maar deed alsof hij ontspannen was, ging hij weer rechtop zitten. 'Hoe heb je geslapen?'

Squeak wierp een schuinse blik over zijn schouder – minachtend, leek het, maar dat kon ook aan zijn positie liggen. 'Niet slecht.' Hij keek weg en nam weer een hijs. Een diepe hijs, alsof hij net op tijd zijn woorden inslikte.

Thomas hield het niet langer. 'Wilde je iets tegen me zeggen?' snauwde hij.

Squeak draaide zich langzaam om. 'Ik? Zou ík iets tegen jóú willen zeggen?'

Overrompeld door de kracht van zijn reactie kromp Thomas ineen. Squeak schoot de joint het meer in. 'Jezus, wat zou ik nou tegen jou moeten zeggen? Er wáren geen kinderen.'

Opeens stonden Thomas' ogen vol tranen. Zijn kin verkrampte tot een strakke bal en Squeak pakte hem vast en stak zijn nagel zowat in zijn oog. 'Niet janken, godverdomme. Wat de fuck, jij hebt me meegenomen. Je zei dat zij het was, je zei dat je het zeker wist. Waag het niet om te janken.'

Hij liet los, ging weer zitten en keek woedend over het water.

'Hij heeft gezegd...' fluisterde Thomas.

'Heeft hij haar naam genoemd? Heeft hij iets over dat huis gezegd?'

Dat had hij niet. Hij had geen specifieke naam genoemd. Thomas had haar nummer ergens op het bureau van zijn vader opgedoken en had in een oud mailtje haar adres gevonden.

Van schrik ademde Thomas diep in en zijn tranen weken terug. Hij ontspande zijn kin en wreef met een ruw gebaar zijn ogen droog, want stel dat er iemand langs de oever liep en hen zag. Hij zou kunnen denken ze liefjes waren die ruzie hadden.

Een dergelijk gerucht bleef aan je kleven, achtervolgde je de rest van je leven, ook al neukte je elke bitch in Fulham.

Het vorige jaar rond kerst had hij met zijn vader door een straat in Londen gelopen; het was koud en alles begon al fout te gaan.

Zijn vaders naam deed de ronde, eerst op internet en toen in de kranten. Ze waren kerstcadeaus aan het kopen en ontmoetten een kennis van zijn vader.

Het was een imposante man, knap en fit voor een vijftigjarige. Hij maakte een zelfvoldane indruk. Thomas wist nog dat hij naar een sportauto wees en zei dat hij die zichzelf voor kerst had gegeven. Maar zijn vader had zich smalend en neerbuigend over de man uitgelaten. Toen ze bij hem wegliepen zei zijn vader dat de man op school een klas lager dan hij had gezeten, en dat hij op een keer na rugby onder de douche een erectie had gekregen. Gniffelend zei hij dat ze het hem nooit lieten vergeten. Vanaf dat

moment had iedereen hem Stijve genoemd. Thomas moest lachen omdat zijn vader 'erectie' zei, dat vond hij grappig, maar
toen hij er later over nadacht, er echt over nadacht, vond hij het
een beangstigend verhaal. Het was niet zozeer de suggestie van
homoseksualiteit die hem angst aanjoeg – eigenlijk kon niemand
dat iets schelen – maar de kwetsbaarheid, dat je je zo blootgaf
waar iedereen bij was, iets privés dat aan de openbaarheid werd
prijsgegeven. Nu probeerde hij sport te vermijden als hij zich niet
kort van tevoren kon afrukken, uit angst zelf zo'n soort naam te
krijgen.

Weer deed Squeak zijn blikje open en deze keer stak hij een sigaret op. Hij nam een diepe hijs, zoog zijn wangen naar binnen,
opende zijn mond en liet de rook in zijn vuist kringelen, waarna
hij hem weer opzoog.

'Zo krijg je kanker, keelkanker,' zei Thomas, die dat ergens
had opgepikt.

'Echt?'

'Door de rook een tijdje in je mond te houden. Sigarettenro-
kers krijgen longkanker, maar sigarenrokers krijgen gezichts- en
keelkanker. Dat komt daardoor. Dat weet ik van mijn vader.'

Squeak trok weer een kwaad gezicht. 'Weet hij het al?'

Thomas schudde zijn hoofd. 'Hij belt sowieso niet vóór het
studie-uur. Hij kent de regels.'

'Toen hij hier zat, hadden ze vast nog geen mobieltjes.'

'Je werd toen gebeld op een van die twee grote zwarte telefoons
in de achterste gang, en als er iemand langskwam nam die op en
ging je zoeken, die sullen.' Hij glimlachte, in het besef dat hij net
als zijn vader klonk. 'Soms was het aan de andere kant van de
school, maar toch deden ze het.'

Het interesseerde Squeak niet. 'Het is trouwens wel lekker als
je het uitblaast en dan weer opzuigt.'

Thomas lachte aarzelend, een triest lachje, maar niettemin
een lach. 'Jij moet ook gaan roken,' zei Squeak door een mondvol
rook. 'Dan zou je er gelijk wat ouder uitzien.'

'Hm.' Het was niet hatelijk bedoeld. Thomas vond het niet
erg dat hij zo jong leek. Squeak daarentegen schaamde zich voor

zijn magere lijf en voor zijn ribben waarvan de onderste uitstaken. Ze wisten alles van elkaar. Plotseling besefte Thomas dat dat verklaarde waarom ze gisteren zo van slag waren geweest. Voor het eerst sinds hun achtste hadden ze elkaar verbaasd doen staan. Verbaasd over wat er was gebeurd.

'Shock-and-awe,' mijmerde hij hardop.

Squeak keek hem aan om te zien of hij hem voor de gek hield of ergens over wilde beginnen. Toen hij zag dat het geen van beide was, glimlachte hij. 'Shock-and-awe?'

Thomas gaf een droevig knikje in de richting van het meer. 'Zo was het toch? Gisteren.'

Squeak nam weer een trek van zijn sigaret. Met een grijns blies hij de rook uit. 'Echt wel.'

5

Alle huizen in Thorntonhall waren groot en stonden ver uit elkaar. Zelfs de eenvoudiger huizen hadden zich teruggetrokken
in indrukwekkend grote tuinen of anders hadden ze een gigantische, aan het oog onttrokken uitbouw aan de achterkant. De
heggen langs de weg waren onberispelijk gesnoeid.

Morrow, die door het passagiersraampje naar buiten keek,
snapte niks van de indeling van het dorp. Aan de rand stonden
hoge victoriaanse villa's, maar meer naar het midden hadden de
huizen een jarenzeventiguitstraling, met hoekige daken en grote
ramen aan de voorkant. Ze vroeg zich af of het dorpscentrum tijdens de oorlog was gebombardeerd.

Haar chauffeur ging met een scherpe bocht naar links een met
bomen omzoomde laan in, die naar het opgegeven adres voerde.
Nu ze zich van de hoofdweg verwijderden, was alles nog nieuwer:
landhuizen van beige baksteen in nabootsing van de stijl van de
oudere villa's, maar wel met dubbele garages, dubbel glas en dubbel wat-niet-al.

Aan het einde splitste de laan zich in twee opritten. Een gloed-
nieuw pad met gele, in visgraatmotief gelegde stenen leidde heuvelafwaarts naar een grote moderne bungalow, maar de afsplit-
sing naar boven was een slecht afgewerkte strook asfalt die naar
een vervallen buitenhuis van grijze steen voerde.

'Er klopt niks van dit dorp,' zei ze. 'Waar zijn hier de winkels?
Wie bouwt er nou een villa vlak bij zo'n ruïne?'

'Waarschijnlijk is dat het oorspronkelijke huis dat bij het landgoed hoorde,' zei de chauffeur zachtjes, en ze knikte heuvelopwaarts.

'Landgoed?' Morrow schoof naar voren.

De chauffeur maakte opeens een wat verlegen indruk en Morrow verstond haar slechts met moeite. 'Nou, dit huis hier, waar we naartoe rijden, is het oudste huis en staat op het hoogste punt. Ziet u dat de oudere huizen wat verder weg staan? Al het land hoorde ooit bij dit huis. Het is stukje bij beetje verkocht, eerst het verst afgelegen land, toen de grond wat dichterbij, en ten slotte de percelen waarop die enorme nieuwe huizen staan.'

Morrow keek naar de sombere oude villa en ze zag wat de chauffeur bedoelde. Ze voelde een huivering van opwinding en in gedachten zag ze het dorp groeien.

'Hoe weet je dat?'

Maar zo gemakkelijk liet de chauffeur zich niet in de kaart kijken. 'Gewoon... ik kijk veel naar architectuurprogramma's... op tv.'

Ze bogen zich turend naar voren toen de auto de steile helling nam, en Morrow kon niet wachten tot ze er waren, tot ze het voelde trillen in haar zenuwuiteinden. Dit was niet de oorspronkelijke oprit, bedacht ze in aanvulling op de conclusie van de chauffeur, want een paard-en-wagen zou die scherpe klim niet hebben kunnen nemen. Het was een nieuwe toegangsweg naar het huis, aangelegd toen de oude oprit verkocht werd voor de villa met het visgraatwegdek. Voor het eerst keek ze eens goed naar de chauffeur. Ze was een nieuwkomer, maar al wat ouder, ergens in de dertig, en ze bezat de vormelijkheid van iemand die nog maar net uit het uniform was. Ze was knap en donker, met een schitterend Perzisch profiel. En ze was Engels.

Morrow vroeg niet door. Boven op de heuvel ging het asfalt over in grind en verloor de auto grip. Aan de voorkant van het huis zagen ze rechercheur Harris, die met een bezorgd gezicht bij twee patrouillewagens en een grote bus van de forensische recherche stond.

De voorgevel van het huis bood een solide aanblik en bezat een aangename symmetrie. Hij was van grijs steen, met kleine ramen en een grote groene voordeur boven aan een korte trap.

'Wat is dat eigenlijk voor stijl?'

De chauffeur keek even op. 'Georgiaans.'

'Hoe weet je dat?'

Fronsend bestudeerde de chauffeur het huis. Ze wist het antwoord, dat zag Morrow zo, en ze snapte ook waar haar aarzeling om ervoor uit te komen op gebaseerd was. Een brede kennis van architectonische stijlen was geen aanbeveling in de kantine, en het feit dat ze vrouw, ouder en Engels was, creëerde toch al een onoverbrugbare afstand tot de rest van het korps. In het korps ging het er alleen om of je erbij hoorde, wij tegen de anderen.

De vrouw bloosde licht. 'Eh, tja, alles is nogal vierkant, maar vooral aan de ramen kun je het zien. Ziet u die drie ramen op de eerste verdieping?' Morrow keek op en zag drie kleine schuiframen op gelijke afstand van elkaar. 'Dat is typerend, maar het is wel laat-Georgiaans.' Ze wees naar de groene voordeur in het vierkante portiek boven aan de zes traptreden. 'Dat is ook Georgiaans. Dat soort deuren zie je veel in Bath en Dublin. Hebt u de ovale kamers aan de achterkant gezien?'

'Waar?'

'De middelste kamers aan de achterkant van het huis vormen een halve cirkel. Dat is Georgiaans. Die uitbouw daar'– ze wees naar een vleugel die aan de zijkant was aangebouwd, uit dezelfde steensoort, maar met drie hoge ramen naast elkaar – 'dat is neoclassicistisch. Dat is een latere stijl. Victoriaans.'

Morrow keek haar aan. Ze droeg een pakje dat te duur was voor iemand van haar rang. 'Waar kom jij in godsnaam vandaan?'

'Uit Surrey. East Molesey.'

'Wat heb je hier dan te zoeken?'

'Mijn partner kreeg hier een baan en toen heb ik gesolliciteerd. Ik ben er wat laat bij gekomen.'

Dat was te merken. Ze liet zich niet intimideren door Morrows rang, en schoolpleingekonkel was haar vreemd. 'Wat heb je hiervoor gedaan?'

39

'Ik had een eigen zaak, elektronica.'

Morrow bromde wat. Dit ging verdacht veel op een gezellig gesprekje lijken. Ze vroeg zich af of 'partner' een codenaam was voor 'lesbische partner' of dat het een gebruikelijke uitdrukking was in Surrey. Ze zag er niet potteus uit, maar dat gold tegenwoordig voor de meeste lesbiennes. 'Zijn ze een beetje aardig voor je?'

Ze haalde een schouder op en wendde knipperend haar blik af. Nee dus, ze waren niet aardig, maar ze liet zich er niet door uit het veld slaan en ze was ook niet van plan er iets over te zeggen.

Morrow was onder de indruk. 'Goed zo. Ben je ambitieus?'

Ze keek Morrow aan en gaf een kort knikje, maar haar ogen stonden behoedzaam. Tegenwoordig gaf niemand graag toe dat hij ambitieus was.

'Mooi. Want als je vóór hen promotie krijgt, zeggen ze dat het komt doordat je vrouw bent. Je bent intelligent, dat heb je al tegen, net zoals het feit dat je vrouw en Engels bent en... nou ja.'

De chauffeur deed alsof ze niet hoorde wat er stilzwijgend gezegd werd, maar met een scheef lachje om haar mond trok ze de handrem aan. Ze bleven zitten terwijl Harris op de auto afliep. Zijn huid was zo Schots dat een ruitpatroon er nog maar net aan ontbrak: wit zwemend naar blauw. Hij had kleine oogjes, zwart haar en een belachelijk klein mondje, dat amper de breedte van zijn neusgaten overspande.

'Hoor eens,' mompelde Morrow toen Harris eraan kwam. 'Ik zal niemand vertellen dat je dat gezegd hebt, dat je ambitieus bent.'

'Bedankt, chef,' zei ze snel.

'Maar je bent slim, dus eh, hou je gedeisd en, hm...' Morrow was zich er plotseling van bewust hoe weinig tijd ze nog had, nog even en ze telde niet meer mee. Ze wilde behulpzaam zijn, maar ze had niets concreets te bieden. 'Ik maak gewoon gebruik van jouw ideeën en doe alsof ik ze zelf heb bedacht.'

Het was als stom grapje bedoeld, maar de chauffeur bedankte haar nogmaals en even spraken ze door elkaar heen.

Ze deden gelijktijdig hun portier open en stapten uit. Morrow was blij dat Harris er was zodat ze niet meer met elkaar hoefden te praten.

'Goed.' Harris keek de chauffeur fronsend aan. 'Jij... gaat buurtonderzoek doen. Vraag in elk geval of ze iets gezien hebben. Of ze de bewoners van dit huis kenden. En of ze hier recentelijk nog geweest zijn. We moeten weten of er dingen gestolen zijn. Je gaat met Wilder mee.'

De chauffeur knikte en liep naar rechercheur Wilder, die bij de auto's rondhing.

'Wie is dat?' vroeg Morrow zodra de vrouw buiten gehoorsafstand was.

Harris keek op. 'Rechercheur Tamsin Leonard.'

'Is ze slim?'

Harris liet wat vaag gebrom horen. Morrow had hem wel kunnen slaan. Sinds de laatste loonsverhoging kregen gewone rechercheurs beter betaald en bovendien telde elke extra minuut buiten hun diensttijd mee. Het was een rampzalige maatregel. De mannen verdienden meer dan de rechercheurs met de rang van brigadier, maar hoefden niet dagenlang in touw te blijven tot een zaak was opgelost. Tegenwoordig werd het als verraad beschouwd als je voor promotie werd aangewezen, en de slimme jongens verscholen zich tussen de sukkels. Maar de desillusie ging dieper. Door de lompheid van Bannerman was het voor de mannen een erezaak geworden om hun licht onder de korenmaat te zetten, alsof Bannerman er alleen maar hufteriger van werd als zij hun werk goed deden. De strijdlustigheid raakte steeds dieper verankerd. Morrow zag hoe die verhardde van een gewoonte tot teamcultuur.

Ze keek op naar het dak van het Georgiaanse huis, alsof ze het pand in ogenschouw nam, maar ze was gewoon blij dat ze een excuus had om haar rug even te strekken. 'Ben je binnen geweest?'

Harris knikte en keek wat ongemakkelijk naar de grond. 'Hm...'

'Wat is er?' vroeg ze. 'Smerig?'

'Heel smerig,' zei hij zachtjes.

'Wanneer is het gebeurd?'

'Het afgelopen etmaal. Waarschijnlijk gisteravond.'

Morrow keek weer omhoog. De dakpannen lagen dicht op elkaar en niet helemaal recht. Opeengepakt dood blad hing over de goten rond het dak. Aan de zijkant van het huis, in het volle zicht, zakte een septic tank zowat door zijn roestige standers. Op de hoek aan het uiteinde, boven een raam, zat een geel zeshoekje met het alarm, maar het kunststof was door de zon gebleekt en de blauwe letters waren niet langer leesbaar.

'Is dit niet zo'n huis dat kapitalen waard is en kapitalen kost?'

Harris knikte en keek naar zijn aantekeningen. 'Hoe was je begrafenis?'

'Het was niet míjn begrafenis.'

'Nee, dat weet ik...'

'Het was mijn tantes begrafenis.'

Ze had moeten liegen. Ze had al eens gezegd dat haar vader was gestorven, omdat ze het niet over haar lippen kon krijgen dat het haar zoontje betrof. Daar was ze heel lang niet toe in staat geweest. Uiteindelijk gaf ze toe dat Geralds dood de aanleiding van haar depressie was geweest, maar ze had nog altijd gedaan alsof haar vader rond dezelfde tijd was gestorven. Van de afdeling welzijn had ze de ene zinloze therapeutische sessie na de andere moeten uitzitten. Ze maakte het traject af in de wetenschap dat er niets was wat hielp, en dat haar bazen alleen de urenregistratie te zien zouden krijgen. Haar vaders dood was de enige leugen die ze niet wilde toegeven. Het was een bevrijding, het verbrak de band met de beruchte McGraths, en het gaf haar een gevoel van triomf als ze beweerde dat hij dood was terwijl hij nog leefde. Alsof ze hem zelf had gedood.

'Ja,' zei Harris. 'Je tante.'

'Het was wel oké.'

'Ja, mooi.'

Weer keek ze op. Ooit had iemand veel van het huis gehouden: een appelboom in de voortuin hing vol fruit dat niet werd geplukt en dat al gedeeltelijk op de grond viel en wegrotte in het hoge gras. De bloembedden waren omgespit, maar niet beplant.

Ze vond het deprimerend – het deed haar aan Danny en John

denken, aan de broosheid van familie, hoe alles, ook al klopte het nog zo goed, van het ene op het andere moment moeiteloos in een puinhoop kon veranderen. 'Waar is het geld?'

Harris keek haar aan, en de kleine 'o' van zijn mond was als een niet-gegeven kus. 'In de keuken.' Hij trok zijn wenkbrauwen op. 'Het is meer dan we dachten. Het is in euro's.'

'Hoge coupures?'

'Vijfhonderdjes.'

Glimlachend keken ze naar het huis. Bankbiljetten van vijfhonderd euro betekenden meestal witwasgeld, betekenden meestal drugs. Het was de hoogst beschikbare coupure in een betrouwbare munteenheid, en nam veel minder ruimte in beslag dan honderddollarbiljetten. 'Hoeveel?'

'God, ik zou het niet weten, tonnen?' Hij grijnsde. 'Wacht maar tot je het ziet.'

'Is er iemand bij?'

'Ja, Gobby. Hij is blij dat hij mag zitten.'

Ze begon het huis steeds boeiender te vinden. 'Ze had al dat geld, maar ze gaf het niet uit? Is het soms van iemand anders? Misschien wist ze niet dat het er was.'

Harris haalde zijn schouders op. 'Zou kunnen, maar het is niet waarschijnlijk. Wacht maar tot je ziet waar het is.'

Als het drugsgeld was, zou het naar een groep kunnen leiden, een grote internationale bende. Er zou een mooie, nette zaak uit kunnen voortvloeien, met nog wat extra meevallertjes.

'Het is in elk geval goed georganiseerd, want het is geen losse cash. Er zitten van die bandjes van de bank omheen.'

'Ken je deze omgeving?'

Hij schudde zijn hoofd. 'Ik loop al een uur in en om het huis rond, maar ik heb alleen nog maar werklui en tuinlieden op straat gezien.'

'Inspecteur?' Leonard had bij Wilder staan wachten, maar kwam nu aansnellen. 'De chef heeft gebeld. Hij zegt dat uw telefoon is uitgeschakeld en daarom heeft hij hem gebeld.' Ze wees naar Wilder, die op zo'n honderd meter afstand met zijn diensttelefoon in zijn hand stond. Hij keek wat stiekem. Hij was zo wijs geweest niet zelf met het nieuws te komen. 'Hij wil u spreken.'

'O?'

Naast haar liet Harris bij wijze van wrang commentaar een kuchje horen.

Leonard snapte niet wat er speelde. 'Eh, ja?' vroeg ze onzeker.

'Zeg maar dat je me niet kon vinden.' Ze keerde haar abrupt haar rug toe en vroeg aan Harris: 'En, hoe zit het allemaal?'

'Een vrouw, vierentwintig. Haar moeder is hier onlangs gestorven...'

'Is die van haar...?' Ze wees naar een stalen rolstoelhelling die tegen de trap naar de voordeur stond.

'Ja, de moeder zat in een rolstoel.'

'Kwamen er mensen om haar te verzorgen?'

Harris wierp een blik in zijn aantekeningen. 'Ze had dag en nacht zorg. In de woonkamer heb ik een stapel rekeningen gevonden.'

'Duur?'

'God, ja. Als ik dat zie, ga ik alvast paracetamol sparen voor mijn eigen moeder.'

'Zou het geld daarvoor bestemd zijn geweest?'

'Dan zou ze het toch op de bank zetten? Als het eerlijk geld was.'

Vanuit hun ooghoek zagen ze Leonard wegsluipen.

'Vraag eens na bij de betreffende instelling en probeer erachter te komen wie hier kwamen, wie er een sleutel hadden en dat soort zaken.'

Leonard was inmiddels terug bij Wilder en ze zagen haar zoiets als 'ik kan haar niet vinden' zeggen. Wilder stak haar de telefoon toe. Tot haar vreugde zag Morrow Leonard met opgeheven handen terugwijken.

'Het is duidelijk wie de vuile karweitjes mag opknappen,' merkte Harris geamuseerd op.

Morrow kon een lachje niet onderdrukken. 'En, de naam van het slachtoffer?'

'Sarah Erroll.' Harris verbleekte enigszins.

'Je ziet er bescheten uit, Harris.'

'O...' Met een hoofdknik wees hij naar de trap die naar de groene voordeur leidde. Hij vertrok zijn gezicht en wierp een blik op haar buik. 'Ik weet het niet, hoor...'

'Tss,' zei Morrow. 'Lieve hemel, niet dát gezeik.'

Ze keek hem weer aan. Harris was oprecht bang dat ze het niet aankon. Dat voorspelde weinig goeds, dacht ze, want Harris was behoorlijk gehard.

Ze keek langs de trap naar de open voordeur. Binnen zat een technisch rechercheur in een wit pak op zijn knieën het slot te bestuderen, en achter hem gaapte het zwarte gat van het huis. 'Wie heeft haar gevonden?'

'Ze had een afspraak met haar notaris op zijn kantoor. Het zou over de nalatenschap van haar moeder gaan. Toen ze niet kwam opdagen, is hij hiernaartoe gegaan...'

Dat klonk niet goed. 'Was dat zo verdacht dat het een bezoek rechtvaardigde?'

'Blijkbaar was het niets voor haar. Ze was betrouwbaar, kwam haar afspraken altijd na. Het ging om belangrijke documenten. Hij zocht haar dus op en vond haar. Hij is nog steeds binnen.'

Ze waren er nu bijna een uur. Morrow was niet alleen laat vanwege de begrafenis, ze was eerst naar het bureau gereden om haar auto te parkeren. Politiemensen mochten niet in hun eigen auto naar een klus rijden voor het geval ze iemand aanreden of gevolgd werden naar huis. 'Is hij nog steeds hier? Haal hem daar weg. Breng hem naar het bureau – waarom is hij nog steeds hier?'

Harris ademde hoorbaar in. 'De indringers zijn aan de achterkant naar binnen gegaan. De technische jongens zijn daar bezig, maar we willen hem niet langs het lichaam naar buiten brengen. Hij zit dus min of meer vast.' Harris kuchte. 'De jongens noemen haar "mooie benen".'

'Wie?'

'Sarah Erroll.'

'Is er dan iets met haar benen gebeurd?'

'Nee – "jammer van het gezicht", zeggen ze.' Hij zoog lucht tussen zijn tanden door. 'Het is echt smerig.'

Morrow kreunde. Het was slecht als het slachtoffer een uur na de start van het onderzoek al een bijnaam had die haar van haar menselijkheid beroofde. Het was toch al moeilijk om de mannen te laten toegeven dat het hun iets deed. Er was maar één ding erger dan een gewelddadige dood, vond ze, en dat was een vernederende of rare dood. Dan kon het niemand iets schelen en het was van invloed op de kwaliteit van het onderzoek.

Toch moest er enig mededogen zijn, want Harris zag bleek, hij keek bedroefd, en met zijn blik tastte hij het grind af alsof hij iets kwijt was en zich er zorgen over maakte.

Morrow keek weg. 'Is het soms iets seksueels?' mompelde ze.

Harris zweeg even om adem te halen en ze kromp ineen. Ze haatte seksmoorden. Iedereen haatte ze, niet alleen uit empathie met het slachtoffer, maar ook omdat seksmisdrijven corrumperend waren en hen naar weerzinwekkende donkere oorden in hun eigen geest voerden, hen vervulden met achterdocht en angst, en niet altijd voor anderen.

'Nee,' zei hij ten slotte, maar hij klonk onzeker, 'zo op het oog niet. Geen aanranding. Ze zag er anders goed uit. Slank... Er zijn foto's. Het zou een mogelijk motief kunnen zijn.' Harris haalde weer diep adem en met vragend opgetrokken wenkbrauwen gaf hij een schuin knikje in de richting van het huis. 'Ik meen het, chef, het is heel erg.'

Opeens werd ze woedend. 'Dat zeg je de hele tijd, Harris – zo langzamerhand weet ik het wel.'

Glimlachend keek hij naar de grond. 'Oké.'

Met de rug van haar hand gaf ze hem een harde klap op zijn arm. 'Over spanningsopbouw gesproken. Je zou filmtrailers moeten maken.'

Terwijl ze naar de trap liepen, deed Morrow alsof ze haar woede nauwelijks kon bedwingen, maar Harris glimlachte en was niet langer bezorgd om haar.

Woede was haar troefkaart, de enige emotie die verdriet aan de kant kon vegen. Boos blijven, afstand houden. Iedereen was bezorgd omdat ze nog steeds werkte nu ze zwanger was. Ze zag zichzelf vervagen in de ogen van de grote bazen, een onzichtbare factor worden, als het ware sterven. Ze maakten belachelijke zinspelingen: dat ze door haar toestand vergeetachtig kon worden, emotioneel, incapabel. In werkelijkheid had de zwangerschap haar geest gescherpt en haar bij het heden bepaald. Wat haar betrof, kwam er nooit een einde aan. Ze wist dat haar angst gedeeltelijk te maken had met de plotselinge dood van haar zoontje, maar als agent had ze ooit een tijdje op de intensive care gezeten, waar ze een pasgeborene moest bewaken die geadopteerd zou worden. De moeder had geprobeerd het kind dood te steken dwars door haar eigen buik heen, en er werd gevreesd dat ze uit haar kamer zou ontsnappen om het alsnog iets aan te doen. Terwijl Morrow daar zat, had ze van een verpleegster de cijfers voor tweelingen vernomen. Voorlopig leefde ze van het ene moment in het andere, gaf zich eraan over zolang het duurde, genoot van alle fysieke details van deze voortijd, van de smaak van eten, van haar diepe slaap, van het intieme gekriebel onder haar huid. Ze had nog nooit zo intens in het heden geleefd als nu.

Ze liepen samen de trap naar het huis op en speurden de grond af op zoek naar sporen. De stenen waren vlekkerig van het korstmos en ook de balustrade was begroeid met mos. Een wegroestende gietijzeren laarzenschraper was in de onderste tree verzonken, met aan weerszijden zich op hun achterpoten verheffende leeuwen waarvan de neus en de oren tot stompjes waren afgesleten.

De deur boven aan de trap was groen, zwaar en solide. Een technisch rechercheur zat op zijn knieën schraapsel van het koperen slot te verzamelen. De indringers waren niet hierlangs naar binnen gegaan, maar niettemin moest worden aangetoond dat niemand zich op een andere wijze toegang had verschaft. Een recent geval van huisvredebreuk was gestrand in de rechtszaal omdat een sluwe advocaat gerede twijfel had gecreëerd door te suggereren dat onbekenden mogelijk via een tweede ingang naar binnen waren gegaan. Het was een verordening van boven: ze moesten hun beperkte middelen aanwenden om te bewijzen dat iets niet had plaatsgevonden terwijl haren en vezelsporen ondertussen door de gangen waaiden.

Harris liep achter haar en toen ze heel even wankelde op een van de treden, voelde ze zijn handpalm langs haar rug strijken. Ze was nog maar vijf maanden zwanger, maar nu al was ze gigantisch. Haar zwaartepunt verschoof telkens als de tweeling bewoog. Ze keek glimlachend achterom en hoorde hem zacht snuivend lachen.

In het krappe portaal aan de andere kant van de deur lag een zwartstenen vloer. Aan de ene kant stond een verweerde eikenhouten bank, onder een rij jashaken die allemaal leeg waren, op een na, met een grijs wollen jasje aan een hangertje. Het was een opvallend jasje, chic, met ronde revers, een strakke taille en een strook bij de heupen. Een rood label met goudkleurige letters was nog net zichtbaar. Een wijwaterbakje hing met een touwtje aan een spijker in de deurpost. Het halfronde sponsje was uitgedroogd en geel.

'Papen?' Ze had het nog niet gezegd of ze vroeg zich al af of het woord beledigend was.

Harris knikte. 'Ik denk het.'

Ze had het niet moeten zeggen. Ze wist zeker dat het kwetsend was. 'Is dat niet ongebruikelijk? Ik dacht altijd dat je als katholiek geen rijke landeigenaar kon zijn. Ze konden geen land erven of zo...'

Harris haalde zijn schouders op. 'Misschien zijn ze bekeerd.'

Morrow verwachtte een rij modderige laarzen in het portaal. In plaats daarvan zag ze een paar elegante, zwartfluwelen, hooggehakte schoenen, die nonchalant op de vloer waren achtergelaten. De ene schoen stond overeind, terwijl de andere op zijn kant lag. Ze waren nieuw: er zat amper een krasje op de rode zool. Ernaast lag een Samsonite koffertje op wieltjes: een fraai gevormd ovaal van witte kunststof met een uitgeponst krokodillenpatroon. Het koffertje was voor handbagage, schoon en splinternieuw, met een eersteklas-bagagelabel van British Airways door het handvat. Morrow keek ernaar terwijl ze eroverheen stapte. Glas Intl vanuit Newark, gedateerd op de vorige dag, op naam van Erroll. Het was trouwens wel een klein koffertje om mee naar New York te reizen.

Ze wees naar het handvat. 'Het is handbagage, maar ze heeft

het ingecheckt. Waarom heeft ze dat gedaan?'

'Het gewicht?'

'Misschien. Had ze nog andere bagage bij zich?'

'Niet voor zover we weten.'

Ze wees ernaar. 'Laat het op vingerafdrukken onderzoeken en neem het mee naar binnen. Ik wil weten wat erin zit. En bel de Amerikaanse immigratiedienst. Op haar visumformulier staat het hotel waar ze verbleef en ook hoe lang.'

Harris krabbelde het allemaal in zijn notitieboekje.

'Wat weten we ondertussen van haar?'

'Erg weinig. Volgens haar paspoort is haar moeder haar enige naaste familie, maar die is dood. We hebben haar nationaal verzekeringsnummer gevonden, maar het lijkt wel of ze nooit gewerkt heeft.'

'Dat zou kunnen kloppen. Misschien leefde ze van familiegeld?'

'Maar dan betaal je toch nog steeds inkomstenbelasting? Op rente of iets dergelijks?' Harris keek naar het eersteklas-bagagelabel. 'Ze had wel geld.'

'Zou ze in het buitenland hebben gewerkt? Of getrouwd zijn? Onder een andere naam?'

Hij haalde zijn schouders op.

Morrow keek de donkere gang in. 'Misschien was dat geld in de keuken haar erfenis, en had ze die verborgen vanwege de belasting.'

'In nieuwe briefjes van vijfhonderd euro?'

'Ja, dat is waar.' Ze zaten er nu middenin en spraken in een soort steno, waarbij ze half afgemaakte gedachten maar half verwoordden en alles met dezelfde blik bekeken. Weer vond ze het doodzonde dat Harris zichzelf niet voor promotie naar voren schoof. Bij hem ging het niet alleen om het geld, het was iets persoonlijks: hij verachtte Bannerman. Ze zag Harris ineenkrimpen als de naam van de man in zijn aanwezigheid viel, en als een van de mannen weer eens op die typische Bannerman-manier vernederd werd, keek iedereen naar Harris. Ze hoopte dat ze niet meer op de afdeling zat als het tot een confrontatie kwam.

Via een binnendeur kwamen ze in de hal, die er indrukwekkend uitzag, ook al ontbraken de ramen. Er waren twee grote eikenhouten deuren, waarvan de ene toegang gaf tot een reusachtige, lege woonkamer met verbleekt blauw zijdebehang en de andere tot een armoedige bibliotheek. In de rechtermuur was een grote, platte boog uitgebroken die naar de victoriaanse uitbouw en de trap voerde.

Het donker werd nog geaccentueerd door een halfhoge houten lambrisering en donkerbruin behang met gouden spikkels. Al het licht in het vertrek kwam door de boog. Waar het zonlicht viel was het bruine behang aan de linkerkant van de hal verschoten tot een opvallende oranje diagonaal: een lichte veeg tijd die over de muur liep.

De zwart-witte tegelvloer was vuil en zat vol putjes. Net als het portaal was ook de hal merkwaardig genoeg verstoken van meubilair en andere spullen. Ze zag lege plekken, lichtere tegels, donkerder behang waar meubels waren weggehaald en schilderijen van de muur waren genomen. Ze wees ernaar.

'Diefstal?' opperde Harris.

Morrow keek naar een vierkante plek op de muur van bijna twee meter hoog en met donkerder behang. Hier had heel lang een reusachtige kast gestaan. 'Dan zijn ze met een verdomd grote bus gekomen.'

Haar blik viel erop omdat het zo'n onhandig ding was: door de opening naar het trappenhuis, tegen de muur, zag ze een rode mobiele telefoon. Het was een lomp, onelegant geval dat achteloos op zijn kant lag. Het paste niet bij de fluwelen hoge hakken in het portaal.

'Wat is dat? De telefoon van haar moeder?'

'Dat,' zei Harris met een glimlach, 'is een taser vermomd als telefoon: negenhonderdduizend volt.'

'Hebben ze die laten liggen?'

Hij haalde zijn schouders op. 'Die hebben ze laten liggen of anders was hij van haar, dat weten we niet. Ze zijn te koop in de vs.' Hij knikte weer naar het koffertje. 'Ze ging er vaak naartoe, volgens haar paspoort bijna elke maand.'

Morrow was verbaasd. 'Komt het geld daarvandaan?'

'Blijkbaar ging ze nergens anders naartoe.'

De tasertelefoon was mogelijk achtergelaten door de indringers. Sporen in de vorm van voorwerpen die op de plaats delict waren achtergelaten, lagen soms op verscholen plekken, waren onder autostoelen gevallen, weggeschoven onder zware meubelstukken, tussen armleuning en kussen van een bank beland, maar soms werden ze in het volle zicht aangetroffen. De meeste mensen keken bij vertrek een kamer vluchtig door, maar in de verhoogde staat van bewustzijn na het plegen van een misdaad kon het gebeuren dat een crimineel wel zijn sigarettenpeuken meenam maar vergat dat hij buiten nog een auto had staan.

Ze deed een stap terug en keek de hal nog eens rond, waarbij ze haar blik opnieuw op de telefoon liet vallen. Erg zichtbaar. Het leek onwaarschijnlijk dat ze hem hadden laten vallen en op weg naar buiten niet meer gezien hadden. Ze hoefden maar één keer achterom te kijken. Er stond ook niets waarachter hij verdwenen kon zijn. 'Volgens mij is hij van haar. Had ze reden zich bedreigd te voelen, door een recente inbraak bijvoorbeeld?'

'Ik zal het eens navragen.'

Ze sloeg het op in haar geheugen en was zich bewust van de rustgevende kalmte die over haar kwam als ze een ongerijmdheid bespeurde. Ze nam er nota van en wachtte geduldig tot de betekenis zich openbaarde. Dit leek ingewikkeld en verwarrend, het soort zaak dat ze 's avonds in bad lag te overpeinzen terwijl ze haar buik met babyolie inwreef en telefoontjes meed van een psycholoog die een beoordelingsrapport opstelde van haar neefje de verkrachter. Ze werd blij bij het vooruitzicht, zoals iemand anders zich verheugde op een voetbalwedstrijd, een concert, een avondje stappen. De belofte van een zaak die haar volkomen in beslag zou nemen.

Morrow liep naar de boog die toegang bood tot de victoriaanse aanbouw en een grote ruimte zo vol licht dat het bijna verblindend was na het donker van de hal.

Het forensisch team was nog bezig met het sporenonderzoek. Ze zag hun schaduwen over de muur schuiven en hoorde om de hoek het knisperende geritsel van hun papieren pakken.

Ze ging Harris voor naar het lichaam en voelde dat hij in haar blinde hoek bleef en zich achter haar probeerde te verschuilen. Hij zette zich schrap voor wat hij wist dat ging komen.

Weer was het een grote, lege ruimte, deze keer met vergeeld roomkleurig behang, blauw gemarmerd en bezaaid met vogels die tot een bijna onzichtbaar roze waren verbleekt. Toen ze de hoek omgingen, zagen ze de rand van een witte plastic traplift, ingeklapt tegen de leuning onder aan een brede houten trap. De lift was nieuw en schoon, en de afstandsbediening lag op de armsteun, klaar voor gebruik.

'Voorzichtig...' mompelde Harris achter haar.

Ze stond op het punt zich om te draaien en hem te berispen toen ze de voeten van de vrouw zag, ver uit elkaar en met vuurrood gelakte teennagels. Morrows zwaartepunt verplaatste zich een paar centimeter, en het tafereel dat ze voor zich zag benam haar de adem. Ze had walging verwacht, daar had ze zich op voorbereid, maar tegen puur, verstikkend medelijden had ze geen verweer.

De vrouw was in allerijl de trap af gerend, en misschien had ze zich aan de leuning vastgeklampt. Ze moest achterover zijn getuimeld, en ze hadden haar vermoord waar ze neerkwam. Haar benen waren bij de knieën opengevallen en de orchidee van haar geslacht sprong stuitend in het oog. De hals was nog intact en de rest van het lichaam was blijkbaar ongeschonden. Het was een mooi lichaam. Ranke bruine benen, slanke gebronsde dijen.

Maar wat Morrow het ergste vond, was dat ze duidelijk niet zo was neergelegd: haar voeten lagen op ongelijke hoogte. Sarah Erroll was daar neergevallen, ze was daar gestorven en achtergelaten. De moordenaar had haar niet bekeken en bedacht dat hij haar nog dieper kon vernederen door haar in zo'n onwaardige positie te leggen. Hij had haar daar achteloos laten liggen. Haar kwetsbaarheid was ondraaglijk. Nu begreep Morrow dat grapje over de benen, dat het bedoeld was om afstand te scheppen. Nog even en de rechercheurs zouden Sarah Erroll verachten, alsof ze er zelf voor gekozen had zo aangetroffen te worden, want de

52

werkelijkheid was te hartverscheurend.

Ze stapte eropaf, haalde diep adem en probeerde naar de verwondingen te kijken, maar ze betrapte zich erop dat ze de trapleuning bestudeerde: sierlijke steunen, donker, warm hout. Technisch rechercheurs in witte pakken plukten vezels uit de opgedroogde bloedplassen op de trap, en hun gereedschapskistjes – beautycases van witte kunststof – stonden her en der op de treden.

Morrow deed een nieuwe poging, maar haar blik weigerde zich te richten. Hij schoot van het gezicht naar het raam hoog in het trappenhuis, naar een schilderij van een greyhound aan de muur, naar een bloederige voetafdruk op de trede naast haar.

Het was iets natuurlijks, wist ze: de behoefte aan orde in een gezicht. Als verwondingen zo rampzalig waren als hier was er niets om de blik aan te verankeren, geen beginpunt voor de menselijke kaart. Er was wilskracht voor nodig om je ogen te dwingen tot kijken, een kille vastberadenheid om je te oriënteren.

Ze herinnerde zich een politiefoto van een neergestorte helikopter op een heuvelhelling ergens op de Western Isles. De voorkant van de helikopter was afgesneden en het lichaam van de piloot was scherp en duidelijk zichtbaar toen de foto geprojecteerd werd op het filmscherm in de donkere zaal van de politieacademie in Tulliallan. Hij zat rechtop, met zijn rechterhand nog losjes aan de *throttle*. Ze herinnerde zich hoe verward ze zich voelde toen ze naar dat gezicht keek: rood, maar niet bloederig, geen ogen, geen lippen, maar wel tanden, een merkwaardig ingekorte neus. Ze wist nog hoe gedesoriënteerd ze zich voelde terwijl haar oog over de afbeelding gleed, tot ze opeens *De schreeuw* van Munch als een leeggelopen ballon langs de zij van de piloot zag hangen. Zijn gezicht was door de rotoren afgesneden.

Morrow ademde in en dwong zichzelf naar de rode pulp aan haar voeten te kijken, ze dwong haar ogen zich te richten uit respect voor de vrouw, en om het goede voorbeeld te geven. Een van haar oorlelletjes was losgeraakt en lag nu onder haar schouder, een vlezige, roze gevlekte komma.

Het was gemakkelijker om op het bureau naar foto's te kijken, en vaak ook effectiever als je naar patronen of sporen zocht, maar de rechercheurs in de gang zouden haar aandachtig naar de vrouw zien kijken, ze zouden het aan elkaar vertellen en dat zou de toon zetten. Geen onzin, geen hysterie, gewoon goed kijken en zeggen wat je ziet.

Door de inspanning die het kijken haar kostte, werd haar ademhaling oppervlakkig, haar hartslag vertraagde en het bloed trok weg uit haar ledematen. Ze stond zo stil dat de tweeling in haar buik afgrijzen met slaap verwarde en bizarre salto's om elkaar heen begon te maken.

Ze keek naar een scheur in de huid ten gevolge van stomp trauma en voelde de baby's een traag, sensueel ballet ter ere van de rotzooi opvoeren, toen de huid opeens trilde. Morrow deinsde terug, bang dat het ding tot leven was gekomen.

Ze keek op. Een TR-geest stond boven aan de trap, met zijn gezicht verhuld en een schuldbewuste blik in zijn ogen. Op de overloop was een deur opengegaan en het licht had zich over het lichaam verplaatst.

Het begon als een zenuwachtig gegiechel. Iemand in de hal moest lachen en ze keek om zich heen. Opeens lachte de hele hal, eerst gegeneerd vanwege de omstandigheden, maar toen werd het gelach opluchting, een normaliserende uiting van schok en walging, harde, daverende salvo's die weergalmden door de ruimte, de trap op slingerden en de drukkende stilte in het oude huis doorbraken.

'Jezus, doe eens rustig,' zei Morrow afkeurend. 'Alsof jullie nog nooit een stuk drilpudding hebben gezien.'

6

Thomas zat naar een stervende wesp op de vensterbank te kijken toen Goering hem kwam halen. Warm zonlicht scheen door de ramen: een bundel geel als een pad naar de hemel streek laag over het langgerekte gazon voor het oude gebouw en brandde door het glas, dat door de zwaartekracht vervormd was en na twee eeuwen geel getint. De wesp probeerde zich met grote moeite op zijn buik te draaien, zijn voelsprieten wriemelden en zijn kommavormige lijfje trok samen, en zijn eigen zo kenmerkende gedaante vormde de val die hem doodde.

Het einde van de wespentijd.

Ze gingen allemaal dood, dat was de natuur. In deze tijd van het jaar, als het begon te regenen en hun tijd was gekomen, wurmden de wespen zich naar binnen in alle vertrekken aan de voorkant van het oude landhuis, door rottende raamkozijnen, gravend onder steen door, langs ventilatiegaten, en eenmaal binnen gingen ze dood.

Hij observeerde de strijd van het insect en vroeg zich af of ze wisten dat de dood nabij was. Misschien begrepen ze dat die onvermijdelijk was, en in plaats van te verdrinken, gaven ze liever op een droog plekje de geest. Of misschien had de evolutie hun de weelde van zelfbedrog geschonken en meenden ze oprecht dat ze hier veilig waren.

Hij zag de wesp ineenkrimpen als een klein kind met buikpijn, nog steeds worstelend zijn lijfje tot een strak balletje oprollen, hopend op een toekomst. Het liefst was Thomas opgestaan en ernaartoe gelopen om hem met een liniaal overeind te wippen en nog een minuut in de waan te laten, hem voor het laatst een gevoel van triomf te bezorgen voor hij stierf. Maar het was bibliotheekuur en Beany surveilleerde: met slungelige ledematen die bungelden aan zijn lange dunne lijf zag hij erop toe dat hun gezichten allemaal op de pagina waren gericht die ze geacht werden te lezen. Verder strekte zijn macht niet. Ze zorgden ervoor dat je blik op het voorste gedeelte van de kapel was gericht, op het boek, op de woedende reus die op het rugbyveld op je af kwam stormen. Maar ze hadden geen macht over wat je ervan dacht. Tenzij je het aan iemand anders vertelde en als die je verklikte.

Beany, die ergens in de dertig was, maar nog steeds erg jongensachtig, zweefde tussen de bibliotheektafeltjes door. Hij knikte naar lievelingetjes, knipte met zijn vingers naar jongens die niet opletten, dwong ze te doen alsof ze de boeken lazen die ze hadden uitgekozen. Bibliotheekuur. In de brochure stond dat je er een levenslange honger naar zelfontwikkeling aan overhield. Personeelsgebrek. Het besloeg maar een klein deel van de eindeloze tijd voor zelfstudie. Ze mochten maar één keer per week tv-kijken, in de grote zaal met honderd andere jongens en met de tv afgestemd op zo'n slap kutprogramma dat niemand wilde zien: *X Factor* of dat soort shit.

Thomas hield van deze ruimte. De bibliotheek bevond zich in wat ooit de salon van het huis moest zijn geweest. Het plafond was zo hoog dat de boekenkasten van ruim twee meter amper tot halverwege reikten. Twee enorme schuiframen boden uitzicht over het gazon en een sijpelend beekje tot aan de golvende heuvels van Perthshire. Een groots uitzicht. Soms verbeeldde hij zich dat het huis van hem was, dat dit zijn salon was, dat verder iedereen kon oprotten en dat hij dan de kroonlijsten weer tot hun recht zou laten komen, de ramen zou laten repareren, en alleen zou zijn.

Het was pseudo-Adams. Het pleister van de kroonlijsten was die zomer geschilderd: de druiven en de bladeren hadden verschillende kleuren gekregen. Typisch iets voor het schoolbestuur om de plank zo mis te slaan: de druiven waren groen en het blad dat zich eromheen kronkelde was geel. Thomas stelde zich voor dat er in het begin een vergissing was gemaakt, dat ze met de druiven waren begonnen en hun fout pas doorkregen toen de gele pot verscheen. Kennelijk was het verder niemand opgevallen.

Het was rustig in de zaal, er klonk alleen wat geschuifel en gewiebel, jongens trokken hun trui uit en haalden discreet hun neus op. Gefrunnik aan pagina's. 'Stop daarmee!' fluisterde Beany, en toen iedereen opkeek zagen ze Donald McDonald grijnzen. Hij had zijn nagels weer eens aan de rand van een blad schoongemaakt.

Plotseling ging de grote zwarte deur van de salon open, niet zachtjes, niet sluipend voorzichtig om maar niemand te storen, zoals een bibliotheekdeur gewoonlijk openging, maar met een zwaai zodat hij terugstuiterde op zijn scharnieren. Hermann Goering hield hem met zijn vlakke hand tegen en dwong de deur tot stilstand. Hij vulde de deuropening. Alles aan Goering was groot en vierkant, van zijn reusachtige rugbyschouders tot zijn merkwaardig regelmatige hoofd. Onvermurwbare zwarte ogen zochten de zaal af en bleven op Thomas rusten.

'Anderson,' zei hij. Hij deed een stap naar achteren en met zijn strakke blik gebood hij Thomas mee te komen.

Thomas' adem stokte. Hij tastte naar zijn trui, propte hem in elkaar en stopte hem in zijn tas, maar zo dat de mouwen eruit hingen, als spaghettislierten over de rand van een pastapan. Hij wilde zijn boeken pakken, maar nu zei Goering, op iets luidere toon: 'Laat maar liggen.'

'Ja, meneer Cooper.'

Thomas bloosde, niet uit gêne, maar uit een soort paniek. Niemand had de pest aan hem, zoals aan sommige andere jongens, ook al hadden ze daar alle reden toe. Door zijn vaders toedoen hadden drie jongens uit hun jaar de school moeten verlaten. Maar op de een of andere manier had het feit dat zijn ouweheer voortdurend in de krant stond de schaamte daarover tenietgedaan, en inmiddels was hij een soort beroemdheid.

'Anderson.' Zijn stem klonk nog dwingender dan anders, en Thomas sprong overeind.

Hij werd Goering genoemd omdat hij Doyles rechterhand was. Zelf deed Goering niets. Goering was er alleen om hem naar Doyles kamer te brengen.

Zich ervan bewust dat hij bloosde, dat iedereen hem zag en dat hij voor gek stond, rechtte Thomas zijn rug en keek met een woedende blik om zich heen naar zijn klasgenoten. Ze konden allemaal de klere krijgen, dacht hij, dan hoorden ze het maar over hem, alsof het hem iets kon schelen. Dit was iets tussen hem en zijn vader, zij hadden er niets mee te maken. Hij stopte niet eens zijn overhemd in zijn broek. Hij liet de tas plompverloren op zijn kant vallen zodat de boeken en mappen eruit gleden, en liep naar Goering zonder Beany aan te kijken of om toestemming te vragen. Hij ging gewoon.

Brandend van nieuwsgierigheid volgde Beany hem het lokaal uit, maar Goering hield hem bij de deur tegen. 'Nee,' zei hij gedecideerd. 'Alleen Anderson.' En met een sierlijke knik van zijn vlezige knie sloot hij de deur tussen Thomas en zijn klasgenoten. Hij luisterde tot hij het grote koperen mechaniek hoorde klikken, ging rechtop staan en keek Thomas aan.

Tot voor kort had Thomas het niet voor mogelijk gehouden dat Goering zijn naam wist. Zo langzamerhand zou het hele personeel hem wel kennen. Waarschijnlijk lazen ze de kranten hardop aan elkaar voor in de lerarenkamer, volop genietend van de rampspoed die de leerlingen had getroffen.

'Thomas, meneer Doyle wil je graag spreken op zijn kamer.'

Wil je graag spreken. Niet *moven.* Niet *vooruit.* Thomas had geen idee wat dat betekende. Goering die respect toonde was zo ongewoon dat het om iets heel ergs moest gaan. Ze hadden de auto gevonden. Ze waren kwaad. Squeak en hij werden van school gestuurd.

De deur van de bibliotheek kwam uit in de centrale hal, met aan de bovenkant een ovaal bordes overkoepeld door een al even ovaal glazen dak. Het was er ijskoud. Beneden, onder aan de stenen trap, was de tochtige voordeur, en ook de grote dubbele deuren aan weerszijden van de hal lieten kou door, maar toch zweette Thomas. Hij balde zijn vuisten en zei tegen zichzelf dat hij ze pas weer zou openen als er geen gevoel meer in zat, en zo had hij iets om aan te denken, anders dan aan hoe diep hij in de problemen zat en hoe het gezicht van die ouwe Doyle zou staan als hij zijn kamer binnenkwam en wie er bij hem zou zijn. Squeak waarschijnlijk, en de politie. Zijn moeder. Niet nanny Mary. Alsjeblieft God, niet Mary.

Cooper wees naar Thomas' buik en glimlachte flauwtjes. 'Ik zou mijn overhemd maar instoppen. Anders krijg je gelazer.'

Even staarde Thomas hem verbijsterd aan. Hij slaagde erin zijn vuist te ontspannen en de voorkant van zijn overhemd in zijn broek te stoppen, samen met het uiteinde van zijn das. Het was een bepaalde stijl die ze zich eigen hadden gemaakt, een teken van verzet: het overhemd los aan de voorkant, en de das heel laag. Maar nu liet Goering hem op vriendelijke toon weten dat hij het in orde moest maken in plaats van hem een preek te geven over sociale verantwoordelijkheid en dat je een voorbeeld moest zijn voor de kleinere jongens. Hij was ongewoon mild, probeerde een vriendelijk gezicht te trekken, deed een poging tot glimlachen. Het was griezelig.

Voor Thomas de kans kreeg zijn gezicht nog eens goed te bestuderen, draaide Goering zich om en ging hem voor door het netwerk van tochtvlagen in de richting van de kapelgang die naar Doyles kamer voerde.

Thomas volgde hem, zich bewust van het rare, sloffende loopje waarmee de andere jongens hem plaagden. Hij zag zichzelf nu door Doyles ogen en wist maar al te goed wat er aan hem mankeerde, wat er allemaal mis was aan zijn uiterlijk en gedrag.

Ze lieten de ijskoude hal achter zich en liepen een zijgang in, langs de ziekenzaal en het muzieklokaal, en vandaar de kapelgang in, een stil gedeelte met gedempt licht, waar praten en rennen streng verboden waren. De gang was lang en raamloos en rook naar muffe kerkwierook. De enige deur voerde naar een koorbalkon boven de kapel, dat zelden gebruikt werd, uit angst dat gestoorde jongens elkaar naar beneden gooiden, maar dat op kerkelijke hoogtijdagen gereserveerd was voor bezoekende ouders.

Cooper liep met rustige, regelmatige pas. Thomas slofte en hinkelde op zijn leren zolen om hem bij te houden. Aan het einde van de gang, achter een dubbele deur in een boog, was de deur naar Doyles kamer.

Goering klopte aan, hoorde iemand roepen en deed open net toen Thomas hem had ingehaald, zodat hij in één keer door kon lopen, het nylon tapijt op. Hij aarzelde toen hij tot zijn verbazing alleen Doyle in de kamer zag. Doyle stond op om hem te verwelkomen. Zijn gezicht was ondoorgrondelijk: ergernis of afkeer.

'Ga zitten, Anderson.'

Uiterst alert en speurend naar signalen ging Thomas op de ongemakkelijke gestoffeerde stoel zitten. Tot zijn schrik kwam Doyle achter zijn bureau vandaan, liep eromheen en nam plaats op de stoel naast hem. Doyle was pezig en slank, met een gluiperig gezicht. Goering ging achter het bureau staan, met zijn handen samengevouwen op zijn rug.

Doyle boog zich naar voren en temperde zijn stem. Thomas hoorde hem als door een tunnel: er is iets gebeurd. Bijjulliethuis. Enjemoederheeftonsgevraagdhetaanjetevertellen. Welevenmetjemee. Doodjevaderisdood. Heeftzichopgehangen. Zeertreurigzelfmoord. Gaathet. Thomasgaathet?

Maar Thomas zat opgesloten achter een aanzwellend bzzbzz in zijn oren en ogen, en het licht werd dof toen zijn oogleden dichtvielen om de kamer buiten te sluiten. Het einde van de wespentijd. Ze wurmden zich naar binnen vanuit de kou en de regen, en vervelde schooljongens keken harteloos toe terwijl ze stierven. Jongens die toekeken terwijl wespen wanhopig rondtolden en stierven.

Opgehangen. Ophanging. Een plotselinge flits van empathie schudde hem wakker, en in zijn verbeelding zag hij zijn vaders lichaam in de garage en voelde hij hoe koud het geweest moest zijn. 'Is hij dood?'

Ze keken elkaar aan, Doyle en Hermann Goering.

'Ik vrees van wel,' zei Doyle.

Thomas bleef maar knikken, alsof hij wilde bevestigen wat Doyle had gezegd: ja, u hebt gelijk, ja, ja, helemaal gelijk. Hij kreeg zijn knikkende hoofd maar niet stil, en hij keek naar het bureau, dat voor zijn ogen op en neer danste, naar de eikenhouten poten en het vloeiblok en de pennen in de pennenhouder van school en de telefoon. 'Had ze niet kunnen bellen...?'

'Je moeder?' vroeg Doyle.

Thomas antwoordde niet.

'Je moeder vond het beter als je het hoorde van iemand die bij je was in plaats van over de telefoon, van haar, thuis...' Hij had die stem weer opgezet, die stem waarmee hij de jongens liet weten dat ze geen geintjes met hem moesten uithalen of zijn gezag in twijfel trekken, dat ze hun mond moesten houden want anders zwaaide er wat. Ze had het helemaal verkeerd aangepakt, ze wisten allemaal dat het waardeloos van haar was, maar de leraren mochten zich niet negatief over een ouder uitlaten. Daar draaide het om op deze school, die de ouderlijke plichten moest vervullen waar zijn moeder zich te goed voor voelde.

'Eh... is hij dóód?'

'We moesten het je wel vertellen voor je naar huis ging, want de kranten weten het inmiddels en die brengen het nieuws vanaf vanavond. Je moeder stuurt je vaders vliegtuig...'

'Welk?'

Doyle was het niet gewend onderbroken te worden. 'Hoezo "welk"?'

Maar Thomas was zo kwaad dat hij zich niet in kon houden. 'Welk vliegtuig? Toch wel de Piper?'

Goering mengde zich erin. 'We weten niet welk van je vaders vliegtuigen ze stuurt om je op te halen, maar het landt over een uur op de airstrip. Ga maar naar je kamer en pak je tas.'

Weke tranen prikten in zijn ogen, wrok miezerde over zijn gezicht. 'Het is de Piper. Ze heeft de Piper gestuurd.'

'Thomas.' Goerings geduld was op en dat was aan zijn scherpe toon te horen. 'Het maakt niet uit welk vliegtuig ze heeft gestuurd...'

Abrupt veegde Thomas de nattigheid van zijn gezicht. Hij stond op en keek de twee mannen aan.

'Mijn vader heeft hier op school gezeten,' zei hij, op hen neerkijkend en zonder te zeggen wat hij bedoelde: toen mijn vader hier zat, werd de school gerund door katholieke broeders, monniken runden deze school, geen stomme leraren die geen ander werk konden krijgen of die niet in het bedrijfsleven aan de slag konden om dingen te maken en dingen te doen. 'Jullie zijn leraren.' En mijn vader heeft die stomme aanbouw bij het zesdeklasgebouw betaald en het computerlab, en dat konden jullie niet, want jullie zijn gewoon stomme leraren, dus kijk maar niet op me neer alsof ik een zielig, verloren stom joch ben met een kutmoeder die niet eens de moeite neemt om te bellen maar die stomme Piper stuurt. 'Ella?'

'Je zus, Ella?' Doyle stond op en liep naar hem toe.

'Ella? Weet zij het al?'

'Volgens mij is Ella ook op weg naar huis.'

'In de ATR-42,' zei Thomas. 'Volgens mij vliegt zij met de ATR-42.'

Doyle stak zijn hand uit en deed iets wat Thomas hem nog nooit had zien doen. Hij raakte een jongen aan, legde zijn hand op Thomas' schouder. Het voelde warm en zijn huid prikte. Het voelde bedreigend. Thomas was bang dat Doyle hem neer zou duwen, hem zou betasten en vernederen. Hij dook ineen, wurmde zich huiverend onder de hand vandaan. Hij keek naar Doyle. De man had een vriendelijke, droevige blik in zijn ogen, en hij keek beduusd omdat Thomas zich had losgetrokken.

'Sorry.' Thomas had het weer bij het verkeerde eind gehad. Opeens vertrouwde hij zichzelf niet meer. 'Sorry. Sorry.'

'Geeft niet,' zei Doyle, en hij liet zijn hand langs zijn zij zakken.

Thomas verloor zich in het tapijt. Hij had pogingen gedaan om zijn vader naar hem te laten kijken, zodat hij hem echt zag, maar Lars maakte zelden oogcontact. Als hij zijn ogen wilde zien, moest hij de bedrijfsbrochure inkijken. Zijn vader richtte alleen het woord tot hem als ze allebei stonden, en dan keek hij over Thomas' hoofd heen en deed uitspraken in plaats van een gesprek aan te gaan: je bent dom; zakendoen is oorlog; zet niet alles op één kaart; toon nooit zwakte. Thomas had geprobeerd hem te bereiken, langs zijn moeder en over Ella heen, via Mary, maar niets hielp. Niets. 'Wanneer... is hij gestorven?'

'Je vader?'

'Vandaag?'

'Gisteren. Rond lunchtijd.'

Gisteren rond lunchtijd, toen Thomas in de eetzaal zat en sponzig witbrood doordrenkt met gouden siroop wegwerkte, toen Thomas een groot glas bruine thee dronk en over de rand naar Squeak keek, zijn blik lang genoeg vasthield om hem duidelijk te maken dat hij na de lunch naar zijn kamer moest komen. Hij vroeg Squeak omdat die een auto had. Hij dacht dat hij Squeak kende, maar dat bleek niet zo te zijn. Er was soep met stukjes wortel. Onder in de soepterrine zaten klontjes van bouillonblokjes.

'Meneer Cooper brengt je naar je kamer en zal je helpen pakken.'

Thomas rechtte zijn rug en kwam weer bij zijn positieven. 'Bedankt. Allebei. Omdat u het me verteld hebt. Dat is vast niet gemakkelijk geweest.'

Dat vonden ze prachtig, niet zozeer omdat hij op zo'n beladen moment blijk gaf van goede manieren, maar omdat hij het hun gemakkelijker maakte. Doyle glimlachte vriendelijk. Goering knikte en perste zijn lippen meelevend op elkaar. Zo bleven ze een tijdje in alle stilte staan, terwijl de klok aan de muur zachtjes tikte, de hun toegemeten seconden op aarde aftelde, en toen zette Doyle zich in beweging. Hij liep naar de deur en Thomas draaide zich om en liep mee. Doyle bleef vóór hem staan.

'Thomas,' zei hij weifelend, en Thomas had het gevoel dat hij voor de vuist weg iets ging zeggen, 'we vinden het heel erg dat je de laatste tijd zoveel problemen hebt gehad. We weten hoe moeilijk je het hebt gehad, maar wat er ook gebeurt, je kunt ervan op aan dat je je opleiding aan deze school kunt afmaken. Er zijn beurzen en we kunnen ook vragen of de fondsgelden een andere bestemming kunnen krijgen zodat je hier kunt blijven.'

Goering wilde bijna een idee opperen. Een van zijn wenkbrauwen schoot een fractie omhoog. Doyle klemde zijn kiezen op elkaar en keek dwars door Thomas heen. Ze dachten alle drie hetzelfde.

'Dat is heel vriendelijk van u, meneer Doyle,' zei Thomas behoedzaam, 'maar ik vind het niet gepast nu er verscheidene jongens van school af moesten door de ondergang van mijn vaders bedrijf. Dat zou... oneerlijk zijn.'

Hij zag dat Goering het met hem eens was. Doyle accepteerde het minzaam. 'We houden onze leerlingen niet aansprakelijk voor de zonden van hun vaders, Thomas. God verhoede het. Je hebt je hier voorbeeldig gedragen.'

Thomas keek hem aan. Doyle geloofde wat hij zei. Hij geloofde echt dat hij ook maar iets van hem af wist. Thomas deed zijn mond al open om iets te zeggen, toen een luide snik hem ontsnapte. Hij sloeg zijn hand voor zijn mond, maar het onverwachte geluid was als een schreeuw, een blaf, een brul. Hij drukte zijn vingers in zijn wangen en duwde hard om het allemaal weer naar binnen te proppen, maar uit zijn mond vlogen spatjes speeksel en hij stootte zachte kreetjes uit. Hij hield zijn adem in.

Ze bleven roerloos staan, tot het voorbij was. Voorzichtig trok Thomas zijn handen weg.

'Sorry,' zei hij. 'Van...'

Vol medeleven hield Doyle zijn hoofd schuin, maar nu mengde Goering zich erin. 'Laten we maar gaan pakken.'

Thomas schuifelde naar de deur en glipte het doffe schijnsel van de kapelgang weer in en een wereld die voor altijd veranderd was.

7

Morrow en Harris stapten voorzichtig langs het lichaam toen ze de trap op gingen. Overal zaten spatten, schoenafdrukken, helder en bloederig, als uit de stempeldoos van een kind.

Het was een rechte, brede trap, van prachtig hout en tegen de muur aan gebouwd.

De treden zelf waren breed en diep, en Morrows maat 38 paste er wel twee keer op. Dit was niet het soort trap waarlangs je naar beneden stormde, maar die je op je gemak afdaalde. De loper zat aan de achterkant stevig met roeden vast en had een dichte pool die zo ruw was dat het uitgesloten was dat je onderaan uitgleed en je hoofd openhaalde aan de leuning. Als de vrouw een ongeluk had gehad en aan een hoofdwond was gestorven en als de indringer daarna haar lichaam had verminkt, zouden ze aan een ander soort zaak werken en op zoek zijn naar een ander soort man.

Boven aangekomen keek Morrow weer naar beneden. Het lichaam ging bijna geheel schuil achter de forse trapstijl, alleen de blote knieën waren zichtbaar. Ondanks het papieren geschuifel van de technisch rechercheurs en het gemompel van de agenten voelde ze een stilte als een doffe pijn, de hartenklop van de geschiedenis die het huis naar binnen drukte. Dit was niet het soort huis waarin een jonge vrouw in haar eentje wilde wonen als ze de keus had. Te groot, te oud, te zwaar.

Boven aan de trap, tussen twee deuren in, stond een tafeltje met daarop een verzameling opeengepropte, elkaar verdringende foto's in zilveren lijstjes, als het programma van een toneel-stuk met een cast van drie personen. Een wat oudere man en een iets jongere vrouw op huwelijken, in tuinen, op een boot. Er was maar één jong personage: één keer was ze als meisje afgebeeld, en één keer als jonge vrouw.

Als meisje stond ze ongelukkig te glimlachen in een roze jurk met een strakke oranje cummerbund.

Als vrouw was ze lang en slank, statig, maar niet echt mooi. Haar kaaklijn was slap, het puntje van haar neus stond scheef en ze had kleine ogen. Het was zonnig en ze stond buiten, wellicht op de trap voor dit huis, met een glas pisgele wijn in haar hand en een opgelaten glimlach op haar gezicht. Te oordelen naar het ele-gante jasje en de schoenen in het portaal vermoedde Morrow dat dit niet Sarahs lievelingsportret was geweest, en ze vond het veel-zeggend dat haar familie deze onflatteuze foto had uitgekozen.

Ze keerde zich naar de technisch rechercheur toe, die een klein groen voorwerp op de vloer bestudeerde. Een leren kubus met drie dikke ritsen aan de bovenkant, elk met een opvallend groen leren label: een met een zilveren ring, een met een grote vierkan-te sierspijker en een met een klinkgat. Aan de voorkant was een groot D&G-logo in het leer geponst. Het was een handtas, open en leeg, achtergelaten op de vloer van de overloop.

'Hebt u al vingerafdrukken afgenomen?' vroeg ze, maar met-een corrigeerde ze zichzelf. 'Natuurlijk hebt u dat gedaan, ik ben alleen mijn lijst aan het afwerken...' Hij knikte begrijpend. 'Is hij leeg?'

'Ja.'

Ze gebaarde naar Harris. 'Creditcards?'

'Heb ik al achteraangebeld,' zei hij. 'Ze zijn niet gebruikt.'

Morrow fronste haar voorhoofd. 'Ergens geloof ik niet dat dit over geld gaat.'

'Nee, het is gewoon te erg.' Harris trok zijn neus op en knikte naar het bloederige lijk onder aan de trap.

Samen liepen ze naar de slaapkamerdeur. Van binnen kwam een rozige gloed. De deur stond op een kier en ze duwde hem bij de scharnieren open om mogelijke vingerafdrukken intact te la-ten.

De ovale kamer was knus en had een laag plafond. In de half-ronde muur zaten kleine raampjes waarvan de witte houten lui-ken gesloten waren, op de muren zat roze bloemetjesbehang en er was een kleine witte haard met een rooster van zwart ijzer. Er-tegenover stond een onopgemaakt tweepersoonsbed, met een teruggeslagen, luxe wit dekbed. Het was bedompt in de kamer, alsof iemand er zeer recentelijk had geslapen en alle zuurstof had opgezogen.

Op de vloer lag een achteloos uitgetrokken zwarte *racerback*-jurk. Verder een felroze kanten broekje met een lichtblauw lint om de taille en volmaakt ronde pijpjes die langs volmaakte dijen naar beneden waren gegleden.

Deze vrouw paste totaal niet bij dit huis. Morrow keek Harris aan, en hij schudde zijn hoofd, al even perplex als zij, maar ook enigszins gecharmeerd van het mooie slipje.

'Dat is, eh... nogal hoerig, vind je niet?'

'Wat bedoel je?' vroeg ze. 'Dat broekje?'

'Ja. Dat kon weleens een verkeerde indruk wekken.' Hij scheen zijn ogen er niet van af te kunnen houden. 'Of juist niet.'

Morrow keek ernaar. Zij had ook dat soort broekjes, die droeg ze om zichzelf wat op te vrolijken op beroerde dagen, om haar tred veerkrachtig te maken als ze zich in het nauw gedreven voel-de. 'Denk je dat ze...' Ze wist niet meer wat tegenwoordig het juiste woord voor prostituee was. Prostituee was fout, om de een of andere reden sekswerker ook. Geërgerd wees ze naar het broekje. 'Zat ze in het leven?'

Hij bleef maar naar het slipje kijken, en zijn blik draaide rond-jes om de pijpen. 'Misschien. Zou het geld daarvandaan komen?'

Weer keek ze naar het jolige broekje. 'Veel vrouwen dragen stoute slipjes om zichzelf wat op te vrolijken.'

Harris bloosde, en wendde zijn blik snel af van het slipje op de vloer. 'Oké.'

Ze had gezinspeeld op haar eigen ondergoedgewoontes, en daarmee had ze het sekstaboe van het korps verbroken. Fout. Misschien was het hormonaal of kwam het doordat ze besefte dat ze een bepaald inzicht over ondergoed niet met een collega kon delen zonder een incident te veroorzaken, maar ze moest heimelijk lachen, terwijl ze vroeger kwaad op zichzelf zou zijn geweest omdat ze het fout had gedaan. 'Of misschien was het het enige schone broekje dat ze bij zich had. Het kan van alles zijn, dat wou ik maar zeggen.'

Harris knikte en keek nerveus de kamer rond, als om haar te dwingen door te lopen. Ze mocht Harris wel, ook al scheen alles bij hem een seksuele bijklank te krijgen. Ze kwam er niet achter of hij aan verdringing leed of geteisterd werd door zijn libido.

Ze richtte haar aandacht weer op het bed en zag aan het verdraaide laken dat iemand haar achterste opzij had gedraaid en haar voeten op de vloer had gezet. Ze keek naar het dekbed. De hoes was heel schoon en duur. Terwijl ze ernaar keek en zich afvroeg of het van een soort linnen met een hoge draadtelling was en of de draden inderdaad geteld werden, zag ze een doffe zilveren glans tussen de plooien. Ze deed een stap naar voren, pakte de rand van het dekbed op en trok het weg. Een mobiele telefoon, met een zilverkleurige achterkant, breed maar dun, lag omgekeerd op het bed.

'Een iPhone.' Harris glimlachte. 'Daar staat haar hele leven op.'

Morrow keek bedenkelijk naar het zilver. 'Ik dacht dat ze zwart of wit waren.'

'Het is een originele.' Hij haalde een plastic zak tevoorschijn, maar bedacht zich en riep de technisch rechercheurs erbij om het apparaat eerst op vingerafdrukken te onderzoeken.

Terwijl ze met het telefoontje bezig waren, keek Morrow naar de handtas op de vloer. Ook deze was van een goede kwaliteit leer, had een mooie, donkere mosterdkleur en een wat grillig ontwerp met grote ritsen en buitenproportionele sluitingen. Morrow bukte zich moeizaam en floepte met haar pen de bovenkant van de tas open. Onderin lag een sleutelbos: vier sleutels aan een eenvoudige zilveren ring. Tot haar vreugde zag ze ook allemaal kassabonnetjes. De meeste kassa's printten de tijd, de datum en het adres van de winkel. Aan de hand van de bonnetjes zouden ze Sarahs gangen kunnen nagaan.

Morrow stond op en keek toe terwijl de mannen de iPhone

voorzichtig op vingerafdrukken onderzochten en zwart stof over het witte linnen verspreidden.

Ze keek weer naar de slaapkamerdeur, daalde in gedachten de trap af naar het portaal, en zag Sarah Erroll thuiskomen in een verlaten huis. Haar gezicht was een wazige wolk van bloed, en onder het zwarte maatjurkje was haar lichaam slank en lenig.

Sarah zette haar tas tegen de muur, liet haar sleutels in de mosterdkleurige handtas vallen en trok haar schoenen aan de hakken uit. In haar verbeelding hoorde Morrow het zachte 'toink' waarmee de harde hakken de tegelvloer raakten. Ze zag hoe Sarah haar hand in de wijde handtas stopte, rondtastte in de rommel op de bodem tot ze de tasertelefoon vond, waarna ze de hal door liep en het apparaat achteloos bij de andere muur liet vallen. Of misschien had ze het van boven aan de trap naar beneden gegooid.

Weer begon Morrow met de taser: die lag dicht bij de plek waar ze de dood had gevonden. Ze had hem willen pakken, of iemand anders had hem vastgehad en had hem daar laten vallen. Mogelijk had hij in haar handtas gezeten, had iemand hem eruit gehaald en zich toen bedacht en hem op weg naar buiten laten vallen. 'Onderzoek de taser op vingerafdrukken.'

'Komt in orde.'

'En ook op vezels,' zei ze. 'Kijk eens of hij in deze tas heeft gezeten.'

Ze zag hoe de hoofdloze vrouw haar schoenen liet vallen en de trap opging; in haar verbeelding voelde ze de pijntjes en spanning van zeven uur op een vliegtuigstoel en ze stelde zich voor hoe heerlijk het was om het kanten slipje uit te trekken, een T-shirt aan te doen en zich door het grote bed te laten opslokken.

Ze daalden de trap weer af, steun zoekend bij de muur toen ze voorzichtig langs het lichaam stapten. Deze keer liep Harris voorop en ze zag hem heel even rechtstreeks en zonder terug te deinzen naar de smeerboel kijken. Ze hoopte dat het door haar goede voorbeeld kwam. Op zijn tenen zocht hij zich een weg tussen de bloederige voetstappen door, en onderaan bleef hij staan en stak zijn hand uit om haar te helpen. Ze duwde zijn hand weg.

'Schoenafdrukken?'

'Ja,' zei hij. 'Er zaten zwarte vezels in, waarschijnlijk van suède.'

Met zijn hoofd schuin keek Harris weer naar boven terwijl Morrow naast hem kwam staan. De voetstappen waren een smurrie van rood, uitgesmeerd over de traptreden, sommige scherp, andere vlekkerig waar het donkergroene tapijt erdoorheen schemerde.

'Maatje 42?' vroeg Morrow.

Ze keken er een paar tellen naar, draaiden hun hoofd alle kanten op en stapten naar links en naar rechts om een patroon te ontdekken.

'Twee stel?' opperde Harris ten slotte.

'Denk je?' Ze liep naar hem toe en zag twee prachtige afdrukken naast elkaar, beide van een rechtervoet, de ene groter dan de andere, maar met hetzelfde zoolprofiel. 'God, je hebt gelijk. Shit!'

Twee was foute boel. Als ze met z'n tweeën waren, volstond het niet om te bewijzen dat ze op de plaats delict waren geweest en onder de bloedspatten hadden gezeten. Het betekende dat voor de jury bewezen moest worden dat elk van de medeplichtigen actief bij de geweldsdaad betrokken was geweest. Ze zouden beschuldigd moeten worden van samenspanning tot moord, waar een lichtere straf op stond. Dat was onbevredigend, en al helemaal als een van de twee aan de kant had gestaan en tegen de ander had geroepen dat hij moest stoppen. Als de verdediging erin slaagde twijfel te zaaien kwamen ze allebei nog vrij ook. Morrow vond dat het een proces reduceerde tot een krachtproef en dat de sterkere partij gewoonlijk als winnaar uit de impasse kwam, niet degene die onschuldig was. Nu konden ze alleen maar hopen op doorslaggevend fysiek bewijs.

Ze tuurde weer naar de voetstappen. 'Shit. Ze zijn identiek. We moeten iets vinden, een teken op de zool of iets dergelijks.'

'Ze zijn inderdaad identiek. Zou het een uniform kunnen zijn?' vroeg Harris zich af.

'Misschien.' Ze gebaarde naar de trap. 'Kunnen we de treden

analyseren en zo de verplaatsingen reconstrueren? Dat bespaart ons de verhoorroulette.'

'Geen idee. Ik zal het vragen.'

Morrow schudde haar hoofd en keek nog eens goed.

Beide zoolafdrukken hadden hetzelfde profiel: drie cirkels op de drukpunten, met rechte strepen die ernaartoe leidden. 'Kunnen we die zolen achterhalen?'

Harris keek niet al te overtuigd. 'We kunnen het in schoenwinkels navragen.'

'Laten we het geld eens gaan bekijken.'

Hij voerde haar mee langs het lichaam, de grote hal uit, een kleine deur door en een trapje af naar de keuken. In een schoorsteenmantel stond een gietijzeren fornuis. Het was er koud, doordat de muren en het dak van massief beton waren en door het lange, brede raam aan de achterkant, dat zicht bood op een wirwar van kale struiken.

Een in het wit gehulde technisch rechercheur schuifelde rond, plukte vezels van de vensterbank en het aanrecht en stopte ze in zakjes. Gobby had zich in een hoek geïnstalleerd waar hij niemand in de weg zat. Hij begroette haar met een knikje, maar zijn blik bleef strak op de tafel gericht.

'Gaat-ie, Gobby?'

Hij zweeg. Gobby was geen prater.

Morrow keek de keuken rond.

Het was een grote ruimte, groter dan de keukens van tegenwoordig, maar bepaald niet indrukwekkend. Op de vloer lag versleten rood linoleum, met scheuren die zorgvuldig gerepareerd waren met zilverkleurig tape. Ook de inrichting was eenvoudig: een stevige grenen keukenkast, waarvan de witte verf afbladderde; een van de ruitjes was provisorisch gerepareerd met hetzelfde zilverkleurige tape: een karweitje voor later. Een ouderwetse koelkast liet een luid, hoog gesnor horen. Het kooktoestel was elektrisch en heel gewoontjes. Er was geen vlekje op te zien, maar op het glazen deksel lag een laag stof. Hier werd niet gekookt. In het midden stond een oude teakhouten keukentafel, met kringen van kopjes en krassen van messen en met een naad over het midden, waar hij uitgetrokken kon worden. Er stonden wat stoelen dicht tegenaan geschoven, behalve aan de kant van het aanrecht, waar ze naar achteren waren getrokken.

Achter haar liet Harris een droog kuchje horen. Ze keek om en zag hem waarschuwend knikken naar een hoek van het vertrek.

Ze had hem nog niet gezien, de man die in een leunstoel naast het fornuis zat, met zijn aktetas tegen zich aan geklemd en zijn gezicht naar een hoek gericht. Hij was nog jong, ergens in de dertig, maar kleedde zich oud: hij droeg een donker streepjespak met een mosterdkleurig vest en een rode das. Hij had een vormeloos lichaam, was gezet ondanks zijn slank afkledende pak, en ook zijn gezicht was rond; met wijd opengesperde ogen keek hij haar afwachtend aan.

'Hallo,' zei ze.

Hij stond snel op, liep op haar af en stak haar zijn hand toe, waarbij hij zich naar haar toe boog, alsof hij van een steile rots dreigde te vallen en door haar weggetrokken wilde worden. 'Donald Scott.'

Ze schudde zijn hand. 'Rechercheur Alex Morrow. Dat moet een hele schrik zijn geweest.'

Zijn 'ja' klonk hijgerig, en zijn blik schoot even naar de hal, naar de tafel en weer naar haar, en al die tijd schudde hij haar hand en klemde die stevig vast.

'Kende u het slachtoffer?'

'Ja, ja. Ja.' Hij dacht even na en zei toen: 'Ja?'

'U was haar notaris?'

'Mm.' Hij keek verwilderd om zich heen, en hijgend werkte hij naar een emotionele uitbarsting toe waar ze niet op zaten te wachten. Morrow nam de leiding. 'Goed, we nemen u mee naar het bureau voor een gesprek. Als u daar aankomt, moet u eerst een paar koekjes eten, iets met suiker erin, tegen de shock. Afgesproken?' Ze wist niet zeker of suiker hielp tegen shock, maar wel dat het goed was om zo iemand een opdracht te geven, iets waarop hij zich kon concentreren, een taakje dat hij moest uitvoeren. 'Afgesproken?'

'Ja.' Maar hij staarde over haar schouder naar de deuropening, bang dat hij daardoor naar buiten moest, weer langs het lichaam.

'Via de achterdeur,' zei ze tegen Harris.

Om te voorkomen dat hij per ongeluk op iets belangrijks zou stappen, loodste Harris de man bij zijn elleboog naar buiten en trok de deur achter zich dicht.

Iedereen in de keuken ontspande zich nu ze zich weer natuurlijk konden gedragen. Beschaamd door de onversneden afschuw van een buitenstaander kreeg hun houding iets eerbiedigs. Het voelde ongemakkelijk en herinnerde hen eraan hoe beschadigd ze allemaal waren. Morrow liet haar hoofd naar achteren rollen om de spanning in haar nek kwijt te raken. Vanaf het moment dat ze de hoek om was gegaan en de smeerboel onder aan de trap had gezien, waren haar schouders steeds verder naar haar oren gekropen.

Ze keek om zich heen. Een raam boven het aanrecht was met grof geweld geforceerd: het metaal bij de sluiting was naar buiten gebogen en nu hing het open. Het was niet professioneel aangepakt. Niet eens voorzichtig. Een inbreker met een beetje ervaring zou de rommel zoveel mogelijk opruimen en zodra hij binnen was, zou hij het raam dichttrekken zodat het niet opviel. Buiten in de overwoekerde tuin zag ze de bovenkant van het hoofd van een agent, die onder het raam naar voetafdrukken zocht. Dat was een van de voordelen van agenten die niet op bevordering uit waren: ze waren slimmer dan de achterblijvers van vroeger, dachten zelf na nog voor ze ergens opdracht toe kregen.

Ze haalde adem en ging met haar rug tegen de muur staan om de keuken te overzien en zich het pad van de indringers te kunnen voorstellen: ze waren door het raam en over het metalen aanrecht en de afdruipplaat geklauterd en op de vloer gesprongen. Als ze het huis kenden, zouden ze rechtstreeks naar de hal zijn gegaan, maar de deur naar de voorraadkast stond op een kier, en de deur ernaast stond helemaal open en bood toegang tot een krappe bijkeuken met een wasmachine, een droger en een roestende wringer. Aan de andere kant van de keuken stond een derde deur open, van een kast met diepe planken vol conserveblikken.

Morrow liep op de voorraadkast af en bleef voor de deuropening staan. Het was een koele ruimte voor het bewaren van eten, uit de tijd dat er nog geen koelkasten waren. Een kille tochtstroom likte aan haar enkels. De bewoner van het huis zou altijd zorgen dat die deur dicht bleef. De indringer had gezocht naar een uitgang uit de keuken.

Op het werkblad naast de kookplaat stond een oude radio waarvan de stekker uit het stopcontact was getrokken; het snoer hing over de rand van het werkblad in plaats van dat het onder het stopcontact was gelegd, zoals iemand zou doen die van plan was het weer in het contact te stoppen. De radio had aangestaan, ze hadden hem uitgezet om zich te kunnen oriënteren.

'Pak die stekker ook maar,' zei ze tegen de technisch rechercheur.

Bijna verongelijkt wendde ze zich tot Gobby en vroeg: 'Waar is het?'

Grijnzend wees hij naar de tafel.

Morrow keek. 'Eronder?'

'Ja.'

'Shit.' Morrow keek nog eens naar de tafel en plande haar route. Haar lichaam veranderde zo snel dat elke nieuwe positie een experiment was.

Aan de rechercheur vroeg ze: 'Is het goed als ik...?' Vragend stak ze haar hand uit naar het tafelblad, waarop ze wilde steunen.

'Nee, u kunt beter...' Hij stak haar zijn eigen hand toe en Morrow nam die aarzelend aan, waarna ze zich zwaar op hem leunend eerst op haar ene knie liet zakken en toen op de andere. Als ze opzij boog, prikten haar ribben in de baby's, en daarom moest ze op handen en knieën gaan zitten en omhooggluren, als een hond die om een koekje bedelde.

Net toen ze dacht dat haar vernedering compleet was, kwam Harris de keuken weer binnen – ze keek achterom en zag zijn voeten.

Eerst viel de lichtstraal uit haar zaklantaarn op een stuk ruw gezaagd triplex. Het balanceerde op de twee steunbalken van de tafelpoten en deed denken aan slecht reparatiewerk. Maar toen zag ze er iets bovenop liggen, ingeklemd tussen het tafelblad en de ruwe plank, roze als een vleeswond.

'Haal dat er eens uit.'

Ze krabbelde weer overeind; Gobby en Harris stapten op de tafel af, bukten zich en pakten ieder een uiteinde van de plank. Ze schoven hem naar buiten zodat Harris het ene uiteinde kon vastpakken tot Gobby hem kwam helpen. De plank was zwaar en ze deden hun best hem niet scheef te houden of het geld te laten verschuiven.

Ze legden hem op een werkblad dat door de technisch rechercheur was vrijgegeven en keken ernaar. Morrow glimlachte: roze en roze en roze, als een quilt van patchwork, allemaal pakjes bankbiljetten naast elkaar in een steeds terugkerend patroon.

Het geld was met zorg in het midden van de plank gelegd. Sarah moest dat hebben gedaan voor ze hem onder de tafel schoof, maar Morrow zag dat de pakjes aan de randen er slordiger bij lagen, alsof Sarah op een gegeven moment op haar knieën was gaan zitten en ze er lukraak in had geschoven.

Een enorme verrukkelijke roze geldvlaag. Morrow besefte dat haar mond openhing, dat ze kwijlde. Doordat het een onbekende valuta was, leek het eindeloos, zoals geld eruitziet in de ogen van een kind, en bovendien waren het grote biljetten, bijna even groot als een paperback.

'Jij!' blafte ze tegen niemand in het bijzonder. 'Wie houdt de score bij?'

Gobby grijnsde. 'Nog niemand.'

Morrow keek langs de plank. Die was ruim een meter lang, en de pakjes bankbiljetten lagen netjes gestapeld in zes rijen van acht pakjes lang. Ze probeerde te berekenen hoeveel het was en wist even niet meer hoeveel nullen er in een miljoen gingen.

'Gobby, je wordt niet betaald om hier alleen maar een beetje rond te hangen. Jij houdt de score bij en noteer mij maar voor tien pond.'

'Hoeveel denk je dat het is?'

'Het zou weleens in de buurt van een miljoen kunnen komen.'

Gobby likte aan het puntje van zijn potlood. 'In euro's of in ponden?'

Opeens kwam Harris tot leven. 'We doen de waarde in pond sterling, tegen de wisselkoers van de dag waarop we weten hoeveel het is.'

Morrow knikte. 'Ja, dan verander ik de mijne: maak er maar zevenhonderdvijftigduizend pond van.'

Gobby krabbelde het op een bonnetje dat hij uit zijn zak had gehaald en Harris keek toe. 'Ja, en noteer mij maar voor zeshonderdvijftig, ik zet tien pond in.'

'Oké.' Fronsend keek Gobby naar de plank. 'Dan gok ik op de kop af zevenhonderd.'

'Ja, ja, mooi, oké.' Harris lachte. 'Wanneer wordt er geteld?'

Ze had Harris nog nooit zo abrupt tot leven zien komen, en ze wist dat ze met een gokker te maken had. 'Waarschijnlijk morgen.'

'Morgen, oké.' Harris knikte naar Gobby. 'Vraag maar wie er nog meer meedoen, goed?'

Gobby had het ook door. 'Dit is toch geen slippertje van een Anonieme Gokker, hè?'

Harris bloosde licht. 'Geen idee wat je bedoelt.'

Gobby grijnsde, alsof hij een kat had gevonden die hij ging martelen.

De aanblik van al dat geld had Morrow zo afgeleid dat ze weer helemaal opnieuw moest beginnen: ze waren binnengekomen via het raam, waren over de afdruipplaat geklauterd en hadden de verschillende deuren geprobeerd. De deuren leken allemaal even groot, en ze hadden aan de achterkant allemaal een glad paneel, een zogenaamde verbetering uit de jaren zestig toen de deuren in oude huizen geen stof meer mochten verzamelen, hygiënischer moesten zijn. Ze hadden de stekker van de radio uit het contact getrokken om te luisteren, maar het geld hadden ze niet gezien...

'Mevrouw.' Tamsin Leonard stond bij de achterdeur. 'Hoofdinspecteur Bannerman...' Ze reikte haar de telefoon aan, en Morrow hoorde Harris minachtend brommen bij het horen van de naam.

Morrow draaide zich om en keek hem verwijtend aan, waarop

hij zijn ogen neersloeg. Gobby trok heel onschuldig zijn wenkbrauwen op, alsof hij er niks mee te maken had.

Zonder enige haast nam ze de telefoon van Leonard over. 'Ja?'

'Wat gebeurt daar allemaal?'

'Een dode bewoonster, stapels verborgen geld in de keuken. Heel eigenaardig allemaal...'

'Hoezo, hoezo?' Hij klonk opgewonden. Zo zou hij niet hebben geklonken als hij de vrouw onder aan de trap had gezien.

'Het gezicht is ingeslagen, eigenlijk helemaal verdwenen, een klungelige inbraak, totaal niet professioneel...'

'Dan was het iemand die haar kende.' Dat was duidelijk. Regel een: het vernietigen van verwondingen in het gezicht betekende gewoonlijk dat het slachtoffer de belager kende, maar Bannerman zat niet met zijn kennis te pronken, hij gebruikte haar om zijn conclusies op te oefenen voor hij ermee naar zijn meerderen ging.

'Tja...' Ze zag dat Harris Leonard probeerde over te halen geld in te zetten op het bedrag en dat hij de regels van de wisselkoers aan haar uitlegde. Leonard leek te aarzelen. 'We zijn nog bezig de stukjes in elkaar te passen.'

'Dus een seksmoord?'

'We zijn nog steeds bewijs aan het verzamelen.' Ze vond het een prettige gedachte dat hij jaloers op haar was, omdat zij ter plekke was, en alles zag. 'Er ligt hier een berg geld. Cash. In euro's. Ik weet niet of het echt of vals is, maar in elk geval moet er een gepantserde auto komen om het op te halen.'

'Hoeveel is het?' Hij klonk ongeïnteresseerd, alsof wat zij een berg geld vond voor hem niet zoveel voorstelde.

Ze zag Bannerman al op de foto staan achter een tafel vol roze geld, met een plechtige uitdrukking op zijn knappe gezicht. 'Zo goed kan ik nou ook weer niet rekenen. Gaan er zes nullen in een miljoen?'

'Ik kom eraan. En ik neem een gepantserde wagen mee.' Hij verbrak de verbinding.

'Tot ziens,' zei Morrow uit gewoonte en tegen niemand in het bijzonder. Ze was er zelf wat beduusd van. Ze gaf de telefoon weer aan Leonard en ving Harris' blik op. Ze bleef hem aankijken terwijl ze hem het nieuws vertelde. 'Bannerman komt eraan.'

'Best. Mij best,' zei hij met een neutraal gezicht. 'Houdt-ie van een gokje?'

8

Goering liep schuin achter Thomas toen ze door de donkere gangen naar het slaapgedeelte gingen. Hij bleef in Thomas' blinde hoek, met zijn gezicht als een wazige veeg, donkere gangen door, naar het gedeelte van het gebouw dat tijdens schooluren verboden terrein was voor de jongens. Zijn aanwezigheid was goedbedoeld, maar voelde als een voorteken van rampspoed, alsof hij een bodyguard was.

Thomas probeerde niet te denken, alleen maar te lopen, eerst de ene voet, dan de andere, een deur die openging, de ene voet, dan zijn vader die aan een balk hing, dan de vagina van een vrouw en scharlakenrood bloed dat tegen Squeaks scheenbeen spatte, de hoek om, de branddeuren die opengingen, een hak die een neus verbrijzelde, het gebleekt witte kraakbeen en rode sproeten. Hij wilde blijven staan om zich op zijn ademhaling te concentreren, hij wilde in een heet bad stappen om de vettige troep van zich af te spoelen, maar hij moest de hele tijd aan Stijve denken. Stijve onder de douche, niet aan zijn erectie maar aan zijn gezicht – jong, puisterig, ontzet. Eén ogenblik van zwakte waardoor je voor altijd getekend was. Thomas moest zorgen dat hij thuiskwam. Alles verbijten en nergens aan denken tot hij thuis was.

Een tussengang naar het slaapgedeelte, een lange, koude strook betonnen vloer met aan weerszijden ramen. Toen hij opkeek kon hij in het natuurkundelokaal kijken, waar een groep jongens met veiligheidsbrillen zich rond Halshall had verzameld. Een gezicht dat hem aankeek, de mond open, de ogen vervormd achter de dikke kunststof lens. Toby zat een klas lager, maar hij was misdienaar, net als Squeak. Toby's vergrote ogen keken achter Thomas langs naar Goering – het zag er ongetwijfeld uit alsof Thomas onder dwang naar zijn kamer werd gebracht.

Hij liep de branddeuren door, toetste de code van de veiligheidsdeur in en zette zijn voet op het nylon tapijt, dat vonkjes afgaf als je er in het donker op je slippers overheen liep. Drie trappen op, langs vier slaapkamerdeuren naar zijn eigen kamer. Hij opende zijn deur.

Er hing een merkwaardig luchtje. Hij ving er altijd een vleugje van op als hij zijn deur opendeed, en hij wist dat het zijn eigen geur was, de geur van zijn lichaam, van zijn haar en zijn gewoontes. Meestal vond hij het lekker, maar met Goering erbij was het opeens walgelijk en triest. De schoonmaakster was nog niet geweest en zijn prullenmand zat vol oliedoekjes, die net zakdoekjes leken waarin hij zich had afgerukt. Met een blik over zijn schouder liep hij naar binnen en knipte het licht aan. Goerings gezicht stond uitdrukkingloos, maar Thomas wist dat hij het allemaal in zich opnam.

'Alleen het hoogstnoodzakelijke, Thomas. Het vliegtuig vertrekt over een halfuur.'

Goering hield de deur open en schoof de rubberen deurvanger eronder. Dat was een schoolregel: de deur moest openblijven als er meer dan één persoon in een slaapkamer was. Als deze regel niet in acht werd genomen, volgde onmiddellijke schorsing, en dat gold zowel voor personeel als voor leerlingen. Je werd altijd in de gaten gehouden.

De kamer zag er netjes uit, het bed was opgemaakt en er slingerde niets rond wat er niet hoorde, maar toch voelde Thomas zich naakt. Hij trok zijn bureaustoel naar achteren en klom erop zodat hij bij de bovenkant van de kast kon komen. Met een ruk aan het canvas handvat trok hij zijn plunjezak over de rand, waarbij hij een regen van stof over zich heen kreeg. Hij stapte van de stoel af en wierp de plunjezak op het bed.

Goering bukte zich, trok heel voorzichtig aan de rits en hield de tas open terwijl Thomas toekeek. Thomas keek hem aan en bijna begon Goering te glimlachen.

'Nu kun je er gelijk je spullen in stoppen,' zei hij.

Opeens wist Thomas niet meer wat ze hier deden, over welke spullen het ging en waarom het zo stil was in het slaapgebouw. Hij keek Goering vragend aan.

'Pak je ondergoed maar uit je la.'

Thomas gehoorzaamde en Goering wees naar de plunjezak. Hij stopte er de stapel onderbroeken en hemden in, die stijf waren van de was en waaraan de voorkant nog de opgestreken, kriebelige naametiketjes zaten.

'En nu je toiletspullen.'

De badkamer was aan het voeteneind van het korte, vierkante bed. Thomas deed de deur open, tastte naar het lichtknopje en schrok van de plotselinge zee van felwit licht uit de kale gloeilamp aan het plafond, alsof hij in het donker wakker was geworden, had moeten plassen en verblind was geraakt. Hij sloot zijn ogen en opende ze weer toen hij voor de spiegel stond. Een boze, rood aangelopen jongen met wijd open ogen. Kwetsbaar, Stijve. Die ochtend had hij niet naar zichzelf kunnen kijken. Het was niet psychisch, het was fysiek onmogelijk om zijn hoofd op te tillen en naar zichzelf te kijken. Maar nu was Lars dood, en hij keek naar zichzelf. Hij knipperde, keek nog eens en constateerde dat zijn uitstraling erop vooruit was gegaan: harder, koud, met strakke mond, veel beter.

'Toiletspullen.' Goering klonk weer wat scherper.

Thomas stak zijn hand uit en pakte zijn tandenborstel, zijn zeep, zijn puistencrème en de inhaler die hij nooit gebruikte. Hij liep de badkamer uit en stopte ze in zijn plunjezak.

'Boeken?'

'Nee,' zei Thomas gedecideerd.

Goering verbaasde zich over de verandering die hij bij hem waarnam. 'Games? Adresboek?'

'Nee.'

Goering aarzelde. 'Goed. Kijk nog maar even om je heen om te zien of je iets anders wilt meenemen. Ik haal je mobiel op bij de huismeester.' Hij liep de kamer uit, haalde zijn eigen telefoon uit zijn zak en terwijl hij de gang door liep, steeg er een zachte, blikkerige beltoon uit op. Hij belde alvast, liet een auto komen, regelde het een en ander. Thomas had liever dat hij was gebleven. De branddeur klapte achter hem dicht en nu was Thomas alleen in de sissende stilte. Hij keek naar zijn tas. Truien.

In de kast lagen zijn kleren voor thuis. Hij hoorde zijn vaders stem die hem boos gebood om zijn thuiskleren aan te trekken. Thomas stond stil en staarde naar de vloer. Lars had zich van kant gemaakt. Hij kon niemand meer bevelen.

Thomas keek op naar het raam en aan zijn keel ontsnapte een vreugdekreetje.

Aan de andere kant van het grijze, betonnen voorplein, in de vallende schemering, stond Squeak. Thomas had zijn hand al gretig op het raam gelegd toen zijn ogen zich aan het donker aanpasten en hij Squeak pas goed zag, zijn strenge blik en de gebalde vuisten langs zijn zij.

Squeak zou wel tussen twee lessen in zitten. Hij zou zich wel hebben losgemaakt van de troep jongens die op hun dooie gemak door de school slenterden, en nu kwam hij te laat, maar dan zou hij zeggen dat hij ergens iets moest halen, of hij zou niet eens gemist worden. Hij zou wel gehoord hebben dat Thomas uit de bibliotheek was gehaald. Dat was alles wat hij wist, dat Thomas onder dwang uit de bibliotheek was gehaald en dat Goering hem naar zijn kamer had gebracht. Hij scheet vast bagger.

Zonder een teken vooraf bukte Squeak zich en begon te rennen, onder de ramen van de lange gang door. Zijn vingers raakten de grond en hij galoppeerde op handen en voeten voort, als een slungelige aap. Hij liep vlak langs de rand van het gebouw, nog steeds ineengedoken, tot hij bij Thomas' raam was aangekomen.

Thomas zag Squeaks kruin opduiken boven de rand van de rechthoek licht op het beton; hij stopte en keek omhoog. Thomas verbrak onmiddellijk het oogcontact, maar pakte wel de raamsluiting vast, schroefde die los en duwde het raam een stukje open, waarna hij het weer op slot deed om duidelijk te maken dat Squeak niet binnen kon komen.

'Goering is in de buurt.'

Zijn handen verdwenen naar de plank onder de vensterbank, vanwaar hij wat boeken pakte die hij op de vensterbank legde en in twee willekeurige stapels verdeelde, alsof hij er een paar uit-koos.

Thomas en Squeak begonnen gelijktijdig te praten, op dezelf-de gedempte mompeltoon. 'Mijn pa heeft zich opgehangen en nu ga ik naar huis.'

'Ik zal niet vertellen wat je met haar gedaan hebt.'

Geschokt keek Thomas op.

Squeak zat nu geknield onder het raam en steunend op zijn vingertoppen keek hij naar hem omhoog, als een hond die elk moment kon springen. Zijn lippen waren vochtig en stonden iets open. Het leek wel of hij glimlachte.

Squeak was een volslagen vreemde voor hem. Thomas kende hem beter dan hij ooit een ander mens zou kennen, maar toch kende hij hem helemaal niet.

Daar stond Thomas met een boek in elke hand, balancerend boven de nietszeggende stapels nietszeggende boeken, en hij keek naar de hoek aan de onderkant van het raam. Squeak, die nu buiten de rechthoek licht uit Thomas' kamer bleef, strekte zijn hals en ving zijn blik.

Thomas keek naar buiten en zag de hond waarmee hij verbon-den was, en die glimlachend en met vochtige lippen vanuit het donker naar hem opkeek.

9

Kay was bijna klaar. Ze was bezig met de karweitjes die twee keer per jaar gedaan werden, zoals het afwassen en oppoetsen van glaswerk dat nooit gebruikt werd. Ze wist bijna zeker dat mevrouw Thalaine die rode vaasjes al in geen drie jaar had aangeraakt. Maar ze had ze van een van de kinderen gekregen en ze vond ze mooi. Kay dompelde ze in het hete water en zag hoe het vet losliet en de glans terugkeerde op het glas. Haar handen waren roze tot aan de polsen. Ze moest glimlachen om de stoom die zich als kunstmatig zweet aan haar gezicht hechtte en haar afkoelde nog voor haar lichaam op de hitte reageerde.

De deurbel weergalmde door het huis. Kay draaide zich om en keek wie het was. Het keukenraam bood uitzicht op het pleintje en de voordeur.

Een man en een vrouw stonden naar de deur te kijken. Beiden droegen een pak, maar niet van het trieste soort, zoals bij colporteurs. Ze zagen er zelfverzekerd uit, stonden niet nerveus met hun aktetas te zwaaien of alvast weke glimlachjes te oefenen.

Het damesachtige trippelpasje van mevrouw Thalaine klipklopte de gang door, gevolgd door het geluid waarmee ze de deur van het slot deed en opende. Kay richtte zich weer op het aanrecht en haar afwas, haalde de vaasjes uit het water en zette ze op het afdruiprek, maar nieuwsgierigheid had haar overpeinzingen verstoord. Met gespitste oren probeerde ze het gedempte gesprek in de gang op te vangen.

De man en de vrouw stelden zich voor. Kay verstond niet goed wat ze zeiden, maar mevrouw Thalaine mompelde een paar vragen en toen hoorde ze voetstappen dichterbij komen. Vervelend, vond ze, want ze moest nog het een en ander doen en daarna had ze zichzelf een sigaretje en even pauze op het bankje beloofd, voor ze naar de Campbells ging.

Margery Thalaine klonk zenuwachtig, ze sprak met een hoog en wat beverig stemmetje. Als het lastige verkopers waren, bracht ze ze vast naar Kay en dan kon zij ze weer afpoeieren. Dat soort lui kwam om de haverklap op deze buurt af, vanwege al het geld en de beleefde oude mensen. En dan mocht het personeel ze laten oprotten.

Ja hoor, voetstappen door de gang, zachte, converserende stemmen, maar mevrouw Thalaine was nu behoorlijk spraakzaam en klonk totaal niet geïrriteerd, zoals anders wanneer ze iets moest doen waar ze geen zin in had.

Ze bleven even voor de deur staan, en toen ging die open. Daar stond mevrouw Thalaine, met de nette pakken achter zich, en Kay speurde haar gezicht af op zoek naar een teken. Kalm. Toch ook wat opgewonden. Ze mocht zich niet opwinden.

'Kay? Deze mensen zijn van de politie.'

Bij die woorden keerde Kay zich naar hen toe en nam hen onderzoekend op. De man rechtte zijn rug, stak zijn neus in de lucht en schonk haar een arrogante blik. De vrouw boog zich naar voren en stak haar hand uit.

'Ik ben rechercheur Leonard.'

Kay was niet van plan een politieagent de hand te schudden. Ze hield haar natte handen omhoog, De vrouw liet haar hand zakken. Er waren niet veel mensen voor wie Kay respect had, en de politie kwam al helemaal niet in aanmerking.

Van haar natte handen droop zeepsop op de pas gedweilde vloer. Dat kon er ook nog wel bij. 'Moet ik...' Ze wist dat ze humeurig klonk, ook al wilde ze mevrouw Thalaine niet overstuur maken.

Mevrouw Thalaine glimlachte flauwtjes. 'Als je het niet erg vindt...'

Kay droogde haar handen af. Ze was zich bewust van haar boze gezicht en zei tegen zichzelf dat ze op weg naar de bushalte nog even mevrouw Thalaine zou aanspreken om uit te leggen dat ze niks van de politie moest hebben en ze niet vertrouwde, dat ze problemen met hen had gehad.

Ze temperde haar stem. 'Nou, dan laat ik het zo voor vandaag, als u het niet erg vindt.'

Mevrouw Thalaines kin trilde gespannen en daarom raakte Kay in het voorbijgaan even haar onderarm aan om haar te laten weten dat ze niet boos op haar was.

'Trouwens...' Kay draaide zich om bij het horen van Margery's stem en zag dat ze gerustgesteld was. 'Zou jij de flessen naar de bak willen brengen?'

Plotseling woedend perste Kay haar lippen opeen. 'Kun je dat zelf niet, Margery?'

Ook Margery perste haar lippen nu opeen. Ze vond het niet prettig als Kay haar in aanwezigheid van anderen bij haar voornaam aansprak. Ze keken elkaar een paar tellen strak aan, tot Margery het oogcontact verbrak en op een van de keukenstoelen ging zitten. 'Ik heb liever dat jij het doet.'

Kay liep de keuken uit en sloeg de deur achter zich dicht. Stampend liep ze de lange woonkamer door. Fel zonlicht scheen door de raampjes in de lange muur en sloeg op haar pupillen.

Ze opende de deur van de gangkast. Daar stond de tas die ze voor Margery had klaargezet: een hergebruiktas van Waitrose, om het minder armzalig te doen lijken. Kay had die daar voor haar neergezet, bij de deur, met de handvatten omhoog, zodat ze hem zo mee kon nemen.

Kay kwam altijd wat vroeger, een halfuur waarvoor ze niet betaald wilde worden, alleen om naar Margery's gesteun en gejank te luisteren, want ze was eenzaam en er was van alles misgegaan en met de dames van de club kon ze niet over haar zorgen praten, want die zouden zelf nooit toegeven dat ze problemen hadden. En die ochtend, terwijl ze van die trieste kopjes thee zaten te drinken waar een muis nog geen natte tong van zou krijgen, had het haar twintig minuten gekost voor Margery beloofde dat ze minstens één keer per dag naar buiten zou gaan, en het uitstapje van vandaag was een wandeling naar de glasbak honderd meter verderop.

Kay voelde zich belachelijk en belazerd, alsof alle vertrouwelijkheid tussen hen niks voorstelde, alsof ze weer was teruggetrapt op haar plaats. Maar haar verdriet was te diep, en ze wist dat het eigenlijk om Joy ging. Ze hield niet van Margery. Ze probeerde een soort Joy in haar te zien, die milde, vriendelijke intimiteit, waarbij ze soms moeder, soms kind was. Nu ze naar de tas met flessen keek, zag ze in gedachten een kleine, verschrompelde hand die haar onderarm aanraakte. Ze kuchte om de tranen te verjagen.

Woedend keek ze naar de flessen in de donkere kast, ze schold ze zachtjes verrot en verwenste zichzelf omdat ze zo'n sufferd was. Ze keerde zich om en keek via een raam in de woonkamer de keuken binnen.

Door de tuindeuren zag ze de politievrouw een formulier invullen op een klembord. Het was vast een soort buurtspionage. Dat zou echt iets voor Margery zijn, dan kon ze al haar stomme nepvriendinnen uitnodigen en ze hondenkoekjes en stomme kleine sandwiches voeren en net doen alsof ze niet blut was en geen rooie cent te makken had, dat ze niet bang was het huis uit te gaan, dat ze niet elke nacht wakker werd om naar de ademhaling van haar man te luisteren en vast te stellen dat hij niet dood was.

Kay nam haar jas van de haak en schoot hem aan. Ze pakte haar handtas, trok de riem over haar hoofd, tilde de Waitrose-tas op en haar eigen plastic tas en besefte toen dat ze moest plassen. Ze sloeg de kastdeur dicht, zette de tassen op de vloer van de gang en liep naar de wc.

Onder het handen wassen bekeek ze zichzelf in de spiegel. De haarwortels schemerden weer door. Ze zag grijze vegen. Ze zag er doodmoe uit, verslagen. Ze deed een stap terug en draaide zich een kwartslag om zodat het harde daglicht niet rechtstreeks op haar viel. Terwijl ze haar spiegelbeeld vasthield, lachte ze zachtjes en was tevreden met wat ze zag.

'Ik ben aardig,' fluisterde ze, en ze bedacht hoe ze naar Margery's geklaag had geluisterd. Ze knikte, ze wist dat ze gelijk had. 'Het is beter te geven dan te ontvangen.'

Tot rust gekomen rolde ze een stuk toiletpapier af en veegde de spatten uit de wasbak, wreef hem glanzend schoon, gooide het papier in het toilet, trok door en liep de gang weer in. Op weg naar buiten pakte ze de tassen op.

Ze wist dat mevrouw Thalaine haar van de deur zou zien weglopen en onhandig over de tegels zou zien stappen die zeer onpraktisch over het fijne, keurig aangeharkte witte grind verspreid lagen. Kay keek niet achterom, maar ze dacht bij zichzelf dat ze naar huis moest om de foto's van Joy tevoorschijn te halen, dat ze zichzelf niet langer voor de gek ging houden. Morgen zou ze niet een halfuur vroeger komen. Ze zou gewoon op tijd verschijnen. En ze nam zich voor op weg naar huis haarverf te kopen en misschien handcrème.

Ze hield haar hoofd geheven tot ze zeker wist dat ze niet meer vanuit het keukenraam gezien kon worden, toen haalde ze haar sigaretten uit haar handtas, stak er een op en slenterde de hoek om, met des te meer plezier omdat ze wist dat ze te vroeg was voor de Campbells en zich niet hoefde te haasten.

Het waaide, er dreigde regen en eigenlijk stond er te veel wind om buiten lekker een sigaret te roken, maar toch genoot ze ervan, want het was haar eigen tijd. Dat was alles wat ze tegenwoordig had, stukjes tussentijd, maar daar nam ze genoegen mee.

De afvalcontainers en glasbakken waren een bron van ergernis in de buurt. Niemand wilde de containers zien of ze dicht bij zijn huis hebben. Er was een compromis gesloten. Een plek ter grootte van twee auto's was geasfalteerd en rondom beplant met een hoge buxushaag. Kay moest er altijd om lachen, omdat het zo tuttig was, alsof de mensen zich ervoor schaamden dat ze afvalcontainers nodig hadden. Het bood een natuurlijke beschutting. Ze leunde tegen de zachte haag en nam weer een trek van haar sigaret. Het was een lekkere. Ze voelde hoe haar boosheid op Margery diep in haar longen werd gezogen en via haar maag wegvloeide.

Aan de andere kant van de haag hoorde ze een auto naderen,

en daarom nam ze een laatste trek – een vieze, kriebelige deze keer – liet de sigaret op de grond vallen, zette haar hak erop en liep weg. Er waren klachten geweest over sigarettenpeuken bij de vuilcontainers. Krijg de klere, Margery, dacht ze terwijl ze de Waitrose-hergebruiktas oppakte, de klep van de huisvuilcontainer opende en hem erin smeet, net toen de auto langsreed.

De wagen kwam achter haar tot stilstand en ze draaide zich om, in afwachting van een berisping door een bewoner omdat ze haar peuk hier had neergegooid, maar het waren de politiemensen die bij Margery langs waren geweest.

De man zat achter het stuur. Hij deed zijn raampje open en met een stomme grijns op zijn gezicht keek hij haar aan, traag knikkend, alsof ze niet goed snik was.

'Die moeten toch in de glasbak?'

Het was een brede grijns en zijn mond hing open zodat ze zijn tong zag trillen en glimmen.

'Als ze zoveel om het milieu geeft, mag ze het zelf doen,' zei Kay nukkig.

Hij liet zich niet uit het veld slaan en bleef grijnzen en traag praten, met een wat getemperd accent, alsof ze hem anders misschien niet verstond. 'Geeft u zelf dan niet om het milieu?'

Ze zag zijn blik naar haar tieten afdwalen en ook dat hij niet eens het fatsoen bezat om zich te generen toen hij zag dat ze het doorhad. Ze sloeg haar armen eroverheen.

'Wou u alleen maar laten zien hoe grappig u bent, of kan ik u ergens mee helpen?'

Op zijn nummer gezet dook hij weer terug op zijn stoel. De politievrouw die haar hand had willen schudden boog zich naar het raampje toe. 'Bent u Kay Murray?'

'Ja.'

'Hebt u vroeger niet in Glenarvon gewerkt?'

'Ja, tot een paar maanden terug, tot mevrouw Erroll stierf.'

'Zou u met ons mee willen komen om te vertellen of er iets gestolen is?'

'Zijn er dan dieven geweest?'

'Dat weten we niet. We weten niet of er iets ontbreekt.'

Kay fronste haar voorhoofd. 'Vraag maar aan Sarah Erroll. Die is volgens mij thuis.'

'Helaas is Sarah Erroll gisteravond tijdens die inbraak vermoord. Volgens mevrouw Thalaine was Sarah meubelstukken en serviesgoed en dat soort dingen aan het verkopen, maar we weten niet of de inbreker iets heeft meegenomen. Zou u mee willen komen om te kijken of er iets ontbreekt?'

'Vermoord? Sarah? In het huis?' Kay merkte dat ze haar woorden half inslikte.

'O.' Opeens leek de vrouw te beseffen dat Kay schrok van het nieuws. 'Helaas wel, sorry dat ik het zo plompverloren vertel...'

'Wie heeft haar vermoord?'

De man grijnsde niet langer. 'Daar proberen we achter te komen.'

'Ze is vierentwintig...' Kay berekende hoeveel jaar ze scheelde met haar eigen kinderen: er zat acht jaar tussen haar en Joe.

De vrouw deed een nieuwe poging. 'Sorry, was u met haar bevriend?'

Ze wilde net een nieuwe sigaret opsteken tegen de schok toen ze bedacht dat Margery alleen thuis zat met het bericht over een tweede plotselinge dood, en dat ze nu een nieuwe reden had om bang te zijn. 'Jullie hebben het toch niet tegen haar gezegd, hè?'

'Tegen wie?'

'Tegen Marg... Thalaine, mevrouw Thalaine?'

Ze keken elkaar aan en ze wist dat ze het wel degelijk hadden gezegd.

'O, jezus nog aan toe.' Ze snelde om de motorkap heen, die warm bleek te zijn toen ze haar hand erop legde.

'Komt u nog mee?' riep de vrouw haar na door haar raampje.

'Later,' riep Kay, terwijl ze over de weg terugrende. 'Ik kom later wel.'

10

De gecapitonneerde ringen rond Thomas' oren werden steeds warmer en begonnen te jeuken, en ondertussen ratelde de Piper door de grijze wolken in de richting van Biggin Hill.

Het was een klein toestel, niet veel meer dan vier stoelen en een motor, een vliegende skelter. Hij vond het nooit prettig om in de Piper te landen. Het toestel was zo klein dat hij in zijn verbeelding altijd balsahout kapot zag slaan tijdens de landing, waarna het vliegtuig als een natte kartonnen doos in elkaar zakte en hem verpletterde. Toen hij diep inademde om rustig te worden, zoog hij de muffe zweetlucht van captain Jack op. Ze zaten maar een paar centimeter van elkaar af. Thomas kon niet eens de tijd doden met lezen, want de cabinelampen mochten niet aan en het vliegtuig schudde zo hevig dat de letters op en neer dansten. Het enige wat hij kon doen was denken.

Nu hij alleen was en niemand hem zag, werd hij niet langer achtervolgd door beelden van de dode vrouw of door de geur van babydoekjes. Nu dacht hij alleen nog maar aan zijn ouders.

Moira. Zijn afstandelijke, domme, niet-meer-mooie moeder. Ze kreeg vast om het halfuur een flauwte omdat ze niet wist hoe ze moest omgaan met het verlies van een man die al jarenlang vanaf de ontbijttafel met zijn maîtresses belde. Zijn grootmoeder zei vroeger altijd dat ze zich voortdurend zat op te vreten en dat ze daarom niet at. Ze was een verstikkend, leeg vacuüm. Ze hield niet eens van hem. Alles was altijd voor Ella.

Squeak had gelijk: er waren geen kinderen. Alleen een lelijke vrouw in een vervallen huis. Dat zou zijn vader nooit accepteren. Hij hechtte aan een onberispelijke inrichting, perfecte kleren, en altijd het juiste pak voor de juiste gelegenheid. Het was inderdaad shock-and-awe, maar in het verkeerde huis, en het was zijn fout. Het was een domme fout. Het zou ontdekt worden en iedereen zou hem dom vinden.

In het dreunende donker stuiterde zijn geest heen en weer tussen het rommelige oude huis en het beeld van Squeak op handen en voeten, die het licht meed en naar hem opkeek. Hij kon Squeak niets verwijten en nam zelf alle schuld op zich, alsof Squeak een deel van hem was dat hij onbelemmerd had laten groeien en woekeren. Een rationeel stemmetje in hem zei dat het verkeerd was om zo trouw te zijn, en hij was slim genoeg om te weten dat hij Squeak op goed geluk had uitgekozen, omdat ze al zo lang in elkaars fysieke nabijheid hadden verkeerd, omdat zijn ouders niet de rol vervulden die ze hoorden te vervullen en omdat hij zich aan iemand wilde hechten. Hij wás Squeak. Het was irrationeel hoezeer hij Squeak was. Dit waren geen rationele tijden. Hij hoefde maar op te kijken en alles was weer volledig veranderd.

De kussentjes van de koptelefoon jeukten verschrikkelijk. Hij wurmde zijn wijsvinger onder de leren manchet en krabde hard over de huid rond zijn oren. Moira kwam hem vast niet van het vliegveld halen. Waarschijnlijk verschool ze zich in het huis, in haar eigen vertrekken, samen met Ella.

Opeens bevonden ze zich onder de wolken, zo laag dat Thomas zich moeiteloos kon voorstellen dat hij uit het vliegtuig tuimelde en bij volle bewustzijn op de grond af raasde. De piloot had weer contact met de verkeerstoren, en opeens knetterde het gesprek Thomas' jeukende koptelefoon binnen. Captain Jack had hem talloze keren ergens naartoe gevlogen, en hij sprak op die merkwaardige, blijft-u-vooral-rustig-toon die bij commerciele luchtvaartmaatschappijen gebruikelijk was. Hij klonk als een slechte radio-dj.

Wat Doyle ook zei, Thomas keerde niet terug naar het St. Augustus. Hij probeerde zich een voorstelling van zijn nieuwe leven te maken, hoe het van dag tot dag zou verlopen, hoe hij zijn dagen zou vullen. Hij vroeg zich af of de dood van zijn vader betekende dat de schuldeisers hun huis niet in beslag konden nemen. Dan zou Thomas zijn appartementje kunnen houden, beneden, op enige afstand van het hoofdgebouw. Eigenlijk was het een soort bejaardenwoning. De vorige bewoners hadden het als bejaardenwoning gebruikt. Twee grote kamers met uitzicht op de tuin, een keukentje en een badkamer. Toen ze in het huis gingen wonen, mocht Thomas het van zijn vader hebben, want hij rookte weleens en dat mocht niet in huis. Dat was slecht voor Ella's astma.

Hij zag zichzelf in bed liggen, in het donker, eindelijk echt alleen zodat hij zijn gedachten de vrije loop kon laten gaan. Tegen de verwachting in voelde hij geen rouw of verdriet. Hij was verbijsterd en zo kwaad dat hij het liefst zijn handen had uitgestoken om captain Jack te wurgen.

Geschrokken van zijn eigen gedachten vouwde hij zijn handen samen op zijn schoot en keek uit het raam.

Zijn vader was er niet meer.

Als hij ergens binnenkwam, vulde hij de hele ruimte.

'Moet je zien hoe ze naar me kijken,' zei hij op een keer tegen Thomas en Ella toen ze een restaurant binnengingen. Ella sloeg haar armen om het middel van haar vader en zei iets kneuzigs. Maar Thomas keek naar de man, naar zijn grijze haar, dat een zilveren glans had van de mousse, en hij wist dat iedereen naar hem keek omdat hij zo zichtbaar bulkte van het geld. Zijn jasje was nooit met regen in aanraking geweest, zijn boord was wit van nieuwheid, en hij nam twee kinderen mee naar een driesterrenrestaurant waar het stikte van de bankiers in donkere pakken. Het ging niet om de kinderen, het ging nooit om hen. Ze aten daar zodat iedereen kon zien dat hij menu's van tweehonderd pond verspilde aan een onhandige puber en een zeurderig kind. Zijn vader was niet bijzonder, hij was alleen maar rijk. Nu was hij dood. Thomas kon de gedachte niet van zich afzetten dat hij hem had gedood, dat hij over haar had gehoord en zich toen had opgehangen. Het was alsof hij het hoopte. Hij moest zichzelf telkens voorhouden dat zijn vader al aan een balk had gebungeld toen Squeak de auto nog moest starten.

Thomas keek uit het raampje. Eigenlijk moest hij zichzelf ook maar opknopen. Dan zou hij ze weleens willen zien, de schuldeisers die aan de andere kant van de beveiligde tuinmuur stonden te protesteren en er eieren en brandende kranten overheen gooiden die op alles en iedereen terecht konden komen, op Ella of een hond of wie dan ook. Hij zou de krantenkoppen weleens willen zien als zijn vijftienjarige zoon ook aan een touw bleek te hangen. Dan schreven ze vast dat het door het geld kwam en door de druk van buiten. Wat zouden ze zich rot voelen. De kranten die op zijn vaders bloed uit waren geweest, zouden er opeens heel anders over denken, anderen ervan beschuldigen dat ze de aanval hadden geopend, om kalmte roepen. Hij glimlachte tegen het achterhoofd van captain Jack.

Nu daalden ze, beschreven een cirkel en vlogen recht op de landingsbaan af. Thomas keek naar de horizon. Rechts in de verte zag hij Bromley, en misschien Blackheath, dat steeds verder wegzonk tot het verdween, werd opgeslokt door de aarde. Ze daalden nu razendsnel.

Zijn ademhaling was zo luid dat de stemactivatie in werking trad en de piloot hem vroeg zijn woorden te herhalen.

'Ik zei niks,' zei Thomas met klem. 'Ik ademde alleen maar.'

Ze bevonden zich nu op één lijn met de baanverlichting en begonnen aan een landing volgens het boekje. Recht eropaf, schuin naar beneden, met de neus omlaag. Thomas haalde weer rustiger adem en begon aan de rand van de zitting te peuteren.

Het vliegtuig kwam met een schok op de landingsbaan terecht en minderde vaart, waarbij het iets overhelde zodat ze het gewicht onrustbarend naar de neus voelden verschuiven. Het toestel trok weer recht, nog steeds vaart minderend tot ze voortkropen, en via de koptelefoon liet captain Jack met zijn stomme stem de verkeerstoren weten dat ze geland waren.

Langzaam taxiede het toestel naar de helder verlichte ingang van de hangar, een spleet bedrieglijke gele warmte. De deuren werden alvast opengetrokken. De hangar bleek leeg te zijn toen ze naar binnen reden. Meestal stonden er een paar vliegtuigen en moesten ze wachten tot ze gesleept werden, maar nu had de piloot opdracht gekregen meteen naar binnen te rijden. Thomas keek of hij de ATR-42 zag, maar die was er niet. Captain Jack bracht het toestel vlekkeloos tot stilstand, zonder gestoot of zwaar geschok. De motor zweeg.

Hij schakelde de motor en de lampen uit door de ene stugge schakelaar na de andere over te halen. Hoewel het enigszins misplaatst was, bedankte hij Thomas via de koptelefoon voor zijn gezelschap die avond. Een mislukte luchtvaartpiloot, dat kon niet anders, dacht Thomas, zo eentje die dronken langs de vertrekbalie was gelopen of iets dergelijks.

Voorzichtig zijn knieën testend ontkoppelde Thomas zijn veiligheidsriem en kwam half overeind. Hij trok de koptelefoon van zijn hoofd en liet die op de stoel vallen. Buiten reed een man in een overall een trapje naar het vliegtuig. Thomas wachtte tot captain Jack zijn deur opende en naar buiten klauterde om hem naar beneden te helpen.

Toen zag hij haar.

Ze stond in de ijzige kou van de hangar, op een betonnen verhoging voor de deur naar het kantoor. Ze kende het vliegtuig, want ze had hem vaak afgehaald als hij terugkwam van school. Donker haar, en met haar lange groene nappaleren jas dicht om zich heen geslagen. Nanny Mary. Thomas werd overspoeld door liefde, door verlangen, en zoals altijd volgde meteen de reactie: walging en zelfverachting, slijmerig, als haar lichaamsvocht onder zijn nagels wanneer hij 's nachts in bed lag, haar geur op zijn lakens, haar pezige hardloperslijf naast het zijne, harde spieren onder zachte huid. Hun blikken kruisten elkaar, ze pikte zijn stemming op en glimlachte onzeker. Thomas keek weg.

Een vlaag kou kwam binnen toen de piloot de deur opende en naar buiten stapte. Thomas duwde de stoel naar voren en daalde het trapje af naar de koude grond, waarbij hij de uitgestrekte hand van de piloot negeerde en geen oogcontact met hem maakte. Mary stapte op hem af en stak hem ook een hand toe, die Thomas eveneens negeerde.

'Waar is de auto?'

'Tommy, je bloedt.' Ze wilde zijn oor aanraken, maar hij rukte zijn hoofd opzij en hield zijn hand over zijn oor. Hij voelde koud vocht op zijn handpalm. Hij had te hard gekrabd.

'Waar is je bagage?'

Captain Jack klom weer naar binnen en haalde zijn plunjezak achter de stoelen vandaan. Hij reikte hem aan en Mary nam hem met veel vertoon in ontvangst. Thomas zag hoe ze haar armen uitstrekte en captain Jack recht in zijn gezicht keek – en ook al had ze vaak achter zijn rug grapjes over hem gemaakt, ze schonk hem nu een sluwe glimlach.

Ze droeg zijn tas naar de auto, alsof hij niks woog, en toen ze hem op een zeker moment met een zwaai in haar andere hand nam, raakte hij in paniek. Bang dat ze hem zou vastpakken, stak hij beide handen diep in zijn broekzakken tot hij de beginnende gaten in de onderkant van de voering voelde, en een hard plekje waar een balpen had gelekt.

Jamie, zijn moeders lievelingschauffeur, stond naast de auto en wreef in zijn handen om ze warm te houden. Ze had Jamie gestuurd en heel even hoopte hij dat het uit genegenheid was, dat ze hem een warm welkom wilde bereiden, maar dat was niet het geval. Jamie was hier alleen omdat ze hem niet nodig had. Ze was binnen, waar het warm was, bij Ella.

Jamie lachte nerveus, knikte en opende het portier. 'Alles oké?' vroeg Thomas, maar nog voor Jamie kon antwoorden, zat hij al in de auto. Mary stapte na hem in. Achter hen klikte de kofferbak open en Jamie stopte de plunjezak erin, waarna hij de klep dichtsloeg, op een drafje naar voren liep en instapte.

Ze had ze klaargezet voor ze naar de hangar was gegaan: in de bekerhouders tussen de twee stoelen in zaten twee Starbucks-bekers, plastic in plaats van papier. Uit het drinkgat steeg damp op, en de geur van chocola. Ze wees ernaar toen Jamie de auto startte en wegreed.

'Warme chocolademelk.'

Thomas keek uit het raampje. 'Nee.'

Met een glimlach pakte ze haar eigen beker en sloeg haar grote handen eromheen. 'Ik dacht dat je het misschien koud zou hebben.'

'Nee hoor, helemaal niet.' Hij zag haar spiegelbeeld in het donkere glas, zag haar blik naar zijn buik en zijn liezen gaan. Hij voelde huiverende begeerte en werd misselijk. 'Ik hoef niks.'

Ze wendde haar blik af. 'Je bloedt nog steeds.'

Hij ving zijn eigen blik op in het rookglazen raam. 'Bek houden, Mary.'

II

Koude regen bespikkelde Morrows gezicht. De bovenste tree
bood geen beschutting en de miezerbui wervelde om haar heen,
slokte haar op, terwijl de wind als een kind aan de zoom van haar
jas trok, zodat ze met een glimlach naar Bannerman luisterde.
'Doe uit!' riep hij door de telefoon. 'Doe dat ding uit en luister
naar me!'

Ze hield de telefoon een eindje van haar oor, maar op de achtergrond hoorde ze nog steeds een vrouwenstem, die langzaam
en als gedrogeerd zei: 'Deze weg blijven volgen.'

'Doe dat kutding uit!' riep Bannerman.

Vloeken paste niet bij hem. Hij wilde er zo snel mogelijk zijn.
Het was de verlokking van het geld, onbekende hoeveelheden,
de herkomst onvoorstelbaar, een zee van roze mogelijkheden.

'Keren, nú!'

De chauffeurs van de gepantserde wagens werden er echter op
getraind onbewogen te blijven, niet te reageren op geschreeuw of
gedreig, het simpelweg te negeren, rustig te blijven en naar de opgedragen bestemming te rijden. Sommige agenten lieten zich
makkelijker trainen dan andere. Ze hoorde de chauffeur afgemeten antwoorden – nee, ja, hier, niet hier – terwijl de gps-dame op
minzame toon de koers aangaf en de ruitenwissers over het glas
gierden.

'Morrow? Morrow!' riep Bannerman.

Ze overwoog op te hangen en later te zeggen dat de verbinding was weggevallen, maar dan zou hij meteen terugbellen en nog meer aanwijzingen roepen die de chauffeur toch niet zou opvolgen.

'Ik ben er nog.'

'Oké. We komen eraan. Het gaat langzaam, maar we komen er wel.'

Terwijl ze vanaf de bovenste tree in de verte keek, dacht Morrow aan Sarah Erroll. Ze was jonger dan zij en woonde hier in haar eentje. Vreemd om altijd in hetzelfde huis te hebben gewoond. Het huis was waarschijnlijk zo vertrouwd geweest dat ze het niet langer zag, dat de stenen, het gras, de traptreden en de muren werden verdrongen door de opeengestapelde herinneringen aan haar leven: kleine voorvallen, portretjes, beelden die om onduidelijke redenen tot in forensisch detail bewaard waren gebleven. Morrow hoopte dat het vreugdevol was geweest, die wolk van indrukken, tot op het laatst. Ze zag een stampende zwarte schoen. Dat was alles wat ze uit de afdrukken hadden kunnen herleiden, dat hij van zwart suède was. De zool deed een sportschoen vermoeden, met diepe groeven en zonder hak. Twee stel verschillende afdrukken in bijna dezelfde maat. 'Naar boven, hier afslaan!'

Ze hield de telefoon nog verder van haar hoofd.

Het was pas halfvijf, maar het was al donker. Zo hoog op de heuvel waren er geen straatlantaarns, maar in het huis brandden alle lampen, aangevuld met de felwitte schijnwerpers van de forensische recherche. Op zes meter van de onderste tree was het donker al ondoordringbaar.

Haar telefoontje piepte, weer een beller, een onbekend nummer. 'Er komt een ander telefoontje binnen,' zei ze tegen Bannerman, waarna ze overschakelde. 'Hallo?'

De stem was zacht en meisjesachtig. 'Hallo? Spreek ik met Alexandra Morrow?'

Het was niet iemand van het werk, maar buiten het bureau had niemand dit nummer. 'Ja?'

'Hallo, eh, ik ben Val Maclea. Ik ben forensisch psycholoog. Daniel McGrath heeft me uw nummer gegeven.'

Morrow trok haar kin in en dempte haar stem. 'Heeft Danny u dít nummer gegeven?' Ze vroeg zich af hoe hij aan het nummer van haar dienstmobiel kwam. Het stond nergens geregistreerd. Zelfs Brian had dit nummer niet.

'Ja.' De vrouw aarzelde, voelde dat er iets niet klopte. 'Sorry, maar zit u niet op het bureau aan London Road?'

Hij had het nummer toch niet, de oproep was vanaf haar werk doorgeschakeld. 'Sorry, sorry, nee, ik heb... u belt me op mijn mobiel, u bent doorgeschakeld.'

'Oké,' zei de vrouw op geduldige toon. 'Zal ik u anders op een passender tijdstip terugbellen?'

Morrow speurde de laan af, maar zag nog geen koplampen verschijnen. 'Nee, niet nodig.'

'Nou, dan hoop ik dat het even schikt. Het gaat namelijk over John McGrath, uw neef naar ik aanneem?'

Ze wachtte op antwoord en Morrow hield haar blik op de laan gericht. 'Mm.'

'Eh, ik voer in opdracht van de rechtbank een risicotaxatie uit, en ik vroeg me af of ik van u wat achtergrondinformatie zou kunnen krijgen?'

'Risicotaxatie?'

'Het is een bepaalde manier om naar Johns verleden te kijken, om te beoordelen hoe waarschijnlijk het is dat hij in de toekomst weer een misdrijf begaat.'

'O, dat staat vast.'

Ze aarzelde even. 'Eh, zou ik u hier persoonlijk over kunnen spreken?'

Ze klonk aardig en redelijk. Morrow zou graag met iemand over haar eigen achtergrond willen praten zonder zelfcensuur te hoeven toepassen of iets te moeten uitleggen. Maar als ze dat deed, zou Danny erover horen. Hij zou het als een gunst beschouwen.

'Nee, dat wil ik niet.'

Het zou van verantwoordelijkheid getuigen als ze zich over John uitsprak. Ze had van een afstand gezien wat er met hem gebeurde, hoe hij van de ene gek aan de andere werd overgedragen, ze kende de chaos waarin hij was opgegroeid, maar ze had er niets aan gedaan. Toen ze nog studeerde en hij klein was, had ze hem een keer gezien. Het was zomer en hij zat vastgebonden in een buggy, die bij de deur van een pub stond geparkeerd. Hij zag er slecht uit. Uit zijn sandaaltjes staken vuile teentjes. Hij kende haar niet, maar ze had hem zo mee kunnen nemen, iedereen had hem mee kunnen nemen. Morrow had vijfentwintig minuten op de hoek gestaan om de buggy in de gaten te houden. Terwijl ze daar stond overwoog ze John te ontvoeren, hem mee naar huis te nemen, hem te wassen en eten te geven. Maar ze was jong en had geen geld, ze kon hem geen onderdak bieden. Zijn moeder kwam de pub uit stormen en trok het wagentje van de rem, zonder een woord of een blik voor het kind, dat lachend naar haar opkeek. Morrow zag haar weglopen en voelde de overtuiging die ze als kind had gekoesterd – namelijk dat ze verantwoordelijker zou zijn dan haar eigen moeder – in rook opgaan.

Aan het einde van de weg schemerde het gele licht van koplampen tussen de bomen door. 'Ik moet ophangen,' zei ze.

'Zou ik een afspraak met u kunnen maken?'

'U weet dat ik bij de politie werk – niemand hier kent mijn achtergrond, ik voel er niet voor in verband te worden gebracht met die...'

'Als u dat liever hebt, wil ik wel bij u thuis komen voor een gesprek. Of u zou naar mijn kantoor kunnen komen.'

De lichten kwamen dichterbij, minderden vaart bij de splitsing, draaiden de helling op en boorden zich door het drabbige donker toen het busje de steile laan op reed.

'Nee.' Ze verbrak beide verbindingen.

Schuldig als een schoolmeisje dat betrapt is met een sigaret plakte ze een onbeholpen lachje op haar gezicht en keek naar het gepantserde busje dat vóór haar tot stilstand kwam.

Het zag er helemaal niet zo bijzonder uit, gewoon een zwart busje met een camera op het dak. De binnenkant was een ander verhaal. De achterportieren verhulden een derde deur, een beveiligde deur met een tijdslot. De kluis was aan de vloer vastgelast, zodat overvallers het busje doormidden zouden moeten snijden om hem te verwijderen. Het werd gebruikt voor het vervoer van drugsvangsten en grote hoeveelheden geld. Zelfs de training van de chauffeurs was kostbaar.

Het busje schokte toen de handrem werd aangetrokken. Bannerman opende het passagiersportier en stapte uit, waarna hij het woedend achter zich dichtsloeg. Hij liep met grote stappen op haar af, alsof ze niet allang wist dat hij kwaad was, bleef onder aan de trap staan en mompelde een verwensing aan het adres van de chauffeur.

'Hij bracht me naar een wolwinkel genaamd Glenarvon, een dorp verderop.'

Alsof het Morrow iets kon schelen. 'O.'

'Waar is het?'

'Het lijk?'

'Nee, het geld.' Typisch Bannerman: die klom desnoods over een dode vrouw om zo snel mogelijk bij de buit te komen die hem roem zou brengen. Ook als het geen drugsgeld was, zou hij toch de voorpagina halen van de nieuwsbrief van Strathclyde Police. De nieuwsbrief werd door de hoge omes gelezen, niet door de rest. Zo hadden ze het gevoel dat ze contact hielden met de mannen, en Bannerman vond het altijd prachtig als hij erin stond.

Ze hoorden een portier opengaan, en de chauffeur stapte behoedzaam uit het busje. Het vizier van zijn helm was naar beneden, hij had zijn handschoenen aan en speurde de omgeving af op zoek naar overvallers. Vers van de training, vermoedde Morrow. Die nam het serieus. Ze had medelijden met hem. Hij zag hen op de trap en bleef weifelend staan, alsof hij liever niet boven kwam zolang Bannerman er nog was.

Morrow gebaarde ongeduldig naar hem. Ze kon pas naar het bureau als ze de verantwoordelijkheid voor het geld had overgedragen. De man kwam langzaam op hen af en bleef op drie meter afstand staan. Bannerman keek hem woedend aan, alsof hij het niet moest wagen dichterbij te komen.

Het was zonde van de tijd zoals ze met hun pik naar elkaar stonden te zwaaien, en ondertussen zat Sarahs notaris op het bureau te wachten tot ze hem ging ondervragen, en ze moest ook nog een paar voorlopige rapporten doorwerken voor ze naar huis kon. Even overwoog ze om hen uit wrok zonder waarschuwing langs Sarah Erroll te leiden, maar ze hield zich in. 'Gaan jullie maar via de achterdeur naar binnen. Ze wordt nu opgehaald, en het is geen prettig gezicht. Om de hoek is een keukendeur, maar ze zijn door het raam naar binnen geklommen.'

'Hoezo omlopen omdat er een lijk ligt?' Bannerman nam nog een tree. 'Dat maakt me niet uit, ik weet dat het een rotgezicht is...'

'Nee, dan verstoren jullie de plaats delict. Het geld ligt in de keuken.' Ze wierp een blik over zijn hoofd. 'Chauffeur, hoe heet je?'

Hij noemde zijn naam, maar zijn stem werd gedempt door het vizier, en Morrow luisterde trouwens niet. Ze was trots op zichzelf omdat ze een ondergeschikte zo hoffelijk behandelde.

'Oké,' zei ze. 'Loop jij maar naar achteren en kijk eens naar het geld. Ik wil graag dat het vervoerd wordt zoals het er nu ligt, dus op de plank.'

'Hier de hoek om?' Aan de zijkant van het huis was het inmiddels donker en hij leek te aarzelen.

'Ja, gewoon eromheen lopen tot je aan de achterkant bent. Het licht brandt, je ziet de deur wel openstaan.'

Hij liep weg, wadend door het lange gras, en verdween achter een boom.

Bannerman keek naar haar op. 'Hoe is het met je? Alles in orde?' vroeg hij op een intiem toontje.

'Eh, ja hoor, prima,' antwoordde ze met geveinsde verwarring.

'Is het niet te veel voor je?' Hij knikte in de richting van het huis.

'Nee, nee, niks aan de hand. Hoewel' – ze streek over haar buik terwijl ze de trap afdaalde en naast hem ging staan – 'ik zou het geloof ik wel fijn vinden om morgen lekker uit te slapen.'

Bannerman liet een vreugdeloos lachje horen. 'Ah, ik vind je geloof ik aardiger als je zwanger bent. Die hormonen stemmen je mild.' Toen raakte hij haar aan, gaf haar een klopje boven op haar rug, iets wat hij vroeger niet zou hebben gewaagd.

Ze was veranderd, dat wist ze, maar het was niet iets chemisch. Dat ze binnenkort van een tweeling zou bevallen zette haar leven al voldoende op zijn kop, en hij wist dat Gerald was gestorven. Hij scheen te denken dat ze over haar gevoelens wilde praten, dat ze aangeraakt wilde worden, dat ze rekening met haar moesten houden. Om te voorkomen dat ze iets stoms zei, keerde ze haar gezicht naar de open deur toe.

'Het raakt de mannen totaal niet,' zei ze zachtjes.

'Hoezo?'

Met een zucht keek ze op naar het huis. 'Een groot huis, geen naaste verwanten die om haar treuren, een berg kennelijk verdacht geld in de keuken. Van haar gezicht is niks meer over.'

'Dat verandert nog wel, we zoeken wel een paar kinderfoto's van haar op.'

'Ze maken anders al grapjes over haar.'

'Dat heb ik gehoord.' Hij lachte wat meesmuilend. 'De benen...'

Morrow wist niet hoe ze het hem duidelijk moest maken, maar de mannen waren gekwetst omdat het geslacht van de dode vrouw er open en bloot bij lag. Het waren ouderwetse types, die graag zagen dat vrouwen hun knieën bij elkaar en hun slipjes aan hielden. Het geringste vermoeden dat een vrouw er nogal losse zeden op na hield, kon hun medegevoel tenietdoen. Morrow probeerde er niet te veel bij stil te staan, maar ze knoopte haar overhemden altijd helemaal dicht.

'De betrokkenheid is in het geding,' zei hij op luide toon. 'De meesten van hen willen gewoon hun loon, punt uit.'

'Hm,' zei ze vaag. Bannerman trok niet zozeer een conclusie, maar herhaalde iets uit een verontwaardigd gesprek met een van zijn golfmaatjes. De mannen hadden alle recht om het voor het geld te doen, maar het probleem ging dieper, hun gebrek aan betrokkenheid was inmiddels diepgeworteld, een ereteken, iets waarover ze onderling opschepten. Hoe dieper het ging, hoe minder ze presteerden, tot wanhoop van de leiding, die een probleem dat met gevoel en trots had te maken probeerde te bestrijden met geruchten over een bonusplan.

De chauffeur kwam de hoek weer om. Hij had zijn helm afgenomen en bleek een groot, vriendelijk babyface te bezitten. 'Inspecteur, we hebben nog een paar busjes nodig. Er is te veel.'

Morrow keek naar het busje waarmee hij gekomen was. Er was ruimte genoeg voor wat er onder de tafel lag. 'Nee, dat past er wel in.'

'Nee.' Hij hield zijn hand omhoog en sloot zijn ogen, alsof hij geen tegenspraak duldde. 'Volgens de regels mogen we niet meer dan vijfenzeventigduizend tegelijk meenemen. Ik schat dat we zo'n negen busjes nodig hebben.'

Bannerman keek achterom naar Morrow en ze lachten zelfgenoegzaam.

'Tja,' vervolgde hij gelaten, 'we hebben niet eens zeven busjes beschikbaar. Dat wordt lossen, terugrijden, wegrijden en weer terugrijden.' Hij zag hen lachen en begreep het verkeerd. 'Ja, gigantisch veel. Drugs, hè?'

Morrow fronste omdat ze anders zou gaan giechelen; ze boog zich achterwaarts naar het huis toe en riep rechercheur Wilder bij zich. 'Zoek jij dit maar uit,' zei ze tegen Bannerman. 'Zorg dat er niets wordt verplaatst...'

'... tot het gefotografeerd is, dat weet ik, Morrow,' zei Bannerman met een grijns.

Wilder kwam door de voordeur naar buiten en trok een schuldbewust gezicht toen hij Bannerman en Morrow samen op de trap zag lachen.

'Wilder,' zei ze, terwijl hij naar Bannerman knikte, 'breng me eens een stukje verderop.'

Wat lacherig namen Morrow en Bannerman afscheid, en ondertussen liep Wilder de trap af naar de auto. Morrow volgde hem en stapte in, en terwijl ze hun veiligheidsriem vastklikten, reden ze langs de voordeur en zagen nog net dat Bannerman en de chauffeur de trap op liepen.

'Succes,' mompelde Wilder.

Dat waardeerde Morrow in hem en het stemde haar wat milder. Ze had hem nooit echt gemogen. Hij was wat kleurloos, zelfs voor een politieman. Zijn haar had dezelfde tint als zijn huid en er kwam nooit iets interessants over zijn lippen. Ze verdacht hem ervan dat hij tot de harde kern van de strijdlustige sukkels uit zijn team behoorde, hij en Harris, hoewel ze geen gegronde reden had om dat te denken, behalve dan dat ze hem nooit had gemogen.

Hij reed de auto behoedzaam langs het geparkeerde busje van het mortuarium en de steile helling van de geasfalteerde oprit af.

Op de laan likten de koplampen langs grote bomen en streken over struiken. De huizen stonden op enige afstand van de weg en elk huis had lampen langs de oprit, als bij een landingsbaan. Ze hadden bijna het einde van de laan bereikt, toen ze een vrouw in een regenjas aan de kant van de weg zagen lopen, met haar hoofd gebogen en een handtas aan een dunne riem over haar schouder. Ze keek op naar de koplampen en Wilder bracht de auto met een misprijzend 'tss' vlak voor haar tot stilstand. Morrow zag een strook bij de haarwortels waar bruin zich mengde met woest grijs, regenplekken op de schouders van haar jas en afbladderend kunstleer op de riem van haar handtas.

Haar gezicht was bleek in het licht van de koplampen. Ze keek op naar de auto, tuurde schuins naar de schimmige gezichten en liep op hen af.

Kay keek door het raampje, deed haar mond al open om iets te zeggen, maar toen begon ze met open mond te lachen van pure blijdschap. Morrow hield haar adem in: Kay Murray, geen spat veranderd.

Morrow deed het portier open, stapte uit en sloeg het met een klap achter zich dicht.

'Godallemachtig,' zei Kay, 'je lijkt niet ouder dan twaalf.'

'Kay.' Morrow wilde haar gezicht aanraken. 'Kay.'

'Wat doe jij hier?'

'Ik werk bij de politie.'

'Nee!'

'Ja.'

'Ik haat die klerepolitie. Hoe kwam dat zo?'

'Foutje.'

Ze waren samen jong geweest, hadden samen op straathoeken

rondgehangen, en Morrow had zich vaak afgevraagd wat er van haar was geworden. Maar ze was niet het type dat contacten onderhield: je maakte deel uit van Kays leven of niet. Lekker koffiedrinken om bij te praten was er met haar niet bij. Met haar ging je naar bandjes, achter de jongens aan, met haar dééd je iets.

Ze keken elkaar grijnzend aan, tot Wilder zonder enige reden de motor liet opkomen. Kay gluurde naar binnen. 'O, die. Wat een lul is dat.' Morrow keek door de voorruit naar Wilders kleurloze gezicht. 'Hij sprak vandaag tegen me alsof ik goddorie de werkster was of zo.'

'Waar was dat?'

'Iets verderop, in een van de huizen waar ik schoonmaak. Vroeger heb ik daar gewerkt.' Ze wees naar Glenarvon op de heuvel. 'Ik heb gezegd dat ik zou komen kijken of er iets ontbrak.'

'O, echt?' Morrow besefte dat ze net bezig waren het lijk weg te halen. 'Zou je daarmee tot morgen willen wachten? Ik ben er vanaf tien uur.'

'En dan zie ik jou dus weer.' Kay knikte en kreeg bijna de hik van plezier. Ze keek naar Morrows buik. 'Wanneer ben je uitgerekend?'

'Ik ben nog maar vijf maanden heen.'

'Dan ben je wel erg dik.'

'Het is een tweeling.'

'Wat een nachtmerrie,' zei Kay luchtig.

'Heb je zelf kinderen?'

'Vier.' Kay lachte innig. 'Vier buitenechtelijke pubers. Ze halen me het bloed onder de nagels vandaan.' Het was een oude gewoonte om negatieve dingen over je kinderen te zeggen terwijl je stond te stralen van trots, alsof het zelfverheerlijking zou zijn als je ze prees. 'Ik dacht laatst nog aan je. Toen ik het hoorde over jullie John. Wat een gek.'

'Hij is niet míjn John...'

'Wel,' onderbrak Kay haar. 'Echt wel.'

'Nee, nee, ik heb niks met hem te maken.'

'Ah, rot op. Hij hoort bij jullie. Je hebt ze nou eenmaal niet voor het kiezen.' Kay wierp een ongeruste blik op het felverlichte huis. 'Wat... eh... wat is er precies gebeurd?'

Morrow mocht eigenlijk niks zeggen, maar ze kende Kay en ze vertrouwde haar. 'In elkaar getrapt,' zei ze, en ze wees naar haar gezicht.

'Sarah?'

'Ja.'

Opeens rimpelde Kay haar voorhoofd en sloeg haar ogen neer. 'Lieve god.'

'Kende je haar?'

'Ja.'

'Wat was ze voor iemand?'

Morrow keek nog steeds naar de grond. 'Heel aardig. Rustig.' Er speelde een lachje om haar mond. 'Haar moeder was zo gek als een stekker.'

Morrow zag de dikke, natte traan die van Kays gezicht drupte. Ze dacht dat het de regen was, tot ze een tweede drup zag. Plotseling besefte ze dat Kay de smeerboel in de hal had gekend toen het nog een levend, bewegend iets was geweest, dat ze misschien bevriend waren geweest, hoe ongerijmd dat ook leek. Ze stak haar hand uit en raakte Kays schouder aan, alsof ze haar kwetsende woorden wilde teruggrissen. 'Sorry.'

Kay deed een stap naar achteren. 'Nee.' Ze was te beschaamd om op te kijken. 'Nee, het is niet...'

'Ik wist niet dat jullie close waren.'

Schuldbewust draaide Kay zich weer om. 'Dat waren we ook niet. Ik ben gewoon... jankerig. Het meisje is dood. Dat is triest.'

Ze keerde zich om en beende weg, waarbij ze dicht bij de bomen bleef. Morrow keek haar na.

'Zien we elkaar morgen?'

'Ja,' riep Kay.

In het warme licht van een straatlantaarn stak Kay haar hand naar achteren en krabde met een kromme wijsvinger over haar lange nek. Morrow hield haar adem in. Het gebaar was zo vertrouwd dat het bijna eigen was, afkomstig uit een andere tijd, een mildere tijd, die bevolkt was met onvolmaakte, boze vrouwen, met onzekerheid en warmte. Plotseling wist Morrow het: Kay had gelijk. Sarah Erroll was niet zomaar een in elkaar getrapte puzzel. Ze was een jonge meid en ze was dood.

Het was treurig.

12

Op een gunstig tijdstip duurde de rit slechts een halfuur, maar dit was het verkeerde tijdstip. Het was spitsuur en de auto's kropen voort, achterdochtig, zich egoïstisch vastklampend aan de bumper vóór hen, want stel dat iemand wilde invoegen. Hij wist altijd wanneer ze Sevenoaks naderden, want dan leken de auto's groter en schoner, op de een of andere manier net als zijn vader. Gestroomlijnd, schoon en machtig genoeg om zonder te stoppen over je heen te rijden.

Thomas haatte Sevenoaks. Ze waren er zes jaar geleden gaan wonen, toen zijn vader het hoogtepunt van zijn carrière had bereikt en het geld binnenstroomde. Elke avond als Lars thuiskwam leek hij weer iets zelfvoldaner. Hij werd dikker, wist Thomas nog, en liet zich een compleet nieuwe garderobe aanmeten om zijn uitdijende kont en buik te maskeren.

Het was onvoorstelbaar dat hij zich had opgehangen. Hij was niet het soort man dat zich overgaf aan sombere bespiegelingen over zijn eigen karakter. Het kwam vast niet door het publieke schandaal, want hij verachtte zijn investeerders. Hij zei altijd dat je een eerlijk man niet kon bedonderen.

Moira veranderde na de verhuizing naar Sevenoaks. Thomas had nooit begrepen waarom. Hij was destijds nog een kind. Hij had nooit stilgestaan bij de dynamiek van hun relatie, maar het was alsof zijn vader leven aan haar onttrok, en hoe bezielder en grappiger hij werd, hoe meer zij wegkwijnde tot een deemoedig slachtoffer. Ze ging niet langer naar bedrijfsfeestjes, op dagjes-uit met het hele bedrijf of vriendschappelijke uitstapjes met andere echtgenotes. Ze begon pillen te slikken waarvan ze een irritant droge mond kreeg. Thomas herinnerde zich het walgelijke geschraap waarmee haar tong door haar droge mond bewoog. Het knipperen van haar ogen was niet langer expressief, maar werd traag, alsof ze er soms, wanneer ze haar ogen sloot, niet helemaal zeker van was of ze ze weer wilde openen.

Thomas klemde de armleuning onder het raampje met beide handen vast, en keek strak naar buiten. Achter zich voelde hij de gloed van Mary's aanwezigheid, en voor in de auto was hij zich bewust van de vage ongeïnteresseerdheid van Jamie, zijn moeders afgevaardigde. Hij staarde naar het glas, naar zijn spiegelbeeld, zijn ronde ogen en zijn stomme dikke Moira-lippen, die wazig door het watermerk van Sevenoaks heen schemerden. Vriendelijke heuvels, niet ruig of gigantisch zoals bij school. Grote huizen die zich verstopten aan het einde van wegen, die zich achter bomen verscholen.

Zonder protest trok Moira in de villa in Sevenoaks die Lars buiten haar om had gekocht. Ze was mijlenver verwijderd van haar vriendinnen en buren en de winkels van Noord-Londen. Het wordt daar fantastisch, werd hun verteld – mogelijk door haar, misschien door hem – het wordt daar fantastisch, want we hebben een enorme lap eigen grond met een groot hek eromheen en een beveiligingssysteem van topkwaliteit. We krijgen elektrische luiken en een schuilkamer en een kluis.

Ze verhuisden, en toen werd Thomas naar kostschool gestuurd, nog voor hij ook maar de kans had gehad te ontdekken wat er zo fantastisch was aan een schuilkamer. Daar verzette Moira zich ook al niet tegen. Toen Ella aan de beurt was, vocht ze wel degelijk voor haar en drong erop aan dat ze tot haar twaalfde op de plaatselijke school mocht blijven. Thomas vroeg haar ernaar, waarom ze wel voor Ella vocht, maar niet voor hem. Ze werd huilerig, trok haar tong los van haar droge verhemelte, misschien uit schuldgevoel. Jongens zijn anders, zei ze. Dat was alles wat ze zei. Jongens zijn anders.

Op krantenfoto's zag Moira er helemaal niet wezenloos uit. Ze zag er juist goed uit, een paar jongens hadden er opmerkingen over gemaakt. Ze was slank gebleven en zijn vader liet regelmatig iemand komen om haar haar te doen, het te verven en te krullen. Maar zelfs op de krantenfoto's – als ze zich door vertrekhallen haastte of tussen wachtende demonstranten bij het hek door reed – zelfs daar zag hij de leegte in haar. Ze was het enige wat hij nog had, maar daarbinnen bevond zich niemand.

Ze naderden de afslag, kropen vooruit, samen met de overige grote bakken, en Jamie gaf al vroeg richting aan om te laten weten dat hij wilde afslaan. De lucht was donker, de akkers waren braakliggende repen omgeploegde modder. Alsof er niks anders op aarde bestond dan deze strook asfalt, deze rij auto's.

Hij hoorde dat Mary iets wilde zeggen; ze deed haar mond al open, maar sloot hem meteen weer. Ze zweeg. Ze was vast bezorgd om haar baan, net als iedereen. Ze konden het zich niet veroorloven al het personeel aan te houden. Als hij Mary tegenkwam wanneer ze niet meer voor hen werkte, zou ze dan anders zijn? Hij wist dat ze haar gedachten voor zich hield, dat deed iedereen. Jamie zou waarschijnlijk nog net zo zijn als nu. Precies hetzelfde. Stil, vriendelijk, wat wezenloos. Daarom was Moira ook zo op Jamie gesteld. Ze hield van hem omdat hij vanbinnen even leeg was als zij.

Jamie nam de afslag en volgde de weg tot aan de poort. Het was een nieuwe poort, nep-victoriaans. Zijn vader hield van nep. Jamie zette de auto stil en drukte op de dashboardknop, waarop de hekken langzaam naar binnen openzwaaiden zodat Thomas alle tijd had om de graffiti te lezen die op de muren stond. LEUGENAAR las hij. Die had Thomas eerder gezien, er had een foto van in de krant gestaan. BANKIERSTUIG luidde een andere. Belachelijk. Hij werkte niet eens voor zo'n stomme bank. Verder waren de leuzen nogal mild. Tegen een houten kruis stond een bosje goedkope supermarktbloemen. Mensen wisten van de zelfmoord.

Voorbij de poort bood een lange arcade van knoestige oude bomen – kaal, somber en dreigend – beschutting tegen de wind uit de heuvels. Het glazen dak boven het zwembad was smerig. Thomas zag er dood blad op liggen.

Het was een lelijk huis, met een asymmetrische gevel en nep-negentiende-eeuwse, kunststof tierelantijnen. Het moest de indruk wekken van een uit de kluiten gewassen cottage met een fors dak, maar daarvoor was het veel te groot. Het leek eerder op een sportcentrum met zijn grote hal en ruime vertrekken. Zijn vader had het voor een schijntje gekocht van een man die failliet was gegaan en zijn verlies probeerde te beperken door het huis cash te verkopen. Aan het gebouw kleefde de stank van paniek. Moira had het opnieuw laten schilderen en behangen. Met haar droge schraapstem had ze de schilder opgedragen overal ijzig blauw en wit voor te gebruiken, Zweeds, en in schril contrast met de Voysey-achtige buitenkant, maar wel consequent volgehouden. Thomas' optrekje stond vol tafeltjes op dunne poten en witte stoelen, en alles was beschilderd met slingers van hartjes.

Toen de auto onder aan de trap bleef staan, wist Mary eindelijk wat ze moest zeggen. 'We vinden het allemaal heel erg van je vader.'

Ze hield haar blik afwachtend op zijn achterhoofd gericht, maar Thomas verroerde zich niet. Hij keek naar zijn vaders gazon.

Het huis stond hoog, niet op een steile heuvel, zoals het huis in Thorntonhall, maar wat verheven, met aan de voorkant een terras met een balustrade, en een trap naar opzij, waar een langgerekt, zacht glooiend gazon begon. Hij keek ernaar en had er geen enkele gedachte bij. Eigenlijk zou hij nu moeten uitstappen, maar hij kon zich niet verroeren, zijn spieren waren verslapt en hij durfde de armleuning niet los te laten.

'Zal ik even gaan kijken of je moeder er is?'

Óf ze er is? Ze was dus niet eens thuis. Ze was weggegaan. Wat een thuiskomst van niks. Terwijl hij nog steeds naar het gazon keek, besefte hij dat zijn ogen droog waren, dat ze wijd openstonden, alsof hij een klap had gekregen. Hij kon nauwelijks ademen.

Mary zag zijn zwijgen voor toestemming aan en stapte uit. Ze snelde de trap op naar de deur.

Thomas keek nog steeds naar het gazon. Zijn vader hiel van het gazon. Hij vond het prachtig dat het van hem was, hij hiel van de vorm en dat het aan het eind afliep, zodat het leek alsof het altijd maar doorging – en het was allemaal van hem. Toen ze in het huis kwamen wonen, wilden Thomas en Ella erop spelen, eroverheen rennen en zich naar beneden laten rollen, maar Moira zei nee, het is van je vader, hij is er de baas over, het is niet om op te spelen.

Het was van hem, en niemand, Moira niet, Ella niet eens, mocht eroverheen rennen of er een voet op zetten, en de tuiniers werden ontslagen als niet elke vierkante centimeter er piekfijn uitzag. Thomas drukte zijn neus hard tegen het raampje, zo hard dat het pijn deed, en hij keek naar zijn vaders gazon en drukte nog harder tot zijn neus klikte en hij een hak zag die een neus verbrijzelde, tot hij de binnenkant van de kapotte neus zag en het verblindende wit van het kraakbeen met volmaakt ronde bloedbellen erop, en Squeak op handen en voeten, die naar hem opkeek terwijl het bloed uit zijn mond stroomde, die glimlachte in het donker...

'Gaat het, Tommy?' Jamie had zich omgedraaid op zijn stoel; een kwart van zijn gezicht was nu zichtbaar, en hij lachte wat vaag en onbeholpen.

Thomas liet de armleuning los, sloeg beide onderarmen om Jamies keel en terwijl hij hem half wurgde sleepte hij hem achterwaarts de passagiersstoel op.

13

Wilder zweeg terwijl hij Morrow naar London Road reed, en daar was ze blij om. Af en toe wierp ze een blik in haar notitie-boekje, dat op haar knie lag, en dan deed ze alsof ze de gegevens en tijdlijnen probeerde te doorgronden. Het enige waaraan ze kon denken was een jonge Kay Murray, die op een straathoek bij de AJ Supplies in Shawlands stond, met een dikke laag lippen-stift op. JJ was net geboren en Morrow was jaloers op Danny, stoorde zich aan de tederheid waarmee hij over hem sprak, aan de zachte blik in zijn ogen, aan zijn trots, want nu hij een eigen gezin had zou hij zich wel losmaken van de rotzooi waarin ze waren ge-boren.

Ze voelde haar telefoontje trillen nog voor het overging, tast-te in haar zak en haalde het tevoorschijn voor de eerste beltoon klonk. Op het schermpje stond BUREAU in plaats van BANNER-MAN, en met enige opluchting nam ze op.

'Met Harris.'

'En?'

'Het laatste telefoontje van de iPhone was naar 999.'

'Kwam ze erdoorheen?'

'De telefoniste kreeg geen antwoord.'

'Shit. Ik hoor de kranten er al over tekeergaan. Zoek het uit. Grondig. Oké?'

'Komt in orde. Onderste steen enzovoort.'

'Wat heb je nog meer?'

Hij legde zijn hand op de hoorn, pleegde overleg en zei even later: 'Ze zijn nog steeds de e-mails en foto's aan het doornemen.'

'Is er iets bekend over de mensen die mevrouw Erroll verzorgd hebben?'

'Er is een lijst met namen en adressen opgesteld.'

'Ik ben er over een kwartier.' Ze hing op.

Ze hadden haar kunnen redden. Ze hadden bij de buitendeur kunnen staan om de klootzakken op te vangen toen ze ervandoor gingen. Of als ze op tijd waren geweest, hadden ze dit kunnen voorkomen. Als... Ze schudde dat soort gedachten van zich af en richtte zich op vrolijker zaken.

Kay Murray had kinderen, vier kinderen, allemaal tieners. Ergens wrong het. Morrow zag Kay zelf nog als een tiener, en ook al was haar gezicht ouder en werd haar haar grijs, ze kon zich Kay niet anders voorstellen dan rondhangend onder lantaarnpalen aan het einde van de zomer, als het al te laat was voor het weinige dat ze aan het lijf had, jong genoeg om de pijn te trotseren van de hoge hakken die ze in een tweedehandswinkel had gekocht omdat ze zich schaamde voor haar korte, dikke benen.

Morrow keek in haar notitieboekje. Ze had de afgelopen drie kilometer nog geen bladzij omgeslagen. 'Hoe ging het buurtonderzoek?'

Wilder was in zijn eigen wereld verzonken geweest en schrok op van haar stem. 'Sorry?'

'Dat buurtonderzoek, heeft dat nog iets opgeleverd?'

'O.' Hij gaf richting aan. 'Niet veel. Erroll was nogal op zichzelf. Ze wilde het huis trouwens verkopen.'

'Echt?'

'Een hele sensatie.' Hij knikte, om zijn eigen woorden te bekrachtigen. 'Een hele sensatie, want ze hebben hier honderdvijftig jaar gewoond. De buren vonden het een hele sensatie.'

'Slechte tijd om te verkopen.'

'Bovendien is het huis een puinhoop.'

'Ja, ze zou er vast geen goede prijs voor hebben gekregen.' Ze streek met haar vingertoppen over een aantekening. 'De vrouw die we daarnet in die laan tegenkwamen...'

'Kay Murray?' Hij glimlachte. 'Ken je haar?'

'Van school. Waar ken jij haar van?'

Nu lachte hij wat meesmuilend. 'Dat oude stallenblok aan de voet van de heuvel, dat is nu een huis. Er woont een zekere mevrouw Thalaine, en jouw vriendin maakt bij haar schoon. Wat een type is dat.'

Hij bedoelde het beledigend. Morrow bromde wat en glimlachte met de kant van haar gezicht die hij vanuit zijn ooghoek kon zien. 'Heb je haar adres?'

'Staat in de aantekeningen,' zei hij schouderophalend.

Het zou nog wel een dag duren voor hij eraan toekwam het voorlopige rapport op te stellen. Ze voelde zich plotseling kwetsbaar en veranderde van onderwerp. 'Had Erroll een vriendje?'

'Niet voor zover bekend.'

Over twintig minuten zat Wilders dienst erop en ze voelde zijn aandacht verslappen.

'Ze ging dus niet met de mensen in de buurt om?'

Hij was niet meer bij de les, bedacht al wat hij ging doen als hij thuiskwam, en hoe hij naar huis zou gaan. 'Geen idee. Misschien weet Kay het.'

Nu spitste ze haar oren. 'Hoe moet zij dat weten?'

'Blijkbaar betaalde Sarah Erroll tien pond per uur, en alle schoonmaaksters en ander personeel uit de buurt gingen voor haar werken toen haar moeder ziek werd. Die Kay, de schoonmaakster, heeft er gewerkt tot de oude dame stierf. Toen ging ze terug naar haar oude werk. Volgens mevrouw Thalaine zit Kay dik in de problemen.'

'Wat voor problemen?'

'Ze woont in Castlemilk.'

'Waarom is dat een probleem?'

'Kennelijk ziet mevrouw Thalaine het zo.'

Morrow snoof. 'Is die ooit in Castlemilk geweest?'

'Ze zei dat ze er weleens langs was gereden.'

'Stomme koe.'

Ze reden langs de kille grandeur van Glasgow Green en Bridgeton, en over London Road naar het bureau.

Het zag eruit als een normaal kantoor – drie verdiepingen van poepbruine steen – maar het bezat de architectonische kenmerken van een fort: ramen die een eind in de gevel verzonken waren, pilaren langs de hele voorkant. Twee reusachtige betonnen bakken met verwilderd struikgewas stonden voor de hoofdingang, een middel tegen wraakzuchtige ramkrakers, die een grotere bedreiging vormden dan terroristen. Aan de achterkant liep een hoge muur met groene glasscherven aan de bovenkant rond een binnenplaats voor patrouillewagens en arrestanten, en ook het cellenblok bevond zich daar.

Het was wisseling van de wacht en buiten op straat stond het vol auto's. Ze waren langs de weg geparkeerd of op het trottoir, maar er was orde in de chaos: niemand raakte een dubbele gele streep of blokkeerde een inrit.

Omdat ze in een patrouillewagen zaten, moesten ze op de binnenplaats parkeren. Wilder reed langzaam het terrein op en manoeuvreerde voorzichtig om de busjes heen, langs de muren en rond het cellenblok in het midden, met zijn hoge getraliede ramen.

Hij trok de handrem aan en ze opende het portier. 'Geef me Kay Murrays contactgegevens nog even voor je weggaat,' zei ze bij wijze van afscheid.

Ze sloeg het portier dicht zodat hij niet kon tegenwerpen dat hij nog meer te doen had. Op weg naar de helling voor de ingang besefte ze tot haar schrik dat ze overwoog in haar eentje Kay Murray te bezoeken. Een diender hoorde niet in z'n eentje met een getuige te praten, niet alleen omdat er dan allerlei aantijgingen gemaakt konden worden – dat zou Kay nooit doen –, maar vooral vanwege de zogenoemde bekrachtigingsregel: geen woord van wat de getuige had gezegd kon in de rechtszaal gebruikt worden als er geen tweede politiebeambte bij aanwezig was geweest. Een verklaring van één enkele politiebeambte was nog erger dan een gerucht: het was onprofessioneel.

Ze liep de helling op naar de deur, toetste op het paneel de veiligheidscode in en deed een stap terug zodat degene achter de balie haar kon zien op het scherm. De deur zwaaide open.

De arrestantenbalie was verlaten, maar vanachter de deur, uit de richting van de cellen, hoorde ze gedempt geschreeuw. Het was een klaaglijke roep, een mannenstem, hees na een ruige dag met veel geschreeuw. John stak zijn hoofd om de hoek van het kantoor. 'Ben je alleen?' vroeg hij, in de wetenschap dat ze nooit zelf achter het stuur zat als ze het kon vermijden.

'Wilder is buiten. Wie is dat?' Ze knikte in de richting van de cellen.

'Een straatgevecht. Zwaar onder de dope. Crack.'

Ze fronste haar voorhoofd – de meeste junks die werden binnengebracht, waren gewoon lastig, hadden op straat geslapen of een mislukte inbraakpoging gedaan.

'Er is vandaag een lading crackgebruikers binnengekomen. Vanwege de antrax.'

Een partij heroïne bleek besmet te zijn, en nu namen de gebruikers hun toevlucht tot andere middelen. 'Maken ze er een puinhoop van?'

John haalde zijn schouders op. 'Gemiddeld wegen ze nog geen vijftig kilo, anders zou het een stuk gevaarlijker zijn.' Hij wierp een blik op de klok. 'Heb je een briefing?'

'O, dat is ook zo.' De gedachte aan Kay had haar zo in beslag genomen dat ze het helemaal vergeten was.

Terwijl ze de hal door rende naar de deur van de rechercheafdeling trok ze haar jas uit. Ze wilde net opendoen, toen Harris naar buiten kwam.

'Tien minuten,' zei ze waarschuwend, en ze wees naar de kamer waar de briefing zou plaatsvinden.

'Die notaris die vastzat in de keuken, Donald Scott, die zit nog steeds boven.'

'Weet ik, weet ik, ik kom straks bij hem. Na de briefing ga ik naar hem toe. Over twintig minuten, zeg dat maar.'

'Hij wordt wat ongedurig.'

'Nou, mooi dan.' Ze liet de deur voor zijn neus dichtvallen.

Ze kwamen bijeen in de recherchekamer, de avondploeg en de mensen die van acht tot vijf hadden gewerkt en op het punt stonden naar huis te gaan, de hele zaak achter zich te laten, zodat zij zich in haar eentje om Sarah Erroll kon bekommeren. Even ging ze haar kamer in; zonder het licht aan te doen legde ze haar jas en tas weg en haalde in het donker haar privémobiel tevoorschijn.

Brian nam onmiddellijk op. 'Hoi.'

'Alles goed?'

'Ja, met jou ook?'

'Ja.'

Langzaam trok ze haar bureaula open, pakte een notitieblok en een pen, en haalde de dop eraf.

'Hoe was de begrafenis?' vroeg Brian na een paar seconden stilte.

'Tja, hij is in elk geval dood.' Ze tekende een spiraal. 'Heb je eten in huis?'

'Die soep in de koelkast.'

'O ja.' Omdat ze niet wist hoe ze uit de spiraal moest komen, tekende ze er een naar buiten gerichte spiraal naast. 'Het kan wel eens een latertje worden.'

'Ik wacht op je.' Hij glimlachte, dat hoorde ze aan zijn stem. 'Is iedereen oké?'

Ze raakte haar buik aan. 'Ja, iedereen is oké.'

In het donker, mijlenver verwijderd van de drukte achter haar op de gang, glimlachten ze naar elkaar over de telefoon, twee mensen die zich gereedmaakten voor hun eigen jaar nul.

'Daag,' zei ze met een weifelende zucht.

Brian beantwoordde haar groet en verbrak de verbinding.

Ze glimlachte naar de telefoon. Dat deed hij altijd, geen tot-later of andere onzin. Ze controleerde de voicemail op haar vaste telefoon. Eén bericht. Ze drukte op PLAY. De psychologe had gebeld en haar nummer achtergelaten. Wilt u alstublieft terugbellen.

Morrow had al nee gezegd. Geërgerd door de brutaliteit van de vrouw wierp ze een blik op haar horloge en zag dat ze nog twee minuten had. Ze verzamelde haar papieren, trok haar kleren recht en liep vanuit haar rustige, donkere kamer de gang op, knipperde met haar ogen tegen de stroom van lawaai en licht, en begaf zich naar de recherchekamer.

Stoelen werden versleept en naar de achterste muur gericht, rechercheurs kletsten met elkaar, maar dempten hun stem toen ze binnenkwam en langsliep. Hier en daar bleef een blik op haar buik rusten. Het waren altijd dezelfden, enkelen vol walging, anderen nostalgisch, omdat ze zelf gelukkige vaders waren.

Ze legde haar papieren nogal luidruchtig op tafel en gaf ze een halve minuut om te gaan zitten en hun mond te houden. Ze waren al stil nog voor ze zich omdraaide en hen aankeek. Zeven mannen, allen rechercheurs, vier die aan hun dienst begonnen, vier die naar huis gingen: eentje ontbrak.

Ze heette ze welkom en keek naar de deur toen de laatkomer, Routher, binnenkwam; even trok ze haar wenkbrauw op om hem te laten weten dat het niet onopgemerkt was gebleven. Om de nieuwe ploeg bij te praten vertelde ze in het kort over Sarah Erroll, het huis en het geld. Ze zei dat ze op zoek waren naar twee mensen met zwarte suède sportschoenen, maar de bizarre details van de verwondingen liet ze achterwege, zodat het als gerucht verder kon gisten. Ze zouden de foto's binnenkort toch wel te zien krijgen. Het beeld zou aan kracht inboeten als ze er dag in dag uit langsliepen, maar ze hoopte dat het schokkend genoeg was om enige betrokkenheid bij hen te genereren.

Ze vroeg zich af wie Sarah Erroll in godsnaam was, maar de volgende dag zou daar meer duidelijkheid over verschaffen.

Terwijl ze al pratend het vertrek rondkeek, bedacht ze dat een rijke vrouw, die pas terug was van een weekendje New York en die de dood vond in een huis vol geld, niet op veel sympathie kon rekenen. Toen ze vertelde dat Sarah geen naaste familie had die op de hoogte gebracht moest worden, zag ze dat de ploeg die het werk er bijna op had zitten even de blik naar de klok achter haar liet gaan. De nieuwe ploeg luisterde naar haar, bestudeerde haar gezicht, maar keek niet door haar heen om zich een voorstelling te maken van hoe de dode vrouw zich moest hebben gevoeld. Ze gaven geen moer om Sarah.

Ze rondde af, gaf het woord aan Harris, die de taken voor de avondploeg verdeelde, en keek de kamer rond: de mannen maakten een verveelde indruk, en de dagploeg was moe. Ze popelden om naar huis te gaan en hun echte leven weer op te pakken.

De kamer liep leeg en Harris kwam naar haar toe, in de hoop, voelde ze, dat ze hem naar huis zou sturen zodat hij eens goed kon slapen.

'Ik heb nog eens navraag gedaan naar die voetafdrukken. Rechercheur Leonard' – hij wees naar Tamsin – 'kent iemand aan Caledonian University die een programma op dat gebied ontwikkelt. Het is een postdoc-studente forensische wetenschappen.'

Ze lachten wat meesmuilend. De studies forensische wetenschappen leverden aan de lopende band afgestudeerden af, twintig voor elke vacature. Het csi-effect, werd het genoemd.

'Ze brengt plaatsen delict in kaart voor forensische doeleinden. Ze zei dat ze als er veel bloed ligt misschien kon aantonen wie waar was en wat deed.'

'Nou, aan bloed geen gebrek. Is het al in de rechtszaal toegepast?'

'Nee, het is nieuw.'

'O.' Ze bedacht nog wat bezwaren. 'Als je haar toegang tot foto's geeft, zorg dan dat ze die niet naar buiten brengt. Geen gezichten. Dat soort afbeeldingen duikt voortdurend op internet op.'

'Er is geen gezicht.'

Ze vond het niet prettig dat hij er grapjes over maakte. 'Je weet best wat ik bedoel.'

Hij legde de terechtwijzing naast zich neer. 'We hebben ook de opname van dat 999-telefoontje. Dat wordt nu van ruis ontdaan.'

'Mooi.'

'Het wordt een groot dossier.' Hij klonk nerveus.

'Ze kreeg geen gehoor, hè?'

'Weet ik niet.'

Ze trokken beiden een scheef gezicht.

'Ga maar naar boven, naar Scott. Ik kom over een minuut.'

Harris protesteerde niet, maar zijn mond trok samen tot het formaat van een penny.

14

Thomas voelde zich buitengewoon misplaatst in deze voorname, smetteloze kamer. Twee enorme witte banken stonden tegenover elkaar, met ertussenin een witte tafel met witte voorwerpen erop, en ook de muren waren wit, en de gordijnen. Moira zat tegenover hem, haar armen gekruist, haar lippen dun en verwrongen en haar magere benen over elkaar geslagen. Ze zat heel stil en keek hem aan. Ze keek hem heel lang aan voor ze het woord nam.

'Ik zal je alles vertellen wat je wilt weten, en dan wil ik het nooit meer over hem hebben.'

Thomas had een preek over Jamie verwacht. Hij had al een paar smoezen achter de hand, wilde het op Mary schuiven of op zijn verdriet, en hij werd dan ook volkomen overrompeld door haar openingszet. 'O.'

Ze klemde haar kiezen op elkaar. 'Vraag maar.'

Hij wilde het niet weten, het fijne ervan interesseerde hem niet. Hij maakte zich alleen zorgen over de gevolgen, maar niettemin vroeg hij: 'Wat heeft papa fout gedaan?'

Moira sloeg haar ogen ten hemel.

'Je zei dat ik alles mocht vragen.'

'Dat is zo, dat is zo.' Ze haalde diep adem. 'Hij heeft geld van anderen geïnvesteerd, en nu zijn ze alles kwijt.'

'Nadat de markt was ingestort?'

'Nee.' Ze zuchtte. 'Ze waren allemaal zo kwaad omdat de investeringen die hij verkocht de crash min of meer hebben veroorzaakt.'

'Hoe dan?'

'Het is heel ingewikkeld, Thomas, ik bedoelde dat je me vragen kon stellen over de zelfmoord van je vader, niet over dit...'

'Ik wil dit weten, ik lees er steeds over in de krant en ik moet weten wat hij gedaan heeft. Daarna vraag ik wel naar die andere dingen.'

Ze kuchte. 'Heel veel mensen betaalden hun hypotheek niet langer en toen ging het mis met die investeringen.'

'Waarom betaalden ze niet langer?'

'Omdat ze dom zijn. En nu is iedereen kwaad omdat papa's bedrijf erop had ingezet dat ze wel zouden betalen.'

Hij keek haar aan. Leugentjes voor kinderen. 'De hypotheekrente schoot na twee jaar omhoog,' zei hij. 'Dat wist hij en hij zette erop in dat de huizen gedwongen verkocht moesten worden. Snap je het zelf niet of denk je dat ik het niet snap?'

'Tja, het is vreselijk ingewikkeld.'

Wat toepasselijk dat zijn vader een imperium van lege huizen bezat. Thomas wist nog dat hij ooit door de National Gallery liep en was blijven staan voor de *Waterlelies* van Monet – een gigantische, vloeiende muur van schoonheid, die zijn hele blikveld vulde – en dat zijn vader, die achter hem stond, vertelde hoeveel het schilderij waard was. Hij was nog maar negen, maar toen al wist Thomas dat zijn vader er niks van snapte.

'Of je iets wilt weten over de dood van je vader, dat bedoelde ik.'

Thomas bedacht dat hij maar beter iets kon vragen. 'Waar heeft hij het gedaan?'

'Op het gazon.' Met een verbitterd lachje onderstreepte ze de betekenis van die plek. 'Aan de eik. Met een touw.'

'Wanneer was dat?'

'Gisteren rond lunchtijd, om een uur of halfeen.'

Ze keek hem weer doordringend aan. Zich ervan bewust dat dit niet over Jamie ging, bedacht Thomas nog een vraag, deze keer met wat meer gewicht. 'Waarom?'

Moira liet haar armen zakken en slaakte een diepe zucht. 'Hij heeft een briefje achtergelaten. Wil je het lezen?'

Thomas haalde zijn schouders op, ook al wilde hij het maar al te graag lezen. Ze stak haar hand in de zak van haar pantalon en haalde een opgevouwen vel papier tevoorschijn, dat ze hem tussen haar wijs- en middelvinger geklemd toestak.

Thomas pakte het en vouwde het open. Het was een fotokopie.

'Heeft hij een fotokopie voor je achtergelaten?'

'Nee. Dat heeft de politie gedaan voor ze vertrokken. Ze moesten het origineel meenemen.'

Thomas liet zijn blik over zijn vaders forse, bombastische handschrift gaan.

Moira, bitch. Nu heb je eindelijk je zin & ik hoop dat je eindelijk gelukkig bent, alsof dat ooit zou kunnen, opgedroogde kut die je bent.

Thomas keek naar Moira, die onbewogen op de bank tegenover hem zat en naar het papier staarde terwijl hij het las. Lars ten voeten uit. Zo deed hij als hij boos was en lichtelijk aangeschoten, dan liep hij afwisselend tegen haar te schreeuwen en te fluisteren. Ze hoorden zijn agressieve stem van het blad daveren.

'Vind je het wel goed dat ik dit lees?'

Ze haalde haar schouders op, draaide haar ogen omhoog en knipperde loom. 'Het is nu bij de politie, die lezen het ook, en het wordt vanzelf een keer gelekt. Straks weet het hele land het.' Haar ogen werden rood. Thomas las door.

Ik heb je alles gegeven, ik heb dag en nacht voor je gewerkt om je alles te kunnen geven. Ik ben een fantastische echtgenoot geweest. En als dank heb je godverdomme al het leven uit me gezogen. Verschrompelde kut die je bent. Ik hoop dat je nu gelukkig bent,
L.

Thomas bekeek de achterkant van het blaadje, maar dat was leeg, en toen keek hij weer naar zijn moeder. Ze huilde.

'Er staat helemaal niks over mij in,' zei hij, en hij liet het papier op tafel vallen.

Ze keken allebei naar de brief, naar de grote, lelijke hanenpoten en de schuin weglopende regels, naar de woede waarmee de pen bij elke punt het papier had doorboord.

Thomas begon als eerste te lachen, een onderdrukt gegiechel, waarbij hij zijn handen voor zijn gezicht sloeg, en toen begon Moira mee te doen, ze lachte en huilde tegelijk, wees naar het briefje en probeerde door haar sputterende tranen heen iets te zeggen: 'Ik... ik... ik krijg je nog wel!'

Ze zaten te schuddebuiken van het lachen, happend naar adem, en toen ging Thomas staan, kneep zijn gezicht samen en riep met priemende vinger: 'Jij opgedroogde kút!'

In gespeelde schaamte liet Moira zich met haar gezicht naar beneden op een kussen vallen, nog steeds lachend en huilend omdat hij Lars zo goed nadeed. Toen zette Thomas een hoge borst op, keek vol walging op haar neer en nog nahikkend gooide hij er een van zijn vaders lievelingsteksten uit: 'Sodemieter op of ik pak je en smijt je godverdomme het raam uit!'

Maar nu moest Moira hoesten, ze stikte bijna in haar gelach, want het ging te diep en haar gezicht liep rood aan, maar ze kon nog steeds niet stoppen en stond op, en met haar vinger voor Thomas' gezicht riep ze: 'Jij stom lullig losertje, ik ga een kerel van je maken.' Ze deed alsof ze hem met de volle arm op zijn rug sloeg, want het was te ingewikkeld om hem zogenaamd mee te nemen naar een bordeel in Amsterdam.

Thomas stopte met lachen toen hij eraan terugdacht, maar het stemde hem niet verdrietig. Ze hijgden allebei en glimlachten. Hij liet zich weer met een plof op de bank vallen en keek naar de deur naar de gang.

'Hij komt niet meer terug,' zei Thomas simpelweg.

Moira sperde haar ogen wijd open, alsof hun geluk niet te bevatten was. 'Dat wéét ik.' Ze ging weer op haar eigen bank zitten en haalde haar vingers door haar haar, trok ze kronkelend door de knisperende lak. Ze zag er jong en opgewonden uit, en haar borst deinde op en neer.

'Ik heb gekeken toen hij losgesneden werd.' Ze staarde uit het raam naar de eik. 'Zijn... Ze sneden het touw door, hielden hem bij zijn benen vast en legden hem op... op zo'n beddengeval.'

'Een brancard?'

'Een brancard, ja, en toen viel zijn hand eraf – ik schrok me wild!' Ze deed een soort sprongetje na en moest weer lachen, deze keer om zichzelf.

Thomas lachte niet. 'Hij komt niet meer terug,' zei hij nogmaals, nu ernstig, en hij staarde naar zijn handen. Opeens keek hij op en werd zich bewust van de stilte in huis. 'Waar is Ella?'

Moira's ogen vulden zich weer met tranen, nu niet van blijdschap, maar van paniek, haar hoofd knikte naar voren en plotseling wist Thomas zeker dat Ella dood was, dat zijn vader haar had geneukt en vermoord, op haar neus had gestampt en haar in haar kamer had achtergelaten met haar spleet in het volle zicht. Terwijl hij opstond sloeg Moira haar handen voor haar gezicht en zei: 'Nog steeds op school, Thomas...'

Maar Thomas' hart ging tekeer en toen hij wilde gaan zitten, kon hij zijn benen niet buigen. Ze keek hem met grote, vochtige ogen aan.

'Thomas, ik wilde eerst met jou praten omdat...' Ze brak haar zin af en snikte het weer uit, met haar handen voor haar gezicht en haar gekromde vingers in haar haar. Hij zag het bloed uit haar nagels wegtrekken toen ze ze in haar schedel sloeg. Ze trok haar handen weer weg en hij zag bloederige streepjes waar het starre kapsel uiteen was geweken.

'Thomas. Ik weet dat sorry niet volstaat, dat weet ik, maar ik stond met dat briefje in mijn hand en zag hoe ze hem lossneden, en toen kon ik alleen nog maar aan jou denken en dat je...'

Weer sloeg ze haar nagels in haar hoofdhuid, haar schouders verkrampten, geluidloos, als een kat die een haarbal uitkotst.

Zo bleef ze heel lang zitten. Toen ze opkeek was haar gezicht vuurrood en nat en stroomde het vocht uit haar neus en over haar mond tot ze het met haar blote hand wegveegde. Haar haar stond recht overeind. Ze kon hem niet aankijken.

'Ik heb altijd geweten, Thomas, dat ik je had moeten beschermen, terwijl ik het niet heb gedaan. En ik wilde...' – een naschok deed haar borst schudden – 'ik wilde zeggen dat het me speet.' Ze hernam zich en hield haar adem even in. 'Het spijt me. En ik weet dat dat niet genoeg is, maar ik zal alles doen...'

Thomas voelde niets. Zijn scherpste emotie was lichte verbazing omdat ze hem haar tranen liet zien en haar warrige haar. Ze kwam nooit beneden zonder make-up en zonder perfect bij elkaar passende kleren. Hij vroeg zich af of ze dronken was, maar dat was ze niet.

Ze keek hem aan, recht in zijn ogen, niet met ingetrokken kin, smekend, op een gunst uit. Niet met verwrongen mond, geïrriteerd of verwijtend.

Moira keek hem aan zoals een volwassene een andere volwassene aankijkt, respectvol, liefdevol en oprecht, en zei: 'Ik hou van je, weet je.'

15

Morrow bleef bij de deur van de observatiekamer staan om Donald Scott eens goed te bekijken voor ze met hem ging praten. Op het scherm maakte hij een aanmatigende, rusteloze indruk – maar hij zat er inmiddels al een paar uur. Hij had wat koekjes gegeten, zoete thee gedronken en leek opgemonterd nu hij wist dat het verhoor elk moment kon beginnen en hij binnen afzienbare tijd naar huis mocht. Hij keek naar Harris, die tegenover hem aan tafel zat; zijn koffertje stond op de vloer en zijn handen lagen gevouwen voor hem, alsof hij aan een onderhandeling ging beginnen.

Zijn pak was nieuw en elegant, van antracietgrijze wol, en hij droeg een schoon overhemd. Hij leek kleiner dan ze zich herinnerde van hun ontmoeting in de keuken – hij was goed gebouwd, gespierd, maar ze vermoedde dat de schok hem had ontredderd.

De observatiekamer was verlaten, iedereen was beneden bezig, waar de resultaten van het buurtonderzoek met elkaar werden vergeleken, Sarahs reis naar New York werd nagetrokken aan de hand van de documenten en de bonnetjes in haar tas, en haar leven met behulp van haar mobiele telefoon in kaart werd gebracht. Niemand verwachtte dat het verhoor van de man die haar had gevonden iets interessants zou opleveren.

Ze knipte het licht in de observatiekamer uit, en toen de grijze gloed van het scherm achter de deur was verdwenen streek ze haar kleren glad voor ze de hoek om liep naar de verhoorkamer.

Zachtjes in zichzelf glimlachend liet ze haar hand over haar buik glijden, en pas nadat ze het gebaar herhaald had, zette ze zich in beweging. Vijf maanden zwanger, geen miskraam en volgens de scans groeiden ze allebei goed en was alles in orde. Ze was gelukkig, en het liefst zou ze voor altijd zo met z'n drietjes op deze drempel van rampspoed, zorg en slapeloosheid blijven staan.

Ze keek weer naar de groene vloer, naar de kaal getrapte muren van de gang, waarover doodsbange, half waanzinnige mannen en vrouwen naar de verhoorkamers waren gesleept, woedend, verdrietig, schoppend naar agenten, zielig en passief of wraakbelust. De muren waren bekleed met leed, angst en zorg, en plotseling had ze het gevoel dat ze misschien de enige in de korte geschiedenis van het gebouw was die hier zo'n diepe voldoening had geproefd.

Zich ervan bewust hoe schaars dergelijke momenten waren, sloot ze haar ogen en prentte het gevoel in haar geheugen, waarop ze het van zich afschudde en doorliep.

Toen ze de kamer binnenkwam en Scott begroette stond hij op, formeel en beleefd, en glimlachte, alsof hij alle bijzonderheden van die dag goed in zich opnam om ze later te kunnen navertellen. Een gefrustreerde strafadvocaat, vermoedde Morrow. De advocaten met wie zij te maken kregen waren de rocksterren van het vak, ze leidden interessante levens, kenden allerlei bonte figuren en konden op feestjes verhalen vertellen. Juristen en notarissen zoals Scott, die zich met aktes en bezittingen bezighielden, waren slechts helden in de ogen van de bedrijfsaccountants.

Ze stopte het bandje in de cassetterecorder, zette het apparaat aan, sprak in wie er aanwezig waren, noemde datum en tijd, en verzocht Scott om over de gebeurtenissen van die ochtend te vertellen.

Scott hield zijn blik op het tafelblad gericht, streek er voorzichtig met de zijkant van zijn hand overheen, alsof hij kruimels wegveegde, en nam het woord, in een merkwaardig, afstandelijk soort juristenjargon. 'Vanochtend om halftien, op het afgesproken tijdstip, verscheen ik op mijn kantoor om de komst van mejuffrouw Sarah Erroll af te wachten. Ik trok mijn jas uit en sprak even met een collega, Helen Flannery. Dienaangaande ben ik haar kamer binnengegaan voor iets wat geen betrekking heeft op deze zaak, waarna ik terugkeerde naar mijn eigen kamer...'

Morrow sloeg haar ogen vertwijfeld ten hemel en onderbrak hem nogal ruw: 'Waarover wilde ze u spreken?'

Maar Scott liet zich niet uit het veld slaan. 'Onze afspraak diende om over twee zaken tot een besluit te komen. Allereerst om Sarah Erroll als ondertekenaar aan te merken betreffende de afwikkeling van de nalatenschap van haar moeder. Verder zou ze mijn firma machtigen tot de verkoop van Glenarvon...'

'Het huis?'

Hij leefde opeens op. 'Ja. Het huis. Ja. Ja. Ter bespoediging van deze zaken...'

'"De afwikkeling van de nalatenschap van haar moeder", wat houdt dat precies in?'

Zijn blik zwierf over het tafelblad en zijn mondhoeken verkrampten. 'Gewoon, het ondertekenen van enkele documenten...'

'Wat voor documenten?'

'Machtigingen.' Hij glimlachte wat neerbuigend. 'Het is een technische term,' legde hij uit.

'Ja.' Ze keek hem doordringend aan. 'Wat houdt die technische term in?'

'In welk opzicht?'

'Probeer er nou niet steeds omheen te draaien, meneer Scott. Wat moest ze ondertekenen?'

'Het ging om de afhandeling van een rekening. Dienaangaande...'

'Moest ze een rekening betalen?'

'Dienaangaande...'

'Kap daar eens mee!'

Scott keek lichtelijk verbijsterd. Naast haar ging Harris nogal veelzeggend verzitten. Hij had gelijk. Ze hadden hem te lang laten wachten en hij had zich inmiddels op het verhoor voorbereid. 'Oké.' Ze sloeg een andere toon aan. 'Meneer Scott, dit is een moordonderzoek, en ik reken op uw medewerking. Met al dat "dienaangaande dit en dienaangaande dat" lijkt het wel of u iets te verbergen hebt.'

Opeens leek hij heel klein. 'Ik heb niks te verbergen.'

'U hebt gezien hoe de vrouw erbij lag. Het is zaak de daders zo snel mogelijk te pakken. Stel dat ze het weer doen, snapt u?'

Hij knikte.

'Neem me niet kwalijk.' Ze klonk nu formeel en bars, en wat haar betrof nam hij het haar wel degelijk kwalijk. 'Zou u dat hardop willen zeggen in plaats van te knikken, voor het bandje?'

'Ja,' zei hij braaf.

'Hoe lang hebt u op uw kamer zitten wachten voor u naar het huis ging?'

'Een minuut of veertig.'

'Toen ze na veertig minuten niet op kwam dagen, was u zo bezorgd dat u van het centrum van de stad helemaal naar Thorntonhall ging om haar te zoeken?'

'Zo ver is dat niet. Bovendien komt het allemaal voor rekening van de cliënt.'

'U zocht haar dus op om haar een rekening te laten betalen, en dat ging u haar ook weer in rekening brengen?'

'Dat is gebruikelijk in ons vak.'

Morrow leunde achterover en keek hem onderzoekend aan. 'Hoe hoog was de rekening voor het afhandelen van haar moeders nalatenschap?'

'Geen idee. Geen idee. Dat zou ik moeten opzoeken.'

Morrow glimlachte. Ze had een neus voor leugens. Een onderliggende tekst las ze even moeiteloos als de krant, en ze wist dat als iemand spontaan iets benadrukte, het zo goed als een dubbele ontkenning was. Achteroverleunend keek ze Scott aan en zag de zweetglans op zijn voorhoofd en het snelle knipperen van zijn ogen.

'Goed.' Ze boog zich weer naar voren en glimlachte. 'In het kort: u hebt veertig minuten zitten wachten met de papieren vóór u, maar u weet niet hoe hoog het bedrag was?'

Hij antwoordde niet

'Ik kan er makkelijk achter komen,' fluisterde ze.

Scott lachte stroef. 'Achttienduizend.'

'Achttienduizend pond? Daar moet je heel vaak voor op en neer rijden.'

'Dat valt wel mee.'

'Toen mijn moeder stierf, kostte het niks.'

Hij schonk haar een zelfgenoegzaam, hautain lachje en keek naar haar jasje, dat van een goedkoop nylonmengsel was gemaakt. 'Tja, niet beledigend bedoeld, maar het hangt natuurlijk wel van de grootte van de nalatenschap af.'

'Juist ja.' Bij wijze van verweer raakte ze met haar vingertoppen haar revers aan. 'Toevallig vind ik dit een mooi pakje.'

Hij bloosde van onbehagen nu zijn onuitgesproken vraag hardop beantwoord werd. Zelf droeg hij een duur pak, en zijn overhemd leek professioneel gesteven. Ze vroeg zich af waarom hij zoveel moeite deed voor een simpele afspraak met een cliënte op zijn kamer.

'Dus u krijgt commissie over die nalatenschap?'

'Commíssie?'

'Provisie,' legde Harris uit. 'Net als wanneer u bij de Comet zou werken.'

Morrow lachte, maar Scott keek beduusd, alsof hij de verwijzing naar de goedkope elektronicazaak niet begreep.

'U komt nooit in de Comet?' drong ze aan.

Hij deed alsof hij nadacht. 'Ik geloof niet dat ik...'

Ze keek hem scherp aan. 'U bent dus nooit langs een winkel gereden met een zwarte vlag en daarop COMET in gele letters? Je ziet ze overal.'

'Er staat een plaatje van een komeet boven de tekst,' voegde Harris eraan toe.

'Eh, wij gaan meestal naar John Lewis.'

Scott probeerde haar heel nadrukkelijk iets over zichzelf te vertellen, iets wat belangrijk voor hem was, en het had niks te maken met het feit dat hij onder het rijden niet naar winkellogo's keek.

Ze negeerde het. 'Ze was dus van plan het huis te verkopen?'

'Ja.'

'Haar familie heeft daar de afgelopen honderd, honderdvijftig jaar gewoond. Dat moet een zware beslissing zijn geweest.'

'Vermoedelijk wel, ja.'

'Verkocht ze het huis om u te kunnen betalen?'

Nu begon Scott terug te vechten. 'Hoor eens, ik maak bezwaar tegen de onuitgesproken verdachtmakingen die hier ter tafel komen. Ik heb niets verkeerds gedaan. Het beheer van het bezit was ingewikkeld, maar alle onkosten zijn gedocumenteerd en verifieerbaar. Haar moeder had vierentwintig uur per dag zorg nodig. Dat is heel duur, zoals u zich ongetwijfeld kunt voorstellen.' Hij liet dat even bezinken, alsof ze er een halve minuut voor nodig hadden om tot zich door te laten dringen dat dingen duur waren.

Harris schoof naar voren. 'Meneer Scott, dat dingen duur zijn is zo ongeveer het enige wat we ons kunnen voorstellen.'

Ze glimlachten en Scott veinsde weer verwarring. Morrow vond het een interessante tactiek. Het zei veel over hem.

'Ja,' zei hij na een korte stilte, 'Sarah had er alles voor over om tegemoet te komen aan haar moeders wens in Glenarvon te kunnen blijven en daar te sterven, zoals ook gebeurd is. Ik probeerde geen geld aan Sarah te ontfutselen, integendeel, ik had grote bewondering voor haar. Ze was een verbazingwekkende jongedame.'

Morrow bestudeerde zijn gezicht. 'Leefde ze van het familiekapitaal?'

'Dat was er niet,' zei hij, alsof het hem speet voor Sarah.

'Helemaal niets?'

'Er is ooit een aanzienlijk vermogen geweest, maar ik vrees dat de drie voorgaande generaties er nogal onbezonnen mee zijn omgesprongen. Het is waar wat ze zeggen: we hebben onze voorouders niet voor het kiezen...' Hij glimlachte bij die woorden, alsof het een mooi cliché was dat ze allemaal weleens gehanteerd hadden naar aanleiding van hun eigen geslonken bezittingen in de koloniën.

'Waar leefde ze dan van?'

'Ze moest werken voor de kost, vrees ik.'

Harris hapte zogenaamd geschokt naar adem.

'Wat deed ze voor werk?' vroeg Morrow met een glimlach.

'Financieel management. Ze gaf adviezen over pensioenen en investeringen.'

'Werkte ze voor een bedrijf?'

'Nee, ze was consultant.'

'Voor wie?'

'Voor grote bedrijven.'

'Mm.' Opeens was Morrow doodmoe. 'Daar zou ik wel wat meer over willen weten, maar u bent zo verdomd lang van stof dat ik het niet aandurf, want ik wil vanavond ook nog naar huis.'

Scott glimlachte, want kennelijk vatte hij de suggestie dat hij strijdvaardig was als compliment op. Zo was die niet bedoeld. Doorgaans konden politiemensen en lieden van Scotts soort het goed met elkaar vinden, want over het algemeen hadden ze hetzelfde wereldbeeld, maar Morrow waagde het er nog een keer op. 'Was het niet verleidelijk om haar ook nog eens flink uit te zuigen waar het de verzorging van haar moeder betrof?'

Scott was echter eenzijdig tot de conclusie gekomen dat ze op één lijn zaten. 'Ik regelde de betalingen aan de verzorgers en de meeste overige zaken op dat gebied, als u dat bedoelt.'

De tweeling kriebelde zachtjes aan haar longen en onwillekeurig glimlachte ze. In de echte wereld glimlachte Scott terug, en nu moest ze wel doen alsof het opzettelijk was. 'Kwam dat allemaal in de boeken te staan?'

'Absoluut. Carers Scotland is een erkend bedrijf, alle betalingen en loonkosten worden geregistreerd. Het werd allemaal vanaf dezelfde rekening betaald, en daarin was ze heel stipt.'

'Die rekeningen zullen we nog eens goed bekijken.' Ze wilde een zekere dreiging in haar stem leggen, maar ze gloeide nog na van haar duik in de andere wereld.

Scott knikte. 'Dat staat u uiteraard vrij. Ik zal ze u met alle genoegen beschikbaar stellen. Evenals de rekeningen voor het afwikkelen van de nalatenschap, als u daar prijs op stelt. Ik heb niets te verbergen.'

'Ja, prima.' Ze ademde diep in en haalde hem toen met een ruk onderuit. 'Sarah had zo ongeveer zevenhonderdduizend pond cash in haar keuken verstopt.'

'Eerder zesenhalf,' mompelde Harris.

Ze zag Scott verbleken. 'In de keuken?' stamelde hij.

'Ja. Op een verborgen plank onder de tafel.'

Hij keek naar rechts, probeerde zich een beeld van de keuken te vormen. 'Die kleine tafel... zeven*honderdduizend*?'

'Mogelijk zesenhalf,' merkte Harris plagerig op.

Maar Morrow was nu bloedserieus. 'Wist u niet dat ze over zoveel geld beschikte?'

'Nee, dat wist ik niet.'

'Hoe kwam ze daaraan, volgens u?'

'Geen idee.'

'Waarom zette ze het niet op de bank?'

Scott slikte moeizaam. 'Geen idee, geen idee, misschien probeerde ze de inkomstenbelasting te ontduiken? Daar was ze nogal op gespitst.'

'Hoe weet u dat?'

'Nou, daarover hebben we weleens zitten praten, beroepsmatige gesprekken over inkomstenbelasting...'

'Waarover gingen die?'

'O.' Hij schudde zijn hoofd, en ze wist dat hij zich nu op de vlakte hield. 'U weet wel, wat aftrekbaar was, wat je als onkosten mocht opvoeren, dat soort zaken.'

'Kijk, dat is nou merkwaardig.' Morrow bladerde haar aantekeningen door. 'Want voor zover wij kunnen nagaan heeft Sarah nooit inkomstenbelasting betaald.'

Hij bleef roerloos zitten terwijl hij dit liet bezinken, en toen schudde hij zijn hoofd. 'Nee. Dat klopt niet.'

'Ik kan u verzekeren dat het wel klopt. Met behulp van haar paspoort hebben we haar nationaal verzekeringsnummer achterhaald. Ze stond niet eens geregistreerd.'

'Nee, sorry, maar ze heeft wel degelijk inkomstenbelasting betaald. Ze betaalde me om haar over inkomstenbelasting te adviseren, en dan met name over wat wel en niet aftrekbaar was. Nog maar een jaar geleden zat ze tegenover me op mijn kamer en toen heeft ze wel veertig minuten geluisterd. Als ze me verteld had dat ze geen inkomstenbelasting betaalde, zou ik verplicht zijn geweest haar aan te geven...' Zijn stem stierf weg toen de alternatieve verklaring tot hem doordrong.

'Hm.' Morrow keek hem knikkend aan. 'Wie nam het initiatief tot dat gesprek?'

'Ik. Ik zei tegen haar dat ze moest zorgen dat ze het maximale uit haar inkomen haalde. Ze moest al zoveel betalen voor dat zorgplan, voor haar moeder. Ze snapte niks van belastingen, zei ze. Verbijsterend, vond ze het. Waarom zou ze...?'

'Ze was financieel consultant, maar ze begreep niks van inkomstenbelasting?'

Nu zag hij hoe dom het allemaal overkwam. Sarah had hem zijn lesje laten afdraaien, had hem betaald om zijn lesje over inkomstenbelasting af te draaien, alleen om te zorgen dat hij zijn neus niet in haar zaken stak. 'Ze heeft me nog een cadeaupakket gestuurd om me te bedanken voor al mijn hulp... Dat geld in de keuken was cash?'

'In euro's,' zei ze, en ze bestudeerde zijn gezicht om te zien of de betekenis tot hem doordrong. Dat was niet het geval. 'Misschien hebben we haar belastinggegevens over het hoofd gezien, misschien gebruikte ze daarvoor een andere naam. Gebruikte ze weleens andere namen?'

'Nee.'

'Is ze ooit getrouwd geweest?'

'Nee.'

'Waarom zou ze dat geld niet op de bank hebben gezet?'

Weer trok Scott wit weg. 'Geen idee.' Zijn blik werd afwezig.

'U kijkt bezorgd.'

Hij kromp ineen. 'Misschien wist ze iets wat wij niet weten?'

'Over de financiële situatie? Wat kon zij daar nou over weten? Dat we er allemaal aan gaan? Dat is geen geheim.'

Nu keek Scott oprecht gekweld. 'Sarah kende allerlei mensen, heel veel mensen, soms gaf ze me tips...'

'Over aandelen bijvoorbeeld?'

'Nee, nee, nee, deals. Geldtransacties, nieuwbouwplannen,

waar je flats kon kopen die weer doorverkocht werden, dat soort dingen.'

Morrow keek naar zijn mond. Het accent was zo goed weggemoffeld dat ze het niet eerder had opgemerkt. Geluidloos sprak ze het woord uit dat hem verraden had. 'Die-ulz.' Arbeidersklasse, uit South Side. Niet 'dielzz', niet middle class, niet uit de wereld die hij zich had toegeëigend.

'Die-ulz,' zei ze, en ze zag zijn gezicht verslappen toen hij besefte dat hij zich in de kaart had laten kijken. 'Meneer Scott, waar komt u vandaan?'

'Ik woon in Giffnock.'

'Nee,' zei ze met nadruk, 'waar komt u vandááán? Waar woonden uw ouders toen u geboren werd?'

'In South Side.' Hij knipperde met zijn ogen.

Morrow spitste haar oren. 'Priesthill?'

'Nee,' zei Scott al even nadrukkelijk. 'Giffnock.'

'Aha.' Ze knikte. 'Priesthill.'

Hij leunde achterover en zijn mond vertrok van afkeer. 'Giffnock,' zei hij zachtjes.

Sussend legde ze haar hand op tafel. 'Hoor eens, we zullen het niet verder vertellen, u hoeft er niet over te liegen.'

Gekwetst zoog hij zijn wang naar binnen. 'We kunnen het uitzoeken...' opperde Harris.

'De hoge flats in Kennishead,' zei hij zachtjes. Als hij zich niet kapot had geschaamd, zouden ze hem hebben uitgelachen, maar nu was er geen lol aan. 'Wat heeft dat er trouwens mee te maken?'

'Aan welke universiteit hebt u gestudeerd?'

'Glasgow University, rechten.'

Weer knikte Morrow. Ooit was ze op de rechtenfaculteit geweest voor een verhoor. Als zij daar gestudeerd had, zou ze ook over haar afkomst hebben gelogen. 'Sarah was trouwens echte kak, hè?'

Hij knipperde afwerend naar het tafelblad en ging weer op dat deftige toontje over. 'Zoals ik al zei, ze was een welopgevoede jongedame.'

Morrow zag onbehagen en strijd over zijn gezicht rimpelen,

alsof zijn zelfbeeld aan het oplossen was. 'Vroeg Sarah specifiek naar u?'

'Ja.'

'Zou ze hebben geweten dat u zich enigszins liet imponeren door haar kakkineuze achtergrond?'

'Ik heb haar altijd met respect...'

'Nee, nee: denkt u dat ze doorhad dat u zich deftiger voordeed dan u was? Dat ze wist dat ze u kon intimideren?'

Scott leunde achterover en keek haar woedend aan. Hij wierp een blik op het snorrende cassettebandje in de recorder, kneep zijn ogen tot spleetjes en zei geluidloos '*fuck off*'. Een strafadvocaat zou zich wel drie keer hebben bedacht.

Morrow wierp hem een scherpe blik toe. 'Neemt u me niet kwalijk, meneer Scott, maar zou u voor de microfoon willen herhalen wat u zojuist zei?'

'Ik heb niks gezegd,' antwoordde hij zelfgenoegzaam.

Langzaam wees Morrow naar de hoek van de kamer. Met zijn blik volgde hij haar vinger en bij het zien van het rode cameralampje verstijfde hij.

Morrow boog zich naar hem toe. 'Had u de indruk dat Sarah Erroll intelligent was?'

'Nee,' zei hij zachtjes tegen de camera, 'niet echt.'

'Gewelddadig?'

'Gewelddádig?' Hij keek nog steeds naar de camera. 'Jezus, nee.'

'Wilt u alstublieft het woord tot mij richten, meneer Scott?'

Hij keerde haar zijn berouwvolle gezicht toe, maar zijn gedachten waren bij de camera. 'Sarah was onschuldig. Gewoon een vrolijk ding.'

'In haar huis hebben we een taser in de vorm van een mobiele telefoon gevonden. Het voorlopig forensisch sporenonderzoek wijst uit dat die in haar handtas heeft gezeten.'

Op slag was hij de camera vergeten. 'Een táser? U bedoelt zo'n elektrisch stroomwapen?'

'Ja.'

'Maar dat is gevaarlijk.'

'Negenhonderdduizend volt,' merkte Harris achteloos op.

Met zijn blik weer op de tafel gericht schudde Scott zijn hoofd. Toen hij sprak, was het met een stem uit de hoge flats. 'En ik vond het nog wel zo'n stom grietje.'

Morrow keek naar hem, zag zijn verwarring, zag hoe hij elke ontmoeting met Sarah Erroll doornam, naar aanwijzingen zocht, en zich afvroeg of hij het had kunnen weten. Ze keek naar hem en zag de zoveelste die alle sympathie voor Sarah Erroll verloor.

Ze keek naar hem tot een minuscuul hieltje, niet groter dan haar duimnagel, haar hart een karateschop verkocht en haar meevoerde, weg van de wereld.

16

Moira en Thomas stonden in de grote koelruimte onder de keuken. Ze konden zich geen van beiden herinneren wanneer ze hier voor het laatst waren geweest. Gewoonlijk was de keuken vol personeel, of hing er de dreiging van personeel; het was een openbare ruimte geweest, maar Moira had bijna alle inwonende hulp ontslagen.

Ze had nanny Mary aangehouden vanwege Thomas, maar toen ze het erover hadden, zei Thomas dat het van hem niet hoefde. Hij had haar niet langer nodig. Terwijl hij dat zei, keek Moira naar zijn omgekrulde lip, niet naar zijn ogen. Hij wist niet zeker of ze op de hoogte was van Mary's heimelijke nachtelijke bezoekjes, maar ze stemde ermee in, riep Mary bij zich en zei dat ze het zich niet langer konden veroorloven haar in dienst te houden. Mary leek opgelucht; ze zou haar spullen pakken en de volgende ochtend voor ze wakker werden weg zijn. Toen schudde ze hun allebei de hand, koel en zakelijk, zonder Thomas' gezicht af te speuren naar iets, wat dan ook, of hem recht aan te kijken. Hij keek haar na toen ze de kamer uit liep, met haar pronte billen zichtbaar onder haar zijden rok, en opeens bekroop hem de gedachte dat zijn vader Mary had opgedragen met hem te neuken en dat zij ook blij was dat het voorbij was. Wel vond hij het vreemd dat ze niet naar referenties vroeg.

Jamie had als gratificatie tweeduizend pond cash gekregen. Moira had niets over het wurgincident gezegd, en Thomas had het gevoel dat ze dat ook niet meer zou doen.

En zo kwam het dat de hal, de keuken, het hele huis verlaten was. Ze hadden nog niet warm gegeten, en Moira had een expeditie naar de keuken voorgesteld.

Het was warm in de raamloze koelruimte. Het gezoem van de apparaten werd door de ondergrondse muren weerkaatst. Het duurde even voor ze de lichtknop hadden gevonden, die verbonden was met een koord onder aan de steile trap die het pikkeduister in voerde. Drie grote, sarcofaagachtige vriezers stonden zachtjes te snorren. Een ervan was met een hangslot afgesloten. Moira liep eropaf en betastte het slot.

'Dit is vast de vleesvriezer,' zei ze.

Thomas moest opeens aan een bed van vlees denken, aan een lijk in een afgesloten kast, maar het was gewoon een enge, onbekende ruimte. Dat was alles. Het was er donker, stil en eng.

Hij tilde de klep van de dichtstbijzijnde vriezer op, keek erin en zag dat de inhoud keurig was geordend. Doorzichtige plastic bakjes met voortreffelijke maaltijden die hun kok voor zijn vertrek had bereid en in individuele porties had verdeeld, waarna hij de naam van elk gerecht duidelijk en met dikke krulletters op het deksel had geschreven.

Moira had de andere vriezer geopend, die boordevol zat met allerlei soorten brood, ingrediënten, bevroren kruiden en kaas, bevroren vruchtensap. Triomfantelijk hield ze een berijpte cilindrische zak bij de onderkant omhoog. 'Moet je kijken!'

Minipizza's. Goedkope minipizza's. 'Dit zullen ze zelf wel eten,' zei ze, 'het personeel. Zullen we deze nemen?'

'Hoe moet je ze klaarmaken?'

'Je stopt ze in de oven.' Thomas was onder de indruk, tot Moira bij wijze van uitleg zei: 'Dat staat op het pak. Dat kan ik ook nog wel.'

Op een drafje liep ze langs hem de trap op naar de keuken om een maaltijd voor hem te bereiden en zo te bewijzen dat ze het kon. Maar ze had het deksel van de vriezer tegen de muur laten staan en de dampende kou knisperde naar buiten, de warme ruimte in. Thomas wachtte tot haar enkels boven aan de trap oplosten in het heldere licht van de keuken, toen stapte hij op de vriezer af en deed het deksel dicht. Ze hoorde de klap, boog zich hurkend voorover en glimlachte. 'Sorry. Bij de eerste horde al uitgeschakeld.' Ze stond op en verdween in de keuken.

Thomas keek weer naar de gesloten vleesvriezer. Er lag niemand in. Sarah Erroll lag er niet in. Ella lag er niet in. Het was gewoon een enge ruimte.

Toen hij de trap op liep naar de keuken zag hij Moira met haar hoofd in de oven. Heel even dacht hij dat ze zichzelf probeerde te vergassen, in een elektrische oven, even verbeeldde hij zich dat ze er niet meer was, en hij merkte dat hij geen aanstalten maakte haar eruit te sleuren.

'O, daar zit ie...' Ze trok haar hoofd terug en keek hem lachend aan. 'Elektrisch. Wat ben ik toch dom.' Ze drukte op de knop en draaide de schakelaar om.

Met ontzette verbazing keek Thomas naar zichzelf, naar de gevoelloosheid waartoe hij in staat was, en toen veranderde hij van onderwerp. 'Mam, waar bewaarde Cookie de sleutels?'

Ze wees naar een metalen kastje aan de muur achter de keukendeur. Toen hij het openmaakte, zag hij zes sleutelhaakjes, alle bezet en voorzien van een etiket. Bij VRIESKIST 3 hoorde een sleuteltje aan een roze lus. Hij pakte de sleutel, daalde voorzichtig de steile trap naar de koelruimte weer af en keek naar het hangslot.

Klein. Van koper. Hij wilde de kist niet openen. Hij wilde nooit meer zo'n smeerboel als Sarah Erroll zien. Maar hoe langer hij het uitstelde, hoe banger hij werd. Hij dwong zichzelf ernaartoe te lopen, en toen hij ervoor stond keek hij neer op de witte doodskist. Wezenloos tastte hij met het sleuteltje naar het gat en probeerde het slot te vinden, maar miste, en ondertussen bekroop hem het gevoel dat dit alles iets seksueels had, dat het vreselijk was, bezoedelend en smerig, maar hij dwong zichzelf door te gaan, want het was erger om het niet te weten, en dan zou hij niet kunnen slapen omdat hij er aldoor aan moest denken.

Het slot sprong open en viel in zijn open hand.

Hij wipte de scharniersluiting omhoog, stond op, keek om

zich heen en tilde het deksel op. Een bed van bevroren vlees. Biefstuk, koteletten, wild, braadstuk. Een gigantische lamsbout. Geen lijken, geen bloed, geen dode Ella.

'Vlees?' Moira was hem naar beneden gevolgd.

'Ja.' Hij sloeg het deksel dicht. 'Alleen maar vlees.'

'Dacht je dat hij daar geld of iets dergelijks had verstopt?'

'Nee, gewoon... ik vroeg het me alleen af.'

Terwijl ze wachtten tot de pizza's klaar waren, opende hij een biertje uit de koelkast, en samen genoten ze van de stilte in huis. Moira legde uit dat ze na de ondergang van Lars' bedrijf nog maar driehonderdduizend pond per jaar te besteden hadden. Ze zouden het huis moeten verkopen en ergens anders moeten gaan wonen. De ATR-42 was van de zaak, evenals het huis in Zuid-Afrika – waar Thomas nog nooit was geweest omdat ze er altijd buiten de schoolvakanties naartoe gingen – de meeste auto's, het kantoor in het centrum van Londen en de lidmaatschapskaarten van Stamford Bridge, dus daar gingen ze ook niet meer naartoe. Het kon Thomas niet schelen. Zo gek op voetbal was hij nou ook weer niet.

Ze haalde de pizza's uit de oven en legde ze op een hakblok om ze in stukken te snijden. Ze waren verrukkelijk.

Thomas keek naar Moira terwijl ze at. 'Je hebt geen droge mond meer.'

Ze keek terug en wist wat hij wilde vragen. 'Je hebt gelijk. Dat is zo. Ik ben van de pillen af.'

'Hoe lang al?'

'Vijf weken. Je vader is de laatste tijd niet veel thuis geweest.'

Thomas vroeg zich af of ze wist waar Lars had gezeten. Thomas wist dat maar al te goed. Bij haar, de andere vrouw.

Het was zijn laatste gesprek met zijn vader geweest. Lars had hem op de laatste dag voor het najaarstrimester mee uit genomen, naar de ijssalon van Fortnum's, waar om het andere tafeltje een afwezig kijkende vader in een streepjespak had gezeten, in gezelschap van een snotaap die totaal van hem was vervreemd. Thomas was ouder dan de andere kinderen, en hij vroeg zich af of het zijn vader wel was opgevallen hoeveel ouder hij was.

Thomas keek Moira aan. Misschien wist ze het. Misschien kon het haar niet schelen.

'Waarom heeft hij zich eigenlijk van kant gemaakt?'

Moira haalde haar schouders op. 'Hij raakte zijn licenties kwijt. Volgens mij wist hij dat hij nooit meer de grote jongen kon uithangen. Hij kon niet leven zonder het spel. Hij had geen vrienden meer, en ook geen andere interesses, geloof ik.' Ze kreeg een dromerige blik in haar ogen. 'Je hebt hem niet gekend toen hij jong was. Hij was heel leuk. Grappig. Toentertijd had hij nog gevoel voor humor. En in het begin hielden we echt van elkaar. We hadden vríénden. We hadden gelukkig kunnen zijn in plaats van, nou ja, je weet hoe het gegaan is. God... wat een verspilling.'

Thomas luisterde en knikte, tot Moira naar hem keek en zag dat zijn ogen rood waren en zei dat hij naar bed moest gaan.

'Ik ben aan een douche toe,' zei hij zachtjes. 'Ik ben heel hard aan een douche toe.'

17

Morrow was op haar kamer en net toen ze haar jas aantrok en controleerde of haar sleutels en telefoon in haar tas zaten, klopte Routher voorzichtig op de openstaande deur.

'Hoofdinspecteur Bannerman verwacht u op zijn kamer, mevrouw.'

'Bedankt, Routher.'

Hij glipte de gang weer op, maar ze riep hem terug. 'Waarom was je zo laat op de briefing?'

Routher was niet voor spion in de wieg gelegd: zijn gezicht was zo expressief dat ze het hele verhaal kon afleiden uit de minieme veranderingen in zijn gelaatsuitdrukking: samengetrokken wenkbrauwen omdat hij met goede redenen en buiten zijn schuld te laat was geweest, het plotselinge besef dat het slecht was om te laat te komen en dat het goed was om promotie mis te lopen, het lachje toen hij zichzelf feliciteerde omdat hij zo slim was, en ten slotte de leugen: 'Sorry, ik had me verslapen.'

'Het was vijf uur 's middags en jij had je verslapen?'

Hij keek verward. 'Het zal niet weer gebeuren.'

Ze staarde hem aan en zag hem blozen. 'Opgekrast.'

Daar gaf hij maar al te graag gehoor aan.

Ze liep de gang door en zag dat Bannermans deur half openstond. Hij was met iemand in gesprek, en het ging van ja-ja-ja. Ze klopte aan en liep naar binnen, waar ze hem aan de telefoon aantrof, instemmend knikkend. Met zijn blik wees hij naar de stoel voor zijn bureau en ze ging zitten wachten tot hij klaar was. Ondertussen bestudeerde ze zijn bureau.

Toen ze nog een kamer deelden, maakte hij met de inrichting van zijn bureau op klungelige, nogal opzichtige wijze duidelijk wat voor soort man hij was. Morrow geloofde er niks van. Wel vond ze het interessant om er een studie van te maken en zo haar talent aan te scherpen om de schijn door te prikken. Dat Bannerman muesli repen als lunch at, betekende niet dat hij zich om zijn gezondheid bekommerde, maar dat hij bang was om dik te worden. Ze liet zich ook niet voor de gek houden door de presse-papier in de vorm van een surfplank: hij was geen avontuurlijk buitenmens, maar nam af en toe een zonnebank. Ze had de pest aan hem omdat hij zo zijn best deed zich te onderscheiden van de rest van het korps, terwijl hij dat alleen maar kon doordat hij er in hart en nieren deel van uitmaakte: zijn vader was bij de politie en hij kende het spel van binnenuit.

Na zijn promotie wilde Bannerman alleen nog maar gezag uitstralen.

Hij hing op. 'Ik neem dit onderzoek min of meer over, Morrow,' zei hij, zonder zich te verontschuldigen. 'Vanwege het geld. Dat is een reden tot zorg, niet alleen omdat het er is en omdat het zoveel is, maar vooral omdat het in euro's is.'

Weer zo'n leugen. Het geld maakte er deel van uit, maar hij wilde meer dan alleen glorie. Hij voerde nog iets in zijn schild. 'Is het al nagekeken op drugssporen?' vroeg ze.

'Ja, die zijn er niet. Mag geen naam hebben. Zo goed als niets, vreemd genoeg, het lijkt wel of de biljetten rechtstreeks van de bank komen. Van welke bank weten we nog niet, het is geen opeenvolgende reeks. We onderzoeken of er grote bedragen aan euro's hier in het land zijn opgenomen, maar ze kunnen overal vandaan komen.'

'New York, zou ik zeggen.'

'Ja, dat lijkt heel aannemelijk, als je ziet wat daar allemaal omgaat.'

Ze wist niet goed hoe ze hem aan het verstand moest brengen dat de mannen niet voor hem wilden werken. 'Wat het moreel betreft: ze maken er een wedstrijdje van wie zich het minst nuttig kan maken. Het is niet zoals het hoort.'

Bannerman wierp een blik over haar schouder en dempte zijn stem. 'Ik weet het. Het is me ook opgevallen. Ik zal ze morgenochtend eens even vertellen waar het op staat.'

'Nee, alsjeblieft...'

'Het moreel is net zo goed mijn verantwoordelijkheid als de jouwe. Als het niet uit henzelf voortkomt, wordt het een kwestie van de harde hand.'

De harde hand: typisch zo'n bazenuitspraak, alsof je het enthousiasme erin zou kunnen slaan. Deze mannen waren al wat ouder, hadden meer zelfvertrouwen, kwamen niet vers van de politieacademie. 'Zo'n team is het niet.'

'Ik wil niet dat Harris te veel op zich neemt.' Daar had je het al: die neergeslagen blik waarmee hij het gewicht van zijn uitspraak wilde benadrukken. 'Waarom zet je Wilder niet wat meer in?'

'Omdat het een lul is.'

Hij keek haar waarschuwend aan. 'Ga je naar huis?'

'Dat was ik wel van plan.' Ze pakte haar spullen. 'Volgens mij deed Sarah Erroll alsof ze een dom, bekakt grietje was, maar in werkelijkheid was ze behoorlijk pienter. We hebben die notaris van haar ondervraagd en ze...'

'Dat weet ik, ik heb het gezien.'

Ze zweeg en keek hem aan. Hij nam de zaak dus echt over, en ze kon er niks tegen doen. 'Oké,' zei ze kriegel. 'Tot morgen dan maar.'

'Tot morgen.'

Terwijl de deur dichtklikte, mompelde ze een verwensing aan zijn adres.

Routher stond weer buiten op de gang, en ze richtte al haar venijn op hem. 'Ben je van plan de hele avond op de gang rond te hangen, Routher?'

Geschrokken van haar geërgerde toon stamelde hij: 'Nee, ik ben... Ik sta op u te wachten. Het voorlopige rapport ligt op uw bureau, en McCarthy heeft naar haar telefoon gekeken. Ze werkte als escortgirl.'

'O, shit.' Morrow liep naar haar kamer, deed de deur open en slingerde haar tas op haar bureau. 'Kom mee.'

Mark McCarthy had het gezicht van een sterk vermagerde hemofiliepatiënt. Hij was het allerongezondste type dat Morrow ooit in het korps was tegengekomen. Ze bleef zich erover verbazen dat hij niet bij het drugsteam was gedetacheerd voor undercoverwerk.

Hij lachte toen ze op zijn bureau af stapte. 'Ik heb het een en ander aan moois gevonden, chef. Tegenwoordig staat je hele leven op die telefoontjes.'

Ze trok een stoel bij en ging zitten. 'Laat zien.'

'Okeeeee.' Hij haalde het telefoontje uit de plastic zak, en het zwarte poeder van het vingerafdrukonderzoek bleef aan zijn vingertoppen kleven. 'Ten eerste hebben we afdrukken op de voorkant gevonden die niet van haar zijn. Goede afdrukken trouwens.'

'Iemand met een strafblad?'

'Tot nu toe geen matches.'

'Kut,' zei Morrow. Het kwam er krachtiger uit dan de bedoeling was. Wat ze het liefst wilde was het adres van iemand die al eens eerder een dergelijke misdaad had gepleegd, zodat ze nu naar huis kon.

McCarthy keek gekwetst. 'Maar dit is toch al mooi?'

'O ja, ja hoor. Verder nog iets?'

'Het laatste telefoontje was naar 999. Kijk wat ze ons gestuurd hebben.'

Hij had het allemaal zo georganiseerd dat het wel indruk op haar móést maken: hij schudde aan zijn muis en op zijn scherm verscheen een audiobestand. Hij selecteerde KOPIËREN, sleepte het bestand naar de geheugenstick om het te downloaden, klikte de stick los en gaf die aan haar. Na alle uitgesproken ongeïnteresseerdheid van die dag was Morrow redelijk ontroerd.

'Kun je Sarah erop horen?'

'Ja. En ook...' McCarthy klikte een lijst met e-mailberichten aan, alle onder de naam van de afzender. De meeste waren van

Scott en hadden als onderwerp 'Glenarvon' of 'nalatenschap', maar toen hij naar beneden scrolde verscheen er een reeks oudere e-mails, allemaal van een zekere Sabine. 'Ziet u dat er op de onderwerpregel steeds "Re:" staat? Dat betekent dat ze van een andere account afkomstig zijn. En het gaat allemaal over min of meer hetzelfde.'

McCarthy opende er een. P. moest voor zaken in Londen zijn, en hij had van een vriend over haar gehoord. Hij kende de regels en wist de prijs, en nu hoopte hij dat ze een gezellig afspraakje konden maken. Hij vermeldde zijn hotel en telefoonnummer. Het was een internetcontact.

'Heeft ze geantwoord?' vroeg Morrow.

'Nee. Als er een pijltje aan de zijkant staat' – hij sloot het bericht en keerde terug naar de lijst – 'dan betekent het dat het bericht is beantwoord. Deze hebben dat niet. Sinds een maand of twee beantwoordde ze ze niet langer.'

'Toen stierf haar moeder,' zei Morrow. 'En toen hoefde ze ook niet langer de verzorgers te betalen. Haar moeder had vierentwintiguurszorg aan huis. Dat is heel duur.'

McCarthy knikte, maar ze zag dat het nu pas tot hem doordrong. Het maakte haar niet uit of hij het wist of niet, zolang hij het maar in het voorbijgaan aan de anderen liet weten.

'Zit er een camera op het telefoontje?'

'Ja.' Hij keerde terug naar het hoofdmenu en selecteerde AF-BEELDINGEN. 'Maar het is wel een oude iPhone. Waarschijnlijk was ze er al vroeg bij: een heel klein geheugen, er gaan hooguit honderd foto's op. We zijn met haar laptop bezig' – hij wees naar een kleine zilverkleurige laptop op een ander bureau – 'maar ze heeft voor alles een wachtwoord en ze zijn allemaal anders.'

Er stonden zevenentachtig foto's in het telefoontje. Sommige waren van mensen, maar op de meeste stonden merkwaardige zaken. Toen ze ze openden, zagen ze dat het opnamen van het telefoonboek waren: gegevens van dakdekkers en septic-tankspecialisten, waarschijnlijk gefotografeerd om de nummers niet te hoeven opschrijven. De rest was van recente datum. Veel straatopnamen uit New York, van het park, wazige beelden van andere passagiers tijdens een zonnig boottochtje vanaf Manhattan.

'Heeft ze de foto's regelmatig gedownload?'

'Ja, voor zover we weten wel.'

'Ik vergeet altijd te downloaden. Mijn telefoon staat vol oude foto's.' Fronsend keek ze naar het apparaat. Er klopte iets niet. 'Laat me de data van de foto's uit New York eens zien.'

McCarthy bewoog de muis en de data verschenen. Ze waren de afgelopen week genomen. 'Ze zijn allemaal nieuw.'

Morrow beet op haar lip en keek er nog eens goed naar. 'Ze is er het afgelopen jaar zeven keer geweest. Is het niet vreemd dat je het dan nog zo spannend vindt dat je voortdurend foto's maakt? Alsof ze voor toerist speelt.'

'Misschien was ze ook gewoon toerist.'

'Maar ze is er in elf maanden zeven keer geweest. Wie maakt er na de zevende keer nog zulke foto's?'

'Ze deed allerlei toeristendingen als ze daar was, dat staat vast. Ze ging naar musea en zo.' Hij wees naar de koffer die op een tafel met bewijsstukken lag. 'Ze heeft een museumcatalogus gekocht. Die moet ze echt mooi hebben gevonden, want dat boek weegt een ton. Haar bagage werd er wel drie keer zo zwaar van.'

Morrow keek naar de kleine witte koffer uit de hal. Hij was opengeritst en de inhoud lag ernaast: een stapeltje netjes opgevouwen kleren, een doorzichtige toilettas. En een enorm, in cellofaan verpakt boek.

Ze stond op en liep naar de tafel, waar ze de inhoud van de koffer wat beter bekeek.

De enorme lichtgroene catalogus van het Museum of Modern Art zat nog in cellofaan, met het bonnetje eraan vastgeplakt. De datum van aankoop kwam overeen met haar laatste reis. Verder bestond de inhoud van de koffer uit schoon ondergoed, een blauwe versie van het roze kanten slipje dat in het huis was aangetroffen, een zilverkleurige jurk, een toilettas met alle crèmes en lotions in vliegtuigvriendelijke flesjes en verzameld in een doorzichtige ziplock-zak. Ze was aan de pil geweest.

Er zat niets persoonlijks in de koffer. Geen thuisadres voor het geval hij zoekraakte, geen foto's of tijdschriften die ze aan het lezen was, geen niet-vergeten-briefjes of oude tickets, niets wat er niet thuishoorde.

Morrow bestudeerde de catalogus. Ze probeerde hem met één hand op te tillen. Hij was zo zwaar dat ze bijna haar pols verrekte. Ze pakte het deksel van de koffer en deed hem dicht, keek ernaar, deed hem weer open, legde de catalogus erin en sloot hem weer. De catalogus nam bijna de halve koffer in beslag. Ze nam hem er weer uit, legde hem op tafel en keer ernaar. Er klopte iets niet, het cellofaan zat een beetje los en de randen strookten niet met elkaar, waren wat onregelmatig.

Ze haalde haar autosleutels tevoorschijn, pakte een hoekje van het plastic en krabde net zolang tot het scheurde en ze het kon wegtrekken. Met de zijkant van een sleutel sloeg ze het boek open.

Morrow glimlachte. Binnenin, iets uit het midden, tussen de zwart-witfoto's van slonzige kubistische collages, had iemand een pracht van een bed uitgesneden voor het dikke pak kraaknieuwe vijfhonderdeurobiljetten, die met twee elastiekjes bijeen werden gehouden. Sarah had dezelfde catalogus eindeloos vaak mee kunnen nemen; telkens weer had ze hem ingepakt en een nieuw exemplaar gekocht, alleen voor het bonnetje met de juiste datum. Het verklaarde ook waarom ze hem liet inchecken. Als ze hem als handbagage meenam, zou de catalogus er voor het blote oog nieuw hebben uitgezien, maar op het röntgenapparaat van de beveiliging zou een grijze rechthoek te zien zijn en iets onregelmatigs in het papier. De foto's van New York waren deel van haar dekmantel als musea-bezoekende toerist.

McCarthy stond tegenover haar, aan de andere kant van de tafel, en staarde als gehypnotiseerd naar het geld. Routher kwam er ook bij, en een jonge rechercheur ging achter zijn bureau op zijn tenen staan om het te kunnen zien.

Morrow keek naar hen en zag hun openhangende monden, hun ogen die op het geld waren gericht terwijl ze in gedachten ver weg waren, bij bookies, in autoshowrooms, overal waar hun begeerte hen mee naartoe voerde.

De avondploeg viel al snel uiteen: McCarthy en Routher

moesten het geld bewaken tot de chauffeur van de gepantserde auto uit zijn bed was gebeld. Bannerman wilde met alle geweld de catalogus zelf naar het lab brengen, hoewel het niet erg waarschijnlijk was dat er sporen op zouden worden aangetroffen die relevant waren voor het moordonderzoek. Morrow bleef alleen op haar kamer achter en bestudeerde de bestanden die van het telefoontje afkomstig waren.

Tussen de foto's vond ze er drie van een man, een man met zilvergrijze haren, en in gedachten noteerde ze dat ze moest kijken of er in Glenarvon ook ergens een foto van hem was. De oudere foto's waren van Sarahs moeder, een schildpadje van een vrouw in een ouderwetse jurk die dateerde uit een dynamischer periode in haar leven. Op de latere foto's tuurde ze ontstemd naar de camera, in splinternieuwe lichtblauwe of zachtroze nachtkledij, met dekens over haar knieën, in de leunstoel in de keuken, in haar bed, bij een raam. Het waren liefdevolle foto's. Sarah was op haar hurken gaan zitten om ze op haar moeders ooghoogte te nemen, en op alle afbeeldingen was het licht zacht. Op sommige keukenfoto's stond Kay op de achtergrond en keek lachend over haar schouder naar wijlen mevrouw Erroll. Ze zag er mollig en moederlijk uit. Morrow raakte Kays gezicht op het scherm aan en glimlachte in zichzelf.

De e-mailberichten op Sarahs telefoontje hadden bijna allemaal betrekking op het huis. Scott leek vastbesloten haar van elk detail van de verkoop en van de afwikkeling van de nalatenschap op de hoogte te brengen, en ongetwijfeld bracht hij dat elke keer in rekening. De e-mails waren zo barok en kruiperig dat je hem een schop zou verkopen. Ze kon zich goed voorstellen dat Sarah hem had geminacht om zijn diepe onderdanigheid, en dat ze er een zekere vreugde in had geschept hem te bedriegen.

Veel van de overige mails waren gericht aan Sabine: afspraken voor ontmoetingen in specifieke hotels op zeer specifieke tijdstippen, en er was altijd plezier te beleven, hoewel de aard van dat plezier vaag bleef. Het was rampzalig dat ze dat gedaan had. Politiemensen hadden weinig respect voor sekswerkers, ongeacht naar hoeveel cursussen ze gestuurd werden. Ze brachten te veel gedoe met zich mee, waren te chaotisch, trokken gekken aan. De enige manier waarop de meeste agenten nog enige sympathie voor hen konden opbrengen, was door ze te zien als kinderen die het slechte pad op waren gelokt, door ze 'meisjes' en 'jongens' te noemen. Of anders maakten ze er een bijverschijnsel van verslaving van: ze deden het voor de drugs, vanwege de drugs, ze moesten drugs hebben om het te kunnen doen. In al dat soort gevallen konden ze het niet helpen. Sekswerkers, die het gewend waren iedereen naar de mond te praten, beaamden dit altijd. Er waren er maar weinig die het voor het geld deden, was haar opgevallen. Er waren er maar weinig die toegaven dat het een economische keus was.

Morrow sloeg haar handen voor haar gezicht en dacht aan Sarah op de trap. Op een zeker moment moest ze hebben geweten wat er ging gebeuren, en door haar werk was dat besef des te vreselijker. Sekswerkers gaven altijd zichzelf de schuld, hoe gruwelijk ze ook te pakken waren genomen. Als je een rapport moest opstellen naar aanleiding van een verkrachting of de bijzonderheden van een beestachtige mishandeling moest optekenen, was het altijd een hele toer om ze te laten toegeven dat ze slachtoffer waren. Ze konden niet zonder de illusie dat ze de situatie meester waren. Morrow wreef over haar buik. Niemand kon zonder die illusie. Voor haar geestesoog zag ze Sarah op haar rug liggen terwijl er een voet op haar gezicht neerdaalde en haar laatste bewuste gedachte er een van zelfverwijt was.

Ze leunde achterover en wreef met haar knokkels in haar warme ogen. Het werd laat. Het was donker in de kamer, en buiten op de gang was het stil. Ze wilde thuis zijn, voor de buis zitten, samen met Brian schommelend op de bank. Als laatste karweitje deed ze oordopjes in en klikte het audiobestand van het 999-telefoontje aan.

Als Sarah vijf seconden eerder iets had gezegd, hadden ze haar leven kunnen redden.

Maar dat was niet gebeurd.

Doordat er een pauze viel tussen het moment dat Sarah het nummer intoetste en het moment dat ze iets zei, dacht de telefoniste dat het loos alarm was en verbond haar door naar de recorder. Loos alarm kwam meestal van dronken tieners of idioten die aandacht zochten, of van vijfjarigen die met de telefoon speelden terwijl hun moeder in bad zat. De recorder was een pragmatisch, statistisch gefundeerd systeem, dat er bijna altijd in slaagde tijdverspillers eruit te schiften. Bijna altijd.

Morrow luisterde en hoorde Sarahs zachte stem in de nevelige verte. Ze zag de koude, lege blikken van de rechercheurs tijdens de briefing, popelend om naar hun warme, veilige huizen te gaan.

Ze beluisterde het 999-telefoontje tot het einde en beluisterde het toen nog een keer. Opeens zat ze te huilen in het donker, niet alleen om Sarah Erroll, maar ook om haar dode vader en om JJ, om alle onbeminde, onaantrekkelijke mensen.

Toen ze klaar was, droogde ze haar tranen en luisterde of ze iets hoorde op de gang, waarna ze via de voordeur naar buiten glipte. Ze liep achter de reusachtige bloembakken langs en volgde de muur tot ze bij haar auto aankwam, die in de donkere straat geparkeerd stond.

Ze schoof achter het stuur, vergrendelde het portier en deed de cabinelampjes uit, en terwijl ze beschaamd bleef zitten, voelde ze zich rauw, poreus, stom en zwanger.

18

Thomas was uitgeput, maar ook zo opgefokt als wat. Hij had zich gedoucht en zat nu lekker schoon op de bank in zijn woonkamer, vanwaar hij in een handdoek gehuld tv-keek en om de dertig seconden van kanaal wisselde op zoek naar god mocht weten wat. *Family Guy*. Iets korts. Zijn brandende ogen tastten gejaagd het scherm af, terwijl in zijn hoofd vage gedachten maar half vorm kregen, gedachten waarmee hij geen raad zou hebben geweten als hij er alleen mee was geweest, als hij zich erop geconcentreerd had.

Hij keek naar een video van een rapgroep: lelijke kerels aan de rand van een zwembad bij een luxe villa, die beeldschone strippers van zich af sloegen. Hij dacht aan zijn ouders. In Thomas' ogen stond Lars altijd voor een grote, pijnlijke behoefte om indruk te maken, voor een op handen zijnde prestatie die alleen maar kon tegenvallen. Het had hem altijd vreselijk beziggehouden, want eigenlijk was hij nergens goed in. Lars had hem menigmaal verteld dat hij nooit meer zou bereiken dan de status van zoon van Lars. Maar nu was Lars er niet meer. Dat geklooi aan zijn kop was nu afgelopen. Moira was altijd koel en afstandelijk geweest, maar zij was wel hier, en ze was heel warm. Al zouden ze nooit meer een woord met elkaar wisselen, al zou ze vanavond in haar eigen vertrekken een overdosis nemen, dan wist Thomas dat hij niet meer had kunnen verlangen dan deze avond: ze hadden gekletst, elkaar aangekeken en ze had sorry gezegd.

Hij wist dat hij haar genegenheid niet verdiende, evenmin als de vreugde over Lars' afwezigheid. Twee ongelooflijke gelukstreffers, en net na wat hij gedaan gehad. Het klopte niet. Het was net zoiets als Hitler die de loterij won.

Hij ging verzitten op de vochtige, kriebelige handdoek en zapte weer. Haaien in vuilblauw water, die met wijd open bek recht op de fotograaf afkwamen, en hij dacht aan Sarah Erroll boven aan de trap, hij zag haar blote billen terwijl ze de trapleuning vasthield en haar voet op de eerste tree liet zakken, en die duw tegen zijn schouder toen Squeak langs hem liep en zijn hand naar haar haar uitstrekte. Blond haar. Allerlei verschillende kleuren blond: donker, geel, sporen van wit en toen roze en rood erdoorheen, plukken haar die uit Squeaks vuist hingen nadat het had losgelaten toen hij haar naar achteren trok.

Het getril deed hem overeind schieten en hij keek om zich heen tot hij besefte wat het was. Zijn mobiel. Die zat nog in zijn plunjezak in de aangrenzende kamer, op de vloer van zijn slaapkamer. Nanny Mary had hem daar achtergelaten, want Moira had haar bij zich ontboden om haar te vertellen dat ze ontslagen was. In reactie op het getril stapte hij op de zak af, pakte het apparaatje en zag de naam op het scherm: Squeak.

Thomas hield het telefoontje vast en keek ernaar terwijl het overging. Squeak wilde hem bang maken. Het was triest. Hij ging de hele riedel weer afdraaien: je hebt me meegenomen naar het verkeerde huis. Thomas wilde niet met hem praten. En toch was de behoefte om op de ringtoon te reageren zo groot dat hij naar de telefoon bleef kijken, en in zijn verbeelding zag hij Squeak op de wc in zijn kamer in het slaapgebouw, in het donker omdat het licht al uit moest zijn. Hij zou op de pot zitten: de badkamers waren klein, en het was de enige plek waar je kon zitten. Aan het begin van het trimester moesten ze hun mobieltjes bij de huismeester inleveren en dan kregen ze ze in het weekend terug, maar Squeak had een illegale telefoon, een extra telefoon die hij alleen gebruikte voor porno. Hij zat nu in het donker op de wc met zijn pornotelefoon te bellen en wachtte tot Thomas opnam.

Thomas drukte op de groene knop en bracht de telefoon naar

zijn oor. 'Hé, gast?' Zelf fluisterde hij ook, want Squeak kon in de problemen komen omdat hij een mobiel had.

'Ja, ben je daar?'

'Ja.'

'Vind je het erg van je ouweheer?'

'Niet echt, nee.'

'Heeft ie zich opgehangen?'

'Ja. Op zijn gazon.'

Squeak lachte geluidloos toen hij dat hoorde; hij kende het verhaal van het gazon. 'Klote.'

'Zeg dat. Kut.'

'Klotekut.'

Thomas wierp een blik in de woonkamer, op de haaienfilm: bloederig water. 'Godverdomme-klotekut.'

Squeak ademde zwaar in de hoorn. 'Sorry van eerder.'

'Ja.'

'Ik wist het niet, ik dacht dat je met iemand gepraat had. Dat je me verlinkt had.'

'Rot op,' zei Thomas zachtjes, terwijl hij aan een vlek op zijn slaapkamermuur peuterde.

'Ja. Ik ben me wezenloos geschrokken.'

'Nee, het was gewoon... je weet wel.' Thomas knikte, want hij wilde niet de indruk wekken dat het iets voorstelde, want voor hem stelde het niets voor. 'Lars die de pijp uit was.'

'Hm.' Squeak snapte het. 'Is alles dan weer goed?'

'Tuurlijk. Is er vandaag nog iets gebeurd?'

Hij kon Squeak bijna horen glimlachen. 'Ik heb een acht punt negen voor die toets van maatschappijleer.'

'Smeerlap.'

'Zeg dat. Wil je weten wat jij hebt?'

'Nou?'

'Vier punt zes,' zei Squeak, en hij begon te lachen omdat het zo triest was. Thomas moest ook lachen. Het maakte niet uit. Maatschappijleer was een waardeloos vak, maar daarom lachte Thomas niet. Hij lachte omdat Squeak hem zat te treiteren, hem voor de gek hield, en dat betekende dat alles in orde was.

'Vunzige eikel,' zei Thomas zachtjes. 'Net nou ik ervan droomde leraar maatschappijleer te worden moet jij alles weer verpesten.'

'Ja,' lachte Squeak. 'Hoe dan ook. Is Ella al thuis?'

'Die komt morgenochtend.'

'Oké, zeg maar dat ik aan haar heb gedacht...' Thomas deed zijn ogen dicht en kromp ineen, want hij wist dat er nog meer kwam. 'Vertel haar maar niet wat ik deed terwijl ik aan haar dacht.'

'Ja hoor,' zei Thomas dreigend. 'Ze is godverdomme twaalf, gast.'

'Hé.' Squeak klonk geïrriteerd nu hij terecht werd gewezen. 'In Texas zou ik met haar kunnen trouwen.'

'Dan is het nog steeds fout.'

'In Holland...'

'Het is fout, man.' Thomas gaf geen duimbreed toe. 'Ze is mijn zus. Ik heb de pest aan haar, maar ze is nog altijd mijn eigen stomme... snap je?'

'Ja, nou ja, rot toch op.' Hij klonk lichtelijk geërgerd.

'Rot zelf op,' zei Thomas, om aan te geven dat hij moest kappen.

'Ja.' Hij kapte ermee. 'Rot op...'

Squeak bedoelde er niets mee, hij had helemaal niks met jonge meisjes, wist Thomas. Hij had eerder iets met vrouwen van nanny Mary's leeftijd, en dat was dan als compliment bedoeld. Dat je een oogje had op iemands zusje betekende dat je niet op varkens of vetzakken viel. Maar het zat Thomas dwars, dat soort praat van Squeak, want hij had de dingen gezien die Squeak op zijn telefoontje had staan: beesten en anaal en zo, en hij wilde niet dat ook maar iets in zijn echte leven met die rotzooi in verband werd gebracht.

'Ik ga maar weer eens,' zei Squeak, en hij hing op voor Thomas de kans kreeg iets terug te zeggen.

Thomas liet het zwijgende telefoontje op het bed vallen en keek er verwijtend naar, alsof het Squeaks pornotelefoon was. Hij draaide zich op zijn hielen om en zijn blik viel op de blote billen van Sarah Erroll, die zich vasthield aan de trapleuning en haar voet op de bovenste tree zette. Hij voelde de duw tegen zijn schouder toen Squeak langs hem liep en zijn hand naar haar haar uitstrekte. En toen die hand in haar haar, witte knokkels omdat Squeak het keihard vastklemde, haar voeten die doorliepen terwijl haar hoofd bleef waar het was, en hoe ze achteroverviel en de hele trap af slalomde, en Squeak die ineengedoken nog steeds haar haar vasthield tot het losliet in zijn hand, Squeak die haar naar beneden volgde en opgewonden opkeek naar Thomas, blij, alsof hij zijn geluk niet op kon, alsof alle kerstfeesten die hij ooit had meegemaakt allemaal tegelijk waren aangebroken en hij niet snapte hoe hij zo braaf had kunnen zijn dat hij dit verdiende.

Thomas keek naar het telefoontje op het bed en werd weer misselijk, een zwakke variant van de misselijkheid die hij had gevoeld toen hij naar Squeak onder aan de trap keek. Een zwaar soort droefheid, een misselijkheid die de wereld heen en weer deed zwaaien, zodat het was alsof zijn hoofd vol olie zat.

Hij had het niet tot zich laten doordringen toen ze op de trap waren, maar nu kon hij er niet meer omheen: als je onder lag, zou iedereen dat met je doen. Iedereen.

19

Het liep tegen elven, eigenlijk te laat voor een bezoek, maar Morrow had behoefte aan een sprankje troost op een treurige dag en daarom reed ze door.

De wegen rond Castlemilk waren breed en recht, ontworpen voor het tijdperk van de auto, terwijl de bewoners zich slechts de bus konden veroorloven. De brede straten dienden alleen om peuters neer te maaien en erop rond te scheuren in gestolen auto's, en daarom hadden de planologen ze bezaaid met hoge verkeersdrempels en de trottoirs verbreed zodat er vertragende bochten ontstonden. Morrow reed met een vaartje van vijftien kilometer per uur, en nog voelde het roekeloos.

Ze passeerde het plaatselijke politiebureau – het zoveelste compacte fort van bruine baksteen – reed een korte, steile heuvel op en zette haar auto op een van de twintig beschikbare parkeerplaatsen. De flatgebouwen zagen er haveloos en dreigend uit, blokken van drie hoog die de stad in de gaten hielden. De trappenhuizen waren glazen zuilen, elk met een andere kleur licht: helblauw in het midden, oranje en paars aan de zijkanten. De felgekleurde lichten botsten met het bekoorlijke, door de tijd aangetaste pastel van de buitenmuren: mosterdgeel, geelgroen en bruin.

Ze stapte uit en bedacht dat ze, behalve dat ze in haar eentje bij een getuige langsging, haar privéauto in het volle zicht van de flatgebouwen had geparkeerd. Ze keek om zich heen. Op alle hoeken zaten beveiligingscamera's aan de lantaarnpalen bevestigd. Vanwaar ze stond telde ze er al meer dan tien, en zo te zien waren ze allemaal in bedrijf.

Als er vanavond iets gebeurde, zouden haar meerderen weten dat ze in haar eentje hiernaartoe was gekomen, in haar eigen auto. Toch draaide ze zich niet om en stapte weer in, maar liep ze naar het middelste gebouw, keek in haar notitieboekje voor het nummer van de flat en drukte op de bel nog voor ze door het glas van de deur had gekeken. De hal was wit betegeld en zo schoon als een operatiekamer. Vermanende bordjes aan de muur verboden de bewoners honden te houden, vuilnis in de lift achter te laten en graffiti aan te brengen. Kennelijk waren al die verboden niet echt nodig. Zelfs de bordjes waren blinkend schoon.

Een meisjesstem klonk door de knetterende intercom. 'Hallo?'

'Hallo, is dit het huis van Kay Murray?'

'Mam!' riep het meisje, dat zich kennelijk van de intercom had afgewend. 'Voor jou!'

Morrow glimlachte toen ze Kays stem hoorde naderen. '... eerst vragen wie het is voor je tegen mij begint te blèren.'

Maar het meisje liep stampend weg en een deur sloeg dicht.

Kay kuchte. 'Ja?' zei ze.

'Kay? Ik ben het.'

Het bleef even stil.

'Alex?'

'Ja.'

'O. Kom maar boven...'

De deur bij de ingang bromde bozig en Morrow duwde hem open. Aan de andere kant van de hal drukte ze op de knop voor de lift; de deuren schoven opzij en ze stapte het warme oranje licht in. De vloer was schoon, de kunststof knoppen waren niet met aanstekers bewerkt, en het rook er slechts vaag naar ontsmettingsmiddel. Het was totaal niet bedreigend, maar toen de deuren voor haar ogen dichtschoven en de lift zich in beweging zette, ging er toch een steek door Morrows maag.

De deuren gingen weer open en toen was er kil tl-licht en een vage currylucht uit een afhaalzak die aan een deurknop hing. De vloer was felroze, met een pad van turkooizen ruiten. Alle deuren waren turkoois, met matglazen panelen, sommige verlicht en andere donker. Morrow liep naar nummer acht.

Achter Kays raam hing een geplooid roze netgordijn. Het was een oude deur, een goed teken: dan woonde ze hier al heel lang, betaalde haar huur en bovendien was de deur nog nooit ingetrapt. Bij een kapotte, weer opgelapte deur wist je dat je met een probleemgezin te maken had.

Morrow klopte aan en deed afwachtend een stap terug. Achter haar piepten de liftdeuren, en toen ze zich omdraaide, zag ze de streep oranje licht steeds smaller worden en verdwijnen.

Ineens vloog de voordeur open en daar stond een lange, magere jongen die haar van top tot teen opnam.

'Hallo!'

Morrow lachte wat geforceerd. 'Woont Kay Murray hier?'

Met een grijns keek hij naar haar gepoetste schoenen. 'God, u bent echt van de politie.' Hij boog zich naar voren, pakte haar elleboog en trok haar voorzichtig de nauwe gang in, waarna hij de deur dichtdeed. 'Ze zei dat ze een oude schoolvriendin was tegengekomen en dat u bij de politie was. Bent u echt net zo oud als zij? U lijkt jonger.'

'O, ik ben helemaal opgezet omdat ik zwanger ben,' antwoordde ze, maar toch voelde ze zich vereerd.

De gang stond vol lege kartonnen dozen voor schoonmaakmiddelen, wasmiddel, chips en crackers, en lege trays voor flacons afwasmiddel en shampoo. Ze waren tegen de muur geschoven, in slordige stapels van drie of vier hoog. Heel even dacht Morrow aan winkeldiefstal, geplunderde vrachtwagens en bedrijfsroof, maar meteen riep ze zichzelf tot de orde: ze kwam hier voor Kay, dit was niet officieel.

Rechts van haar waren de woonkamer en de keuken, en beide deuren stonden open. Voor haar waren nog drie deuren, elk opgesierd door de eigenaar van de kamer. Eentje was matzwart, een andere roze met hier en daar een glinsterende vlindersticker, en met een half kaal roze bontje om de deurkruk. De derde deur was in twee helften verdeeld: de ene helft was Celtic-groen en de andere Rangers-blauw. De Celtic-fan had met een viltstift een stuk grensgebied heroverd, en de Rangers-fan had geprobeerd de groene inbreuk met een natte doek weg te poetsen.

De deur van de badkamer ging open en Kay stapte naar buiten, met haar natte haren strak naar achteren. Om haar schouders zat een verschoten paarse handdoek, met een rafelig hoekje en vol oude haarverfvlekken, en een van haar oren had een bruine rand. Ze wierp de jongen een boze blik toe en gaf een trap tegen een lege doos. 'Hoe vaak heb ik niet tegen je gezegd dat je die dingen naar beneden moet brengen, maar je loopt er gewoon langs!' Ze lachte nerveus naar Morrow. 'Een vriendin van me heeft een pasje van de Costco.'

'Je boft maar,' zei Morrow.

'Ja, het is echt geweldig.' Ze klemde de handdoek vast bij haar hals, pakte een lege chipsdoos en zette die boven op de andere, waarna ze ze tegen de muur schopte. 'We hebben een clubje; dan slaan we hele voorraden in en verdelen de buit als we thuiskomen. Ik weet niet of ik zo geld uitspaar of juist meer koop.' Ze gebaarde naar de jongen die had opengedaan. 'Het zijn echte vreetzakken. Het eten is niet aan te slepen. Het lost gewoonweg op. Ze hebben net een pot gefilte fisj opgeslobberd.'

De jongen stak zijn tong uit. 'Ranzig was dat.'

Kay wreef met de handdoek door haar haar. 'Maar je hebt het maar mooi opgegeten.'

De jongen was donker en knap; hij had blauwe ogen onder imponerend aaneengegroeide wenkbrauwen. Morrow herkende vaag iets van Kay in hem. Opeens vroeg hij ernstig: 'Even serieus: hoe kom ik bij de politie?'

Kay keek Morrow hoofdschuddend aan. 'Jezus.'

Morrow wist niet of hij het meende en ze haalde haar schouders op. 'Je meldt je gewoon aan. Bel maar en vraag hoe dat in z'n werk gaat. Schrik niet als je je een paar keer moet aanmelden.'

Hij dacht er even over na en leek tot een besluit te zijn gekomen. 'Zo gauw schrik ik anders niet.'

Kay keek nogal opgelaten. 'Alsof ze jou zouden aannemen,' zei ze.

'Hoezo, wat is er mis met me?'

'Tss.' Kay stak de gang over naar de keuken. Terwijl ze nog eens met de handdoek door haar haar wreef, liep ze tussen hen door en zette een ketel water op. 'Dat weet je best.'

'Serieus, wat is er mis met me?'

Kay negeerde hem. 'Alex, thee?'

Geen enkele politiebeambte in functie nam thee aan van een burger. Zo duurde het bezoek langer, en je wist nooit wat ze erin stopten. 'Ja, graag,' zei Morrow niettemin. Alsof ze wilde bewijzen dat dit niet officieel was.

De jongen stond nog steeds tegen haar te praten. 'Oké. Dan ga ik bellen en vraag een formulier aan. Mam, help jij me dan met invullen?'

De roze slaapkamerdeur ging open en een jong tienermeisje keek verwijtend naar buiten. Ze was precies haar moeder op die leeftijd, maar wat molliger en daardoor ook mooier. Morrow schonk haar een vriendelijke glimlach. 'Hallo.'

Opeens werd het meisje verlegen; ze trok de deur iets dicht, zodat haar gezicht voor de helft aan het oog werd onttrokken.

'Je moeder en ik waren vriendinnen toen we zo oud waren als jij.'

'O.' Het was duidelijk dat het haar niet boeide, maar omdat ze te goed opgevoed was om dat te laten merken liet ze haar blik afdwalen naar de muur.

'Ze leek sprekend op jou, alleen minder knap.'

Het meisje bloosde en sloeg in paniek de deur dicht. Haar broer keek lachend naar de roze deur, in de wetenschap dat zijn zusje meeluisterde. 'Echt een stuk, vindt u niet? Ze weet niet eens hoe mooi ze is.'

Morrow was ontroerd. Pas sinds kort werd het in Schotland wat gebruikelijker om kinderen complimentjes te geven. Tot ze Brian ontmoette had ze zelf nog nooit ergens een compliment voor ontvangen, en tegen die tijd was het te laat en geloofde ze hem niet.

Met een zucht keek Kay op. 'Oké, Joe,' zei ze op milde toon, 'opzouten. Wij gaan even samen kletsen.'

'O, goed hoor.' Met een veelbetekenende blik op Morrow trok hij zijn wenkbrauwen op. 'De goeie ouwe tijd? Herenbezoek?'

'Sarah Erroll.' Kay keek bedroefd.

'O.' Daar wist Joe niks grappigs op te zeggen. 'Vreselijk.' Hij liep naar de deur van zijn zusje, klopte aan en zonder een antwoord af te wachten ging hij naar binnen. Ze hoorden hem praten en het meisje antwoordde met een schril stemmetje.

Kay stak haar hand in een kast. Morrow zag dat ze er een beker uit haalde, er even in keek, een vies gezicht trok en hem weer terugzette. Ze pakte er twee die helemaal achteraan stonden. Het aanrecht was bezaaid met reuzenzakken chips en koekjes, de gootsteen lag vol gebruikte theezakjes, en alles stonk naar sigarettenrook.

Morrow leunde tegen de deurpost. 'Ik hoop dat je het niet erg vindt dat ik zomaar langskom.'

'Nee hoor,' zei Kay. 'Geen probleem.' Maar ze voelde zich opgelaten en wees naar de rommel. 'Ik ben niet echt op bezoek voorbereid.'

Voor de vorm zei Morrow iets over de troep in haar eigen huis, maar het ging verloren in het geratel van de ketel.

Ze wist dat ze geen medelijden met Kay hoefde te hebben. Dit was een goed huis. De kinderen spraken met elkaar en met Kay, maar ze had het gevoel dat ze het allebei als een deprimerend duplicaat ervoeren van de huizen waarin ze waren opgegroeid. Huizen vol sigarettenrook, kapotte koekjes en ingehouden woede, vol aarzelende genegenheid en bespotte ambitie.

Kay nam twee theezakjes uit een reuzendoos Tetley, hing ze in de kopjes en goot er water overheen. Morrow vond dat ze iets positiefs moest zeggen: 'Wat een leuke jongen, die Joe. Knap ook.'

'Een beetje te. Dat levert hem alleen maar problemen op.' Ze corrigeerde zichzelf, 'Nee, het zijn fijne kinderen. Ze doen aardig tegen elkaar. Dat zal wel een goed teken zijn.' Ze schonk melk uit een zesliterpak en zette het terug in de koelkast. 'Suiker?'

Morrow schudde haar hoofd en Kay reikte haar de beker aan. 'Kom.'

Morrow volgde haar naar de woonkamer. Op een versleten leren bank lagen stapels schone, opgevouwen kleren, in keurige rijen. Een strijkplank stond voor een vierkante oude tv. Aan de muren hing een verzameling wissellijsten met familiefoto's. Er waren er nogal wat verschoven, en nu leek het net een waterval van familie-evenementen en feestjes, schoolvoorstellingen, van levens die in één grote, voortrazende waas voorbijtrokken.

Morrow zag Kays blik nerveus afdwalen naar slijtplekken op de vloer, naar een vettige strook rond het lichtknopje, door talloze handen in het voorbijgaan aangeraakt.

Kay zette haar beker op de vloer en zocht een plek waar Morrow kon zitten. En toen, met snelle, krampachtige gebaren die haar wrevel niet konden verhullen, legde ze de aparte stapeltjes strijkgoed boven op elkaar en deponeerde ze op de strijkplank om ruimte voor Morrow te maken.

Met haar jas nog aan zette Morrow haar beker op de vloer en ging zitten.

Kay nam de leunstoel, keek haar aan, trok een geërgerd gezicht en zei met een blik op Morrows beker: 'Moet je er niks bij eten? Wat dacht je van een pak shortbread-koekjes?'

Morrow glimlachte. 'Nee, dank je.'

'Een grootverpakking chips?'

'Nee, het is goed zo.'

Kay stak haar hand omhoog en beschreef een boog voor haar gezicht. 'Alle smaken...'

'Nee, dank je, ik moet thuis nog eten.'

'Zo... dan ben je laat.' Ze keek naar Morrows buik. 'Je moet nu goed eten, hè?'

Opeens wisten ze niet meer wat ze moesten zeggen, en Morrow voelde zich opgelaten, iets waar ze anders nooit last van had als ze in functie was. Kay pikte haar stemming op en vroeg: 'Wat is er eigenlijk aan de hand, Alex?'

'Hoe bedoel je?'

'Waarom ben je hier in je eentje?'

Kay wist dat de politie altijd in tweetallen opereerde. Het zat Morrow dwars dat ze dit wist. 'Ik wilde je over Sarah vragen, wat voor iemand ze was, dat soort zaken.'

'Achtergrondinformatie?'

'Ja, je weet wel, achtergrond...'

Maar Kay keek Morrow met samengeknepen ogen aan en hield haar blik iets te lang vast in een poging haar te doorgronden.

Morrows gezicht bleef in de plooi. Een glimlach zou geniepig zijn overgekomen. Morrow had werk, ze woonde in een koophuis, ze had een auto. Ze was ontsnapt, in tegenstelling tot Kay. Morrow vroeg zich af of dat de reden was van haar komst, niet om er troost uit te putten of uit nostalgische motieven of om erachter te komen wie Sarah Erroll was, maar om zichzelf te vergelijken met Kay, om de goedkope bevestiging dat ze het op de keper beschouwd beter voor elkaar had dan haar oude vriendin.

Kay bestudeerde haar onbewogen gezicht en leek te beseffen dat ze niet verder kwam en ook waarom niet. Ze knipperde met haar ogen en begon werktuiglijk een aantal feiten op te dreunen. 'Sarah was aardig, Ze was dol op haar moeder, ook al was mevrouw Erroll soms een brutaal oud kreng. Ik mocht Joy wel. Zo heette ze, mevrouw Erroll. Joy Alice Erroll. Iedereen noemde haar mevrouw Erroll.' Ze strekte haar been, wurmde haar achterste van de stoel en reikte naar de strijkplank om haar sigaretten en aansteker te pakken. Ze maakte het pakje open en keek naar Morrows buik. 'Oké?'

'Doe maar wat je niet laten kunt.'

Nu glimlachten ze, elk met afgewend gezicht, want dit was woord voor woord het soort gesprek dat ze wel honderd keer gevoerd hadden, honderd jaar geleden. Kay stak op, nam een diepe hijs en boog zich over de armleuning heen naar een vuile glazen asbak. Die zette ze voorzichtig op haar knie.

'Had Sarah een vriend?'

'Ze nam nooit een vriend mee naar huis. Ik weet wel dat ze met iemand ging. Ze kreeg berichtjes en... nou ja, zoals ze voor de telefoon zat te glimlachen...' mijmerde Kay zachtjes. 'Ik heb tieners. Dan word je een beetje paranormaal. Waarschijnlijk wilde ze hem niet aan haar moeder voorstellen.'

'Was haar moeder een moeilijk mens?'

'Ach, je hoeft als moeder niet eens moeilijk te zijn om een ge-sloten kind te hebben. Zo zijn ze gewoon. Dat is toch natuur-lijk?' Kay dacht even na en glimlachte. 'Maar Joy was moeilijk, ja, en zo gestoord als wat. Een slechte combinatie. Als zij niet de pest aan hem zou hebben, dan zou hij wel de pest aan haar hebben ge-had.' Toen snerpte ze met zo'n bekakt oude-damesstemmetje: 'Kay, wat zie je er weer vre-se-lijk uit! Wat ben je afgrijselijk dik!'

'Hield Sarah van haar?'

'Ze was stapelgek op haar moeder. Die was in de war, maar Sa-rah hield van haar, en dat zie je niet vaak. Ze was enig kind, snap je?' Kay sloeg haar blik neer en besefte ongetwijfeld, dacht Mor-row, dat Alex zelf een niet al te beste verhouding met haar eigen moeder had gehad. 'Als het werkt, werkt het ook echt.'

'Hoe weet je dat ze van haar hield?'

Kay glimlachte. 'Ze straalde helemaal als ze haar zag of over haar sprak. "Ik heb alles voor mijn moeder over." Dat zei ze altijd. Jezus, wat mis ik Joy.' Dapper knipperde ze de plotseling opwel-lende tranen weg. 'Gewoon... haar gezelschap, snap je?'

'Waren jullie close?'

'Waarschijnlijk niet.' Kay keek met een lachje naar haar asbak. 'Met alzheimer is het anders. Je persoonlijkheid verandert. De familie herkent je niet meer. Maar degene die ze werd toen ze de-ment was, daar was ik hartstikke gek op.'

'Heb je ooit iemand anders in het huis gezien? Vriendinnen van Sarah?'

'Nee.'

'Wanneer heb je Sarah Erroll voor het laatst gezien?'

Fronsend blies Kay een wolk rook uit. 'Hm. Niet raar be-doeld, Alex, maar dat is een echte politievraag. Moeten we niet wachten tot er iemand anders...'

'O, ja, ja. Werk je nu in een ander huis daar in de buurt?'

'Ja.

'Zijn ze daar allemaal rijk?'

'Niet zo rijk als vroeger... Ze zijn veel geld kwijtgeraakt – vraag het ze maar, ze hadden hun geld allemaal in aandelen belegd.'

'Werk je ook voor mevrouw Thalaine?'

Kay schudde haar hoofd. 'Kijk, dat is weer zo'n politievraag.' Ze keek Morrow doordringend aan. 'Je had hier niet in je eentje moeten komen.' Toen ze besefte hoe hard ze klonk, sloeg ze een mildere toon aan. 'Het ging toch niet om seks, hè?'

'Waarom vraag je dat?'

'Jij vroeg of ze vriendjes had.'

'Dat was voor de achtergrondinformatie.'

Kay knikte naar haar sigaret. 'Mooi. Ik zou het vreselijk vinden als er met haar gerotzooid was. Ze was aardig, weet je, netjes en zo.'

'Netjes?'

'Damesachtig.' Ze raakte haar pols aan. 'Ze had altijd een zakdoekje...'

Even was ze in gedachten verzonken; ze hield haar hoofd schuin en haar ogen waren vochtig. Morrow wachtte tot ze zich hernomen had en vroeg zich af of ze zich vergisten wat dat sekswerk betrof. Maar dat ze netjes was, zou ook een pluspunt kunnen zijn.

Kay keek haar hoopvol aan. 'Zou het geen ongeluk zijn geweest?'

Morrow antwoordde niet. Ze wilde niet te stellig klinken.

Kay nam een slokje van haar thee en ze zwegen weer. In de gang ging de voordeur open en een jongensstem riep: 'Hoi, ik ben het!'

Kay riep 'hoi' terug, maar de jongen kwam de woonkamer niet binnen. Joe en het meisje hadden ook iets geroepen, en nu hoorden ze de slaapkamerdeur opengaan en het gemurmel van stemmen.

'Wat kom je hier nou echt doen, Alex?' vroeg ze op gedempte toon. 'Begrijp me niet verkeerd, het is leuk om je te zien en zo, maar je hoort hier niet in je eentje te komen, dat weet jij net zo goed als ik.'

Morrow knikte. 'Ja.'

'Ja.' Kay tikte ra-ta-ta met haar sigaret op de rand van de asbak, en opeens was ze woedend. 'Ja, eerlijk gezegd stoor ik me er wel een beetje aan dat je hier in je eentje bent gekomen. Want als jullie de vent vinden die dit gedaan heeft, en hij krijgt geen straf omdat jij me hier iets gevraagd hebt terwijl er niemand bij is om het te bevestigen, en de hele zaak wordt daardoor afgeblazen...'

Morrows stem was hard en luid. 'Hoe wéét je dat allemaal?'

Kay verstijfde en staarde haar aan. Ze bracht haar sigaret naar haar lippen en nam een hijs. Haar hand trilde toen ze hem op de armleuning liet rusten. 'Ik ben voorzitter van de plaatselijke Crimespotters. We hebben een campagne op touw gezet. Tegen de politie aan de overkant.' De rook kringelde uit haar neus en mond, steeg langzaam op langs haar gezicht en bleef kleven aan haar natte haar. 'Als er ingebroken was, werd er telkens maar één agent op afgestuurd om mensen te verhoren, zodat de rest van het team op tijd kon eten.' Ze keek Morrow aan en kneep haar ogen tot spleetjes. 'Het percentage opgeloste misdaden is zo laag dat ze volgens mij nooit betrapt zouden worden. Veel mensen hier wisten niet dat één agent betekende dat er geen donder aan gedaan werd. Dus toen ben ik een campagne begonnen om iedereen over die bekrachtigingsregel te vertellen. Ik heb bij iedereen hier in de buurt een folder in de bus geduwd. Wat mij betreft ga je naar het politiebureau en vraag je naar mij. Ze kénnen me.'

Als het klopte wat Kay zei, was het een schandelijke aantijging. Het betekende niet alleen dat de staf de kans liet schieten om inbraken op te lossen, maar ook dat de lagere rangen gevaar liepen doordat ze hier alleen naartoe werden gestuurd, zonder back-up. Maar Morrow had vaker naar klachten uit het publiek geluisterd, en ze herkende het merkwaardige gevoel waarbij haar bewustzijn zich langzaam terugtrok. Het was een automatisch defensief ons-kent-onsgevoel en het ging gepaard met het opdissen van versleten smoezen: ze weten niet onder wat voor druk we staan, ze snappen het niet, zij-zij-zij tegenover ons-ons-ons. Ze had al partij gekozen.

Kay boog zich naar voren, alsof ze zag dat Morrow zich afsloot. 'Zorg maar dat je die vent pakt die dat meisje vermoord heeft.'

'Dat komt voor elkaar.'

'Want het was een aardig meisje.'

'Ik beloof het.' Ze luisterde verbaasd naar haar eigen woorden.

Ze had geen idee of het haar zou lukken.

'Mam?' De deur ging open en Joe keek naar binnen. Zijn broer stond achter hem: een heel ander soort jongen, mollig, net als zijn zus, maar niet knap, met zwartgeverfd haar, verscheidene piercings in zijn oren en in het ene een grote oordop, en gekleed in een zwart T-shirt met wit opschrift. Hij was ook kleiner en hij glimlachte naar Morrow terwijl hij haar met een knikje van top tot teen opnam. 'Mam,' zei Joe, 'Frank heeft een dvd gekocht, mogen we tv-kijken?'

Frank lachte trots. 'Ik heb net mijn loon gehad.'

'Wat is het voor dvd?'

'*Paranormal Activity.*'

'Het is al heel laat. Trouwens, is Marie daar niet een beetje te jong voor?'

'Wel een beetje, ja.'

'Ik heb gehoord dat ie heel eng is.'

'Ik ben geen baby meer!' riep het meisje vanuit de gang.

'Kan wezen, Marie,' riep Kay terug, 'maar je bent ook nog geen vijftien.' Ze dempte haar stem. 'Frank, zet maar iets anders op, er is vast wel iets anders waarnaar ze samen met jullie kan kijken.'

Het gesprek wervelde om haar heen, maar Morrow luisterde niet.

Ze keek naar de voeten van de jongens. Ze werd misselijk, want ze droegen allebei Fila-sportschoenen, van zwarte suède.

Het sloeg nergens op, maar Morrow had het gevoel dat ze Kay verried toen ze naar het politiebureau aan de overkant van de straat reed.

Ze parkeerde de auto aan de achterkant, deed hem op slot en liep om het gebouw heen naar voren. De automatische deur zoefde open; ze liep naar binnen, stapte op de onbemande balie af en drukte op de bel die aan het bovenblad zat bevestigd. Ze wist dat ze vanachter de spiegelwand bekeken werd, en daarom knikte ze naar haar spiegelbeeld en haalde haar politiepasje tevoorschijn. Dat hield ze omhoog tot de deur openging en er een politieman van middelbare leeftijd verscheen, die het nog eens goed bestudeerde.

'Wat kan ik voor u doen, dame?'

'Ik heb hier in de buurt met iemand gepraat. Kent u de hoge flatgebouwen?'

'Ja.'

'En Kay Murray? Joe Murray? Frank? Wat kunt u me over ze vertellen?'

Hij trok zijn wenkbrauwen op en zonder ze te laten zakken bekeek hij haar pasje nog eens en deed de scheidingsbalk omhoog. 'Komt u binnen, dan kunt u er met rechercheur Shaw over praten.'

Hij liet haar in de ruimte achter de balie wachten terwijl hij rondbelde op zoek naar zijn collega. Ze vond het interessant dat hij, hoewel het nog geen wisseling van de wacht was, zeker leek te weten dat Shaw in het gebouw was, alsof dat zijn gewoonte was of alsof hij niet weg mocht. Toen Shaw uiteindelijk arriveerde, bleek hij een politieman van de oude stempel te zijn: strak kapsel, afgemeten houding, van haar leeftijd, maar minder lichtgeraakt en onhandig.

'Die Murrays zijn lastpakken. De moeder heeft een haatcampagne op touw gezet om dit bureau in diskrediet te brengen, en zo heeft ze een wig gedreven tussen ons en het volk uit de hoge flats. Het heeft maanden geduurd voor we ze weer aan onze kant hadden.'

'Echt?'

'Ja, het is een eersteklas opruier.'

'Wat zijn het voor kinderen?'

'O, die brachten de folders voor haar rond. Ze schoven ze onder de deur door van mensen die...' en toen brak hij zijn zin af, meed haar blik en begon met zijn voeten te schuifelen.

Even later keek hij wantrouwend naar haar op, zich ongetwijfeld afvragend of ze onderzoek deed naar de praktijken op het bureau. Morrow liet hem in de waan.

'Die beveiligingscamera's die hier overal staan – doen ze het allemaal?'

Ze zag zijn blik opzij schieten terwijl hij in gedachten de opnamen doornam en de agenten in hun eentje naar de hoge flats zag sjouwen...

'Hoor eens,' zei ze, 'nog even en ik neem je mee naar London Road als je niet simpelweg antwoord geeft op mijn vraag.'

'Ja,' zei hij werktuiglijk.

Ze liep bij hem weg en opende de deur naar de balie. 'Denken jullie weleens aan de veiligheid van de jonge agenten op dit bureau?' Ze zag een vonk van schaamte in zijn blik. 'Jonge, onervaren agenten, in een vijandige omgeving? Die back-up nodig hebben? En ondertussen zitten jullie hier het politieblad te lezen. Zelfs als hun niets overkomt, gaan ze denken dat het de normale praktijk is, en later sturen zíj er weer agenten op uit en op zeker moment gebeurt er iets.' Nog even en ze ging hem beschuldigen en daarom zweeg ze. 'Als ik godverdorie nog één keer iets over dit bureau hoor, kom ik terug en dan mag je mee, begrepen?'

Zijn mond verstrakte toen hij haar hoorde vloeken, en daarom deed ze het nog eens. 'En ik doe het nog ook, godverdorie.'

Ze liep weg en sloeg de deur achter zich dicht, waarna ze zich door de wachtruimte naar de voordeur haastte.

Buiten hing er vorst in de lucht. Terwijl ze naast haar auto stond, keek ze op naar de flats.

Shaw had haar heel veel over de Murrays verteld. Alles wat hij niet had gezegd, sprak boekdelen. Hij had niets concreets waarmee hij Kay in diskrediet kon brengen, de kinderen hadden niets op hun kerfstok. Ze had geen ruzie met een ex-partner of buren, ze maakte geen misbruik van de sociale dienst en gaf geen zuipfeestjes. Als dat wel het geval was geweest, zou hij het hebben gezegd.

De Murrays waren in elk geval beter dan haar eigen familie.

20

Het was ijskoud in de hangar. Ondanks hun handschoenen hadden ze hun handen in hun zakken gestoken, en met opgetrokken schouders tegen de bittere kou stonden ze te wachten. Ochtendrijp bedekte de vloer en de trap, maar Thomas en Moira waren niet in het kantoortje gebleven. Ze stonden op hetzelfde platform als nanny Mary de vorige avond, en wachtten tot de Piper binnenreed. Ze stonden daar met opgeheven hoofd, zodat Ella meteen zou weten als ze hen zag dat haar bij thuiskomst geen nare sfeer wachtte. Dat was Moira's idee: ze zouden één front vormen.

Thomas voelde het telefoontje trillen nog voor het overging. Met zijn gehandschoende handen probeerde hij het apparaat uit zijn zak te wurmen, en hij lachte maar met Moira mee om zijn eigen onhandigheid, tot hij met een ruk zijn handschoenen uittrok en de telefoon pakte. Hij verwachtte DON MCD op het schermpje te zien, of HAMISH, een van de jongens die die ochtend zelfstudie hadden. Squeak kon het niet zijn, die was 's ochtends misdienaar. Het was vast Hamish, die hem wilde vragen hoe het ging, of alles in orde was, of hij zijn nanny al geneukt had sinds hij thuis was. Op het schermpje stond SQUEAK. Thomas voelde zijn vingers verslappen om het apparaat. Zonder op te nemen liet hij het weer in zijn zak glijden.

'Wie was dat?'

'Iemand die ik niet wil spreken.' Hij richtte zijn blik op de hangardeur, maar voelde dat ze nog steeds naar hem keek.

Zijn telefoon vibreerde tegen zijn dijbeen en hield weer op.

'Een journalist?' opperde ze.

'Nee.' Hij kon haar niet aankijken.

Ze voelde zijn onbehagen en probeerde een gesprek te beginnen. 'Ze bellen me de hele tijd. Ik heb geen idee hoe ze aan mijn nummers komen.'

Weer kwam het telefoontje tot leven in zijn zak, en Moira trok een vertwijfeld gezicht. 'Niet opnemen, Tom.'

'Nee, doe ik ook niet. Kan ik nog even naar de wc?'

'Als je snel bent.'

In het kantoortje was het iets warmer. Naast een brandende butagaskachel zat een man aan een bureau, met zijn voeten op een afvalbak. Hij was een krant aan het lezen, zo'n goedkoop sensatieblad, het soort krant met koppen waarvan de woorden meestal niet meer dan vier letters telden.

Thomas zou de voorpagina niet eens hebben gezien als de man toen hij hem zag niet met een wit weggetrokken gezicht overeind was geschoten en de krant snel onder zijn bureau had verstopt.

Thomas stak zijn hand uit. 'Mag ik even kijken?'

De man keek naar de zak met het volhardende telefoontje. Schouderophalend stak Thomas zijn hand opnieuw naar de krant uit.

De man reikte hem aan.

De foto was een groot wit vierkant vol grijze lucht. In het midden bungelde een korrelig, slap figuurtje, als een leeggelopen feestballon: Lars, die aan de eik op het gazon hing. Thomas herkende het uitzicht op het gazon, de lage hoek vanuit het souterrain. De foto was genomen vanuit nanny Mary's slaapkamerraam.

Hij voelde helemaal niets toen hij naar de foto van Lars keek, naar zijn slappe nek, naar zijn ronde pens en dunne benen. Hij zei tegen zichzelf dat hij iets hoorde te voelen, maar het enige wat hij in zichzelf bespeurde was een vonk van medelijden met de eik. Het leek helemaal niet op Lars. Het zag er helemaal niet bedreigend uit.

Thomas liet de krant weer op het bureau glijden. De man boog zijn hoofd en mompelde: 'Sorry.' Weer haalde Thomas zijn schouders op.

Hij had het zo mogelijk nog kouder en vroeg waar de wc was. De man wees naar de achterkant van het vertrek.

Een deur door naar een hokje met kale betonnen muren, waar de kou doorheen leek te sijpelen. Hij deed de deur op slot en bleef doodstil staan, zijn blik op de kale, vochtige vlakken gericht.

Weer ging het telefoontje in zijn zak. Harder dan nodig was zette Thomas zijn tanden in een vinger, en terwijl hij zijn vel afkneep trok hij zijn hand uit de handschoen en pakte het apparaat. Met zijn nagel peuterde hij de achterkant eraf en toen haalde hij de simkaart eruit om het stomme ding het zwijgen op te leggen. Hij keek naar het gouden plaatje en hield het walgend op enige afstand, alsof Squeak erin zat. Hij liet het in de pot vallen en trok door. Het gouden vierkantje draaide twee keer rond en werd toen de afvoerpijp in gezogen.

Hij stond naar het water in de pot te staren toen de krantenkop naast de foto van Lars tot zijn bewustzijn doordrong. Maar vier woorden, allemaal even groot. WREDE MOORD OP ERFGENAME.

Thomas bleef doodstil staan. Hij kneep zijn ogen dicht en hield zijn hoofd schuin, alsof hij de woorden kon loswrikken, ze uit zijn oor kon laten vallen, ze van de voorpagina kon laten verdwijnen. Daarom had Squeak gebeld. Niet om hem te bedreigen, maar om te vragen of hij het gezien had. Hij was naar de mis gegaan en had de krant gezien. Pastoor Sholtham droeg elke donderdagochtend de mis op, en hij las de *Daily Mail*. Hij had hem vast in de sacristie laten liggen. Thomas was blij dat de simkaart verdwenen was, dat Squeak hem niet kon bellen. Al sprak hij nooit meer een woord met hem, het kon hem niks schelen.

Hij trok de deur open, stapte het kantoortje in en keek weer naar de krantenkop. WREDE MOORD OP ERFGENAME.

Zonder te vragen nam hij de man zijn krant uit handen. Hij draaide hem om en keek naar de woorden. *Zie verder pagina's 3-7.* Thomas sloeg de krant open op pagina 3. Een foto van haar, jonger, blonder, in een rode bikini, met een felblauwe zee als achtergrond. Ze had vast op een balkon gestaan, met haar heupen iets opzij gedraaid om er slanker uit te zien.

Sarah Erroll had op een exclusieve meisjesschool gezeten, waarvan Thomas nog nooit had gehoord. Een oude schoolvriendin zei iets onbenulligs over haar – dat ze altijd behulpzaam was. Het artikel benadrukte dat ze enig kind was, dat ze zelf geen kinderen had, geen man, en dat ze zich aan de zorg voor haar bejaarde moeder had gewijd. *Wreed*, zei een politiefunctionaris, die net een filmster leek en op verschillende pagina's opdook. *Degene die dit gedaan heeft zal opnieuw toeslaan, tenzij hij gepakt wordt*, zei hoofdinspecteur Mooie Jongen. *Ik heb nog nooit zo'n weerzinwekkende misdaad gezien.*

'Hou maar, maat,' zei de man, 'als je wilt...'

'Bedankt.' Thomas nam de krant mee, niet omdat hij hem wilde lezen, maar omdat hij niet wilde dat de man over haar las, dat dat verhaal in zijn hoofd kwam te zitten. Maar toen hij bij de deur was aangekomen, besefte hij dat Lars er ook in stond en dat Moira buiten was. Hij bleef staan, draaide zich om, keek naar de krant en toen hulpzoekend naar de man. 'Ik wil niet dat mijn moeder...'

'Vouw hem dan op.'

Dat deed hij, maar de krant liet zich niet goed vouwen, en daarom haalde hij de sportbijlage in het midden eruit en gaf die terug aan de man, waarna hij de krant heel klein opvouwde en in zijn binnenzak stopte. Hij stapte de koude hangar in en trok de deur voorzichtig achter zich dicht.

Moira keek naar hem op, met een stralende blik, vriendelijk en warm. Toen ze zijn gezicht zag, gleed de glimlach van haar gezicht.

'Wie had je aan de telefoon?'

'Nee, laat maar.' Hij strekte zijn hals om te kijken of het vliegtuig al kwam.

'Tommy, wie was dat?'

'Niemand. Niks.'

'Je ziet er opeens beroerd uit.'

Hij stak zijn hand in zijn zak, haalde de krant eruit en reikte haar die aan. Ze vouwde hem open en zuchtte. 'O nee. O, nanny Mary, jezus, wat een slang. Die vertrouwelijkheidsverklaring stelt dus ook niks voor...'

'Ze heeft niet om een afkoopsom gevraagd, hè?'

'Nee.' Moira bestudeerde de foto. 'Ik vraag me af wat ze nog meer in d'r schild voert...'

Het klonk als een insect, een gezoem dat steeds dichterbij kwam. Het vliegtuig verscheen om de hoek en taxiede langzaam naar hen toe tot ze het gezicht van captain Jack in het raampje konden zien en achterin het bobbeltje van Ella's hoofd.

'Wegdoen, mam.'

Moira vouwde de krant snel op, gaf hem aan Thomas en die liet hem vlug in zijn zak verdwijnen.

Ze zagen het vliegtuig vaart minderen, en Thomas wist dat het niet goed was. Hij dacht aan Lars, die in Amsterdam een slaapkamerdeur dichttrok en Thomas achterliet met een gedeprimeerd meisje uit Kiev. Ze hadden het hele halfuur met elkaar gefluisterd, gezegd dat ze geen van beiden daar wilden zijn. Thomas wilde hier ook niet zijn. Het was hetzelfde gevoel.

Hij zocht houvast bij de reling, zijn vingers klemden zich om het brandend koude metaal en hij verwelkomde de schroeiende pijn. Sarah Erroll had geen kinderen. Ze was Lars' andere vrouw niet, zijn trots en zijn troost. Ze was net als Thomas, niet meer dan een voetnoot in zijn leven.

'Lach dan.' Maar Moira was kwaad op nanny Mary, en haar glimlach lag opgedroogd op haar gezicht.

De Piper taxiede de hangar in, kroop door de open deuren, en Ella's ronde gezicht verscheen hoopvol voor het raampje, speurend naar de eerste tekenen van hoe het er thuis voor stond. Thomas zag haar blik van Moira naar hem gaan, van Moira's bruingestifte spleet van een mond naar zijn treurige, schuldbewuste ogen. Ze zakte weer weg, de donkere cabine in.

Het vliegtuig stopte. Captain Jack wachtte tot de motoren zwegen voor hij de deur opendeed, naar beneden klom en Ella hielp uitstappen.

Ze droeg haar grijze schooljas, een bijpassend clochehoedje en zwarte schoentjes met beige rubberen zolen. Terwijl ze op haar tas stond te wachten, zag Thomas dat ze haar best deed om niet te huilen – ze kneep haar ogen dicht en deed ze weer open, vocht tegen de kramp om haar mond.

Moira bleef op het platform staan, halsstarrig glimlachend en verbijsterd dat hun aanwezigheid geen geruststellende uitwerking had.

Thomas liep het trapje af naar zijn zus, die hij al vanaf haar geboorte had gehaat. Hij liep naar haar toe en tilde haar op in een stevige omhelzing, terwijl hij lieve woordjes sprak in haar schokkende schouder en zij slap tegen hem aan hing.

'Niet huilen, Ella.' Zijn stem was vlak als gemorste benzine. 'Niet huilen. Ik zorg wel dat het goed komt. Dat zweer ik.'

21

's Morgens vroeg was het politiebureau altijd warm als een kinderkamer, en Morrow was toch al moe; zweet prikte in haar nek en oksels toen ze haar jas en tas naast haar bureau dumpte en de deur achter zich dichtdeed.

Ze keek naar de bak met binnengekomen post, haalde diep adem, ging zitten en trok het ding naar zich toe, waarna ze haar handen aan weerszijden legde, als een pianiste die zich concentreert voor ze aan een recital begint. Ze keek neer op de nette stapel groene en gele documenten en moest bekennen dat ze geen zin had in deze zaak. Ze had er niks mee. Van haar mededogen met Sarah Erroll was niet veel meer over, en ze vond haar een lastiger slachtoffer dan ze verwacht had. Bovendien wilde ze niet oog in oog met de moordenaar komen te staan.

Ze keek de kamer rond. Lelijk bruin hout, simpele tafels, stoelen van grijze kunststof. Vettige stippen van buddy's aan de muur, waar ooit foto's en posters hadden gehangen, en tegenover haar een leeg bureau. De kamer voelde steriel vergeleken met de bonte chaos in Kays keuken, waar de gootsteen vol uitgeknepen theezakjes lag.

Ze begon de rapporten door te spitten en de briefing van die ochtend voor te bereiden.

Voorlopige verslagen van het buurtonderzoek. Ze zocht de aantekeningen over het bezoek aan mevrouw Thalaine op, waarvoor Leonard en Wilder hadden getekend. Niets noemenswaardigs over geld. Kays naam viel even, en dat ze had beloofd te komen kijken of er iets weg was.

Het kasboek van Sarah Erroll voor de verzorging van haar moeder: ze hield nauwgezet bij wat ze aan loon en onkosten kwijt was. Ze had MAM op een sticker geschreven en die op de voorkant geplakt. Morrow wierp een blik op het totaalbedrag. Dat liep in de duizenden ponden per jaar. De aantekeningen waren niet allemaal in Sarahs handschrift: iemand anders had het ook voor haar ingevuld – keurig netjes.

Er waren al een paar laboratoriumuitslagen binnen, en foto's van de voetstappen op de trap. Ze waren bloederig, maar de fotograaf had de kleur afgevlakt zodat die bruin leek. De afdruk was scherp: drie cirkels onder de wreef, en twee stel schoenen. Het rapport noemde geen merk, maar wel de vermoedelijke maten: het ene paar was maat 42, het andere maat 43 of 44. 'Fila?' krabbelde Morrow ernaast. Ze keek ernaar en streepte het weer door. Weer keek ze ernaar; ze vroeg zich af waarom ze Kays zonen uitsloot en schreef opnieuw 'Fila?'

Er waren vingerafdrukken bij, die waren gevonden op het raamkozijn, de iPhone en de trapleuning. Twee stel vingerafdrukken trouwens, van beide insluipers, maar op het geld uit de museumcatalogus stonden helemaal geen afdrukken. Verder waren er foto's van een ongeïdentificeerde bandafdruk in de aarde voor het huis.

Ze hadden alles, en toch hadden ze niks. Niets van het bewijsmateriaal leidde naar een verdachte, het diende alleen ter bevestiging. Ze hadden nog niemand op het oog.

Ze hoorde de dagdienst, die zich op de gang verzamelde en begroetingen uitwisselde met de jongens die naar huis gingen. Ze vermande zich en nam de foto's van de plaats delict nog eens door. Weer was ze geschokt.

Er werd hard op haar deur geklopt en het volgende moment kwam Bannerman binnen, met zijn jas nog aan en zijn sjaal om. 'Goeiemorgen.'

'Goeiemorgen.'

'Ik ga ze na jouw briefing toespreken.'

'Dat is nou ook weer niet nodig.'

Hij keek haar even met uitdagend opgetrokken wenkbrauwen aan, vertrok en deed de deur weer dicht.

Ze ging die ochtend niet alleen een briefing houden, maar ook een verkooppraatje: ze moest een manier zien te vinden om hun sympathie op te wekken voor een chique, rijke prostituee zonder nog in levende zijnde verwanten, en met gruwelijke verwondingen. En dan zou Bannerman binnenkomen en al haar werk weer tenietdoen.

Ze stond op en deed haar kamerdeur open. Ze vroeg naar Gobby, hoorde de mannen zijn naam roepen, en ze wachtte tot hij verscheen. Ze overhandigde hem een rapport uit haar postbak.

'Maak hier tien fotokopieën van. Doe er een nietje in en neem ze mee naar de briefing. Harris...'

Harris was vroeg, hij was altijd vroeg, en hij kwam naar de deur toen hij zijn naam hoorde. 'Goeiemorgen.'

'Ja,' zei ze, 'jij ook goeiemorgen. Haal eens een paar speakers voor mijn laptop.'

Harris liet wat machteloos gesnuif horen en liep weg. Apparatuur was altijd een heikel punt. Het was nergens te vinden, het deed het niet, of anders was er iets volkomen fouts aangeschaft. Tegen de tijd dat een politieman een positie had bereikt vanwaar hij het budget voor apparatuur mocht beheren, had hij vaak geen oog meer voor techniek. Het was veelzeggend dat zo iemand, als hij het over onlangs aangeschafte computers had, zat op te scheppen over de prijs, maar nooit over wat je er allemaal mee kon.

Het was acht uur. De manschappen druppelden de recherchekamer aan de andere kant van de gang binnen. Ze maakte een net stapeltje van haar papieren, kwam overeind, ademde diep in en liep de gang op.

Daar stond Routher, en de grijns op zijn gezicht loste op zodra hij haar zag. 'Naar binnen,' gebood ze.

De recherchekamer was klein, weer zo'n lelijk vertrek met tafels die als flexibele werkplek dienstdeden, een planbord aan de ene kant en een whiteboard aan de muur ertegenover.

De nachtploeg hing uitgezakt op de voorste rij, het dichtst bij de deur, en negeerde heel nadrukkelijk Bannerman, die een meter van hen af zat. Hij had zich pontificaal bij het whiteboard opgesteld om te laten zien wie er echt de baas was, maar hij maakte een eenzame, verloren indruk. Hij zag Morrow binnenkomen en gaf haar een overbodig knikje ten teken dat ze welkom was en kon beginnen. Ze wilde al terugknikken, maar hield zich net op tijd in.

'Oké,' zei ze, en ze gingen er allemaal voor zitten. 'Sarah Erroll was rijk, mooi en jong, en ze laat geen familie na. Wie kan het verder iets schelen? Mij, maar ik geloof dat ik hier de enige ben.' Het was een ongewoon begin, zo verrassend dat ze hun oren spitsten en luisterden. 'Mijn taak is vandaag des te zwaarder omdat ik jullie zo ver moet zien te krijgen dat het jullie wél iets uitmaakt.' Ze keek hen aan. 'Dat is irritánt.'

Ze zag hen meesmuilend voor zich op tafel kijken, schuldbewust maar eerlijk.

Ze klikte op haar laptop en de foto van mevrouw Erroll verscheen. Ze zat in haar nachtpon in de keuken. 'Dit is haar moeder, mevrouw Erroll.' Ze gniffelden, want Joy Erroll zag er heel oud en heel boos uit. 'Dit is Sarah.'

Ze klikte op een profielfoto van Sarah. Ze stond op straat en keek achterom met ogen vol liefde en met zo'n brede glimlach dat de ronding van haar wang scherp werd afgetekend. Morrow liet de foto op het scherm staan zodat ze ernaar moesten kijken terwijl zij de briefing afwerkte en vertelde wat ze wist, over het dure verzorgplan voor haar moeder en over haar recente dood. Ze vertelde ook over het sekswerk, maar zei erbij dat het was gestopt toen haar moeder stierf; ze liet ze zelf een en een bij elkaar optellen en hoopte dat het een vonkje medeleven genereerde.

Zonder waarschuwing klikte ze een foto van de plaats delict aan, en ze zag hoe ze hun ogen opensperden en hun hoofd schuin hielden, hoe verward ze waren omdat ze niet wisten waar ze in godsnaam naar keken, en hoe ze probeerden er een geheel van te maken.

Er was veelvuldig op het gezicht van Sarah Erroll getrapt; de belager had zijn volle gewicht in de strijd geworpen zodat er van de neus alleen nog maar een parelwit stompje bloot kraakbeen over was en de ogen zwart en onherkenbaar waren opengebarsten, terwijl het haar een aaneengeklitte, blonde, bloederige smeerboel was. Het was meer dan verwarrend – de enorme woede die op het gezicht was gebotvierd, was weerzinwekkend. Iemand had op de tree naast het hoofd gestaan en had zijn voet telkens weer laten neerdalen tot er geen stukje meer van haar over was. Eén oor ontbrak, de schedel was bij de mond ingetrapt, en de tanden zaten op een kluitje achter in haar open keel. Op de een of andere manier waren haar lippen min of meer intact gebleven.

Om hun aandacht nog even bij het beeld te houden zei ze: 'Degene die dit gedaan heeft, hield zich in evenwicht aan de trapleuning, tilde zijn voet op en stampte...'

In alle rust nam ze de gebeurtenissen chronologisch door: twee jongemannen kwamen via het keukenraam naar binnen, gingen naar boven, zochten in haar tas en vonden haar tasertelefoon. Ze liet een opname zien van de telefoon zoals die in de hal had gelegen, en toen klikte ze terug naar Sarah, vertelde dat ze alle drie de trap af waren gegaan en dat de twee jongens Sarah onder aan de trap hadden doodgeschopt. Geen wapens, alleen voeten. Ze liet een foto van een voetafdruk zien, een close-up van de zwarte suèdevezels, gemaakt in het lab. Ook liet ze de bandafdrukken in de aarde buiten het huis zien.

Harris kreeg opdracht het merk van de sportschoenen te achterhalen – ze liet nadrukkelijk de naam Fila vallen – en Wilder had als taak alle namen en gegevens van de verzorgers door te nemen. Het overige werk van die ochtend verdeelde ze over de rest van de rechercheurs van de dagdienst.

Rechercheur Leonard stak haar hand op om een vraag te stellen, en de mannen lachten heimelijk om deze inbreuk op het protocol. Vragen werden meestal voor het einde bewaard, wanneer de inspecteur klaar was met het oplezen van de speech, maar Morrow was verbaasd dat er iemand luisterde en blij met de onderbreking. Met een knikje gaf ze haar het woord, in de hoop dat het niet over het dienstrooster ging.

'Hoe weet u dat het twee jongemannen waren?'

Ze gaf Gobby met een knik te kennen dat hij de fotokopieën moest uitdelen. Hij gaf er een aan Bannerman, die er een blik op wierp en toen boos opkeek omdat hij niet geraadpleegd was. Morrow nam een zeker risico. Iemand zou er thuis met zijn vrouw over kunnen praten. Of iemand ging die avond een biertje drinken met een journalist en liet zich een paar belangrijke details ontvallen.

Toen Morrow had vastgesteld dat ze allemaal een exemplaar hadden, vroeg ze om stilte. 'Oké,' zei ze op luide toon, 'luister. Het allerlaatste wat Sarah Erroll heeft gedaan' – ze wees naar het whiteboard en liet ze allemaal nog eens naar de foto kijken – 'was 999 bellen. Het leek loos alarm, en ze werd doorgeschakeld naar het automatische opnameapparaat.'

Nu werden ze wakker. Opeens werd hun bewijs toevertrouwd, feiten die ontrafeld moesten worden, waarover nagedacht moest worden.

Morrow drukte op PLAY en zette het volume zo luid mogelijk zonder dat het geknetter al te ondraaglijk werd.

Doffe ruis vulde de kamer: het geluid was versterkt om de stem van Sarah Erroll duidelijk te doen uitkomen, maar het was nog niet voldoende schoongemaakt, nog niet klaar voor de rechtszaal.

Sarah Erroll: Wat doen jullie hieg?

Wat nerveus glimlachten ze om de tikfout. De transcriptie die ze in handen hadden, leek te zijn gemaakt door iemand die nog nooit een Engels accent had gehoord: alles wat enigszins afwijkend werd uitgesproken, was fonetisch opgeschreven.

Het bleef even stil, niks bewoog, en Sarah had zich ongetwijfeld naar de telefoon gericht, want de volgende zin was heel duidelijk:

S.E.: Hé, mijn huis uit.

Geërgerd, maar niet bedreigd. Haar stem was meisjesachtig, haar accent een bekakt soort zuidelijk Engels, met nog steeds een nasaal zweempje omdat ze net wakker was.

S.E.: Het (onduidelijk) *niet leeg, hoor.*

Weer was het stil, maar toen Sarah opnieuw het woord nam, klonk ze heel anders.

S.E.: Mijn moeder is overleden. Ik leef nog.

En toen hoorden ze een jongensstem, al gebroken, maar nog niet vast en laag. Hij klonk luid en zelfverzekerd.

Verdachte 1: Waar zijn je kinderen?

Iedereen in de kamer ging rechtop zitten.

S.E.: Kinderen?

Verd. 1: Je hebt kinderen.

S.E.: Nee, ik heb geen kinderen.

Verd. 1: Ja, die heb je wel, godverdomme.

S.E.: Je bent in het verkeerde huis.

Verd. 1: Nee, dat ben ik niet.

S.E.: Hoor eens, ga nou maar. Ik heb (onduidelijk) de politie gebeld, die zijn al onderweg. Jullie krijgen geheid problemen als jullie hieg blijven.

Niemand lachte deze keer om de tikfout.

S.E.: Ik weet waarvoor jullie hieg zijn.

Blijkbaar verwijderde ze zich op dat moment van de telefoon, maar ze konden haar nog steeds verstaan.

S.E.: Jullie weten helemaal niet wie ik ben, jullie hebben je vergist.

Verd. 1: Staan blijven. Terug, godverdomme.

Morrow drukte op de pauzeknop. Geschrokken van de onderbreking keken de mannen om zich heen.

'Wat heeft hij voor accent?' vroeg ze.

Een schuldbewuste stilte, een onverwachte spellingtest terwijl ze allemaal zaten te dommelen.

'Engels?' Dat was Leonard, de nieuwe, nog groen genoeg om haar mening te geven. Om haar heen zat iedereen te knikken om te laten zien dat ze hadden geluisterd.

'Nee,' zei Morrow geïrriteerd, 'ik ben jullie niet aan het testen om te zien of jullie wel luisteren. Het is een vreemd accent, het is een mengeling. Denk er maar eens over na. Analyseer het maar. Eens kijken of jullie het kunnen thuisbrengen, in elk geval gedeeltelijk.'

Ze spoelde terug en drukte weer op PLAY.

Verd. 1: Staan blijven. Terug, godverdomme.

Nu luisterden ze echt, en naar hun gezichtsuitdrukking te oordelen reageerden ze op het gesprek alsof ze bij Sarah in de kamer waren en op het punt stonden zich erin te mengen.

Voetstappen, het ge-doemp-doemp-doemp van blote voeten op de harde vloer, die in de richting van het telefoontje gingen, en opeens nam Sarah de leiding.

S.E.: (roept) *Mijn huis uit, onmiddellijk!*

Morrow hield haar blik op de vloer gericht, maar ze glimlachte, want ze was trots op Sarah. Slachtoffers konden sympathie opwekken, maar ze verloren altijd het respect van de politie. Echte dienders zagen het allemaal te vaak om zich er nog druk om te maken.

S.E.: Wie ben je? Ik ken jou. Ik ken jou, absoluut. Ik heb een foto van je gezien.

Verd. 1: Foto? (onduidelijk) *foto gezien?*

Bij het horen van de gesmoorde, boze stem gingen ze als in een pavlovreactie allemaal rechtop zitten.

Verd. 1: Fuck, heeft-ie jou mijn foto laten zien?

Verd. 2: St (onduidelijk). *Stoppen, man.* (onduidelijk)

Verd. 1: (onduidelijk) *godsamme, mobiel.*

Stilte.

Verd. 1: Spiek. Wat de fuck, moven!

Morrow zag hoe ze tot het einde bleven luisteren, ze zag hen ineenkrimpen toen Sarah beklemtoonde dat ze een van hun vaders kende, waarbij ze iets over een 'laars' zei.

Ze zag hen ineenkrimpen toen ze haar op het bed hoorden smakken, toen Sarah de hele recherchekamer toeriep dat ze haar moesten komen helpen, dat er twee jongens in haar slaapkamer waren en dat ze een van hen kende. Toen klonk er een klik en was de lijn dood.

Morrow hoorde hen inademen, zag hen nerveus om zich heen kijken, zoekend naar bevestiging dat de dreiging voorbij was. Met een blik vroeg ze Bannerman om toestemming ze weg te sturen. Zijn mond stond strak, maar hij knikte, en Morrow richtte zich tot de voorste rij.

'Bedankt voor jullie aandacht, heren. Volgens mij is dit het einde van jullie dienst.'

Toen ze opstonden, zag ze dat ze hen geraakt had, dat ze hun een verhaal had verteld waaraan ze zich konden vastklampen, dat ze hun het excuus had verschaft dat ze nodig hadden om toe te geven dat het hun iets uitmaakte...

'Wacht.' Bannerman stapte naar voren, met geheven hand en opgetrokken lip. 'Ga weer zitten.'

Hij klonk als een boos schoolhoofd. De nachtdienst aarzelde en keek vragend naar Morrow. Ze sloot haar ogen. Bannerman ging het allemaal weer verknallen.

'Het is onder mijn aandacht gebracht, mánnen' – hij zag Tamsin Leonard en verbeterde zichzelf – 'en dáme' – om de een of andere reden gniffelde hij even, misschien omdat hij zenuwachtig was – 'dat jullie allemaal voortdurend op de klok zitten te kijken.' Hij knipte met zijn vingers in hun richting, en ze zag dat ze zich terugtrokken, dat alle winst van haar briefing wegstroomde, en dat hun blik afdwaalde naar het tafelblad. 'Als ik geen verbetering zie in jullie betrokkenheid bij deze zaak, zullen we het over overplaatsing en gedwongen ontslag moeten hebben. Is dat duidelijk?'

Niemand antwoordde en niemand keek hem aan. Behalve Harris. Hij stond achter in het vertrek, met strakke mond en met zijn armen over elkaar, en zo stelde hij zich vierkant op tegenover Bannerman en ging de confrontatie aan.

'Is dat dúídelijk?'

'Yes, sir,' zeiden ze in koor, maar haperend, behalve Harris, die zijn mond hield.

'Oké.' En met geheven hand liet hij ze gaan.

'Nog bedankt voor je hulp,' zei Morrow, luid en sarcastisch, voor het lawaai van verschuivende stoelen haar woorden overstemde. De mannen hoorden haar, keken elkaar aan en lachten hem uit.

De blik die Bannerman haar toewierp, oversteeg alle woede. Dit zou hij haar betaald zetten, en dat wist ze.

22

Ze waren nog niet bij de poort of Thomas had alweer de pest aan Ella.

Ze bleef maar huilen, wist van geen ophouden. Af en toe ging het luide geween over in zacht gekerm, maar dan hield ze even haar adem in, wrong er een jammerklacht uit en begon overnieuw. Het ging met horten en stoten, was theatraal en overdreven, alsof ze iets zou moeten zeggen en zo hard snikte omdat ze dan geen gesprek hoefde te voeren.

Ritmisch en meelevend streelde Moira Ella's haar en suste haar telkens weer, terwijl Ella zo hard brulde dat haar stem het begon te begeven. De tissues raakten op. De chauffeur van de gehuurde limo reikte hun een nieuwe doos aan toen hij stil kwam te staan in een file. Gegeneerd meed hij Thomas' blik in de achteruitkijkspiegel.

Ella tolereerde Moira's omhelzing, wat ongebruikelijk was. Ze klampte zich aan haar vast toen ze voor het huis bleven staan. De chauffeur van de huurlimo trok de handrem aan, en in dat stille moment voor iemand nog een woord had gezegd, wierp Ella zich over Thomas' schoot heen om naar de eik te kijken, en riep: 'Papa, mijn papa!', waarna ze weer onbedwingbaar begon te brullen.

Thomas liet zijn blik over het gazon gaan. Het klonk bekend – 'Papa, mijn papa', – en toen besefte hij dat het een zinnetje uit *The Railway Children* was. Jenny Agutter die op het rokerige perron stond terwijl haar vader uit de trein stapte.

Hij voelde een vonk van verontwaardiging, tot hij aan de krant in zijn zak dacht en besefte dat hij dingen had gedaan die aanmerkelijk beschamender waren dan een zinnetje uit een film jatten.

De chauffeur deed het portier voor Moira open; ze pelde Ella van haar boezem en duwde haar voorzichtig terug op haar eigen plaats. Haar zijden bloes was bevlekt met uitgelopen tranen. Ze stapte uit en stak haar hand naar binnen om Ella naar buiten te helpen.

Het was een veelzeggend moment: Ella's gezicht was verkrampt van ellende, maar haar blik was berekenend. Ze keek eerst naar Moira, toen vluchtig naar Thomas, pakte Moira's uitgestoken hand en terwijl ze met haar hele gewicht op haar leunde, schuifelde ze de auto uit. Het was een kille blik, alsof ze een afweging maakte en Moira koos omdat die het veiligst was.

Thomas zou ze wel als onveilig beschouwen, hij leek te veel op Lars. Voor het eerst zag hij de dingen door Ella's ogen. Lars ging met hem winkelen en nam hem mee naar Amsterdam. Met veel poeha schonk hij zijn school een nieuwe vleugel voor de zesde klas. Hij gaf hem zelfs een eigen appartementje, dat gescheiden was van het hoofdgebouw, en een eigen nanny, lang nadat die van Ella ontslagen was. Weliswaar gingen Lars en Moira vaker bij Ella op bezoek als ze op school was, maar haar school was dichterbij, terwijl hij helemaal in Schotland zat. Hij had haar nooit als achtergesteld beschouwd, maar soms moest zij het ook oneerlijk hebben gevonden.

Terwijl hij haar over de achterbank naar buiten zag klauteren, besefte hij dat Lars en Moira hen tegen elkaar hadden uitgespeeld – hoewel niet altijd opzettelijk – en hoe erg dat was. Zij was het enige wat hij had, maar ze kenden elkaar niet eens, hadden nooit samen tijd doorgebracht.

Thomas' portier was nog dicht.

Hij keek ernaar, zocht naar de chauffeur, die het had moeten openen, maar de chauffeur nam Ella's koffer uit de kofferbak en droeg die naar de deur. Hij wist niet dat het zijn taak was eerst iedereen te laten uitstappen en dan pas de bagage te pakken. Een huurchauffeur van een limobedrijf. Hij was een jaar of vijftig, met grijs haar, waarschijnlijk een mislukte makelaar die een grote auto had gekregen en een uniform dat eerst van iemand anders was geweest.

Moira en Ella stonden bij de voordeur, en Moira rommelde met een sleutelbos, gadegeslagen door Ella, die niet langer huilde, maar verbaasd was omdat haar moeder de huissleutels bij zich had. De huishoudster hoorde hen binnen te laten. Ze hoorde bij de deur te staan om hun jassen in ontvangst te nemen.

Thomas deed zelf het portier open en stapte uit. Hij liet het openstaan en slenterde op zijn dooie gemak naar het huis, zodat zij alle tijd hadden om naar binnen te gaan en te verdwijnen voor hij bij de deur was aangekomen. Onderweg kwam hij de chauffeur tegen, die de koffer inmiddels had weggebracht.

De chauffeur dacht dat hij een praatje met hem wilde maken, lachte vriendelijk en zei: 'Ik heb met je zusje te doen. Voelt ze zich niet goed?'

Schouderophalend keek Thomas op. 'Ze is overstuur.'

De chauffeur wierp een blik op de deur en zag Moira de sleutel in het slot steken terwijl Ella met een uitgestreken gezicht stond te huilen. 'Dat is wel een graadje erger dan overstuur, jongen.'

Thomas probeerde het uit te leggen. 'Onze vader is dood.'

'O,' zei de chauffeur geschokt. 'Wat erg.'

'Hij heeft zich opgehangen. Daar. Aan die boom,' vervolgde Thomas, en het drong tot hem door dat de man gelijk had. Zelfs een afgrijselijke schok bood nog geen volledige verklaring voor Ella's gedrag. 'Ze is nog erg jong.'

De chauffeur humde wat en mompelde 'vreselijk', en Thomas zag hem vluchtig naar Ella kijken. Ze liep achter Moira aan naar binnen, maar haar haar was aan de achterkant niet geborsteld, en zoals ze haar hoofd hield, schuin opzij en haar mond open, zag ze er inderdaad merkwaardig uit.

Hij vond het niet prettig dat de chauffeur op die manier over een lid van de familie sprak. Hij kon het niet afdoen met het argument dat het een vervelende man was. Het was geen vervelende man. En hij leek ook niet dom.

'Nou, tot ziens.' De chauffeur wilde al weglopen, maar Thomas stak hem zijn hand toe. De man keek hem aan en aarzelde. Eigenlijk hoorden ze elkaar niet de hand te schudden, maar Thomas wilde hem recht in de ogen kijken, als een gelijke, om hem te laten zien dat ze niet allemaal kapot waren.

Weifelend nam de man Thomas' hand aan, hij schudde die krachtig, keek hem aan en glimlachte.

'Tot ziens,' zei Thomas, in de hoop dat hij even gebiedend klonk als Lars, maar dan aardiger. 'En bedankt voor de service.' Hij wendde zich af en liep de trap op naar de openstaande voordeur.

Binnen hadden Moira en Ella hun jassen op de vloer laten vallen, naast de koffer. Het leek alsof ze eruit waren gesmolten. Thomas raapte ze op en zocht naar een plek waar hij ze kon ophangen.

Hij liep naar een grote deur en deed die open. Het licht ging automatisch aan. Hier was hij nog nooit geweest.

Het was een kleine, vierkante garderobe, met aan drie kanten rails, per persoon ingedeeld, met wandelschoenen op een rek en een hoge plank met nette houten dozen, elk voorzien van een handgeschreven label: HANDSCHOENEN LARS, HOEDEN MOIRA, SJAALS.

Terwijl Thomas de jassen ophing, viel de deur langzaam dicht, zodat hij opgesloten zat. Hij wachtte op de klik en was blij toen het licht uitging. Hij bleef heel stil staan en vond het heerlijk, daar in dat raamloze duister.

Een zin vormde zich in zijn hoofd en steeg traag op naar zijn bewustzijn: *Niemand mag ons zien.*

Zijn hoofd zakte langzaam naar zijn borst en zo stond hij daar, tot zijn nek pijn ging doen. Toch bleef hij daar staan, zijn adem afgeknepen door de knik in zijn luchtpijp, en met een brandende pijn in zijn nek en schouders, die zich over zijn armen verspreidde. Nooit wilde hij zijn gezicht meer naar de wereld opheffen.

En toen begon Lars tegen hem te praten: *Jij stomme laffe klootzak. Blijf daar maar, nutteloze klootzak. Niks doen. Gewoon daar blijven, godverdomme.*

Thomas hief zijn hoofd en duwde de deur op een kiertje open, zodat het licht weer aanging. Langzaam haalde hij de krant uit zijn zak.

Op een andere pagina stond een foto van Sarah Erroll op een feestje, tussen een stel meisjes met gepixeleerde onduidelijk gemaakte gezichten. Ze glimlachte wat ongemakkelijk, en hoopte – vermoedde hij – dat de foto snel klaar was zodat ze niet langer in beeld hoefde te zijn. Ze zag er niet heel mooi uit. Thomas vond haar in het echt een stuk knapper.

Er stond dat Sarah vierentwintig was, jonger dan nanny Mary. Nadat ze op haar achttiende van school was gegaan, had ze in een champagnebar – The Walnut – in Londen gewerkt, in de City, maar ze had ontslag genomen en was teruggekeerd naar Schotland om voor haar moeder te zorgen.

Lars kwam weleens in The Walnut. Ooit had hij op een avond de rekening tot legendarische hoogten laten oplopen: vijftigduizend of twintigduizend pond of iets dergelijks. Ze zou hem daar wel ontmoet hebben. Misschien had Sarah opgekeken toen Lars naar de bar liep, had ze met een dromerige glimlach opgekeken. Misschien zag Lars dat ze het liefst onzichtbaar wilde zijn, en had dat hem in haar aangetrokken.

Hij keek naar haar foto, en voor het eerst voelde hij dat ze een echt mens was, dat ze een bestaan had onafhankelijk van Lars of van hem of van Squeak of van deze hele toestand. Hij zag haar in een kast staan in haar eigen rommelige oude huis, met haar hoofd gebogen, en toen ze opkeek, was haar gezicht een bloederige, onduidelijke smeerboel.

Hij wierp zijn schouder tegen de deur en stormde naar buiten, de hal in. Hij verdroeg het niet om alleen te zijn, en daarom pakte hij Ella's koffer, ging de trap op naar de eerste verdieping en nam de overloop, met neergeslagen blik om spiegels te vermijden.

Hij kwam zelden in dit deel van het huis. Hij was vergeten hoe mooi en behaaglijk het er was. De deuren waren hoog en massief, het beslag rond de deurknoppen was van warm, roodbruin koper, met gegraveerde kronkelende bloemen en kleine zonnemotieven. Ella's kamers waren helemaal aan het einde, naast de deur naar de suite van zijn ouders. Uit beleefdheid klopte hij aan, want hij wist niet of Moira bij haar was. Hij hoorde gesnif en stapte naar binnen.

'Uw koffer, mevrouw.'

Ella's kamers hadden een hoog plafond; ze had een zitkamer met een diepe erker en een slaapkamer met daarachter een grote badkamer. Ze had de meubels zelf uitgekozen, alles in het roze. Zelfs de flatscreen-tv boven de haard had een roze omlijsting.

Ze zat in haar eentje in het midden van haar bank met rozenmotief, met haar benen keurig onder zich gevouwen, en keek uit het raam. Van een afstand leek ze heel klein. Ze was slank, aantrekkelijk, met wild blond haar en een feeëriek gezichtje. Haar ogen waren rood van het huilen. Terwijl hij naar haar keek, meende Thomas te kunnen zien wat Lars ooit mooi had gevonden aan Moira.

Hij zette de koffer plat op een voetenbank, klaar om uitgepakt te worden.

'Je bent een stomme griezel,' zei ze keihard. 'Ik haat je, stomme, enge griezel.'

Thomas bleef verstijfd bij de muur staan. Ze keek naar het raam en hij probeerde te zien of ze het tegen zijn spiegelbeeld had. Abrupt draaide ze zich om en riep dwingend: 'Thomas! Ik weet heus wel dat je hier bent!'

'Oké,' mompelde Thomas.

Met een glimlach wendde ze zich weer af. Thomas schoof langs de muur tot hij bij een tafel kwam waarop kleine porseleinen ballerina's stonden uitgestald. Hij was verbaasd en gekwetst. 'Vind je me eng?'

Ze staarde hem aan en dacht na. 'Nee. Zet dat neer.'

Hij keek naar zijn hand, enigszins opgelucht, want haar opmerking sloeg ergens op: hij hield een beeldje vast. Hij klemde het nog steviger vast om een reactie uit te lokken. Ella beet op haar wang en keek naar het beeldje. Blijkbaar behoorde het niet tot haar favorieten, want ze haalde haar schouders op.

Thomas zette het weer neer. 'Al dat gejank in de auto, dat was wel wat overdreven, vind je niet?'

Weer haalde ze haar schouders op.

'Heeft Lars je over zijn andere gezin verteld?'

Om Ella's mond verscheen een krampachtig lachje. 'Ik wist het toch al.'

Ze wachtte tot hij doorvroeg.

'Hoezo?'

'O, hij nam me weleens mee naar Harrods, en dan kocht hij acht jurken en gaf mij er vier. Stomme griezel. Ze zal wel van mijn leeftijd zijn. Of anders heeft ze mijn maat.'

'Híj is in elk geval van mijn leeftijd. Ik moest het me laten vertellen...'

'Hm.' Het leek haar goed te doen dat ze dat op hem voor had.

'Denk je dat Moira het weet?'

Onverschillig haalde ze een schouder op. Nu hij dichter bij haar stond en uit het raam kon kijken, besefte hij dat ze de eik kon zien, en dat ze waarschijnlijk tegen de boom had gepraat en tegen Lars, niet tegen een onzichtbare man of iets dergelijks.

'Hoe hoorde je dat hij dood was?'

'O, die stomme trut, mevrouw Gilly, haalde me weg bij Frans om het me te vertellen. Ze nam er nog alle tijd voor ook, die kut, ze zat er maar omheen te draaien en toen zei ze: "Bereid je maar op het ergste voor, schat." Jezus, dat klonk behoorlijk onheilspellend.'

Ze dachten op dat moment allebei dat ze het uit de mond van Moira hadden moeten horen. Ella keek hem doordringend aan en fluisterde: 'Is ze van de...' – ze knikte naar de deur – '... je weet wel af?'

'Ja. In elk geval heeft ze geen droge mond meer.'

Ella knikte. 'Ze kijkt ook weer normaal uit haar ogen.' Waarop ze het gezicht nadeed dat Moira altijd trok: ze sloot haar ogen en sperde ze toen wagenwijd open, alsof haar oogbollen opdroogden. 'Wanneer is ze...?'

'Een paar weken geleden, zei ze.'

Terwijl ze behoedzaam de deur in de gaten hield, fluisterde Ella: 'Mensen kunnen namelijk knettergek worden als ze ermee stoppen. Dan vermoorden ze hun gezin en zo. Wist je dat?'

Dat had Thomas nog nooit gehoord. 'Geen idee.'

'Dan pakken ze bijvoorbeeld een geweer, sluipen het huis door en schieten je gezicht aan barrels terwijl je ligt te slapen.' Ze keek bezorgd. 'Dan ben ik het eerst aan de beurt. Jij zit helemaal beneden, maar ik slaap vlak naast haar...'

'Zo te zien is er niks met haar aan de hand. Ella, dat was toch voor de show daarnet? Je bent niet echt gestoord.'

Ella gniffelde en keek naar de deur. 'Hebben we nog wapens in huis?'

'Een paar. Beneden, in de kluis in Lars' kantoor.'

Ze beet op haar lip. 'Hm.'

Eigenlijk was het heel plezierig om zo met elkaar te kletsen.

'De huishoudster is weg. Al het huispersoneel is weg,' zei hij. 'Ze heeft ze ontslagen.'

Ella fronste haar voorhoofd. 'Wat stom. Wie moet nou alles doen?'

'Jij. We hebben erover gestemd voor je kwam, en nu moet jij alles doen.'

Daar moest ze om lachen. 'Nee, even serieus, wie...?'

'We moeten het huis verkopen. We gaan verhuizen.'

Ella keek om zich heen, naar haar kleine wereldje, naar haar leunstoeltjes, haar roze minikoelkast, de tv. Ze keerde haar gezicht naar het raam en toen ze weer sprak, was haar stem heel zacht. 'Gaan we wel weer terug naar school?'

Thomas dacht van niet. Driehonderdduizend per jaar stelde geen reet voor. Daarvan kon je geen scholen betalen. Hij hoefde het niet eens te zeggen. Ella's geoefende ogen schoten weer vol.

'Ik zit er nog maar een jaar. Ik ben er net gewend.' Opeens werd ze woedend. 'Denk maar niet dat ik naar zo'n stomme scholengemeenschap ga, daar word ik neergestoken, of verkracht of zo. Ik wil een huisleraar.'

'Zit niet te lullen, Ella, we zijn failliét. Er is geen geld voor een huisleraar. Er is nergens meer geld voor.'

'Ze kunnen me niet dwingen naar een scholengemeenschap te gaan, daar word ik gepest.'

Hij keek naar haar. Ze had het zonlicht achter zich, dat vormde een halo om haar haar en accentueerde het blauw van haar ogen. Haar schoolrok was omhooggekropen, zodat haar donzige dij zichtbaar werd. Ze was mooi, chic en slank. 'Volgens mij valt dat wel mee.'

Ella voelde dat er een compliment kwam en bedeesd hield ze haar gezicht schuin om het op te vangen. 'Denk je?'

'Ja.'

Ze wachtte tot hij er uitvoeriger op inging, en toen hij dat niet deed vroeg ze suggestief: 'Waarom dan?'

Hij liep naar de erker, waarbij hij rakelings langs de armleuning van haar bank stapte, trok het gordijn open en keek uit over het gazon aan de voorkant. 'Dat denk ik gewoon. Als je naar een nieuwe school gaat, kijken ze meteen allemaal tegen je op. Zij gaan trouwens niet naar kostschool, die andere kinderen. Ze gaan naar een dagschool.'

'Klootzakken. Heeft Lars dat verteld?'

'Ja.'

'Bofkonten.' Als je naar een dagschool ging terwijl kostschool ook tot de mogelijkheden behoorde, betekende dat dat je ouders je thuis wilden houden, het betekende dat je vrienden in de buurt had en een sociaal leven, het betekende dat je normaal was. 'Op welke scholen zitten ze? Kennen we daar iemand?'

'Dat heeft hij niet gezegd. Hij zou trouwens naar het St. Augustus gaan. Het volgende trimester.'

Ella zette grote ogen op. 'Samen met jou?'

Thomas meed haar blik, maar knikte wel.

'En dan kwam zij bij mij op school?'

'Ja.'

Ze keek weer naar de eik, en liet een gesmoord snikje van verontwaardiging horen. 'Wat een lul!' Ze keek naar Thomas. Hij was er al geweest, bij dat zwarte water, en het had hem naar duistere oorden gevoerd. Hij wilde niet terug.

'Ze vonden me niet aardig op school,' fluisterde ze. 'Ze keken helemaal niet tegen me op. Wat een bitches zaten daar...' Haar stem stierf weg. Plotseling sloeg haar bui om; ze grijnsde, ging op haar knieën zitten en keek samen met Thomas naar de eik. 'Ik heb de krant gezien,' zei ze. 'Zoals hij daar als een idioot hing te bungelen.'

Thomas keek naar de boom. Arme boom. 'Fijn dat je thuis bent,' zei hij, blozend omdat hij het uit de grond van zijn hart meende.

Ella keek gniffelend naar het raam.

'Dat gejank in de auto, deed je dat voor Moira?'

Ze keek even om zich heen en haalde haar schouders op, alsof ze op een leugen was betrapt. 'Die foto is vanuit de kamer van nanny Mary genomen, hè?'

Hij knikte, hoewel hij eigenlijk niet hoorde te weten wat het uitzicht vanuit die kamer was. Weer dat gniffellachje. 'Je neukte haar, hè?'

'Hou je bek.'

'Ik vroeg het alleen maar.' Ze keek hem plagerig aan.

'Hé,' zei hij, 'kom, dan gaan we op het gazon lopen.'

Haar mond viel open. Pesterig aapte Thomas haar na. 'o-GOD, zei hij met zware, onheilspellende stem, 'niet-op-het-gazon-lopen.'

Ella giechelde en legde er nog een schepje bovenop. 'Weg-bij-dat-gazon-godverdomme.'

'Het-gazon, het-gazon.' Hij dempte zijn stem. 'Hé, we zijn gisteravond in de koelruimte geweest en hebben minipizza's gepakt, en Moira heeft ze klaargemaakt voor het avondeten.'

Ella schoot naar achteren en staarde hem aan.

Hij grijnsde. 'Minipizza's. We hebben ze in de keuken opgegeten. Ik heb er een biertje bij gedronken.'

Ze maakte een cirkeltje van duim en wijsvinger. 'Mínipizza's? Zoals miniburgertjes op een feestje?'

'Nee.' Met beide handen maakte hij een grotere cirkel. 'Veel groter. Het waren trouwens minipizza's uit de supermarkt. Moira heeft ze in de oven gedaan.'

Ella keek uit het raam, en ongeloof golfde over haar gezicht. 'Waar is de koelruimte?'

'Onder de keuken.'

'Wauw.' Knikkend liet ze het tot zich doordringen en ze begon iets te begrijpen, hoopte hij, van de vreugde die met dit nieuwe leven gepaard ging, nu de schaduw van Lars niet langer boven hen hing.

Opeens hield ze haar adem in en stak hem haar hand toe, hoewel hij achter de bank stond. 'Kom,' zei ze opgewonden, en nu was ze iemand anders, iemand uit een film, zo'n geestdriftig type, waarschijnlijk Helena Bonham Carter. Of Keira Knightley.

Thomas keek vol weerzin naar haar hand. 'Rot op, Ella.'

Ze werd niet kwaad, ze liet alleen haar hand zakken en zei: 'Ah, kom nou, dan rennen we dat hele kutgazon over.'

Thomas keek uit het raam naar de zee van helder, verboden groen.

Moira had er genoeg van. Ze stond bij het raam een sigaret te roken, halverwege de ochtend – iets wat ze nooit deed, zelfs niet in de donkerste dagen – ze stond te roken en ergerde zich aan de kinderen, die de hele dag thuis waren en al haar tijd opslokten en voortdurend van alles nodig hadden. Ella kon het amper aan. Ze maakten vreselijk veel lawaai. Als ze in een kleiner huis gingen wonen, zouden ze vriendjes en vriendinnetjes meenemen, en ze zou zich niet eens behoorlijke hulp kunnen veroorloven om voor hen te zorgen. Ze zou voor hen moeten koken, en ze kon niet elke avond minipizza's opdienen.

Ze stond te roken en te piekeren, toen ze herrie hoorde onder haar raam, bij de voordeur, voetstappen, kreten. Ze boog zich voorover om te zien wat het in godsnaam kon zijn, maar de voorkant van het huis werd door de raamdorpel aan het oog onttrokken. Pas toen Ella en Thomas op de oprit verschenen zag ze hen. Ze renden, en Ella maakte af en toe een huppeltje, waarbij haar zware wollen schoolrok om haar blote benen zwierde.

Ze renden op het gazon af en aan de rand bleven ze staan. Ella stak haar teen in het gras, alsof ze het water van een zwembad testte, en toen ging het van klaar-voor-de-start-af! – ze stormden het gazon over, luid lachend, en weefden paden van elkaar weg en weer naar elkaar toe, van elkaar weg en naar elkaar toe. Moira keek tot ze achter de steile helling verdwenen en weer terugkwamen, hijgend maar nog steeds lachend.

Ze liepen naar de eik en zochten de tak op waaraan Lars zich had opgehangen, en daar gingen ze om de beurt onder staan. Thomas stak zijn hand omhoog en met een sprongetje om de laatste vijf centimeter te overbruggen sloeg hij tegen de tak, die nog rauw was van het touw.

Ella leek heel jong en klein. Ze keek zonder iets te zien, staarde recht naar het huis, met een brede, wezenloze grijns op haar gezicht, en Moira begon te huilen.

23

Het tochtte in de hal van het bureau aan London Road. Er lagen bruine tegels, langs de muren stonden stoelen die aan de vloer waren vastgeschroefd, en een confrontatiespiegel bood zicht op het geheel. Als informatief contrapunt naast de akelige ontvangst stond er aan de zijkant een absurde, levensgrote kartonnen afbeelding van een glimlachende agente.

Die ochtend werden de stoelen bezet door een groep vrouwen, en stuk voor stuk waren ze woedend. Tegen de tijd dat Morrow langsliep op weg naar de verhoorkamers, hadden ze een comité gevormd om lucht te geven aan hun klachten: een van hen stond op toen Morrow uit de vleugel kwam waar de afdeling recherche was gehuisvest. De overige vrouwen keken verwachtingsvol toe terwijl zij Morrows Route inschatte, met grote passen op haar af stapte en haar de doorgang versperde.

'Hé, u daar. Bent u hier de baas?'

Met haar handen op haar brede heupen en haar hoofd schuin naar achteren keek ze op Morrow neer, klaar voor de strijd. Ze was tonnetjerond en droeg een opzichtige paarse top op een zwarte broek. Haar haar was kort en in een wijnrode kleur geverfd die haar gelige teint niet flatteerde.

'Nou? Bent u hier de baas?' Ze zocht duidelijk ruzie.

Zelfs met tien cadetten en een steekvest aan zou Morrow het gevecht niet zijn aangegaan. 'Zie ik eruit alsof ik de baas ben?'

Ze keek Morrow onderzoekend aan, zag dat ze zwanger was en

voelde met haar mee. 'We moesten ons hier allemaal tegelijk melden...'

Morrow onderbrak haar. 'Hebt u begrepen dat dit een moordonderzoek is?'

Ze bracht haar gezicht tot vlak bij dat van Morrow. 'En hebt u begrepen dat we nu geen van allen kunnen werken terwijl we op u zitten te wachten?'

Het vrouwenkoor keek knikkend toe.

'Oké.' Morrow liep om haar heen en richtte zich tot de vrouwen. 'Jullie komen allemaal aan de beurt op z'n tijd.'

Maar de paarse vrouw voelde dat ze aan de winnende hand was, en dat gaf haar voldoende zelfvertrouwen om zich weer pal voor Morrow op te stellen. 'Wat heeft dát nou weer te betekenen?'

'Wat heeft wát te betekenen?'

'"Op z'n tijd", wat wil dat zich zeggen?' Ze boog zich naar voren, vastbesloten om zich niet in aanwezigheid van de anderen te laten afschepen.

Morrow zag het licht verschuiven achter de confrontatiespiegel. Erachter stond de brigadier van dienst. Als de vrouw ook maar een vinger naar een collega uitstak, kwam hij onmiddellijk in actie, blij dat hij een excuus had.

Morrow had geen tijd voor een handgemeen, of voor de papierwinkel die met een nevenaanklacht gepaard ging. Iets te overmoedig na de triomf van de ochtendbriefing stak ze haar hand op naar de spiegel om de brigadier duidelijk te maken dat hij niet hoefde te komen. Ze voelde dat de vrouwen die zich hier hadden verzameld niet echt weg wilden, maar op iets concreets zaten te wachten, en daarom liep ze op hen af en richtte het woord tot hen.

'Oké, dames.' Ze zag de herkenning op hun gezichten toen ze hetzelfde accent bleek te hebben als zij. 'Het gaat om het volgende: eergisteren is Sarah Erroll vermoord...'

'Dat weten we al,' zei een vrouw achterin.

'Wat jullie niet weten, is hoe ze is vermoord.' Ze keek hen een voor een aan, en liet de rest aan hun verbeelding over. 'Daar kan ik verder geen mededelingen over doen, maar één ding kan ik jullie wel vertellen: we moeten de dader vinden en heel snel.'

'Krijgen we ervoor betaald?' Het was de paarse vrouw, die haar van achteren naderde en een poging deed haar gezag te herwinnen.

'Voor het vinden van een moordenaar?' vroeg Morrow verontwaardigd.

'Ze heeft gelijk, Anne Marie,' riep een vrouw vanaf de zijlijn naar de paarse aanvoerster. Ze keek Morrow aan. 'Maar niemand heeft nog met ons gesproken. We kregen alleen te horen dat we hier moesten komen. En nu kunnen we geen van allen naar ons werk, en we moesten allemaal tegelijk komen. U kunt ons niet allemaal tegelijk ondervragen.'

'Ja, oké.' Morrow keek knikkend naar de grond. 'Oké. We gaan proberen om jullie allemaal nog voor de lunch te spreken. Twee straten verderop is een afhaaltentje.' Ze wees naar de deur en toen naar rechts. 'Als een of twee van jullie nou eens thee gaan halen?'

Een paar vrouwen knikten, andere mompelden. Paarse Anne Marie sloop verslagen terug naar haar stoel. 'Ja, jij daar.' Morrow wees naar haar. 'Bestel maar niks, want ik begin met jou.'

Anne Marie had nog geen drie weken voor mevrouw Erroll gewerkt. Over het geld had ze niks te klagen, echt niet, ze werd goed betaald, maar de oude dame was er veel slechter aan toe dan het bureau haar had verteld, en die dochter wilde niks van Anne Marie weten.

Er klonk ongeloof in haar stem door toen ze dit aan Morrow en Leonard vertelde, en ondertussen stak ze haar hand via de hals van haar topje in haar mouw en trok met een ruk een afgezakt bhbandje weer op haar schouder.

Tijdens de drie zomerweken dat Anne Marie daar gewerkt had, was Sarah Erroll twee keer weg geweest: één keer naar New York en één keer naar Londen. Er kwamen nooit vrienden op bezoek. Niemand belde haar op de vaste telefoon of liet een boodschap voor haar achter.

'Wat voor iemand was ze eigenlijk?'

Anne Marie haalde haar schouders op. 'Tja, ik mocht haar niet.'

'Waarom niet?'

'Ik vond haar een beetje een doetje. Een beetje vaag.' Ze liet haar hoofd wiebelen. 'Zweverig.'

'In welk opzicht?'

'Hoezo in welk opzicht?'

'In welk opzicht was ze zweverig? Had ze bepaalde ambities, of vertelde ze wat ze van haar leven wilde maken?'

'Nee.'

'En waarom was ze een doetje?'

'Nou, toen ik ontslag kreeg, ging ik naar haar toe en zei: "Hoor eens, dat klopt niet, ik heb hiervoor een andere baan opgezegd en nu zegt zij dat ik eruit vlieg"...'

'Ho, wacht eens even, wie is zij? Wie heeft je ontslagen?'

'Zij. Die andere. Die zei dat ik lui was en dat ik op het bed had gezeten toen ze binnenkwam terwijl mevrouw Erroll verschoond moest worden, maar dat ik gewoon...'

'Wie is die andere?'

'Kay Murray.' Ze kneep haar ogen samen. 'Die bedoel ik.'

'Heeft Kay Murray je ontslagen?'

'Nou ja, ze heeft me niet echt ontslagen. Ze heeft me er gewoon ingeluisd. Ze ging een kop thee zetten en toen zei ze: "O, ik zie dat je hier niet echt happy bent."' Anne Marie gebaarde met haar armen en trok een boos gezicht, alsof Kay onredelijk was geweest, terwijl ze toch niets had gezegd wat geen pas gaf. 'En ik zeg van: "Nou, dat ben ik ook niet" en zij zegt weer: "Nou, misschien dat ander werk beter bij je zou passen, ook al om wat je over het reizen en zo hebt gezegd" en toen zei ik: "Als jullie mijn reisgeld betalen"...'

'Ja,' onderbrak Morrow haar. 'Dus jij ging met dat verhaal naar Sarah, en wat zei zij?'

'Dat Kay daarover ging.'

Morrow verbaasde zich over de macht die Kay bezat. Voor zover ze wist had ze geen opleiding, en ze had nadrukkelijk gezegd dat ze niet close was met Sarah.

'Had je een sleutel?'

'Nee, Kay Murray liet ons altijd binnen. Zij had een sleutel.'

'Wie had er verder nog een?'

'Niemand. Alleen Kay Murray.'

'Kay en Sarah waren dus hecht met elkaar?'

'Nee. Alleen Kay en de moeder, mevrouw Erroll.'

'Joy Erroll?'

'Ja.'

Leonard mengde zich in het gesprek. 'Die had toch alzheimer?'

'Ja. Maar dan kun je toch wel vriendinnen hebben?' Ze keek Leonard uit de hoogte aan.

'Hoe wist je dat ze vriendinnen waren?'

'De moeder begon helemaal te stralen als ze haar zag. Ze was gek op haar. Ze huilde als ze 's avonds wegging. Ze wist niet eens meer hoe ze zelf heette, maar ze wist wel wanneer Kay Murray er niet was.' Een bitter lachje speelde om haar lippen. 'Leuk voor ons, want wij moesten per slot van rekening voor haar zorgen.'

'Kun je je die grote, vierkante hal herinneren, vlak achter het portaal?'

'Ja.'

'Wat stond er allemaal in die hal toen jij daar nog werkte?'

'Alleen de grote zwarte kast. Het leek wel iets uit een horrorfilm. Met van die grote handvatten, die naar beneden hingen.'

'Groot dus...' Morrow knikte aanmoedigend.

Anne Marie knikte terug. 'Groot ja.' Ze zag dat Morrow op meer zat te wachten en daarom voegde ze er behulpzaam aan toe: 'Een kast...'

De volgende vrouw had er vijf maanden gewerkt, tot haar kleindochter een baby kreeg en ze ontslag had genomen om voor het kind te zorgen. De baby was te vroeg geboren, en de jonge moeder leed aan een postnatale depressie. 'U weet hoe het is,' zei ze met een knik naar Morrows buik.

Ze was klein, taai en ongelooflijk slordig. Zelfs de drie knopen aan de zijkant van een van haar laarzen waren scheef dichtgemaakt. Ze droeg een zwart T-shirt met een gouden ABBA-logo. De linkerschouder was grijs verschoten. Morrow glimlachte toen ze besefte dat het uitgewassen babykots was.

De vrouw kon zich de zwarte kast goed herinneren. Ze zei dat het een keukenkast was, van minstens drie meter hoog, wat niet klopte. De plek die op de muur was achtergebleven mat twee meter. Ze wist niet wat ermee gebeurd was. Sarah Erroll was een schat van een vrouw en heel lief voor haar moeder, ook al was haar moeder behoorlijk in de war en niet altijd even aardig.

'In welk opzicht was ze niet aardig?'

De vrouw giechelde en bloosde. 'Ze was nogal grof in de mond.'

'O?'

De vrouw perste haar lippen op elkaar, alsof ze bang was dat ze opeens zelf smerige taal zou gaan uitslaan. 'Het kwam doordat ze in de war was,' vertrouwde ze Morrow fluisterend toe. 'Ze was helemaal in de war. Ze praatte als een dame, maar dan met allemaal vieze woorden. Je kon anders wel met haar lachen.'

'Was het een prettig huis om in te werken?'

Daar moest ze even over nadenken. 'Het was er fantastisch. Ik doe dit werk al een tijd, weet u, en soms is het een beetje triest zoals mensen behandeld worden.'

'Maar dat was hier niet zo?'

'Nee. Het loon was heel goed, en Kay was haar maatje, echt haar maatje, en daardoor kreeg mevrouw Erroll een menselijke behandeling. Bijvoorbeeld, aan het begin riep Sarah ons bij zich en zei dat het altijd een gelukkig huis was geweest, en dat ze wilde dat de mensen die er werkten ook gelukkig waren. Ze zei dat haar moeder verward was, maar dat ze nog wel wist wanneer mensen het naar hun zin hadden of niet. Ze zei dat als ik klachten had of als ik over iets inzat, dat ik het dan tegen Kay moest zeggen.'

'En had u klachten?'

'Nee.'

'Was Kay gemakkelijk om voor te werken?'

'Ja hoor. Voor haar draaide alles om de oude dame. Ze trok haar haar lievelingskleren aan, ook al pasten ze niet eens meer, maar toch deed ze het. Ze nam oude films mee waar ze samen naar gingen kijken. Als mevrouw Erroll verdrietig was, zei Kay dat ze net bij de koningin was geweest, en dan werd ze weer helemaal vrolijk. Ze kookten samen en dat soort dingen. Ze bakten brood en scones.'

'Dus Kay en mevrouw Erroll mochten elkaar wel?'

'O, lieve help.' Ze sloeg haar ogen ten hemel om haar woorden kracht bij te zetten. 'Die waren gek op elkaar.'

De volgende twee vrouwen hadden weinig te melden; ze waren na een paar maanden alweer vertrokken, de een vanwege de reistijd, en de ander omdat ze last van haar rug kreeg en niet meer kon tillen. Kay vond haar aardig en hield haar aan als schoonmaakster, maar het ging steeds slechter met haar rug, tot ze dat werk ook niet meer kon doen.

Morrow stond op het punt nog een vrouw bij zich te roepen, toen Wilder de verhoorkamer binnenkwam en zei dat Jackie Hunter, de directrice van de zorginstelling, beneden zat.

Jackie Hunter was vijftig en het prototype van de gescheiden vrouw. Haar zwarte bob had chocoladebruine streepjes en was zo glanzend en gezond dat het leek alsof ze het haar van een jongere vrouw had gestolen. Hetzelfde gold voor haar schitterend witte tanden. Ze sprak met zachte stem, had een uitgesproken beschaafd accent, en ze zat met haar handen gevouwen op schoot te knikken en aandachtig te luisteren. Morrow kon zich goed voorstellen hoe ze medeleven uitstraalde naar huilende cliënten, die het gevoel kregen dat er eindelijk naar hen werd geluisterd.

Jackie vertelde dat Sarah drie jaar geleden bij haar was gekomen, toen haar moeder haar eerste lichte beroerte had gehad. Sarah werkte destijds in Londen, in de City, en woonde samen met een paar vriendinnen van school. Ze had aanvankelijk niet gemerkt dat haar moeder steeds verwarder werd. Mevrouw Erroll was een trotse vrouw, en zoals veel mensen die aan alzheimer lijden wist ze haar kwaal goed te verbergen. Het was Sarah opgevallen dat haar moeder anders klonk als ze haar aan de telefoon had, maar ze dacht dan dat ze boos was omdat Sarah naar Londen was verhuisd.

Jackie regelde een particulier evaluatieconsult voor mevrouw Erroll. Het was onmiddellijk duidelijk dat ze veel zorg nodig had en dat het heel duur zou worden.

'Wat vond Sarah daarvan?'

'Ik herinner me dat Sarah erg aangeslagen was. Ze zei dat ze het zich niet kon veroorloven, dat ze geen geld meer hadden. Sarah zou zelf de zorg op zich moeten nemen of anders moesten ze het huis verkopen. Maar mevrouw Erroll zou niet kunnen wennen aan een andere plek. Een paar weken later nam ze weer contact met me op en vroeg of we sollicitanten wilden sturen. Ze had iemand bereid gevonden de zorg te betalen, een familielid.'

'Wie was dat familielid?'

'Geen idee. Dat familielid kwam verder niet meer ter sprake.' Nu zette ze haar gezicht gedecideerd op neutraal.

'Hoeveel kostte het, ruwweg?'

'Vierentwintiguurszorg kan oplopen tot twintigduizend pond per week, afhankelijk van het aantal medewerkers en hoe hoog die gekwalificeerd zijn.'

'Wat voor soort mensen zocht Sarah?'

Jackie leunde achterover en sloeg haar benen met zorg over elkaar terwijl ze in gedachten een rekensommetje maakte. 'Ze zocht twee fulltimers, nog wat extra hulp en hulp voor de nacht. Dat kwam neer op zo'n vijfduizend pond per maand.'

Het strookte met de bedragen in de kasboeken. 'Dus ongeveer zestigduizend pond per jaar?'

Jackie Hunter knikte. 'En dat is alleen nog maar voor de zorg. Dat is exclusief apparatuur, eten en overwerk. Het is een forse rekening. Ze werkte in een bar in Londen. Volgens mij kende ze veel mensen met geld...'

Morrow vertelde haar maar niet hoe Sarah Erroll in werkelijkheid aan het geld kwam.

'Vond u Sarah aardig?'

'Ik heb haar daarna eigenlijk niet meer gezien. Het contact liep grotendeels via Kay Murray.'

Morrow zat in de kantine en at de lunch die Brian voor haar had klaargemaakt. Bruinbrood met ham en kaas, en een appel. Ondanks de drukte had ze een rustig plekje bij het raam gevonden, en daar had ze zich met een stapeltje aantekeningen geïnstalleerd, zodat ze kon doen alsof ze bezig was als iemand een praatje wilde maken.

Ze keek vluchtig om zich heen. Het werd een kantine genoemd, maar het was gewoon een ruimte met frisdrankautomaten en tafeltjes, waar ze hun van huis meegebrachte eten konden nuttigen. Ooit was het een echte kantine geweest, maar zolang Morrow hier werkte, was de keuken al dicht. Behalve groepjes geüniformeerde politiemensen zaten er ook leden van haar eigen team aan de tafeltjes te lunchen. Ze zag ze binnenkomen, naar haar kijken en op enige afstand van haar plaatsnemen. De sociaal vaardigen keken naar haar, lachten en nodigden haar bij zich aan tafel, in de wetenschap dat ze toch niet zou komen, maar anderen gedroegen zich opvallend gluiperig en meden haar blik. Routher zat naar zijn zakjes chips te staren alsof hij elk moment in tranen kon uitbarsten. De sfeer op de afdeling was omgeslagen, het voelde anders. Elk moment kon er oorlog uitbreken over Bannerman, en dan zou zij partij moeten kiezen. Maar voor haar was het anders, want hoewel ze ermiddenin zat, zou ze er niet bij zijn om de afloop in goede banen te leiden, terwijl ze wel met de brokken zou zitten als ze terugkwam van haar zwangerschapsverlof. Het was een keus van niks: als het team haar niet haatte, deed de leiding het wel.

Ze keek naar de geüniformeerde agenten, naar hun ongecompliceerde, wrokkige, hongerige of lachende gezichten. Hun motieven waren in elk geval duidelijk. Zij deden het voor het geld.

Haar blik zwierf over haar opengeslagen notitieboekje. Het wachtwoord van Sarah Errolls laptop was gekraakt en ze zaten erin. Ze had op spreadsheets nauwgezet haar inkomsten bijgehouden. Op het hoogtepunt van Sabines professionele leven had ze honderdtachtigduizend pond per jaar verdiend. De betalingen werden individueel genoteerd, en varieerden van achthonderd tot drieduizend pond. Morrow vond het behoorlijk naïef om alles zo precies bij te houden. De mogelijkheid was niet denkbeeldig dat ze gearresteerd zou worden, dat haar bestanden ontdekt zouden worden.

Ze nam een hap van haar appel en probeerde zich voor te stellen dat ze zich in een onbekende kamer door een onaantrekkelijke vreemde liet neuken. Ze kon zich moeilijk voorstellen dat ze zich ook maar zou laten aanraken zonder de ander een bloedneus te slaan. Toen ze nog een uniform droeg, had ze weleens hoerenlopers gearresteerd, en ze wist dat ze niet allemaal onaantrekkelijk waren, dat er zelfs heel aardige mannen bij waren. Het ging om de interactie tussen koper en verkoper – die was zo akelig. Zelfs bij tevreden vaste klanten zat er altijd een scherp randje aan die interactie, als in een huwelijk dat niet goed meer was, een onderstroom van minachting.

In haar verbeelding was ze Sarah en lag ze op een weelderig bed. Ze keek op naar een weelderig plafond terwijl een man die haar lichtelijk verachtte geld had betaald om boven op haar te mogen liggen en zijn pik in haar te proppen. Op dat moment wist ze waarom Sarah het allemaal had bijgehouden: als ze op dat weelderige bed lag, dacht ze aan het geld.

Als ze in het vliegtuig zat, op weg naar huis, dacht ze aan het geld. Als ze thuiskwam en het bedrag op de spreadsheet noteerde, overschreef ze de herinnering aan een man die haar verachtte.

Wat Morrow zich afvroeg, was hoe ze die vaardigheid had ontwikkeld. Hoe Sarah had geleerd om haar handen thuis te houden en aan het geld te denken. Ergens had ze dat geleerd.

Morrow keek op om het beeld van het plafond van zich af te schudden. Routher ging de trap weer af met zijn maten. Die hadden het druk. Er was veel te doen. Er naderde een kritiek punt in het onderzoek: het verhaal was de vorige avond op het nieuws geweest, de kranten hadden er die ochtend vol van gestaan, en de buurtbewoners waren op de hand van de politie. De hoeveelheid gegevens die binnenkwam was bijna verlammend. Oude schoolvriendinnen en gekken belden de politie met flintertjes schijnbaar onbelangrijke informatie. Als ook maar een van de tips relevant of cruciaal bleek te zijn terwijl zij er niets mee hadden gedaan, werden ze aan de schandpaal genageld. Nu werd het toch al schaarse personeel ingezet om alle aantekeningen uit te pluizen op zoek naar relevante zaken, en ondertussen hadden ze nog geen enkel aanknopingspunt.

De dubbele deuren gingen open en Harris kwam binnen met Gobby. Hij zag haar en liep naar haar toe, zo te zien zeer met zichzelf ingenomen. De andere rechercheurs in het vertrek volgden hen met hun blik, en ze moest aan paarse Anne Marie denken.

'Ha,' zei hij, 'dat geld uit de museumcatalogus tellen we niet mee: de teller staat vandaag op 654.567 pond.'

'O, dat weet ik zo net niet, hoor,' zei Morrow, die blij was dat ze het luxe hotel achter zich kon laten en weer terug was in de haveloze kantine. 'Is dat het bedrag dat je krijgt als je het naar een wisselkantoor brengt? Want volgens mij hanteren de banken een betere koers.'

Gobby keek grijnzend naar Harris' rug.

Maar Harris liet zich niet uit het veld slaan. 'Elke bank in de stad geeft een bedrag dat dichter bij mijn gok ligt dan bij de jouwe.'

'Je bent een sluwe aap, Harris.' Ze stak haar hand in haar tas en haalde er een briefje van tien uit. 'Ben je de hele ochtend in het huis geweest?'

'Ja.' Hij stak het briefje in zijn zak, en Gobby en hij gingen tegenover haar zitten. 'De forensische jongens zijn klaar.'

'Ik ga nog even terug om voor de laatste keer te kijken.'

'Ik heb trouwens nog wat bonnetjes van veilinghuizen gevonden, voor de meubels.'

'Dingen die ze verkocht?'

'Ja.'

Morrow nam weer een hap van haar broodje. 'Is Kay Murray vandaag nog langs geweest?'

'Nee. Zou ze dan komen?'

'Ja.'

Harris keek op zijn horloge. 'Tja, het is pas drie uur. Ze komt misschien nog.'

'Ze blijkt heel close met hen te zijn geweest.' Ze nam weer een hap. 'Ik had geen idee. Dat heeft ze niet laten merken.'

Harris knikte. 'Is ze belangrijker dan ze eerst leek?'

'Veel belangrijker.'

De kantinedeur ging weer open; een onmiskenbare kilte daalde neer, het geklets stierf weg en Harris zat opeens zo recht als een kat. Bannerman stond in de deuropening, keek om zich heen op zoek naar Morrow, en zag haar samen met Harris en Gobby aan tafel zitten. Met belangstelling keek ze toe terwijl hij op hen af liep; ze zag Harris terugwijken toen Bannerman zijn blik van haar naar hem liet gaan.

Bannerman bleef voor de tafel staan en legde zijn vingers op het blad om zijn evenwicht te bewaren. 'Zo,' zei hij stijfjes, 'ze zat dus in het léven.'

Morrow knikte, maar niet van harte.

'Dan kan het iedereen zijn,' zei hij schouderophalend.

24

Morrow leunde met haar achterste tegen de nog warme motor en keek op naar Glenarvon. Het was die dag wat helderder, en het huis zag er minder eng en vervaagd uit. Grijze steen glinsterde in het vlekkerige zonlicht. Het huis had iets stevigs en leek daardoor net een resolute bejaarde, deels speels, maar ook onverstoorbaar en welwillend.

Ze wilde even met niemand praten, en daarom had ze Leonard naar de dienstdoende agent gestuurd om hem te vragen wie er geweest waren en om zijn bezoekerslijst in te zien. Wat er ook speelde op de afdeling, Leonard werd erbuiten gehouden, en Morrow merkte dat ze zich tot haar gezelschap voelde aangetrokken, tot die balsem van neutraliteit. En nu stond ze met haar gezicht naar het huis, en nadat ze haar hoofd leeg had gemaakt, liep ze naar de trap en klom naar boven, waarbij ze haar indrukken van de eerste keer willekeurig liet binnenstromen. Ze moest Sarah leren kennen, maar die ontglipte haar. Bannerman had voor de volgende dag een vlucht naar Londen voor haar geboekt, om de mensen van de bar waar Sarah gewerkt had te ondervragen, om een beter beeld van haar te krijgen en om haar sociale gegevens te achterhalen. Ze moest weten wat voor iemand ze was.

Verzorgers die kwamen en gingen, via de voordeur, altijd via de voordeur. Niemand had een sleutel, want Kay Murray was er altijd om ze binnen te laten. Ze had lange dagen gemaakt, dat stond vast. Morrow was blij dat Kay een sleutel had: dat maakte het minder aannemelijk dat ze iets te maken had met de inbraak via het keukenraam.

De deur stond open en terwijl ze naar binnen liep, hoorde ze Leonard vragen of Kay Murray nog geweest was, waarop ze een ontkennend antwoord kreeg. Morrow zou haar weer moeten opzoeken.

Een donker portaal, geen koffer meer, maar het jasje hing er nog. Een donker portaal, de schoenen, de ene overeind, de andere op zijn kant. Een nog donkerder hal, imposant. Door de boog naar de trap. Haar schouders kropen naar haar oren toen ze terugdacht aan Sarahs lichaam. De opgedroogde, zwarte, bloederige afdruk van de smeerboel die van haar restte lag er nog, op de vloer en tot op de tweede tree, alsof hij naar boven wilde kruipen om zich daar te verbergen.

Ze wierp een blik opzij. Daar had de tasertelefoon gelegen, maar terwijl ze het dacht wist ze dat ze niet naar de trap probeerde te kijken.

Ze wendde haar hoofd opzettelijk af.

Het bloed op de rand van de treden was nog rood en kleverig, maar de spatten die langs de zijkant naar beneden liepen, waren zwart opgedroogd. Twee stel, het ene iets groter dan het andere, en beide waren ze nu naar haar toe gericht. De kleinere afdrukken waren dichter bij het zwarte gat waar Sarahs hoofd had gelegen. Ze waren er voortdurend dichterbij. De grotere voeten hadden iets verder op de tree afdrukken achtergelaten, op enige afstand van Sarah.

Morrow deed een stap terug. Ze stonden naast haar hoofd, onmiskenbaar. Op een van de treden zag ze alleen de linkervoet van het kleinste stel – iemand had op één voet gestaan, heel dicht bij Sarahs hoofd.

Met de andere voet had hij op haar gestampt.

Ze keek naar de voetafdrukken en in haar verbeelding zag ze de mensen staan die ze hadden achtergelaten, met hun armen langs hun zij, even wezenloos als mannen in een confrontatierij. Ze zouden ieder apart verhoord worden. Ze zouden de schuld op elkaar schuiven, dat deden ze altijd. Het maakte niet uit, ze werden toch allebei veroordeeld, maar misschien zou een van hen deze keer de waarheid spreken als hij zei dat hij onschuldig was.

Ze liep naar buiten voor wat frisse lucht en trof Leonard op de trap. 'Waar heeft Kay Murray gisteren gewerkt?'

Morrow bleef even bij het hek staan om op adem te komen. Het was een prachtige tuin. Het terrein voor het huis was een zee van aangeharkt wit grind, met een pad van stapstenen dat in een boog naar de voordeur liep. In de borders groeiden felgekleurde bloemen, roze en blauw, die over de bleke witmarmeren steentjes hingen. Een hoge schutting beschermde het huis tegen inkijk, maar werd aan het oog onttrokken door een latwerk met schitterende oranje bloemen.

In het rapport had Leonard het huis van mevrouw Thalaine 'dat oude stallenblok bij Glenarvon' genoemd. Nu ze ernaar keek zag Morrow een deel van het pad naar het grote huis, een strook uitgesleten grond boven aan de heuvel achter de cottage.

Het leek niet meer op een stallencomplex, het zag eruit als een splinternieuw, witgekalkt huis, ontworpen alsof het op een pittoresk plaatje van een stallenblok moest lijken. Morrow opende het spijlenhek en hield het tegen voor Leonard, die achter haar aan kwam. Leonard was hier al eerder geweest en het leek verstandig om haar weer mee te nemen, zodat mevrouw Thalaine wist wie ze waren en ze hun tijd niet met beleefdheden hoefden te verdoen.

Morrow drukte op de bel.

Het bleef even stil en toen werd de deur opengedaan door een slanke vrouw: het was een keurige vrouw, met blonde plukken in haar grijze haar, gekleed in een beige pantalon en een bijpassende Stone Island-trui, met een blauwzijden halsdoekje losjes in de ronde hals. Ze keek hen over haar halvemaanvormige leesbril aan en herkende Tamsin Leonard.

'Hallo, daar bent u weer!'

Beleefdheden werden overgeslagen. Leonard had beloofd dat ze terug zou komen om de nerveuze mevrouw Thalaine te vertellen of er een moordenaar in het dorp rondsloop en of zij en haar man elders onderdak moesten zoeken. Ze wilde met alle geweld weten of dit het geval was, en bood geen thee, koffie of een schaaltje lekkere koekjes aan, maar liet hen in de zitkamer plaatsnemen en ondervroeg hen over de stand van zaken rond het onderzoek.

'Nog niemand gepakt?'

'Nee,' zei Morrow gedecideerd. 'We zijn ervan overtuigd dat Sarahs dood het gevolg was van een persoonlijke kwestie en dat er geen gevaar meer dreigt.'

'Dus het heeft niks met mij te maken?'

'Nee.'

'Oké.' Even leek ze opgelucht, maar toen bedacht ze iets. 'Waarom bent u dan teruggekomen?'

'Ik ben op zoek naar Kay Murray.'

Ze kneep haar ogen tot spleetjes. 'Kay?'

'Kent u haar?'

'Zeker ken ik haar. Ze is mijn poetsdame.' Ze liet een nerveus giecheltje horen. Morrow weigerde terug te giechelen.

Ze keken elkaar even aan. Een vogel pikte in een voederbakje dat voor een raam hing – pik-pik.

'Kende u Sarah?'

Dit stond mevrouw Thalaine helemaal niet aan. Kennelijk besefte ze dat Morrow een ander soort politievrouw was, niet het aardige soort. Pik-pik-pik.

'Sarah is hier opgegroeid. Ze ging natuurlijk wel naar kostschool, en we zijn hier allemaal erg op onszelf, maar ze is in deze buurt opgegroeid.'

'Wat was ze voor iemand?'

'Ze was enig kind. Een verlegen meisje. Ze ging niet met de buurtkinderen om...'

'Wilde ze dat niet of mocht ze dat niet?'

'Tja, mijn kinderen werden wel uitgenodigd voor verjaarsfeestjes, maar we hadden altijd het gevoel dat ze niet echt welkom waren; eigenlijk waren ze er alleen ter opvulling. Mijn oudste zoon vond Sarah heel aardig. Hij zei dat ze grappig was. Ze deed haar nanny's altijd na. Die waren allemaal Frans. Ze maakte ze aan het lachen.'

'Het familiefortuin heeft onlangs een flinke deuk opgelopen, hè?'

'Ieders fortuin heeft onlangs een deuk opgelopen. Kijk maar naar iemand als Kay Murray, ik bedoel, mensen worden wanhopig, toch? Vier kinderen en geen man...'

'Heeft uw fortuin onlangs ook een deuk opgelopen?' vroeg Morrow bits.

Mevrouw Thalaine raakte haar halsdoekje even aan, ter hoogte van haar halsslagader. Ze opende haar mond, maar klapte hem meteen weer dicht. Pik-pik-pik en zwart vleugelgeklapper bij het raam toen de vogel verzadigd wegvloog.

Mevrouw Thalaine zoog haar longen vol. 'We hebben ons spaargeld in aandelen belegd, via een effectenbureau, AGI. Die hebben het kwijtgemaakt. Alles.'

'Hoeveel was het?'

Mevrouw Thalaine klopte weer tegen haar halsslagader. 'Zeshonderdduizend. Min of meer.'

Ze begon te huilen, maar weigerde eraan toe te geven. Haar lippen trilden, ze trok een zijden zakdoek uit haar mouw en depte er haar ooghoeken mee af in een poging haar make-up te redden.

Morrow zou zich schamen als ze het toegaf, maar het was ronduit saai om te zien. Thalaine zat te huilen om geld, terwijl de traptreden in Glenarvon bekleed waren met lappen uit Sarahs gezicht. Toen het gesnik en gehik wat afnam vroeg ze zachtjes: 'Is AGI het geld kwijtgeraakt?'

'Ja? Waar is het gebleven?' Ze zakte onderuit op haar stoel, alsof het haar allemaal te veel werd, en keek Morrow met koele blik aan. 'Hebt u énig idee wie dit gedaan heeft?'

'Wie kent u hier in het dorp?'

'De meeste oudere bewoners.'

'Is de plaatselijke bevolking redelijk gemengd?'

'Hoe bedoelt u?'

'Ouderen, gezinnen met kinderen?'

'Ja, behoorlijk gemengd.'

'Zijn er veel tieners?'

'Een stuk of wat.'

'Kent u mensen met kinderen in de tienerleeftijd?'

'De Campbells hebben twee dochters, van negentien en vijftien.'

'Geen jongens?'

Ze zweeg even en keek Morrow aan, en ergens wist ze dat die dit niet wilde horen. 'Kay Murray heeft drie jongens. Tieners.'

'Ik bedoelde hier in de buurt.'

Mevrouw Thalaine begon weer te huilen, en nu lieten haar tranen zich niet bedwingen. 'We gaan trouwens verhuizen!' Tussen de hortende uitroepen door drukte ze haar zakdoek tegen haar mond. 'We zullen ons familiehuis moeten verkopen en bij onze kinderen intrekken. We hebben hier tweeëndertig jaar gewoond. En nu moeten we bij onze kinderen gaan wonen.'

Het speet Morrow dat ze zo geringschattend over haar verlies had gedacht. Ze stak haar hand uit en raakte haar arm aan, om zich te verontschuldigen voor al het onaardigs waaraan ze zich in gedachten schuldig had gemaakt.

25

Kay schepte net aardappelen met gehakt op, toen de bel ging. Ze trok een scheef gezicht. John verwachtte zijn vriend Robbie. Robbie had de schuldbewuste blik van een jongen die voortdurend zat te rukken, en waarschijnlijk niet bij normale dingen. John had haar vanavond al drie keer verteld dat Robbie langskwam om samen huiswerk te maken, en dat zei haar genoeg. Maar zolang ze in huis rondhingen kon ze af en toe de slaapkamerdeur opendoen en onaangekondigd naar binnen lopen. Robbies broer had een enkelband omdat hij gevochten had. Een lekkere familie.

'John!' riep ze toen de bel weer ging.

Hij kwam zijn kamer uit, met een paranoïde blik in zijn ogen en zag haar staan met de grote gehaktpan boven de borden. Opeens vroeg ze zich bezorgd af of hij veel blowde, en ze nam zich voor haar neus goed open te zetten.

'De bel. Dat zou Robbie weleens kunnen zijn.'

John nam de hoorn van de haak en keerde haar zijn rug toe. 'Hallo?'

Degene aan de andere kant van de lijn was te lang aan het woord om de zwijgzame Robbie te kunnen zijn. Of misschien was hij zich aan het verontschuldigen. John drukte op de knop voor de deur in de hal en hing op.

'Komt hij niet boven?'

'Wat?'

'Komt Robbie boven?' vroeg ze nadrukkelijk, en ze knikte naar de gehaktpan. 'Wil hij soms mee-eten?'

John keek wazig. 'Nee, het is de politie.'

'De politie? Alweer?'

'Ze willen jou spreken.' Hij stopte zijn T-shirt achter in zijn spijkerbroek, alsof hij een wapen droeg, en liep weg.

Snel schepte Kay met een soeplepel gehakt op alle vijf de borden, waarna ze de gekookte aardappelen en bonen opdiende. Ze kneep net een dot tomatenketchup op vier van de borden, toen er een paar keer achter elkaar op het ruitje van de voordeur werd getikt.

Ze liep de gang op, bonsde op Maries deur en deed die open. 'Hé!' klonk het verontwaardigd.

Ze zag twee vertekende gezichten achter het matglas van de deur, en in geen van beide herkende ze Alex. De een was keurig gekapt, kleiner dan de ander en keek de galerij in, terwijl de ander strak naar het glas tuurde alsof hij erdoorheen kon kijken.

'Het eten staat klaar!' riep Kay, en terwijl ze de gang door liep, hield ze de voordeur in de gaten. 'Geen ketchup.'

'Ik heb geen...'

'Geen gezeik, Marie.'

Ze had haast en zonder aan te kloppen deed ze de deur van Joe en Frankies kamer open. 'Eten staat klaar.' Ze hoorde hen in beweging komen en zich brommend van hun bedden overeind hijsen. Ze opende Johns deur en riep: 'Gehakt!' boven het lawaai van zijn stereo uit.

De politie zag haar rondlopen. De kleinste wilde alweer aankloppen, maar Kay deed open voor de hand de deur had aangeraakt.

'Ja?' zei ze.

Een man en een vrouw. De man had een mondje dat te klein was voor zijn gezicht, en springerig donker haar. Ze herkende de vrouw van de vorige dag bij mevrouw Thalaine. Ze was klein en donker en had een grote haakneus, maar nu ze bij Kays voordeur stond, leek ze anders, vertrouwd, als een vrouw met wie ze vriendinnen zou kunnen zijn.

Ze stelden zich voor – de man, Harris, was nieuw voor haar, maar Leonard stak haar glimlachend haar mooie handje toe – en vroegen of ze binnen mochten komen, want ze wilden haar spreken over Sarah Erroll.

Kay zuchtte. Ze hield met gestrekte arm de deur vast om hun de toegang tot de gang te versperren, draaide zich geërgerd om en riep naar de kinderen: 'Het éten staat klaar!'

Joe riep dat hij eraan kwam en Marie verscheen met een nijdig gezicht in de deuropening van haar slaapkamer. Kay wees naar de keuken. 'Je eten staat daar koud te worden.'

'Ik heb geen trek,' snauwde Marie.

Joe en Frankie haastten zich hun kamer uit en knikten bij wijze van groet naar de politie. Ook John kwam naar buiten, maar hij negeerde hen en hield zijn hoofd schuin naar beneden zodat zijn gezicht schuilging achter de klep van zijn honkbalpet.

'Later krijg je niks meer, Marie,' zei Kay, onredelijk kwaad van schaamte omdat Marie zo brutaal deed. 'Denk maar niet dat je je eten kunt overslaan en dan de hele avond troep mag eten.'

Marie ging haar kamer in en sloeg de deur zo hard dicht dat hij weer openvloog en ze als een goochelaarsassistente opeens weer verscheen. Diep vernederd duwde ze hem met beide handen dicht. Joe en Frankie zagen het toen ze met hun bord in de hand terugkwamen uit de keuken, en ze lachten beminnelijk naar haar.

Opeens was alle fut uit Kay verdwenen, zoals dat soms gebeurde aan het einde van een dag. Ze keerde zich weer naar de politiemensen toe...

'Bedankt, mam,' riep Joe achter haar rug, en gelijk was ze weer wat milder gestemd.

Ze leunde tegen de deurpost. 'Wat komen jullie doen?'

De man, Harris, maakte een wapperend gebaar in de richting van de woonkamer. 'We willen graag binnenkomen.'

Weifelend zoog Kay de lucht tussen haar tanden door. Net nu ze even tijd voor zichzelf had, een uurtje of zo, nu ze alleen maar wat hoefde te strijken en te roken en tv te kijken, en hooguit haar hoofd om de deur van Johns kamer hoefde te steken als ze naar de wc ging.

Maar ze waren van de politie. Ze deed een stap terug en gebaarde naar de woonkamer. Ze liet hen binnen, maar ging zelf naar de keuken, pakte haar bord en nam het mee naar de kamer. Ze was niet van plan haar eten koud te laten worden terwijl ze hun thee aanbood, zei ze tegen zichzelf. Echt niet.

De vrouw zat in de leunstoel, met om zich heen Kays biertje, haar sigaretten en haar aansteker.

'Dat is mijn stoel.'

De vrouw keek vragend naar de man. Hij gaf een bevestigend knikje: ga maar ergens anders zitten. Ze waren nog erger dan die stomme kinderen. Leonard schuifelde om de alles dominerende strijkplank heen naar de bank, en Kay ging op haar stoel zitten en zette haar bord op haar knieën.

De strijkplank, met daarop haar asbak en een half gestreken overhemd, stond nu tussen hen in en ze schoof hem voorzichtig met haar voet in de richting van de tv. *Hollyoaks* begon net.

Ze sneed een aardappel doormidden en keek de man aan. 'Waar gaat het over?'

Harris ging op de rand van de doorgezakte bank zitten. 'Goed, mevrouw Murray, zoals u weet is Sarah Erroll vermoord op de...'

Hij praatte door, maar Kays brein smachtte naar tv en in gedachten was ze bij de personages van *Hollyoaks* en vroeg ze zich af hoe het verderging.

'Zou u de tv willen uitzetten?' Kay keek Leonard aan. 'De afstandsbediening ligt op de strijkplank.'

Leonard stond op, pakte de afstandsbediening en schakelde het apparaat uit. Ze bleef nog even staan.

De man keek niet bepaald blij. Hij haalde adem en begon overnieuw. 'Waarom bent u vandaag niet naar Glenarvon gekomen?'

Had ze dat maar gedaan. Ze had het beloofd, maar ze kon de confrontatie met Alex niet aan. Ze was nog steeds kwaad omdat ze in haar eentje op bezoek was gekomen, en ze wist dat ze dit alles maar niks vond: het huis en dat ze nog steeds rookte.

Ze stopte een aardappel in haar mond en haalde haar schouders op. 'Moest dat dan?'

'Ja, dat moest. U zei dat u langs zou komen om te kijken of er iets ontbrak. U hebt dat tegen rechercheur Alex Morrow gezegd in aanwezigheid van rechercheur Wilder, en we zaten op u te wachten.'

Kay prikte een klontje gehakt aan haar vork, doopte het in de ketchup en stopte het in haar mond. Al kauwend keek ze hen aan. Ze hadden twee politiemensen gestuurd – in burger, dus met een hoger salaris – om haar op haar kop te geven omdat ze hen niet was komen helpen. Ze liet zich niet de les lezen en trok uitdagend haar wenkbrauwen op. 'Tja, de tijd vliegt. Wat willen jullie horen?' Ze keek van de een naar de ander. 'Moet ik soms sorry zeggen?'

Hij antwoordde niet. Hij stak zijn hand in zijn koffertje en onder het toeziend oog van de kauwende Kay haalde hij een pen en een klembord tevoorschijn. Het was hetzelfde klembordformulier dat ze bij mevrouw Thalaine hadden ingevuld. Het was vast een standaardformulier dat iedereen moest invullen.

'Wat is uw volledige naam?'

'Kay Angela Murray.'

'Burgerlijke staat?'

Kay keek naar haar bord. 'Ongehuwd.'

Hij vulde een deel van het formulier in zonder haar iets te vragen – ze zag dat hij het adres opschreef en haar leeftijd schatte op tussen de vijfenveertig en de zestig. Ze was achtendertig.

'Bent u altijd alleenstaand geweest?' Leonard glimlachte flauwtjes, niet onvriendelijk, maar wel vol medelijden.

'Hoe bedoelt u?'

'De kinderen...' Ze trok een treurig gezicht.

Kay keek haar strak aan. 'Die heb ik niet in mijn eentje verwekt, als u dat bedoelt.'

Leonard lachte plichtmatig. 'Het zal wel moeilijk zijn geweest...'

Kay had er schoon genoeg van op dat soort vragen in te gaan. Ze had er schoon genoeg van dat iedereen er maar van uitging dat ze het moeilijk had en dat ze ongelukkig was omdat ze toevallig geen man had die over de afstandsbediening ging en haar afsnauwde, maar ze zei niets.

Harris vroeg naar het nummer van haar mobiel en haar geboortedatum, en ze zag dat hij haar geschatte leeftijd corrigeerde.

'Zijn het allemaal uw kinderen?' Hij knikte in de richting van de slaapkamers.

Kay snoof, nog steeds gekwetst na de vernederende vertoning op de gang. 'U denkt toch niet dat ik andermans kinderen dat soort taal tegen me laat uitslaan?'

'Nee, ik bedoel: zijn er geen pleegkinderen bij of iets dergelijks?'

'Nee.'

'We hebben dus Marie; die is...?'

'Dertien. De jongste.' Hij schreef terwijl zij praatte. 'Dan komt John, van veertien. Dan Frankie en als laatste Joe; die zijn vijftien en zestien.'

'Een hele club.' Het stomme mens knikte meelevend.

Kay nam nog een hap. 'Hebt u kinderen?'

De vrouw schudde haar hoofd. Ze was begin dertig, schatte Kay, precies de goede leeftijd om in paniek te raken.

'U weet niet wat u mist,' zei Kay.

Dat werkte alleen bij mensen die geen kinderen hadden. De man had wel kinderen, dat was duidelijk. Hij keek sceptisch. 'U woont niet samen met hun vader?'

'Nee.'

'Hebt u contact met hem?'

'Nee.'

Hij hield haar blik vast, wilde haar laten toegeven dat er meer dan één vader in het spel was, maar daar stonk ze niet in. Het ging hem geen zak aan. Sarah Erroll was dood, zij niet. Ze richtte haar aandacht weer op haar bord.

'Mevrouw Murray, we zijn bezig met het onderzoek naar de moord op Sarah, zoals u weet, en alle verzorgsters die we hebben gesproken beweren dat u verantwoordelijk was voor het personeel in Glenarvon.'

'O?'

'Hoe kwam dat zo?'

Hij zei het alsof ze iets in haar schild voerde. 'Wat bedoelt u?'

'Tja,' zei hij glimlachend, 'bent u daarvoor gekwalificeerd?'

Kay likte een brandende veeg zurige ketchup van haar lippen. 'Nee, ik kon goed met Sarah opschieten en zij liet me voor haar moeder zorgen als ze weg was voor haar werk. Mevrouw Erroll en ik konden goed met elkaar.'

'Heeft Sarah u ooit verteld wat voor werk ze deed?'

Kay haalde haar schouders op; eigenlijk had ze zich dat nooit afgevraagd. Ze was ervan uitgegaan dat het iets technisch was wat ze toch niet zou snappen, en daarom had ze er niet naar gevraagd. 'Nee, nooit.'

Hij bestudeerde haar gezicht om te zien of ze de waarheid sprak, wat ze duidelijk beledigend vond, en daarom veranderde hij van onderwerp. 'In de keuken, die tafel in Sarahs keuken...'

Ze keken elkaar aan. Kennelijk verwachtte hij een antwoord. 'Is dat een vraag?'

'Is u er iets aan opgevallen?'

Ze dacht na. 'Of ik hem misschien niet schoon kon krijgen? Er zaten wel vlekken op. Wou u me dat vragen?'

'Dweilde u de keukenvloer weleens?'

'Soms.'

'En kwam u dan ook onder de tafel?'

Nu snapte ze het echt niet meer. 'Eh, zelf kroop ik niet onder de tafel, maar ik haalde er wel de dweil onderdoor als het nodig was. Zat er soms een luik onder of zo?'

Hij antwoordde niet. 'De kast in de grote hal is weg...'

'Die heeft Sarah verkocht.'

Hij schreef het op.

'Bij Christie's; ik meende dat het bij het veilinghuis Christie's was. Die naam stond op de zijkant van de vrachtwagen. Er waren vier man voor nodig om hem in te laden.'

'Heeft ze veel spullen uit het huis verkocht?'

'U hebt naar geroddel in het dorp geluisterd, hè? Ze waren kwaad omdat ze dingen verkocht, alsof het huis van hen was of zo, maar hebt u enig idee hoeveel het kost om zo'n lieve ouwe schat thuis te verplegen? Dat kost kapitalen.'

'Heeft ze veel spullen uit het huis verkocht?'

'Ja. Ze was trouwens toch van plan weg te gaan; zodra haar moeder er niet meer was, zou ze in New York gaan wonen. Ze zei dat ik dan op bezoek mocht komen.'

Hij keek verbaasd. 'Was u zo close met Sarah?'

Ze stoorde zich aan zijn verbaasde blik. 'Min of meer.' Maar ze waren niet close geweest. De uitnodiging was zonder enige betekenis; Sarah zat er niet echt op te wachten dat Kay in haar schoonmaakschort in New York neerstreek.

'Wat voor iemand was Sarah, volgens u?'

'Ze was goed voor haar moeder,' zei Kay schouderophalend.

'Was ze aardig?'

Daar had ze nog nooit over nagedacht, en ze aarzelde. 'Ze zorgde voor haar. Ze spendeerde heel veel geld dat ze niet had aan de zorg voor haar moeder.'

Hij bleef aandringen. 'Was ze slim? Had ze verdriet om haar moeder? Was ze eenzaam?'

'Ik zou het niet weten.' Kay had geen tijd om over het leven van anderen te speculeren. 'Ik neem mensen zoals ze zijn. Ik ging graag met haar om. Ze was rustig. We hadden het alleen over Joy, wat ze had gegeten, wanneer ze had geslapen.'

'Mist u het geld niet?'

'Natuurlijk. Maar ik zou het nog voor niks hebben gedaan. Mevrouw Erroll en ik...' Ze schoof het eten over haar bord. 'Mijn beste vriendin ooit.'

'Was ze niet verward?'

'O, ja hoor.' Weer voelde ze die steek van verlies. 'Maar als je verward bent, valt er ook een heleboel onzin van je af. Al die verhalen over hoe fantastisch je bent, en waar je overal geweest bent: dat soort dingen wist ze niet meer. Ze wás er gewoon. En ze was een schat.'

Ze keek naar haar half leeggegeten bord. Bij de gedachte aan Joy kreeg ze een brok in haar keel, en ze kon niet meer slikken. Ze zette haar bord naast haar stoel en pakte haar glas. Op de gang ging de bel kort over, en ze hoorde John zijn kamer uit sloffen, de hoorn opnemen, gniffelend iets zeggen en op de knop voor de voordeur drukken.

'Hm.' Harris keek naar zijn formulier. 'Een paar verzorgsters die we ondervraagd hebben zeiden dat u ze ontslagen had.'

'Wie dan? Zeker die Anne Marie Dinges en nog iemand, zo'n magere meid?'

Zijn blik verried niets.

'Anne Marie was een lui, chagrijnig wijf, en dat magere grietje kwam elke dag te laat. Dat kan gewoon niet, dat mensen niet op komen dagen. Joy kon nog geen minuut alleen zijn. Als het haar zo uitkwam, kon ze nog lopen, en het huis lag vol troep waarover ze kon struikelen. En dan heb je die steile helling op nog geen vijftien meter van het huis. Stel dat ze naar buiten ging...'

'Had Sarah waardevolle spullen in huis?'

'Niet dat ik weet.'

'Hm.' Hij knikte, alsof dit belangrijk was.

Robbie was nu bij de voordeur aangekomen; ze hoorde hem en John fluisteren op de gang. Het liefst was ze erop afgestapt en had ze tegen dat lulletje rozenwater gezegd dat-ie kon opsodemieteren naar zijn eigen huis.

Harris zag dat haar aandacht op de gang was gericht, en hij gaf een knik in die richting. 'Die dozen op de gang, waar zijn die van?'

Kay hief haar glas en terwijl ze een slok nam, keek ze hem dreigend over de rand aan. Toen ze klaar was, zette ze het glas weer neer. 'Waar denkt u dat die van zijn?'

'Ik weet het niet. Als u het nou eens vertelt.'

'U denkt zeker dat ze gestolen zijn, hè? Dat ik een dief ben. Dat het al zo erg met me gesteld is dat ik lege dozen moet jatten.'

Hij knipperde traag met zijn ogen. 'Waarom vertelt u me niet waar ze vandaan komen?'

'Omdat het beledigend is zoals u zit te zinspelen. Waarom vraag u Alex Morrow niet wat ik gezegd heb toen zíj naar die stomme dozen vroeg?'

Kay zag hem op zijn klembord kijken en besefte dat hij niet wist dat Alex hier was geweest, in haar eentje. Ze had haar niet willen verraden. Principes waren principes, en het ging er niet om hoe aardig je degene vond op wie je ze toepaste. Maar hij was slim, en nu wist hij het.

Buiten op de gang deed John zijn slaapkamerdeur met een harde klap dicht. Kay stond abrupt op. 'Zou u nu willen vertrekken? Als u het niet erg vindt.'

Ze liep de gang op, boog zich naar Johns deur toe en duwde die wijd open. 'Heb je je eten al op?'

Het bleef even stil, waarna Johns stem klonk, schuldbewust en lijzig: 'M'n bord is leeg!'

'Breng het dan naar de keuken en was het af.' Ze wierp een blik in de keuken. Maries eten stond onaangeroerd te verglazen op haar bord.

De politiemensen waren nu in de gang, en de man, Harris, stopte zijn klembord weer in zijn tas. Joe en Frankie kwamen hun kamer uit; Joe droeg de opgestapelde borden en het bestek. Tot haar schaamte zag ze dat het bovenste bord was schoongelikt; langs de rand liepen grote vegen van een tong, en ze zag beide politiemensen een kritische blik op de jongens werpen, alsof ze hun de maat namen.

'Nou, moeder,' zei Joe, zich nergens van bewust, 'de zoveelste culinaire triomf! Gaan jullie er weer vandoor?'

Harris bracht niet eens de beleefdheid op Joe aan kijken toen hij iets tegen hem zei. Zijn blik schoot van Joe naar Frankie. 'We zullen u nog een keer moeten spreken.'

'Prima,' zei Kay, die hem wel kon wurgen om de keurende blik waarmee hij haar jongens opnam. Ze pakte hem bij zijn elleboog en dirigeerde hem met zachte hand naar de deur. 'U roept maar.'

Ze deed de deur achter hen dicht en zag door het glas dat ze nog even bleven staan, zonder iets te zeggen. Toen liepen ze weg, en ze wachtte tot ze de liftdeuren hoorde openen en sluiten.

Vanuit haar ooghoek zag ze Johns slaapkamerdeur heel langzaam dichtzwaaien.

Woedend liep ze eropaf en gaf er zo'n harde trap tegenaan dat hij tegen de muur knalde en terugstuiterde. 'Ik weet wel wat jullie daar uitspoken,' beet ze hun toe.

Joe stond achter haar. 'Laat hem toch lekker rukken, mam, het is gewoon de natuur.'

Frankie begon luid te lachen. Ze hoorde zelfs Marie lachen in haar kamer. Dat had ze al maanden niet gehoord.

Morrow en McCarthy wisten niet of de hotelmanager hen zag, maar zij zagen hem wel heel duidelijk: een magere, kille man, met een iets te zorgvuldig ingestudeerde gedienstigheid. Met lege blik staarde hij in de webcam, roerloos, alsof hij in de nekklem van een negentiende-eeuwse fotograaf zat. Terwijl hij hun vragen over Sarah Erroll beantwoordde, knipperde hij nauwelijks met zijn ogen, en hij maakte een hooghartige, geïrriteerde indruk. Morrow hoopte dat hij haar niet al te goed kon zien, want ze was bang dat ze de toets niet zou doorstaan.

Morrow en McCarthy moesten heel langzaam praten, anders werd het accent een probleem; ze ontdeden hun taal van Schotse woorden en probeerden de 't' goed uit te spreken. Morrow voelde zich behoorlijk belachelijk. 'WaT kunt u ons vertellen over SarAh EErroLL?'

Hij sprak zonder enige aarzeling, alsof hij een monoloog oplas van een autocue: Sarah Erroll was heel vaak te gast geweest in het hotel. Ze was altijd een zeer aangename gast geweest. Nee, er was niets wat erop had geduid dat ze zich met prostitutie inliet. Ze sprak altijd af met dezelfde heer als ze hier kwam. Soms bleef hij overnachten.

'Juist ja,' zei Morrow langzaam, en ze koos haar woorden met zorg. 'Met "overnachten" bedoelt u dat ze bij elkaar sliepen?'

'Dat lijkt me waarschijnlijk.'

'Kende u die man?'

De manager lachte zelfgenoegzaam, maar eigenlijk leek hij een beetje beledigd. 'De heer in kwestie noemde zich "Sal Anders". Dat was níét zijn echte naam.'

Hij zweeg om haar de gelegenheid te geven een vraag te stellen, wat haar lichtelijk irriteerde. 'Wat was dan wel zijn echte naam?'

'Lars Anderson,' zei hij met een afkeurend knikje. 'Dat kan ik u nu wel vertellen, want de heer in kwestie is heengegaan.'

'Hoezo heengegaan?'

Hij keek verward. 'Eh, meneer Anderson is overleden.'

'Wanneer?'

'Deze week?' Zijn ongeloof was tastbaar, ook al zat er een oceaan tussen. 'Het verhaal heeft hier in alle kranten gestaan. Ik meen dat het in Engeland gebeurd is.'

'Was hij beroemd?'

'Heel beroemd.' Hij zweeg even. 'Hier. Hij is in Éngeland gestorven.'

'Ja, en wij zitten in Schótland. Schotland is een heel ander land dan Engeland, dus misschien is het hier een minder spectaculair verhaal.'

Nu was hij in zijn intelligentie aangetast; de manager knipperde met zijn ogen en nam weer het woord, op precies dezelfde toon als eerst. 'Daar ben ik me van bewust. Toch ís het een spectaculair verhaal; hebt u er echt niet over gelezen? Allied Global Investments? Miljardenverliezen? Lars Anderson?'

Morrow dacht dat ze er iets over gehoord had, maar voor de zekerheid keek ze McCarthy aan. 'Gaat het over die financiënman?' raadde hij.

'De spil van het financiële schandaal,' zei de manager knikkend. 'Hij heeft zich twee dagen geleden opgehangen. Hier gaat trouwens het gerucht dat de Britse pers foto's van hem heeft gepubliceerd waarop hij aan een touw bungelt. Dat soort media hebben we hier niet. Het is heel anders...'

Morrow vroeg hoe hij wist dat de man in het echt Lars Anderson heette; had hij soms een creditcard of iets dergelijks gezien? De hotelmanager ging verzitten en zei dat het zijn taak was om dat soort zaken te weten.

'Maar hebt u bewijs dat hij het was?'

'Ik heb creditcardbonnetjes van de hotelwinkel.'

'Op zijn echte naam?'

'Ja.'

'Waarom zou hij bij het inchecken een andere naam gebruiken, en dan met zijn eigen creditcard betalen?'

Nu keek hij heel schalks. 'Ik geloof niet dat de heer in kwestie met alle geweld zijn identiteit geheim wilde houden. Volgens mij was het iets symbolisch. Om ons te laten weten dat we discreet moesten zijn.'

Opeens wist McCarthy het weer en hij ging rechtop zitten. 'O ja, hij was toch getrouwd?'

'Dat meen ik wel...'

Morrow begon zijn verklaring samen te vatten om er zeker van te zijn dat ze het goed hadden begrepen, zodat ze het konden opschrijven en naar hem faxen ter bevestiging: Sarah en Lars Anderson hadden een relatie... Nee. Hij onderbrak haar. Het was geen liefdesrelatie. Ze gingen wel met elkaar naar bed, maar het was geen liefdesrelatie. Hij kocht een cadeautje voor haar in de hotelwinkel: een armband. Een minnaar doet dat niet. Een hotelcadeautje betekende dat hij aan haar dacht toen hij het hotel binnenging, niet dat hij aan haar had gedacht toen hij niet bij haar was. Misschien was hij vergeetachtig, opperde Morrow. Zijn gezicht bleef onbewogen. Hoe wist hij dat de armband voor Sarah was? Weer dat zelfgenoegzame lachje, en deze keer was hij wel degelijk geamuseerd, want Sarah had de armband bij wijze van fooi aan het kamermeisje gegeven.

'Dus wat voor relatie was het eigenlijk? Onstuimig?'

'Mogelijk, het was een soort overeenkomst...' meende hij.

Morrow kreeg genoeg van hem en zijn subtiele sociale nuances. 'Wat betekent dat nou weer?'

De manager knipperde langzaam met zijn ogen; hij begon ook genoeg van haar te krijgen. 'Ze gebruikten elkaar.'

'Oké.' Morrow stond op. 'Mijn collega zal samen met u uw verklaring samenvatten, en dan faxt hij die zodat u het verhaal kunt ondertekenen.'

Zonder te groeten kwam ze overeind en vertrok naar de recherchekamer.

Routher stond over iemands schouder te kijken naar wat hij deed. 'Jij,' zei ze. 'Zoek de kranten eens door op deze naam.' Ze schreef 'Lars Anderson' op een stukje papier en stak het hem toe. 'Ik wil over twintig minuten een uitdraai.' Hij nam het aan.

Ze ging haar kamer binnen. Nog geen tien minuten later klopte Routher aan en kwam binnen met de krant van die dag en uitdraaien die nog warm waren van de printer.

'Ik heb dat verhaal gevolgd,' zei Routher opgewonden. 'Dat was me toch een bandiet.'

Morrow knikte en deed alsof ze over Anderson gehoord had, maar ze was niet zo'n krantenlezer.

'Ziet u? Net als met "hier" en "hieg"? "Lars" klinkt als "laars".'

Ze keek hem aan. Hij had gelijk. 'Mooi. Jij bent het zout in de pap tenminste waard.'

Routher glimlachte, en wilde weggaan.

'Kom eens terug,' zei ze. 'Doe de deur dicht.'

Achterdochtig deed hij wat ze vroeg en kwam naar haar toe.

'Vertel eens.' Ze knikte naar de deur achter hem. 'Wat is er aan de hand?'

'Hoezo?' vroeg hij stijfjes.

'Wat voeren jullie in je schild?'

Zijn kin trilde en het zweet brak hem uit.

'Routher,' zei ze zachtjes, 'als een gezicht zich kon onderschijten zou de stront nu over je wangen lopen.'

Hij vond het niet grappig. Zo te zien kon hij elk moment in tranen uitbarsten.

'Opzouten,' zei ze.

Hij maakte zich uit de voeten en trok de deur achter zich dicht. Nu ging hij ze vast vertellen dat ze wist dat er iets speelde, en misschien leverde dat iets op.

Morrow richtte haar aandacht op het eerste artikel. Ze was geschokt toen ze de voorpagina zag, waarop hij aan een boom bungelde – ze wist niet dat dergelijke dingen gedrukt mochten worden. Wel kende ze de regel over het rapporteren van zelfmoorden, namelijk dat je er over het algemeen geen ruchtbaarheid aan gaf, omdat het copycatgedrag uitlokte.

Samengevat kwam het er in de artikelen op neer dat Lars Anderson een bankier uit de City was die het mikpunt was geworden van een haatcampagne in de pers. In de *Sunday Times* werden zijn zwendelpraktijken uitgelegd, maar zelfs na drie keer lezen snapte ze nog niet hoe hij het voor elkaar had gekregen zoveel geld te verliezen: het liep in de miljarden. Wat ze eruit opmaakte was dat hij mensen hypotheken had verstrekt tegen een rente die ze niet konden opbrengen, maar ze begreep niet echt waarom hij daardoor zo'n schurk was. Ze vond dat de mensen die de hypotheken namen wel even hadden kunnen controleren of ze zich die konden veroorloven.

Wat hij ook allemaal had gedaan, hij had er heel veel geld mee verdiend. Zijn huis in Kent was vanuit de lucht en vanaf de grond gefotografeerd. Er waren luchtfoto's van zijn vakantiehuis in Zuid-Afrika, en makelaarsfoto's van het interieur. Het zag er niet echt mooi uit. Er waren ook foto's van zijn vrouw: achter het stuur, lopend, maar altijd met een zonnebril op, angstig maar tot in de puntjes verzorgd.

Telkens weer stuitte ze op dezelfde foto van Lars. Ze vroeg zich af waarom. Er waren er een paar waarop hij een auto in dook, of uit een kantoor kwam met voor zijn gezicht een hand of een opgerolde krant. Maar de geposeerde foto bezat glamour.

Op de foto stond een man met zilvergrijs haar en een hoog voorhoofd voor een bemande helikopter. Zijn jas hing open, hij had een koffertje bij zich en keek alsof hij even was blijven staan voor een kiekje voor hij in de helikopter stapte op weg naar iets belangrijks. Het was een met zorg geregisseerde foto, hij was met zorg in een bepaalde pose geplaatst en opgemaakt, maar zijn buikje en aardbeienneus waren niet helemaal weggewerkt. Lars keek recht in de camera, met een hautaine, boosaardige blik. De meeste mensen zouden hebben gelachen, een vriendelijk gezicht hebben getrokken, maar dit was het beeld dat hij de wereld in wilde sturen. Dat vond ze veelzeggend. De kranten leken diep onder de indruk te zijn en gaven gedetailleerde beschrijvingen van zijn rijkdom en bezittingen.

Volgens de artikelen had het antifraudebureau in afwachting van het onderzoek AGI en zijn persoonlijke bankrekeningen bevroren. Mevrouw Thalaine had zich iets over AGI laten ontvallen, daar had ze die naam eerder gehoord. Twee dagen geleden was Anderson de rechtbank uitgelopen nadat hem de licentie was ontnomen om ooit weer een functie in een naamloze vennootschap te bekleden. Een onderzoek van het antifraudebureau betekende dat hij in geen enkele hoedanigheid meer actief zou kunnen zijn. Hij was rechtstreeks naar huis gegaan en had zich opgehangen. Vier uur voor Sarah Erroll werd vermoord, werd hij gevonden.

Ze klikte op de *thumbnails* van Sarahs iPhone, en op de foto's van New York herkende ze de man met het zilvergrijze haar. De beelden waren wazig, maar als ze haar ogen half dichtkneep zag ze dat het Lars Anderson was.

Ze pakte haar telefoon, koos een buitenlijn en belde het antifraudebureau in Londen. Gesloten. Volgens het ingesproken bericht gingen ze om kwart over vijf dicht. Dat waren nog eens mooie diensten.

Er klonk een scherpe, vertrouwde klop.

'Kom binnen, Harris.'

Hij stak zijn hoofd om de deur.

'Harris, zin om morgen naar Londen te gaan? Ik heb geprobeerd een afspraak te maken met het antifraudebureau, maar dat is dicht.'

Hij keek opgewonden, en hij had zijn jas nog aan. 'Kay Murray heeft antiek in huis, volgens Leonard is het een hoop geld waard, zeldzame dingen, en haar kinderen dragen identieke zwarte suède sportschoenen. Ze is zo vijandig als de pest. We moeten haar hiernaartoe halen.'

26

Morrow zat op haar kamer en beet nerveus op een randje rauwe huid aan de zijkant van haar mond. Ze had een voorgevoel dat er iets vreselijks uit het verhoor van Kay zou voortvloeien, iets vermoeiends en treurigs, en dat het haar altijd zou bijblijven.

De zaken die Morrow uit haar slaap hielden, zodat ze met brandende ogen naar het donker lag te knipperen, waren niet de bloederige zaken, niet de wrede zaken, de uitgestoken ogen, gebroken vingers of mishandelde kinderen. Wat haar bijbleef waren de zaken waarin alles onvermijdelijk leek, zaken die haar deden twijfelen aan de mogelijkheid van gerechtigheid, aan de waarde van wat ze deden. De zaak-Sarah Erroll begon al aardig die kant op te gaan.

Ze stond op en schudde het beklemmende gevoel van zich af. Ze deed de deur open en bleef even voor de recherchekamer staan. Ze waren wat rustiger nu ze meenden dat het einde in zicht was. De foto's van de plaats delict stonden niet langer in het brandpunt van ieders aandacht, en niemand meed ze. Ze dachten dat ze het opgelost hadden.

Bannermans deur stond op een kier. Ze klopte aan en stak haar hoofd om de hoek voor hij kon vragen wie het was, en tot haar verbazing trof ze hem in gesprek met hun baas, McKechnie. Morrow wist niet eens dat hij in het gebouw was.

McKechnie was een procedurefanaat van de oude stempel. Een politicus, met dikke pens en kleine kin.

Bannerman zat grijnzend over zijn bureau gebogen, en McKechnie leunde zelfgenoegzaam en met zijn handen op zijn buik achterover op de harde stoel. Ze hadden altijd al een band gehad. McKechnie had hem naar voren geschoven, en nu was hij hier om met eigen ogen te zien hoe zijn wonderkind zijn slag sloeg.

'Sir.' Ze knikte.

'Goed werk, Morrow.' Hij keek naar Bannerman voor bevestiging.

Bannerman glimlachte bemoedigend. 'Heel goed werk. Morgen heb ik Harris nodig.'

Harris' vliegreis naar Londen was al geboekt, en het ticket was niet overdraagbaar.

'Maar we zijn er alleen 's ochtends; halverwege de middag zijn we weer terug.'

'Ik heb hem morgenochtend nodig. Neem Wilder maar mee.'

Bannerman hield haar bij Harris weg, probeerde hem te isoleren. En nu zei hij het waar de baas bij zat, zodat ze niet kon protesteren, want elke klacht van haar kant zou haar in het kamp van de opstandelingen doen belanden. Zonder ophef of waarschuwing was de oorlog begonnen.

'Goed,' zei ze, en met een blik snoerde ze hem de mond. 'Ik ben trouwens niet bij de verhoren.'

Bannerman knikte. 'Ik heb al uitgelegd dat je de verdachte kent.'

'Nee, eh' – Morrow klemde zich vast aan de rand van de deur – 'Murray is trouwens géén verdachte.'

Bannerman knikte toegeeflijk. 'Je hebt gelijk: de moeder van de verdachten. Hoewel' – nu keek hij McKechnie aan – 'ze een verdachte zou kunnen zijn. Dat zien we wel als we zover zijn.'

'Zitten de jongens achter?'

'Ja, we hebben hun schoenen opgestuurd en al het antiek meegenomen dat ze thuis had rondslingeren.' Tegen McKechnie zei hij: 'Een van onze nieuwe rekruten zag het tijdens een routinebezoek.'

Hij klonk alsof ze daar het complete British Museum hadden

aangetroffen. Zoveel antiek had Morrow nou ook weer niet in het huis gezien. 'Wat was er allemaal?'

Bannerman schoof een bundel kleurenfoto's op kopieerpapier over zijn bureau naar haar toe. Ze stapte de kamer in en bladerde ze door.

De inkt was wat uitgelopen. Doordat de voorwerpen waren afgebeeld met een liniaal en een nummer ernaast leek het alsof ze gestolen waren.

Het eerste voorwerp was een zilveren eierdopje. Het was boven op een keukenkastje gevonden, bedekt met vettig stof. Ze kon de haartjes die aan de bovenrand kleefden nog zien.

Het volgende was een art-decohorloge met een rechthoekige wijzerplaat en bezet met diamantjes.

'Dat zat in een sok onder haar bed,' zei Bannerman tegen McKechnie, en zo bracht hij Morrow bij de volgende foto: de vindplaats. Onder het bed lag een dikke laag stof. Het marineblauwe tapijt was bezaaid met allerlei losse voorwerpen: een panty die tot twee donuts was opgerold, een doosje waarin een gloeilamp had gezeten, een glamourblad. De oranje sok lag naast de plint.

Verder was er een kom die aan de buitenkant geëmailleerd was. Hij was op de strijkplank aangetroffen, en op de foto stond hij naast een bruine schroeiplek in een bont bloemenpatroon. Kay had hem als asbak gebruikt. Een vluchtige zoektocht op internet deed vermoeden dat hij duizenden ponden waard was.

'Zoveel is er nou ook weer niet,' zei Morrow wat knorrig.

De mannen zwegen, maar ze wist wat ze over haar dachten. Het maakte haar niet uit. Ze had toch al nooit het gevoel gehad dat ze haar zagen zitten, en bovendien was ze hier binnenkort weg. Troost zoekend liet ze haar hand naar haar buik afdwalen, maar ze bedacht zich en liet hem langs haar zij vallen.

Bannerman was zo beleefd van onderwerp te veranderen. 'Oké?' zei hij terwijl hij McKechnie aankeek.

McKechnie glimlachte naar zijn protegé. 'Als jij zover bent.'

Ze stonden op en liepen langs haar de kamer uit: McKechnie blij omdat een zaak die veel publiciteit trok bijna was afgerond, en Bannerman omdat hij de afronder mocht zijn. Morrow volgde hen op enige afstand.

In de observatiekamer stond een rijtje stoelen opgesteld, vier in totaal. McKechnie ging op een van de middelste zitten.

'Sir, dit is rechercheur Tamsin Leonard. Zij heeft de asbak gevonden die tot de huiszoeking heeft geleid.'

Morrow was laaiend op Leonard. Dat was niet terecht: Leonard had de kom alleen maar gezien, ze had hem daar niet neergezet, maar toch was ze kwaad. Bij wijze van overcompensatie gaf ze Leonard krediet waar dat niet gebruikelijk was door haar voor te stellen aan een chef die drie rangen hoger stond dan zij, en door haar volledige naam te noemen.

Ze gingen zitten: Morrow naast McKechnie, en Leonard aan zijn andere kant.

Routher kwam binnen nadat hij de camera in de verhoorkamer had gecontroleerd. Hij schakelde de vierkante tv in en stelde die in op camera 1.

Een waas van sneeuw loste op en de hoge, smalle kamer kwam in beeld. De camera was op de deur gericht en op de twee lege, naar hen toe gekeerde stoelen. Bannerman en Gobby werden op de rug gefilmd, en hun gezichten bleven verscholen. Ze trokken hun jasje uit en legden het cassettebandje op tafel. Terwijl Gobby drie plastic bekertjes met water vulde, draaide Bannerman zich om en glimlachte naar de camera. Dat was McKechnie iets te luchthartig, en geërgerd ging hij verzitten.

Iedereen wachtte. De kamer leek verstikkend klein: hoge muren, een smalle tafel en twee grote mannen die aan één kant van de tafel met hun gezicht naar de deur zaten te wachten op de volgende bij voorbaat gedoemde ondervraagde.

De deur ging langzaam open en het gezicht van McCarthy verscheen. Hij keek bezorgd, maar zei niets, alsof hij alleen maar controleerde of de stoel er stond. Kay schuifelde naar binnen en ging aan de lege kant van de tafel zitten, met haar handen samengeknepen op het blad vóór haar. Ze ving McCarthy's bezorgde blik op en knipperde even met haar ogen om hem te laten weten dat alles oké was. Morrow vroeg zich af of ze elkaar kenden.

Kay keek eerst naar Bannerman en toen naar Gobby. 'Hallo,' zei ze plechtig.

Gobby's hoofd ging op en neer. Bannerman antwoordde haar op al even beleefde toon, maar het klonk schertsend. 'Goedenavond, mevrouw Murray.' Hij hield het bandje omhoog. 'We stoppen dit bandje in de cassetterecorder om het gesprek op te nemen.'

Achter Morrow kwam McCarthy de verhoorkamer binnen, en met zijn blik op het tv-scherm gericht pakte hij een stoel en ging zitten. Morrow keek hem aan, en hij trok zijn wenkbrauwen op om te vragen of hij kon blijven. Ze knikte bevestigend. Hij keek weer naar het scherm, met een bezorgde frons op zijn gezicht. Morrow was ontroerd: McCarthy kende Kay niet. Hij vond haar gewoon aardig.

In de verhoorkamer keek Kay om zich heen terwijl Bannerman en Gobby het bandje uit de verpakking haalde en in de cassetterecorder stopte. Ze waande zich onbespied en keek omhoog, op zoek naar een raam, een andere deur, een uitweg. Haar ogen schoten naar de camera. In de seconde voor ze het rode lampje zag en besefte dat de camera draaide, keek ze radeloos, in het nauw gedreven.

Bannerman leunde achterover en noemde de namen van de aanwezigen, de dag en de plek waar ze zich bevonden. Tegen Kay zei hij dat ze gefilmd werden en dat er misschien politiemensen meekeken, in een ander deel van het bureau. Ze keek recht de camera in, met ogen vol haat, alsof ze haar beschuldigers kon zien.

Morrow knipperde naar het scherm om de harde blik weg te vegen.

'Goed,' begon Bannerman. Zelfs van achteren zagen ze dat hij glimlachte. 'Je begrijpt wel waarom we hier zijn, hè, Kay?'

Kay glimlachte niet terug. 'Omdat u dingen in mijn huis hebt gevonden waarvan u vindt dat ik er geen recht op heb?'

'Nee.' Hij verbrak het oogcontact. 'Nee, vanwege de dood van Sarah Erroll. Daarom zitten we hier, omdat Sarah Erroll vermoord is in haar eigen huis en jij toegang had tot dat huis en tot haar rekeningen en' – hij laste een geladen pauze in – 'omdat je dingen in je huis hebt die blijkbaar niet van jou zijn.'

'Zoals wat?'

'Hm.' Hij wierp een blik op een velletje haastig neergekrabbelde aantekeningen, sloeg zijn map open en hield een foto van het eierdopje op naar de camera. Hij besloot er voorlopig niet verder op in te gaan, klapte de map dicht en keek op. 'Laten we bij het begin beginnen.'

'O nee,' mompelde McKechnie, en Morrow leefde met hem mee: Bannerman ging het eindeloos rekken. Twee uur, schatte ze. Zo lang duurde het voor een verdachte de strijd opgaf na langdurig ondervraagd te zijn. Twee uur vol persoonlijke details, bustijden en telefoonnummers die niet helemaal klopten, waarna de verveling ondraaglijk werd en ze maar al te graag de handdoek in de ring wierpen. Het was al vijf voor elf.

'Hoe ben je bij mevrouw Erroll in dienst gekomen?'

Kay knipperde met haar ogen, wachtte even en zei gedecideerd: 'Nee. We beginnen niet bij het begin. We pakken meteen maar het belangrijkste...'

'Nee.' Bannerman wist dat McKechnie keek. 'We beginnen bij het begin...'

'Nee, dat doen we niet.' Ze wist van geen wijken. 'Ik zal u vertellen waarom niet: omdat ik vier kinderen heb, van wie er twee doodsbang beneden zitten, en de andere twee zitten bij buren en ze moeten morgenochtend allemaal naar school.'

'Volgens mij is dit iets belangrijker...' Zijn stem was luid.

'O ja? Nou, dat vind ik niet.' Haar stem was luider.

Morrow boog zich naar voren, met een elleboog op haar knie en haar hand voor haar mond om een glimlach te onderdrukken.

'Want,' vervolgde Kay, 'ik weet namelijk wat er gebeurd is. Ik ben erbij geweest. Ik ken mijn jongens en ik weet dat dit nergens op slaat.' Als ze had doorgezet, was ze als overwinnaar uit de strijd gekomen, maar opeens verloor ze alle moed. Het leek of er een bel van paniek in haar borst opsteeg, haar terugduwde op haar stoel en haar stem verwrong tot een zwak gejammer. 'En ik weet dat u daar ook nog wel achter komt. En dat u mijn jongens naar huis laat gaan. Zodat ze kunnen slapen.' Ze huilde, met een verwrongen gezicht. Bevend sloeg ze een hand voor haar ogen, en haar hele mond trok scheef.

'Je hoeft niet bang te zijn.' Bannerman klonk geïrriteerd.

Kay trok haar hand niet weg, en ze hield haar adem in. 'Waar hebt u het godverdomme over?'

Het was niet de totale nederlaag die McKechnie had verwacht. Hij keek al niet langer naar het scherm, maar inspecteerde de vouw in zijn broek.

Met speeksel om haar mond en vochtige ogen liet Kay haar hand zakken. 'Ik heb godverdomme alle reden om bang te zijn.'

'Wat heb je dan gedaan, Kay? Vertel het ons maar.'

'Nee! Dat doe ik niet.' Ze zweeg en veegde haar neus af aan de rug van haar hand. 'Ik ben niet bang omdat ik iets gedaan heb. Ik ben bang omdat ik jullie niet vertrouw! Niemand van jullie. En ik weet dat ik niks gedaan heb en mijn jongens hebben ook niks gedaan, maar ik vertrouw er niet op dat jullie daarachter komen.'

Het was een slecht begin. Bannerman had niet verwacht dat Kay zo goed gebekt was. Hij leunde zwaar achterover en keek toe terwijl ze schokkend haar neus ophaalde. Toen ze wat gekalmeerd was, zei hij zachtjes: 'Laten we bij het begin beginnen.'

Weer haalde Kay haar neus op; haar angst luwde en maakte plaats voor woede.

'Hoe kreeg je die baan bij mevrouw Erroll?'

Kay streek met haar tong over haar lippen en liet haar blik over het tafelblad gaan. Ze keek naar de camera, ze keek naar Gobby en toen naar Bannerman. 'Oké.' Ze gaf zich gewonnen. 'Het ging zo: ik maakte schoon bij mevrouw Thalaine en bij de Campbells. Toen kwam ik op een avond op het treinstation een andere schoonmaakster tegen, Jane Manus, een jonge meid, en die zei dat Sarah Erroll een advertentie had geplaatst voor mensen die haar moeder wilden verzorgen...'

'Wie is Jane Manus?'

'... voor tien pond per uur. Ik liet mijn trein schieten en ging naar het huis. Toen ik aanklopte, deed Sarah open en ik zei tegen haar: ik heb gehoord dat u een advertentie hebt geplaatst, ik heb geen diplo...'

'Wíé is Jane Manus?'

'... diploma's of ervaring. Maar ik ben een harde werker en ik hou van oude mensen. Ik mocht op proef komen. Ik heb drie dagen voor niks gewerkt. Halve diensten. Mevrouw Erroll en ik konden het goed vinden samen en toen kreeg ik die baan.'

Morrow keek langs McKechnie naar Leonard en zag het glimlachje waarmee ze partij koos voor Kay.

'Mevrouw Murray, je begrijpt geloof ik niet waar het hier om gaat.' Bannerman hief een bezwerende hand. 'Ik stel de vragen en jij beantwoordt de vragen, want we zijn informatie aan het verzamelen. We weten wat we moeten vragen...'

'Wilt u mijn hele werkgeschiedenis?'

'We willen cóntext.'

Morrow had hem dat eerder zien doen: hij gebruikte woorden waarvan hij vermoedde dat Kay ze niet kende. De fractie van een seconde die ervoor nodig was om de betekenis uit te vogelen was in zijn voordeel en ontregelde de ander. Maar hij had Kay volkomen verkeerd ingeschat. Ze was slim en haar geest was razendsnel.

'Context haalt u maar bij iemand anders. Ik heb mijn verantwoordelijkheden. Ik wil dit snel afhandelen,' zei ze.

'Tja.' Hij liet een onaangenaam gniffellachje horen. 'Ik denk dat ik in alle redelijkheid kan stellen dat ons belang hier voorrang heeft. We zijn bezig met een moordonderzoek...'

'En ik help jullie daarmee. Met alle plezier.'

'Zoveel plezier straal je nou ook weer niet uit.'

Kay schonk hem een uitgesproken misprijzende blik. 'Wat nou plezier? Mijn zonen zitten beneden te wachten tot ze verhoord worden. Vijftien en zestien. Ze horen niet eens van dit soort dingen af te weten. En waag het niet ze ranzige foto's van dooie mensen te laten zien. Ik heb nou al vier keer met jullie gepraat, dit is de vierde keer dat ik met jullie praat...'

'De derde keer.' Hij las er zijn aantekeningen op na. 'We hebben nog maar drie keer me je gepraat. Rechercheurs Harris en

Leonard hebben je thuis bezocht, je hebt Morrow en Wilder op straat getroffen en dit is de derde keer.'

Kay liet zich achterover zakken en met naar binnen gezogen wangen keek ze op naar de camera.

'Overdrijf je graag, Kay?'

Ze zei niets, en Bannerman dacht dat hij een zwakke plek had gevonden. 'Heb je het misschien wat overdreven toen je je zoons vertelde hoe rijk Sarah was? Mis je het geld niet dat ze je betaalde?' Hij zweeg even. 'Wist je dat er geld in huis was?'

'Nee.'

'Dat is niet waar, hè, Kay? Je wist maar al te goed waar een deel van het geld lag. Je betaalde de andere vrouwen in cash uit. Je hebt de boeken bijgehouden, we hebben je handschrift vergeleken.'

'Sarah legde het geld voor me klaar. Ik schreef het op in het kasboek en zij legde het geld dat we nodig hadden klaar.'

'Het exacte bedrag?'

'Ja, in loonzakjes. Ik raakte dat geld niet eens aan.'

'Misschien zijn je jongens langsgekomen op je werk en heb je ze het geld laten zien, waarna ze later zijn teruggekomen om het te halen, en toen ze in paniek raakten, hebben ze Sarah iets aangedaan.'

'Mijn jongens zijn nooit op mijn werk geweest.'

'Goed, eens kijken. Hoeveel verdiende je toen je voor Sarah werkte?'

'Tien pond per uur.'

'Hoeveel uur per week werkte je?'

'Acht uur per dag, vijf dagen per week.'

'Dus een uur of veertig. Dat is pak 'm beet vierhonderd pond bruto. Dat is heel veel. Vond jij het ook heel veel?'

Kay wierp een treurige blik op de camera.

'Kay Murray, vond jij het ook heel veel?'

Hij wilde weten of ze arm was. Ze keek naar haar handen. 'Ja,' zei ze zachtjes.

Vanaf dat moment leek Kay getemd. Ze gaf eenlettergrepige antwoorden, keek amper op en deed geen appel meer op fatsoen of begrip. Ze miste het geld vreselijk, maar ze kwam wel rond. Ze kreeg geen geld van de vaders van de kinderen. Ja, er was meer dan één vader. Ja, ze scheelden allemaal een jaar. Ze trok hooguit haar lip op toen hij mompelde dat ze nogal snel van man wisselde en vervolgens vroeg naar het gedrag van haar kinderen en of ze ook spijbelden.

Morrow had een briefje kunnen schrijven en Routher ermee naar de verhoorkamer kunnen sturen om Bannerman te laten weten dat ze bij Kay thuis was geweest en dat ze, als ze al die keren bij elkaar optelde, de waarheid had gesproken: het was vier keer geweest. Maar dat deed ze niet. Als ze een briefje stuurde, zou dat voor Bannerman maar één ding betekenen: dat Morrow aan Kays kant stond. Als hij dat wist, zou hij Kay nog scherper ondervragen, niet om Morrow een hak te zetten, maar alleen omdat hij dacht dat het publiek in de observatiekamer op Kays hand was.

Met monotone stem beschreef Kay de dood van Joy Erroll: de oude dame maakte zich gereed voor het bad, Kay was alleen en ging de badlift halen, en Joy zat zolang in haar ochtendjas in de badkamer. Toen ze terugkwam was Joy van de stoel gevallen. Kay legde haar in de herstelpositie, maar Joy had een zware beroerte gehad en was al dood toen de ambulance arriveerde.

Bannerman vroeg wat ze toen had gedaan, maar Kay bevond zich nog op de vloer van de badkamer en hield de slappe hand van haar vriendin vast.

Pas toen hij op tafel tikte schrok ze op. Hij vroeg naar het geld onder de tafel.

'Onder de tafel?'

'De keukentafel; we hebben zevenhonderdduizend pond op een plank onder de keukentafel gevonden.'

Op dat moment deed Kay iets verkeerds. Ze slaakte geen kreet en ze leek ook niet verbaasd, maar draaide met haar hoofd toen het tot haar doordrong. 'Zevenhonderd...?'

'... duizend pond.'

'Zoveel?'

Bannerman, die met de rug naar de camera zat, trok zijn schouderbladen naar elkaar toe. 'Ja,' zei hij. Morrow wist dat hij dacht dat hij beet had. Een onschuldig iemand zou hem met open mond aankijken en meer over die tafel willen weten.

'Wist je dat het daar lag?'

'Nee.'

Hij rommelde wat in de foto's, haalde ze onder zijn aantekeningen vandaan en legde ze voor Kay op tafel. Hij wees naar de eerste.

'Dit horloge hebben we in een sok onder je bed gevonden. Hoe kwam je daaraan?'

Ze pakte de foto op en keek ernaar. 'Dat heb ik van Sarah gekregen toen haar moeder was gestorven.'

'Hoe ging dat?'

'Na de begrafenis nam ze me mee naar boven, naar haar kamer, en liet me een doos met sieraden zien...'

'Hoe zag die eruit?'

'Bekleed met groene zijde, een oud ding. Een beetje goedkoop.' Ze keek hem aan om te zien of hij nog meer wilde weten. 'Zeshoekig.'

'En wat zei ze?'

'Kies maar iets uit.'

'Was het horloge het duurste wat erin lag?'

'Dat weet ik niet. Ik heb geen verstand van dat soort dingen.'

'Van wat voor soort dingen?'

'Van art-decosieraden.'

'Maar je wist wel dat het art deco was?'

'Dat zei Sarah.'

'Waarom heb je dit gekozen?'

Nu keek ze heel verdrietig. 'Vanwege de vorm.'

'Maar je droeg het nooit?'

'Nee.'

'Waarom bewaarde je het in een sok onder je bed?'

'Voor als er ingebroken werd.'

'En dit' – hij legde de foto van de geëmailleerde kom voor haar neer, en ze slaakte een zucht – 'hoe kwam je daaraan?'

'Mevrouw Erroll wou dat ik die kreeg. Ze gaf hem aan me omdat ze wist dat ik hem mooi vond.'

'Maar mevrouw Erroll was in de war...'

'En toen Sarah terugkwam vroeg ik of ik hem mocht aannemen; zij vroeg het aan haar moeder en zei toen ja.'

'En dit? Het zilveren eierdopje?'

Ze schudde haar hoofd. 'Volgens mij heb ik dat nog nooit gezien. Ik heb geen idee waar het vandaan komt.'

'Het stond boven op je keukenkastje. Heb jij het daar niet neergezet?'

Verslagen liet Kay zich onderuitzakken. 'Ik weet niet wat ik moet zeggen. Ik ben hard aan een sigaret toe.'

Bannerman rondde af; hij sprak in dat ze een rustpauze inlasten, waarop McCarthy de kamer binnensnelde om Kay mee naar buiten te nemen, waar ze kon roken.

McKechnie kon het niet laten zich ermee te bemoeien. 'Morrow, laat dat eierdopje testen op de vingerafdrukken van de jongens. Het is niet ondenkbaar dat ze niet wist dat het daar stond, dat de jongens het na afloop hebben meegenomen en verstopt.'

'Nee,' zei Leonard, 'het zat onder het vettige stof. Er zat een plek boven op de kast waar het had gestaan. Het stond daar al maanden.'

McKechnie keek op en zag haar nu voor het eerst. Hij verwachtte dat ze zou krimpen onder zijn blik, maar dat deed ze niet. Ze bleef hem aankijken tot hij opstond en de kamer uit liep.

Morrow leunde glimlachend achterover. Het was prettig om eens iemand anders op zijn bek te zien gaan.

27

Tastend met zijn tenen naar de treden daalde Thomas de trap af, het donker in. Ella liep vlak achter hem.

'Tom! Tom! Doe het licht aan.' Ze was opgewonden, bang en irritant.

Maar het lichtkoordje bevond zich onder aan de trap. Hij liet zijn hand over de kale pleistermuur glijden en zijn vingertoppen stuitten op de vochtdruppeltjes die opstegen uit de achterliggende fundering.

Hij gaf een ruk aan het koord.

Voor het aan bleef, knipperde het felle licht twee keer en brandde snapshots van drie helderwitte doodskisten op Thomas' netvlies. Ella was nu weer een ander personage, een ander meisje dat ze in een film of in een ballet had gezien. Haar adem stokte toen ze de vriezers zag; ze liep langs hem, maar bleef zijn schouder vasthouden, alsof ze bescherming zocht. Dit personage raakte hem voortdurend aan, niet op een verkeerde manier, maar wel kleverig, alsof ze op spitzen liep en zonder hem haar evenwicht zou verliezen. Hij liet het toe omdat haar stemmingen alle kanten op waaierden en hij haar niet van streek wilde maken.

'Wat zit daarin?' Moira keek van boven aan de trap naar beneden en wees naar de vrieskist met kant-en-klaarmaaltijden.

Ella opende het deksel en week terug bij het zien van al het voedsel. Ze streek er met haar hand overheen, en de rijp knisperde onder haar vingertoppen. 'Wat is dat allemaal?' Ze glimlachte en keek vragend achterom naar Thomas.

'Het is allemaal eten,' zei hij vlak. 'Moira, waar heb je zin in?'

'Is er ook pappardelle met champignons?'

Hij liet zijn blik over de bovenste laag gaan. Alle deksels waren keurig van etiketten voorzien. Geen pappardelle met champignons. Hij tilde het rek op om eronder te kijken. Vijf porties met het etiket PAPPARDELLE, CHAMPIGNONS stonden keurig op een rij.

'Ja.' Hij boog zich diep voorover en pakte drie bakken. 'Hebbes.'

Ella dook naar voren, griste ze uit zijn handen en rende giechelend naar boven, alsof ze iets vreselijk grappigs en gewaagds had gedaan. Ze huppelde langs Moira en lachte naar haar alsof ze ook in het complot zat, waarna ze uit het zicht verdween.

Moira glimlachte lijdzaam. Toen ze zich omdraaide om zich bij Ella in de keuken te voegen, loste haar lach op en sloeg ze haar blik treurig neer, alsof ze al te lang om dat soort onzin had moeten lachen.

Thomas deed de vrieskist dicht, trok aan het lichtkoord en liep voorzichtig de trap op naar de keuken, waar Moira en Ella elk aan een kant van het granieten kookeiland stonden. Ella gilde het uit toen ze hem zag bovenkomen, en ze sprong naar achteren alsof hij haar betrapt had.

'Ik ga echt niet achter je aan, Ella,' zei hij behoedzaam.

Ella wachtte even, keek uit het grote raam en begon toen te lachen, alsof hij iets heel geestigs had gezegd. Moira glimlachte werktuiglijk, als het licht in de garderobe dat automatisch aan ging.

Thomas keerde zich naar zijn zusje toe. 'Wat is er zo fucking grappig, Ella?'

Ze stopte met lachen en hield haar hoofd schuin.

'Wat is er zo grappig?' Hij liep het vertrek door en ging voor haar staan. Hij stond heel dicht bij haar, maar ze keek gewoon recht over zijn schouder.

Thomas verloor zijn geduld en gaf Ella een por, harder dan de bedoeling was. Geschrokken van de warme gloed die hij langs zijn nek voelde opstijgen, liep hij bij haar weg en keek boos naar het bevroren eten op het aanrecht.

'Het eten? Is het eten grappig?' Hij pakte een portie en smeet die naar haar toe, maar hij miste, en het bakje smakte op de vloer en gleed een eind weg.

Ella verroerde zich niet, maar ze lachte ook niet meer.

'Ben ík soms grappig?' riep hij.

In de stilte van de keuken weerkaatste zijn stem tegen de granieten werkbladen. Ella's vingers trilden.

'Jezus, wat is er met jou, gestoorde trut?'

'Tom, laat haar met rust,' zei Moira sussend. 'Kom, dan ontdooien we deze in de magnetron en gaan we eten.'

Een hoogtonig alarm begon zachtjes te trillen.

'Wat is dat?' vroeg Ella.

Thomas liep naar de koelruimte en keek naar beneden om te zien of hij het deksel van de vrieskist open had laten staan. 'Nee.'

'Een autoalarm?' opperde Moira.

Ella wees naar een rood lampje aan de muur, dat knipperde op de maat van het repeterende geluid.

'De huistelefoon,' zei ze triomfantelijk.

Thomas wilde opnemen. 'Zie je nou wel? En jij als de bliksem terug naar de kamer, Ella.'

'Tom,' zei Moira, 'als het een journalist is, moet je meteen ophangen.'

'Hallo?'

Een vrouwenstem. Ze klonk boos. 'Ja, hoi. Met wie spreek ik?'

'Met Thomas.'

'Oké. Zou ik misschien iemand van de familie Anderson kunnen spreken?'

Moira trok vragend haar wenkbrauwen op.

'Wie kan ik zeggen dat er aan de telefoon is?'

'Ik ben de andere vrouw van Lars Anderson.'

'Momentje.' Thomas drukte de telefoon tegen zijn buik.

'Wie is dat?' Moira liep naar hem toe en stak haar hand al naar het apparaat uit.

Hij glimlachte wat geforceerd. 'Donny McD. van school, die doet alsof hij zo'n fucking journalist is. Ik neem hem wel in de voorkamer.'

'O.' Kennelijk wist ze dat het niet waar was, maar ze trok haar hand terug en deed een stap naar achteren. 'En hou eens op met dat soort taal, dat is ordinair.'

'Ja hoor.' Met een knik dirigeerde hij Moira naar het eten, waarna hij de gang op liep.

'Ogenblik,' sprak hij in de hoorn en hij ging de woonkamer binnen. Zijn hand zweefde boven de lichtknop, maar hij knipte het licht niet aan en bleef in het donker staan. 'Hallo?'

'Met wie spreek ik?' wilde de vrouw weten. 'Wie ben je eigenlijk?'

'Ik ben Thomas Anderson, de zoon van Lars Anderson. Wie bent u?'

'Juist ja, juist ja.' Ze klonk uitgesproken autoritair. Thomas voelde zich enigszins geïntimideerd.

'Mijn vader heeft me over u verteld.'

'O ja?' Nu werd ze wat milder. 'Heeft hij je ook verteld dat ik een zoon van jouw leeftijd heb?'

'Ja, dat heeft hij gezegd. Phils, toch?'

'Ja, Phils. Phils...'

'Mijn vader heeft me over hem verteld.'

Ze snifte bij het horen van Lars' naam en mompelde iets – dat hij er niet meer was –, en ondertussen liep Thomas naar het raam. Het was donker en het had geregend. Het gazon was glad als een dassenvacht. Hij moest zich niet laten intimideren. Hij moest normaal proberen te klinken. 'Sorry, maar hoe heet je?'

'Theresa.' Het was een wat ordinaire naam, Iers, maar ze sprak hem op z'n Spaans uit, met de klemtoon op de eerste lettergreep en met een rollende 'r': Thérrresa.

'En je achternaam?'

'Theresa Rodder.'

Bepaald geen chique naam, maar ze klonk wel chic. Hij zag haar kaak al naar beneden zakken terwijl ze lijzig haar achternaam uitsprak.

'Thérrresa,' deed hij haar geaffecteerde toontje respectvol na. 'Mag ik bij je langskomen?'

Het bleef even stil. Hij dacht al dat ze zich was doodgeschrokken van zijn voorstel, maar toen hoorde hij een fles tegen glas tinkelen en het geklok van wijn, of wat het ook was dat ze inschonk. 'Ja, Thomas, dat zou ik leuk vinden.'

Thomas drukte zijn wang tegen de koude ruit. 'Zal ik morgen komen?'

'Ja, prima.'

'Is Phils er dan ook?'

'Nee, die zit op school.'

'O. Hoe heet je dochter?'

'Betsy.'

'Goed, Thérrresa, wat is je adres?'

Ze noemde een straat. Hij herkende het adres niet, maar mompelde het telkens weer voor zich uit in het donker: Tregunter Road 8, SW10. Ze hing op zonder een specifieke tijd te noemen.

Thomas liep de gang door, met de telefoon tegen zijn borst geklemd, en lichtelijk zwetend probeerde hij de naam van de straat te onthouden. Hij dook Lars' kantoor in. Het was niet zijn echte kantoor, gewoon een groot vertrek met een gigantische boekenkast, ook al las hij nooit. Het bureau was van hetzelfde glanzende, geelgevlekte hout als de kast: zwarte populier. Thomas liep naar het bureau, pakte een pen uit de bovenste la en krabbelde de naam van de straat op een van Lars' memoblaadjes met reliëfdruk. Toen belde hij inlichtingen om het telefoonnummer op te vragen, voor het geval hij verdwaalde.

Al schrijvend wierp hij een blik in de la en zag een zwarte glans. Thomas stak zijn hand in de donkere la. Zacht, warm leer. Lars' portefeuille. Lars had zijn portefeuille altijd bij zich. In gedachten zag Thomas hem op dezelfde plek staan waar hij nu stond, met zijn voeten waar zijn voeten nu stonden. Hij zag zijn vader zijn hand in zijn zak steken, de portefeuille tevoorschijn halen en hem wegstoppen, zijn allerlaatste gebaar voor hij zich verhing.

Thomas pakte de portefeuille en sloeg hem open. Hij zat boordevol grote bankbiljetten en creditcards, en het leer was glad gesleten van al die tijd dat hij in zijn vaders achterzak had gezeten en langs zijn linkerbil had geschuurd. Thomas deed hem langzaam dicht en schoof hem in zijn eigen linkerachterzak, gewoon voor het gevoel. Het ding was zwaar, trok aan zijn broek, maar het gewicht was ook troostend, alsof er iets van Lars' zelfverzekerdheid op was overgegaan. En die miste Thomas opeens.

Boven zijn hoofd ging het licht aan. Moira stond in de deuropening.

'Wat heb jij in papa's bureau te zoeken?'

Met een achteloos gebaar vouwde Thomas het memoblaadje op en stak het in zijn zak. 'Ik was Donny's nummer kwijt en heb het even opgeschreven. Ik heb morgen met hem in de stad afgesproken.'

Moira sloeg haar armen over elkaar en keek hem sceptisch aan. 'Waarom is Donny niet op school?'

'Hij is al eerder naar huis gestuurd. Zijn stiefvader heeft kanker.'

Ze wist dat het een leugen was en kneep haar ogen tot spleetjes. 'Volgens mij was het Donny helemaal niet. Waarom weet ik niet dat zijn stiefvader ziek is?'

Thomas schraapte zijn keel, maar het klonk niet overtuigend. 'Ze hangen het niet aan de grote klok. Ze zijn geloof ik bang dat de aandelen dan kelderen of zo.'

Moira dacht daar even over na en zei toen: 'Ik geloof je niet. Wat een smerige leugen, Thomas – kanker.'

Thomas haalde zijn schouders op en liep om het bureau heen.

Ze glimlachte toen hij zich langs haar door de deuropening wrong. 'Volgens mij heeft iemand een vriendinnetje,' riep ze hem op zangerige toon na.

28

Bannerman was snel klaar met het verhoor van Frankie en vervolgens met dat van Joe, maar dat was dan ook niet moeilijk: ze hadden geen bewijs, niemand die tegen hen kon getuigen en helemaal niets concreets waarover ze vragen konden stellen. Dan werd het vissen. Omdat het zo laat was, nam hij voor ieder twintig minuten en vroeg waar ze waren geweest op de avond van de moord op Sarah, wie het kon bevestigen, wat ze die avond aanhadden, of ze ooit op hun moeders werk waren geweest, en waar volgens hen de asbak, het eierdopje en het horloge vandaan kwamen.

Beide jongens waren aan het begin van de avond thuis geweest en later weggegaan, en aangezien er nog geen duidelijkheid bestond over het tijdstip waarop Sarah Erroll gestorven was, bleven ze verdacht. Ze wisten geen van beiden dat er geld in het huis lag.

McKechnie was 'm inmiddels gesmeerd, maar Morrow en McCarthy waren in de observatiekamer gebleven en hadden toegekeken terwijl Kay eerst naast Joe en toen naast Frankie zat. Ze zagen hoe ze zich voor de jongens rustig probeerde te houden, alsof het de gewoonste zaak van de wereld was dat ze midden in de nacht ondervraagd werden over een wrede moord. Af en toe keken ze bang, en dan herhaalde ze hetzelfde zinnetje: 'Ze willen alleen zeker weten dat jij het niet bent geweest, jongen, dan is het makkelijker om te ontdekken wie het wel was.'

Maar zelfs op het korrelige beeld van de camera die hoog aan de muur was bevestigd, was te zien dat ze het zelf niet geloofde.

Joe deed het niet slecht. Hij keek Bannerman aan en zocht ook contact met Gobby door zich een paar keer tot hem te richten, maar die liet zich niet uit zijn tent lokken.

Frankie was slechts een jaar jonger, maar een stuk minder volwassen. Hij was bang, reageerde op de vragen met een knorrige, norse blik, en zijn moeder moest hem herhaaldelijk aansporen. Hij zou juist wat tegemoetkomender moeten zijn, want hij was degene met een alibi: hij was aan het werk geweest, had pizza's bezorgd, had de hele avond bij een dikke jongen genaamd Tam in de auto gezeten. Ze deden het met z'n tweeën, want Tam, de zwager van de eigenaar van de pizzeria, had het baantje nodig, maar hij was te dik om trappen te beklimmen, en daarom kreeg Frankie een deel van zijn loon voor het loopwerk. Frankie verdiende tien pond per avond en als ze klaar waren kreeg hij een pizza.

Tegen het einde van de verhoren – toen Bannerman tegen Frankie en Kay zei dat hij ze allemaal nog een keer zou moeten oproepen, maar dat ze nu naar huis mochten – voelde Morrow met heel haar wezen dat ze onschuldig waren. Morrow wist precies hoe familieleden elkaar uit de wind probeerden te houden: ze hadden onderling geen oogcontact, gaven goed ingestudeerde antwoorden op de belangrijke vragen en praatten elkaar na. Als er onder één hoedje werd gespeeld, hoefden er nooit telefoontjes gecheckt of moeders gebeld te worden om te vragen waar ze op de betreffende avond geweest waren.

Het was middernacht toen Bannerman het bandje stopzette, uit de recorder haalde en als bewijsmateriaal in een zak stopte. McCarthy liep de gang op om Kay en haar jongens naar de buitendeur te begeleiden; Morrow bleef achter en zat in haar eentje naar het scherm te staren.

Bannerman en Gobby stonden op en strekten hun benen; ze pakten hun jasje van de rugleuning van hun stoel en verzamelden hun papieren. McCarthy stond bij de deur te wachten terwijl Kay haar arm om Frankies schouders sloeg en hem liet opstaan. 'Hoe gaat het nu verder?' vroeg ze.

Bannerman was grootmoedig. 'Jullie mogen naar huis.'

'Hoe moet ik thuiskomen? Ik heb mijn portemonnee op de keukentafel laten liggen.'

Frankie keek haar aan. 'Ik heb mijn buskaart bij me, mam.'

'Maar daar kom ik niet mee thuis, of wel soms? En Joe ook niet.' Ze keek Bannerman verwachtingsvol aan. 'Hoe moet ik thuiskomen?'

Ze wilde een lift. Maar daar hoefde ze niet op te rekenen.

Bannerman had zijn jasje al aan en stond nu half op de gang. 'Kun je geen minitaxi nemen en aan het einde van de rit betalen?'

McCarthy raakte haar elleboog aan en knikte in de richting van de uitgang.

'Ik woon op de achtste verdieping, de chauffeur laat me echt niet uit de taxi.'

'Stuur dan een van de jongens naar boven en blijf zelf in de auto zitten.'

Bannerman en Gobby drongen langs haar, duwden haar en Frankie bot aan de kant en stapten de donkere gang in.

Morrow zette de radio uit. De volgende ochtend vloog ze naar Londen; het vliegtuig vertrok om halfzeven, en ze zou eigenlijk naar huis moeten gaan, maar ze kon hen niet zomaar voorbijrijden. Het was een ongure buurt: blinde muren onderbroken door donkere steegjes, en stukken braakliggend terrein overwoekerd met wilde struiken. Niet een plek waar je 's nachts rond moest lopen. Toen zag ze hen: Kay met aan weerszijden een jongen, en zo liepen ze over de donkere straat – Kay liet haar hoofd en schouders hangen, terwijl Joe zijn ineengedoken moeder aanstootte en een grapje maakte. Ze namen de kortste weg naar Castlemilk, ruim zes kilometer verderop. Kay had geen geld voor een taxi.

Morrow reed hun voorbij, zette de auto aan de kant en trok de handrem aan. Ze sloot haar ogen om het moment nog even uit te stellen. Het zou niet leuk worden.

Toen ze haar ogen weer opende, zag ze Joe fronsend door het raampje naar haar kijken. Ze knikte naar de achterbank. Hij ging rechtop staan en overlegde fluisterend met zijn moeder. Kay boog zich naar voren en keek woedend en met betraande ogen naar binnen. Ze richtte zich weer op en zei iets tegen de jongens.

Frankie deed het portier aan de passagierskant open en stak zijn hoofd naar binnen. 'Wat wilt u?'

'Ik breng jullie wel even naar huis.'

Hij sloeg het portier dicht, maar in plaats van weg te lopen, begonnen ze met elkaar te fluisteren. Morrow keek toe terwijl Kay de riem van haar handtas ophees.

Het achterportier ging open en Joe stapte als eerste in; hij klauterde naar de andere kant van de bank, gevolgd door Kay en Frankie. De laatste trok het portier dicht; ze hesen zich alle drie in hun veiligheidsgordel en ook al zaten ze dicht op elkaar gepakt, toch slaagden ze erin de klemmen te vinden.

Tot ze bij Rutherglen aankwamen zei niemand een woord. Morrow durfde niet in het spiegeltje te kijken. Het liefst had ze de radio aangezet, maar stel dat er net een vrolijke song werd gedraaid, dan zou ze nog gevoellozer overkomen.

'Aardig van u,' klonk het uiteindelijk kortaf. Het was Joe.

'Hou je mond,' fluisterde Kay.

'Maar dat is toch zo, mam, het is heel geschikt van haar.'

'Smerige rotzak.' Kay zei er niet bij wie van de aanwezigen een smerige rotzak was, maar dat was ook niet nodig.

Er leek geen einde aan de rit te komen. Op zeker moment begon Kay te huilen, en ze haalde voorzichtig haar neus op om niet te veel lawaai te maken. Uit gewoonte wierp Morrow een blik in de spiegel, en toen zag ze de schim van Frankies arm, die om Kays schouders werd gelegd. Ze keek weer voor zich. Ze zou nu thuis kunnen zijn. Ze zou naast Brian in haar warme bed kunnen liggen, en dan zou ze erover nadenken, het goed proberen te praten, zichzelf wijsmaken dat ze gewoon haar werk deed, dat ze dit soort harde keuzes voor Sarah moest maken.

Toen ze eindelijk bij de traptreden waren aangekomen die van de straat naar de flats voerden, zei Kay: 'Laat ons er hier maar uit', alsof ze in een minitaxi zat.

Morrow was te moe om te protesteren en zei niets, maar reed een eindje de heuvel op en stopte.

Frankie deed het portier open en stond al buiten nog voor ze de handrem had aangetrokken. Kay volgde. Het lag niet in Joe's aard om zonder iets te zeggen weg te gaan.

'Ik vind het echt heel geschikt van u. Bedankt.'

Morrow wachtte niet tot ze de deur naar de hal opendeden. Ze trok op en reed iets te hard weg.

29

Thomas liep Tregunter Road in en bleef toen staan. Hij had zijn gebalde handen in zijn zakken gestoken, en het kwade zweet prikte in zijn handpalmen. Grote auto's, grote huizen met grote ramen.

Hij had gehoopt dat het een rommeltje zou zijn, zo'n plotselinge omslag zoals je die in Londen wel meer had, bijvoorbeeld wanneer je vanuit een doodnormale wijk de hoek omging en opeens in een achterbuurt stond. Dit was het tegenovergestelde.

Hij kwam zojuist uit een buurt vol absurde weelde, met enorme landhuizen die elkaar verdrongen langs een stadsstraat, ongetwijfeld een baken voor inbrekers, want de huizen hadden metalen luiken en stonden weggedoken achter muren bezaaid met alarminstallaties en videocamera's. Vervolgens was hij een straat ingeslagen die er bewoonbaar uitzag en op menselijke schaal was gebouwd.

De huizen aan Tregunter Road waren groot, maar er waren ook twee-onder-een-kapwoningen bij, en ze hadden niet eens een garage: de meeste voortuinen waren in parkeerplaatsen veranderd. Hij zag een huis met een dubbele zoemer op de deur, wat betekende dat het in appartementen was opgedeeld. In de deuren zaten brievenbussen, en ernaast deurbellen. Iedereen kon er gewoon naartoe lopen. Hier leidden de mensen goede, bescheiden levens. Hier woonde zij.

Thomas kende de wijk al. Lars nam hem vaak mee uit lunchen

in Fulham. Minstens twee keer had Lars zijn chauffeur opgedragen deze straat door te rijden. Het leek een merkwaardige route. Het was een eind om. Thomas herinnerde het zich omdat Lars tegen zijn gewoonte in had uitgelegd waarom hij de chauffeur deze weg liet nemen. Hij zei dat ze dan het verkeer op Fulham Road meden, en ook al die stomme voetgangers op Kings Road. Thomas wist nog dat hij naar de gele huizen had gekeken en zich had afgevraagd waarom Lars het uitlegde en waarom hij er zo raar bij lachte.

Nu snapte hij het. Zij woonde hier. De andere Thomas – Phils – woonde hier.

Er was geen sterveling op straat. Thomas' pas was loodzwaar en zijn gezicht ging schuil onder de honkbalpet die hij had gekocht bij een kraampje in de buurt van Charing Cross Station; zijn blik schoot alle kanten op, speurend naar beweging en naderende mensen, en het viel hem op dat de huizen verborgen videocamera's hadden.

Toen stond hij voor nummer acht.

Een lage stenen muur scheidde het huis van de straat. In de voortuin zag hij een weggeworpen skateboard uit een struik steken. Weer controleerde hij het huisnummer: zij – Ella en hij – mochten hun spullen nooit in het zicht laten rondslingeren.

Het was wel degelijk nummer acht. Het was een twee-onder-een-kap, hoog, van gele baksteen en met witgepleisterde lijsten, zoals alle huizen in de straat. Het was prettig dat ze allemaal gelijk waren, als een uniform. De gordijnen voor het voorste raam waren open, en de voering was aan weerszijden precies gelijk geplooid. Dat had ze niet zelf gedaan. Zij had nog steeds personeel.

Thomas zag van een blok verderop een auto naderen; haastig maakte hij het hek open en op een drafje liep hij de trap op zodat hij nog voor de auto langsreed de beslotenheid van de bovenste tree had bereikt.

Een zwarte deur met indrukwekkend koperen beslag: een brievenbus, een kijkgaatje en een zware klopper in de vorm van een leeuwenkop. Binnen was het doodstil. Hij pakte de koperen klopper en bonsde twee keer op de deur.

Schuifelende voetstappen, licht dat verschoof achter het kijk-gaatje. Hij was ervan uitgegaan dat ze personeel had, maar dege-ne die opendeed was geen dienstmeisje.

Ze was jonger dan hij had verwacht. Slank met verdacht ronde borsten. Ze droeg een witte spijkerbroek en een lichtgrijze trui. Haar bruine haar zat in een hoge paardenstaart en ze had geen make-up op. Hij kon zich Lars niet met deze vrouw voorstellen: ze zag er niet netjes genoeg uit, en ook niet oud genoeg. Ze leek op Sarah Erroll, maar dan heel lang en knap.

'Hallo?' Ze had niet door wie hij was, en toen hij zweeg zette ze haar hand in haar zij en slaakte een zucht. 'En, kan ik je helpen?'

Thomas keek langs haar de gang in. Die was hoog en impo-sant, met een grote boekenkast over de volle lengte, maar het was wel een rommeltje: over stoelen en leuningen hingen jassen van kinderen en volwassenen, een losse telefoon lag op de trap, alsof ze zojuist met iemand in gesprek was geweest en het ding daar had neergelegd en was weggelopen. Ernaast stond een vuile be-ker met een opgedroogd stroompje bruine thee langs de zijkant.

Thomas kon niet geloven dat hij bij het goede huis was. Al dat soort onbenullige overtredingen waren misdaden in Lars' ogen, gruwelijke misdaden, het soort gedrag dat tot knallende ruzies had geleid. Hij hechtte zeer aan vorm en goede manieren. Tho-mas en Ella mochten nooit in de openbare vertrekken spelen. Zelfs in hun eigen deel van het huis moesten ze, zodra ze uitge-speeld waren, het dienstmeisje roepen om de boel te laten opruimen. Ooit had Lars Thomas de kamer uitgefoeterd omdat hij een stuk brie de Meaux bij de punt had aangesneden, en dat ter-wijl ze niet eens bezoek hadden. Als Lars hier een andere man was, dan wilde hij die man leren kennen.

Hij keek langs de brede trap omhoog en opeens, uit het niets, zag hij bloedspatten op een witte spijkerbroek en haar loshan-gende hoofdhuid, Sarah Erroll zoals ze er na afloop had uitge-zien, maar alleen details: gespleten huid, haar dat aan open won-den kleefde. Hij werd bang en misselijk.

De vrouw keek hem aan en verloor al snel haar belangstelling. Hij keek de gang weer in, ervan overtuigd dat hij bij het verkeer-de huis was.

'Oké.' Ze wilde de deur dichtdoen, maar opeens zag Thomas dat de beker een Chelsea-logo had en dat de boekenkast van zwart populierenhout was, net als die in Lars' werkkamer thuis. Hij stak zijn voet uit en zette die klem tussen de deur en de deurpost.

De vrouw keek naar zijn schoen en toen naar hem. Hij zag dat ze kwaad was, maar ze schreeuwde niet.

'Sorry,' zei ze op luchtige toon, en ze keek hem in zijn ogen terwijl haar rechterarm achter de deur verdween. 'Hoe heet je?'

'Je hebt me gisteravond gebeld,' zei hij.

Hij meende een frons te zien toen ze hem aankeek. Haar huid was verbazend glad, net papier. Hij kon niet inschatten hoe oud ze was: ze leek jong, maar ze kleedde zich ouder, bewoog zich als een ouder iemand.

'Nee, schat,' zei ze lijzig. 'Volgens mij ben je op het verkeerde adres.'

'Ik ben Thomas Anderson.'

'O. Lieve. Help. Thomas!' Ze greep hem bij zijn mouw en trok hem de gang in. 'O, wat erg, ik herkende je niet. Je bent groter dan je vader. En knap.'

Nu zag hij waarnaar ze haar arm had uitgestoken: in haar hand hield ze een honkbalknuppel.

Ze zette het ding weer achter de deur. 'Hoe ben je hier gekomen? Weet je moeder dat je hier bent?'

Thomas bleef roerloos staan. Het was donker in de gang nu de deur dicht was. Hij stond heel stil en luisterde, maar hij hoorde niemand anders in het huis, geen enkel geruis, geen radio. Ze waren helemaal alleen.

Ze raakte haar borst aan, drukte haar hand in het kussen van haar merkwaardig bolle tieten. 'Ik ben Theresa.'

Hij knikte en keek langs haar heen, en na een tijdje mompelde hij: 'Een stomme katholiek.'

Ze boog zich naar hem toe. 'Sorry?'

Hij wilde het niet nog een keer zeggen, en daarom zweeg hij.

'Vroeg je of ik RK was?' Ze glimlachte aarzelend, een krampachtig lachje, alsof ze hoopte dat het een woordspeling of een grapje of iets dergelijks was.

Hij antwoordde niet.

'Ja, ik ben... katholiek, als je dat wou vragen.' Ze trok een merkwaardig treurig gezicht en keek er scheel bij. 'Een afvallige.'

Thomas weigerde haar aan te kijken. Hij sloeg zijn ogen neer, maar ze nam zijn kin in haar hand, alsof ze een hondenpoot vasthield, en bestudeerde hem: zijn ogen, zijn mond en neus, zijn bouw. 'Je lijkt helemaal niet op je vader.'

Dat vond hij aardig van haar, want hij leek wel degelijk op Lars, dat wist hij. Hij had veel lelijks van Lars geërfd, zoals zijn dunne lippen en zijn borstelige wenkbrauwen.

'Wel een beetje.'

Ze kneep haar ogen samen. 'Misschien een heel klein beetje...'

'Zijn je kinderen niet thuis?'

'Nee.' Abrupt stapte ze naar de andere kant van de gang en pakte een foto: een jongen en een meisje, allebei met Arisch blond haar en zongebruinde huid. De jongen was van Thomas' leeftijd, maar hij was langer en knapper. Hij lachte niet, maar zijn blik was zelfverzekerd, en met recht. Waarschijnlijk ging hij met meisjes van zijn eigen leeftijd om, kende hij de nieuwste muziek, bezocht hij optredens en dat soort dingen.

Het meisje was ouder dan Ella, minder mooi, maar ook minder onhandig en niet gestoord. Ze stonden op een wit strand met een kristalblauwe zee op de achtergrond, hun schouders amicaal tegen elkaar.

'Is dat in Zuid-Afrika?'

'Plett, ja.' Behoedzaam deed ze een stap terug. 'Ja. Het huis...'

'O.' Thomas keek weer naar de foto. 'Ik ben daar nooit geweest... dan zat ik altijd op school.'

'Het is er mooi, maar geef mij Frankrijk maar.'

'Ik hou van Frankrijk.' Hij klonk bijna normaal.

Ze keek hem glimlachend aan. 'Hoor eens, sorry van dat telefoontje. Ik zal wel heel... onvriendelijk hebben geklonken.'

Hij dacht eraan terug en haalde zijn schouders op. 'Geeft niet.' Hij wierp een blik in het huis.

'Ik had niet gedacht dat je zou komen... ik dacht dat je op school zat.'

Hij kromp ineen. 'Ik ben uit de klas geplukt en naar huis ge-stuurd...'

'Vanwege...?'

'Ja.'

Ze zuchtte. 'Waarom heeft hij het gedaan, Thomas?'

Thomas antwoordde niet. Hij dacht echt dat Lars het gedaan had om iedereen een hak te zetten, vooral de zakenlieden die on-der één hoedje hadden gespeeld om hem van zijn troon te stoten. Zo was hij nou eenmaal. Hij was in staat zijn eigen dood te ge-bruiken om zijn gelijk te halen. Maar hij dacht niet dat Theresa dat wilde horen.

Hij aarzelde zo lang dat Theresa het voor hem invulde. 'Hij kon de druk niet langer aan.'

Dat was een heel aardige interpretatie. Hij concludeerde dat ze Lars misschien niet zo vaak zag. Hij zoog zijn wangen naar binnen en wierp een woedende blik in het huis.

'Arme, arme man. Ze knikte en volgde zijn blik. 'Thomas, ik weet dat je al heel lang op kostschool zit en dat je daar vreselijk snel volwassen wordt, maar vertel eens...' zei ze ernstig. 'Ben je al te groot voor pannenkoeken?'

Het moest een Hollands pannenkoekenrestaurant voorstellen: houten tafels vol klompen en tulpen. Alles was oranje. Ze bestel-de drie koppen zwarte koffie voor zichzelf en wafels met stroop voor hem. Ze had geen zin in eten, zei ze, maar ze nam wel een hapje van hem als ze trek kreeg. Te oordelen naar de blik waarmee ze de borden volgde die overal werden opgediend, vermoedde hij dat ze al wel trek had, maar op dieet was.

Zijn wafels lagen op een met een windmolen beschilderd bord, maar ze waren verrukkelijk, en het was alweer een hele tijd geleden dat hij had ontbeten. Met zijn pet laag over zijn voor-hoofd zat hij te eten, en zij sloeg de koppen koffie in rap tempo achterover.

Zij voerde het woord. Ze had Lars lang geleden op een feestje ontmoet. Aanvankelijk vond ze hem niet aardig. Hij was ieder-een voortdurend aan het corrigeren en sprak met luide stem, en ze vond hem ongemanierd en lomp. Toen ze wegging en een taxi wilde roepen, stopte hij zijn auto en bood haar een lift aan. In de veronderstelling dat ze hem nooit weer zou zien zei ze dat hij op kon hoepelen, dat ze liever lopend naar huis ging dan bij hem in de auto te stappen. De volgende dag stuurde hij haar bloemen, en ook de dagen erna, er kwam geen eind aan. Het werd zelfs saai, zei ze, en toen Thomas daar spottend om moest lachen zei ze, nee echt, het werd echt saai! Ze had geen plek meer om ze neer te zetten! Ze woonde samen met haar zus en het hele huis stond vol stervende rozen. De bloemblaadjes dwarrelden op de tapijten en maakten vlekken. Ze belde hem om te zeggen dat hij daarmee moest stoppen, en van het een kwam het ander. Nu keek ze beschaamd. Heel lang wist ze zelfs niet dat hij getrouwd was, dat ontdekte ze pas toen ze zwanger was. Misschien zou hij het wat beter begrijpen als hij ouder was, maar soms deed je dingen die aan de buitenkant helemaal fout leken, maar het was nooit haar bedoeling geweest iemand te kwetsen.

Hij knikte, voelde tranen opkomen, en weer pakte ze zijn kin en dwong hem haar aan te kijken. 'Je weet wat ik bedoel, hè?'

Hij antwoordde niet, maar hij trok zijn kin ook niet weg.

'Soms,' zei ze op vriendelijke toon, 'is het fijn om met iemand buiten je eigen kringetje te praten.' Toen legde ze haar vlakke hand op zijn wang, streelde die en liet weer los. Haar hand was warm en zacht, en hij wilde hem vastpakken toen hij over de tafel werd teruggetrokken, hij wilde haar over Sarah Erroll vertellen en vragen wat hij in godsnaam moest doen.

Maar dat deed hij niet. In plaats daarvan vroeg hij hoe ze zich later voelde, toen ze ontdekte dat Lars getrouwd was en al kinderen had. Tja, zei Theresa, hij had nog geen kinderen, Moira was zwanger, net als zij. Ze zei dat ze het maar te accepteren had en dat het leven verderging. Maar, wilde Thomas weten, was je dan niet kwaad op hem omdat hij jou dat had aangedaan? Sommige mensen maken je nou eenmaal medeschuldig, zei ze schouderophalend, en het is een vergissing te denken dat ze het met opzet doen. Het gaat niet eens om jou, zo zijn ze nou eenmaal.

Thomas was uitgegeten, en zij had genoeg koffie gehad. Hij

betaalde de rekening met geld uit Lars' portefeuille, en hij zag haar naar de stapel brandnieuwe biljetten kijken, met dezelfde strakke blik als waarmee ze naar de pannenkoekenborden had gekeken.

Ze gingen een eindje wandelen. Ze nam hem mee naar een meubelzaak die ze mooi vond, en daarna gingen ze een antiekwinkel binnen en vertelden elkaar wat ze mooi of lelijk vonden.

Ze nam hem mee naar een tuincentrum aan de overkant van de straat, praatte over tuinieren en rook aan de planten. Haar ouders waren hartstochtelijke tuiniers. Ze hadden al jaren een siertuin die was opengesteld voor het publiek. Theresa zei dat ze zo'n slechte tuinier was dat ze zelfs munt om zeep kon helpen. Hij wist niet goed wat ze daarmee bedoelde, maar toch lachte hij, want zij lachte ook. Het was leuk, alsof ze bevriend waren. Als zij zijn moeder was geweest, zou alles misschien anders zijn gelopen. Dan was hij misschien rustig en cool geweest, had hij aan skateboarden gedaan. Dan had hij misschien hobby's gehad en beter geweten hoe hij met meisjes moest omgaan.

De gedachte bekroop hem dat ze zo langzamerhand wel genoeg van hem zou krijgen. Ze waren bijna anderhalf uur samen toen hij haar achter de bonsaiboompjes op haar horloge zag kijken.

Bang om haar tot last te zijn liep hij naar haar toe en zei dat hij niet lang meer kon blijven, hij vroeg of hij haar naar huis mocht brengen, en zij zei ja, dat zou leuk zijn, en het was lief van hem dat hij het aanbood.

Ze stak haar arm door de zijne en zo liepen ze terug.

30

The Walnut bevond zich aan een rondlopende straat in de City, een straat met hoge gebouwen, maar zonder winkels, er waren alleen kantoren. De exclusieve club gaf aan de buitenkant nauwelijks blijk van zijn bestaan: een bordje aan de muur met daarop een walnoot, en een zoemer. Ze gingen een onopvallende trap op en een deur door die bewaakt werd door een bodybuilder in een vlot zwart pak. Hij had een chic accent en zijn houding was zowel gedecideerd als hoffelijk.

Hij checkte hun identiteit en drukte op een zoemer om te controleren of Howard Fredrick hen inderdaad verwachtte, waarna hij hen met een theatraal armgebaar door de met ijzer beslagen en met fluweel beklede deur naar binnen liet.

Het was er piepklein, erg krap voor een openbare ruimte, eigenlijk niet meer dan een kleine kamer. Langs de muur stonden drie halfronde banken van zwart fluweel, aan elkaar gekoppeld in een doorlopend golfpatroon. De overige wanden waren van rookglas, wat de praktisch lege ruimte iets levendigs en warms gaf. Op de verst afgelegen bank zat een kleine man met een forse buik; hij had zijn arm om de rugleuning gelegd en luisterde verveeld naar een beeldschone jonge vrouw die vrolijk zat te kletsen tussen de slokjes witte wijn door. Voor elke bank stond een laag tafeltje met een ondoorzichtig glazen blad; vanbinnen scheen licht en in het midden was ruimte uitgespaard voor een champagnekoeler. Tegenover de tafels was een kleine, goed voorziene bar, ook van glas en ook van onderen verlicht, wat de vrouw die bediende een stralende gloed gaf.

Ze was keurig gekleed in een wit overhemd en met een zwart barschortje voor, en haar blonde haar zat in een hoge paardenstaart. Morrow vond haar een beetje op Sarah lijken: een lang gezicht, slank, weinig make-up. Ze keek glimlachend naar hen op, verbaasd bij het zien van Morrow en Wilder in hun slecht zittende pakken en met hun provinciale kapsels, maar zonder verder iets te laten merken liep ze naar de bar om hen te begroeten, en met het begin van een glimlach om haar mond legde ze haar opengespreide handen voor hen op het blad.

Howard Fredrick kwam aansnellen uit het kantoortje aan de achterkant en ving hen op. Pompend schudde hij hun de hand, waarbij hij hen doordringend aankeek, met zijn hoofd iets schuin alsof hij hun namen in zijn geheugen opsloeg, alsof hij hen al eeuwen had willen ontmoeten. Hij wenkte hen mee naar een deur aan de zijkant van de bar en liet hen binnen in zijn kantoor.

Het was een mooi kantoor. Het was bijna even groot als de bar zelf, met twee hoge ramen die op straat uitkeken, een prachtig notenhouten bureau en bijpassende stoel, een kleine kluis en archiefkasten. Hij had hen verwacht: het personeelsdossier van Sarah Erroll lag op zijn bureau, naast een glas water.

Hij bood hun niets te drinken aan, ook geen thee of iets dergelijks, maar liet hen op de stoelen voor zijn bureau plaatsnemen en ging er zelf achter zitten.

'Dank u voor uw komst,' zei hij, mogelijk uit gewoonte. 'U bent dus geïnteresseerd in Sarah Erroll?'

'Ja,' zei Morrow, die het gevoel had dat ze klem werd gezet en niet wist hoe ze de regie moest terugpakken en of dat wel nodig was. 'Heeft ze hier gewerkt?'

'Ik heb haar dossier.' Hij sloeg het open. 'Ze heeft hier zeven maanden gewerkt, en toen is ze teruggegaan naar Schotland omdat haar moeder ziek was...'

'Hoeveel uur per week werkte ze hier?'

Hij keek het dossier in. 'Ze draaide vijf diensten per week, elk zo'n zeven à acht uur.'

'Wat voor diensten draaide ze?'

'Van acht tot twee.' Hij keek Wilder aan. 'We hebben vergunning tot vier uur, maar we blijven zelden zo lang open.'

Wilder knikte, alsof dat het doel van hun komst was en hij nu tevreden was.

'Bent u hier vaak?' vroeg Morrow.

'Elke minuut van de dag.' Hij lachte om zijn eigen woorden, een holle lach. Morrow had het gevoel dat ze niet meer uit hem kreeg dan een van tevoren opgestelde verklaring.

'Neukte u met haar?'

'Nee.' Hij was totaal niet van zijn stuk gebracht. 'Ik neuk niet met mijn personeel.'

'Met wie neukte ze?'

Fredrick leunde achterover, sloeg zijn handen over zijn buik en keek haar aan. Morrow keek terug. Zijn haar was zwart geverfd, misschien om het grijs te verbergen, maar het stond hem goed. Hij had een vrij donkere huid, maar hij kwam onmiskenbaar uit Londen, en had een accent dat net plat genoeg was om echt te zijn, niet zo plat dat het was aangeleerd. Hij zag er goed uit voor een veertiger: niet het magere lijf van een roker, niet uitgemergeld van de cocaïne, maar gespierd en fit. Ze vermoedde dat hij aardig wat tijd in de sportschool doorbracht.

Minachtend trok hij zijn lip op terwijl hij zich naar voren boog en de manilla map aanraakte. 'Dat soort zaken hou ik niet bij.'

'Kunt u het ons niet zo uit uw blote hoofd vertellen?'

'Nee,' zei hij, en ze voelde dat hij de waarheid sprak. 'Ik heb deze bar nu negen jaar, we hebben altijd meisjes in dienst die er min of meer hetzelfde uitzien, en eerlijk gezegd kan ik ze na een tijdje niet meer uit elkaar houden. Ik kan me niet veel van haar herinneren.'

Daar liet hij het bij. Hij sloeg zijn handen weer voor zijn platte buik en trok zijn wenkbrauwen op in afwachting van de volgende vraag.

'Hebt u haar nationaal verzekeringsnummer?'

'Ze zei dat ze student was.' Hij schoof haar een vel papier toe waarop hij een nummer had gekrabbeld. 'Dit is het studentennummer dat ze ons gegeven heeft. University College London. Kijk het maar na.'

Aan zijn stem hoorde ze wat hij bedoelde. 'Is het nep?'

'Ja, ik heb de universiteit vanochtend gebeld, en het blijkt van iemand anders te zijn.'

'Was ze bevriend met een van de andere meisjes?'

Schouderophalend keek hij weer in het dossier. 'Ze kwam aan de baan via haar vriendin Maggie; ze kenden elkaar van school.'

'Waar kunnen we Maggie bereiken?'

'Dat is het meisje achter de bar.'

'Werkt die hier dan nog steeds?'

'Niet "nog steeds", ze is weer terug.'

'Waar is ze geweest?'

Hij stak zijn tong in zijn wang en keek haar geamuseerd aan. 'Ze is getrouwd. Met een man die ze hier heeft ontmoet. Blijkt het een lul te zijn. Nu is ze terug. Voor even.'

'Hoe weet u dat het maar voor even is?'

Fredrick keek haar aan en voor het eerst zag hij haar. Hij zweeg en ze vermoedde dat hij zich afvroeg hoe wijs het was eerlijk tegenover haar te zijn. 'Eerlijk gezegd heb ik liever niet dat de meisjes te lang blijven.' Hij maakte een vaag handgebaar. 'Dat maakt de bar... suf.'

'Gaan ze zich vervelen? Lijdt hun werk eronder?'

'Nee, de klanten gaan zich vervelen. Weet u, je zet wat meiden dag in dag uit bij elkaar, en in het begin houden ze zich nog wel gedeisd, maar na een tijdje beginnen ze te praten, en dan draait alles om hen, snapt u?'

'Waar hebben ze het dan over?'

'Over hun problemen, hun vriendjes, hun familie, wie er om hen geeft.' Fredrick duidelijk niet. Alleen al het opnoemen van de dingen die hem verveelden, verveelde hem. 'De mannen hier willen iets drinken en hun werk ontvluchten; de meesten van hen hebben thuis een vrouw zitten, ze willen hier helemaal niet naar die shit luisteren, toch?'

'Wat willen ze dan wel?'

'Iets drinken, een beetje glamour, dat ze in de watten worden

270

gelegd.' Hij zette zijn borst op. 'We zijn eerder een privéclub dan een bar; zonder introductie kom je hier niet binnen.'

'Lars Anderson kwam hier toch weleens iets drinken?'

Hij verstijfde. Weer bestudeerde hij Morrow en Wilder; hij keek naar hun kleren, naar haar schoenen, naar haar roodomrande ogen. Hij wierp een blik op de deur. 'Rocco heeft uw identiteitsbewijzen toch wel gecontroleerd?'

'De portier?' vroeg ze.

'Ja.'

'Dat heeft hij inderdaad gedaan.'

Hij stak zijn hand uit en knipte in zijn vingers. 'Mag ik ze nog eens zien?'

Ze lieten hem hun politiepasjes zien en hij bekeek de foto's, vroeg of ze de kaartjes uit hun portefeuille wilden halen, bekeek de achterkant en probeerde dat van Wilder om te buigen om te zien of het van stevig plastic was. Met een zelfingenomen lachje gaf hij ze terug. 'Weet u trouwens hoe ik weet dat jullie geen journalisten zijn?'

Hij wachtte tot ze antwoordden. 'Nee, meneer Fredrick,' zei Morrow. Haar ogen brandden en haar geduld raakte op. 'Hoe weet u dat we geen journalisten zijn?'

'Omdat u de leiding hebt.' Hij glimlachte. 'Een vrouw, snapt u? Zwanger. Een zwangere vrouw.'

Hij leunde achterover, zeer tevreden met zijn logische redenering, of het nou was dat ze een vrouw was of een zwangere vrouw waardoor ze geen journalist kon zijn – het zou haar allemaal worst wezen. Fredrick had een club waar mensen heen wilden en hij bracht veel tijd door in het gezelschap van drinkende mannen. Die twee factoren leken hem het misplaatste idee te hebben gegeven dat hij zelf interessant was.

'Lars Anderson kwam hier toch weleens iets drinken?' herhaalde ze, met dezelfde intonatie als eerst, om hem te laten merken dat haar geduld opraakte.

'Ja.'

Morrow keek hem aan. Hij keek haar aan. Het liefst had ze haar dag even met hem doorgenomen: dat ze om vijf uur was opgestaan om het vliegtuig van halfzeven te halen, dat ze misselijk was geweest, dat Wilder het vliegtuig bijna had gemist omdat hij naar de wc was gegaan, de hitte in de ondergrondse op weg naar het centrum, het lawaai en de chaos van het spitsuur in Londen, en dat alles om hier te komen en te worden behandeld alsof ze van het schoonmaakbedrijf was. Ze had Fredrick kunnen vertellen waarom hij haar moest vertellen wat hij wist, wat de gevolgen zouden zijn als hij dat niet deed, maar alleen al de gedachte aan een tirade verveelde haar. En daarom leunde ze achterover.

'Jezus,' mompelde ze, en ze schudde haar hoofd. 'Voor de dag ermee.'

Nu sprak ze Fredricks taal, en hij lachte. 'Sarah en hij?'

Morrow knikte bedachtzaam. 'Sarah en hij.'

'Die konden het goed vinden samen. Ik heb een paar keer gezien dat hij haar met de auto kwam ophalen van haar werk.'

'Vertelde ze er ooit iets over?'

'Nee. Dat zou ze nooit doen. Ze was heel discreet. Een aardige meid.' Hij knikte goedkeurend.

'Hebt u haar ooit bij iemand anders in de auto zien stappen?'

Nadenkend tuitte hij zijn lippen. 'Nee. Ze deed geen escortwerk toen ze hier werkte.' Hij keek Morrow onderzoekend aan. 'Wist u dat ze escortwerk deed?'

'Ja.'

'Toen ze daarmee begon, is ze hier weggegaan.'

'Hoe kwam u daarachter?'

Hij sloeg de manilla map dicht. 'Daarom is ze hier weggegaan. Ze was bevriend met een meisje, Nadia. Ik wist wat ze van plan was. Ik zei tegen haar: niet hier, Sarah, dat gaat me te ver. Als je daarmee begint, sodemieter je maar op. En dat deed ze.'

'Wie is Nadia?'

Hij keek langs hen heen naar de deur en tuitte opnieuw zijn lippen. 'Ik roep haar wel als u dat wilt.'

'Waarom zou u dat doen?' vroeg Morrow, gewoon omdat ze het wilde weten.

Fredrick haalde zijn schouders op. 'Ik help de politie altijd als ik kan,' zei hij, maar hij meed haar blik.

Maggie-voor-even-terug-achter-de-bar was niet echt onderste-boven van Sarah Errolls dood. Morrow vroeg zich af of ze wist dat ze vermoord was; misschien had ze de krant niet gelezen, maar toen ze doorvroegen werd duidelijk dat dat wel het geval was. Ze zei de dingen die mensen nou eenmaal zeggen: vreselijk, wat af-schuwelijk, maar haar gezicht bleef leeg en apathisch.

Maggie had ontslag genomen toen ze met een zakenman ging trouwen die ze hier in de bar had ontmoet. Er was een feest ge-weest op een boot, en alle Walnut-meiden waren uitgenodigd. Hij was twee jaar jonger dan zij en al miljonair. Ze dacht echt dat hij het ging maken. Maar toen kwam de crash en dat pakte hij he-lemaal verkeerd aan: hij trok zich niet op tijd terug en nu had hij niks meer, nog minder dan niks, want hij had met hun eigen geld gehandeld. Ze was blij dat ze haar baan terug had; Howard was een goede vriend. Kennelijk wist ze niet dat het maar tijdelijk was.

Morrow vroeg waar ze Sarah van kende.

'We hebben samen op school gezeten, ik was een paar jaar ou-der dan zij. Ik kwam haar weer tegen bij mijn zus; ze zocht werk, en ze zag er precies goed uit. Ik wist dat Howard iemand zocht. Ik nam haar mee en regelde een sollicitatiegesprek. Ze kon diezelf-de avond nog beginnen.'

'Wat voor iemand was ze?'

Maggie keek wezenloos. 'Aardig, rustig, ze werkte hard, ze was behulpzaam...'

'Hoe was ze op school?'

'Rustig.' Ze corrigeerde zichzelf. 'Eigenlijk kende ik haar toen niet goed, daarvoor zou u met mijn zus moeten praten.'

'Kun je me haar nummer geven?'

Maggie viste haar mobiel uit haar zak. Nadat Morrow het nummer in haar notitieboekje had opgeschreven keek ze even op en zag dat Maggie naar de achterste muur van het kantoor staarde – het licht viel van opzij op haar jukbeen. Ze had lachplooitjes, rimpels op haar voorhoofd, maar ze leken oud en ongebruikt, sporen van gelaatstrekken die ze waarschijnlijk nooit meer zou tonen. Opeens had Morrow het door: Maggies gezicht was verlamd. Ze was geen kille bitch: haar hele gezicht was volgepompt met botox.

'Hoe oud ben je eigenlijk?' vroeg ze.

Heel langzaam trok Maggie haar schouders tot aan haar oren op. 'Zevenentwintig.'

'Nog erg jong,' zei Morrow op vlakke toon, terwijl ze zich afvroeg waarom ze zo'n sterke drang voelde om Maggie tegen zichzelf te beschermen.

Diep in Maggies ogen meende Morrow een vleugje minachting te bespeuren. 'Niet echt,' zei ze.

Fredrick was kwaad op Nadia, woedend. Met een por in haar rug duwde hij haar voor zich uit het kantoor in en wees met opgetrokken lip wees hij haar zijn bureaustoel. Nadia liet zich door hem commanderen als in een sexy spelletje. Ze keek erbij alsof ze hem in haar zak kon steken. Ze droeg een enkellange jas van blond mohair en slechts een paar sieraden: een halsketting en bijpassende oorbellen van bewerkt geel goud, in een zigzagpatroon. Ze had een gave donkere huid en haar haar was zwart met chocoladebruin, niet goedkoop of pruikachtig zoals dat van Jackie Hunter, maar dik en weelderig.

Toen ze ging zitten viel haar jas open langs haar volmaakte bruine knieën, waarop een rode wollen jurk en een volmaakt stel benen tevoorschijn kwamen. Ze schonk Fredrick een verwijtend lachje.

'Ben jij Nadia?' vroeg Morrow, die het gevoel had dat ze er in haar ogen maar heel gewoontjes uitzagen.

Nadia keerde zich met een ingestudeerd lachje naar haar toe. 'Ik ben Nadia, ja. Howard zegt dat u me wilt spreken over Sarah en haar zaak.'

'Hm, heb je Sarah gekend?'

Nadia keek vragend naar Fredrick, die nors terugkeek. 'Nee, ik ben bang dat Howard zich vergist, maar ik heb Sarah niet gekend.' Naar haar accent te oordelen kwam ze uit het Midden-Oosten of Brazilië, dat kon Morrow niet met zekerheid zeggen.

'Hij zei van wel.'

Nadia keek hem aan en in haar ogen blonk een lachje.

'Jezus, kap daar eens mee,' zei hij. 'Ze is alleen maar dood. Ze zijn heus niet op jou uit.'

Flirterig gaf Nadia zich gewonnen. 'Oké, Howard, dan zeg ik de waarheid: ik heb haar gekend, ze was een vriendin van me, oké?'

'Waar kende je haar van?'

Ze zwaaide met haar hand over haar schouder. 'Van een feest-je. Zij bracht drankjes rond en hij, Howard, geeft soms extra werk...'

Ze keken naar hem voor bevestiging, maar hij staarde nog steeds woedend naar Nadia. 'Dus we maken kennis, we praten, zij is mooi en heeft geen geld en dan zeg ik tegen haar, je kan zaak-je beginnen, is wettig, op internet, niemand weet van jouw zaak-je, alles gaat privé. Gewoon voor de lol.' Ze benadrukte dat laat-ste, alsof daar juridisch geen speld tussen te krijgen was. 'Ja? Voor de lól.'

'Hoe reageerde ze op dat voorstel?'

Nadia keek even naar Fredrick. 'Ze was heel blij ermee...'

'Nee, dat was ze niet,' zei Fredrick dof. 'Ze was er kapot van.'

'Heeft ze er met u over gepraat?' vroeg Morrow.

Maar Fredrick keurde Morrow geen blik waardig. 'Nadia vindt het moeilijk om waarheid en fantasie van elkaar te scheiden. Dat is een groot probleem.' Nadia glimlachte liefjes naar het bureau-blad. 'Ze weet verdomme zelf niet eens of ze liegt, of wel soms?'

Ze schonk hem een blik die zo oud en veelbetekenend was dat Morrow wist dat Nadia een spelletje met Fredrick had gespeeld en dat zij had gewonnen.

'Kunnen we Nadia even alleen spreken?'

Dat stond hem niet aan. Hij probeerde een smoes te beden-ken, maar toen duwde hij zich met zijn schouders van de muur af, stapte naar de deur, draaide zich om en wilde nog iets zeggen, maar bedacht zich en liep naar buiten. De deur viel achter hem dicht.

Nadia tuitte haar lippen, net als Fredrick eerder had gedaan. 'Hij is een erg emotionele...'

'Ja,' onderbrak Morrow haar. 'Nadia, het interesseert me geen reet wat er tussen jullie speelt, en het interesseert me ook geen reet wat je doet voor de kost, snap je?'

Nadia bekeek haar aandachtig, liet haar blik over haar goedkope pakje, haar nette kapsel en haar zwangere buik gaan, en concludeerde dat ze zo van elkaar verschilden dat ze niets te vrezen had. Ze knikte zachtjes.

'Ik wil twee dingen weten: hoe ze in dat werk verzeild is geraakt, en wat Lars Anderson voor haar betekende. Duidelijk?'

Nadia trok haar jurk recht. 'Hij was met haar bevriend, Lars, een echte heer.'

'Een klant?'

Ze haalde haar schouders op en knikte.

'Was hij goed voor haar?'

Ze zette grote ogen op. 'Heel goed.'

'Nee, ik hoef niet te weten of hij haar goed betaalde of cadeautjes gaf, ik bedoel: behandelde hij haar goed?'

Weer haalde ze haar schouders op, deze keer wat aarzelend. 'Hij is een rijke man, hij is niet heel goed maar ook niet slecht. U kent mannen... hoe ze zijn...'

'Misandrie,' zei Morrow.

'Miss wie?'

'Misandrie. Het is de tegenhanger van misogynie. Een blind vooroordeel tegen mannen op basis van hun geslacht. Het is niet gezond, Nadia. Daar komen slechte relaties van.'

'O,' zei ze beleefd, 'dat is interessant. Ik wist niet dat er zo'n woord was.'

'Dat is de langetermijnschade van je beroep, hè?'

Ze schudde haar hoofd. 'Ik weet niet...'

Morrow boog zich naar haar toe. 'Denk je dat je ooit weer een man zult vertrouwen?'

Nadia bespeurde een zekere mate van begrip. 'U weet niet hoe het geld je erin trekt...'

Morrow leunde achterover. 'Mijnwerkers krijgen stoflongen.'

Ze lachten even naar elkaar.

'Misschien heb jij minder schade opgelopen dan ik. Ik ben van de politie: wij vertrouwen vrouwen ook niet.'

Nadia dacht even na en liet toen een snuivend lachje horen. 'Zelfs meisjes die dit werk niet doen... Niet iedereen is gelukkig in een relatie. Als ik eenzaam ben, ben ik wel ríjk en eenzaam.'

'Wat was Sarah voor iemand?'

'Aardig meisje. Eerst wilde ze niet. Haar keus, maar ze had het geld hard nodig. Haar moeder was ziek, ze kon de verzorging niet betalen. Ze vroeg mij hoe ze moest beginnen. Dat heb ik verteld.'

'Wat heb je haar verteld?'

Iets van spijt zweemde om haar lippen. 'Ik nodig haar uit voor een feestje, met partygirls. Ze neukt daar met een paar kerels. Zo begint ze.'

'Was ze na afloop van streek? Volgens Howard Fredrick was ze er kapot van.'

'Ze was niet blij, maar het was geen verkrachting. Ze huilde niet. Ze was na afloop boos, maar we zijn allemaal na afloop boos, in het begin. Het is zwaar werk. Daarom doet niet iedereen het. Het is soms moeilijk. Eenzaam werk. En het verandert je.' Ze keek Morrow aan. 'Mis-antrie?'

'Misandrie,' verbeterde Morrow haar. 'Kwam ze hier daarna nog werken?'

'Voor een paar diensten. Ze heeft er met Howard over gepraat. Hij was heel boos op me. Zei dat ik godverdomme uit zijn bar weg moest blijven. Eigenlijk dom, want ik heb haar hier niet ontmoet, ik heb haar ontmoet op een feestje, maar daarna zegt hij geen feestjes meer met de meisjes, want hij wist niet wie ze ontmoetten en zo.' Ze wierp een blik op de deur. 'Hij denkt dat het volbloedpaarden zijn, zoals hij ze behandelt.'

'Het barpersoneel?'

'Nee, gewoon... hij vindt het niet prettig wat ik voor werk doe.' Als om zichzelf te troosten raakte ze haar haar aan, en Morrow zag dat ze belang hechtte aan zijn mening.

'Howard en jij...?'

Even fronste Nadia haar wenkbrauwen en toen knikte ze met afgewend hoofd. 'We zijn een tijdje close geweest.'

'Hij is heel kwaad op je.'

Ze keek naar de deur om er zeker van te zijn dat die dichtzat. 'Ze mogen me neuken,' fluisterde ze, en haar gezicht stond hard en boos, 'maar ze mogen me niet hebben.' Ze schoof naar achteren op haar stoel en keek Wilder glimlachend aan, weer helemaal de partygirl. 'Daar worden ze gek van.'

De straten in de City waren zo rustig dat het net Glasgow leek tijdens een Old Firm-wedstrijd. Een paar toeristen lieten zich leiden door de felgekleurde plattegronden in hun handen, maakten foto's of filmden met hun telefoontjes. Het weinige verkeer bestond voornamelijk uit bussen en zwarte taxi's.

Morrow was blij toen ze weer op Heathrow was, blij dat ze in de vertrekhal zat tussen de andere Glasgowenaren, die zonverbrand en met hun zomerkleren nog aan terugkeerden naar huis, met vreemden zaten te kletsen en met wijd open mond lachten, gadegeslagen door het cabinepersoneel in hun elegante uniformen.

Wilder zat naast haar een sensatieblaadje te lezen, met een plechtig gezicht alsof het de Bijbel was, terwijl zij in haar verbeelding Sarah Erroll op een feestje zag, op haar rug, met haar gedachten bij het geld en haar moeder, en ondertussen lag een bronstige, rood aangelopen zakenman boven op haar te bonken. Het was een speling van het lot: Sarah had het geld nodig, toevallig kwam ze Nadia tegen en ontdekte ze dat ze het kon. Evengoed had ze een effectenmakelaar kunnen treffen, en dan was ze daar goed in geweest.

31

Kay wrikte de sleutel heen en weer, maar de deur ging niet open. Ze probeerde hem een paar keer achter elkaar in het slot te steken en toen blies ze erop. Dit was nog nooit eerder gebeurd: de sleutel paste wel in het slot, maar hij wilde niet draaien. Het liefst had ze een trap tegen de deur gegeven, een stomp, hem met haar schouder opengeramd.

Ze stopte, haalde adem en maande zichzelf tot voorzichtigheid. Ze was nog moe van de vorige avond. Toen ze terugkwamen, was ze naar de buren gegaan om Marie en John op te halen, en eenmaal thuis had ze de hele club rechtstreeks naar bed gestuurd. Daarna had ze tot vijf uur voor de tv zitten roken. Ze wist dat ze niet konden slapen en met knipperende ogen in het donker lagen te staren. Toen ze om tien voor vier naar de wc ging, hoorde ze Joe en Frankie fluisteren. Te beschaamd om naar bed te gaan bleef ze op, rookte en dronk kruidenthee, en dacht na over haar gezin en wat voor indruk de politie van hen had.

Uiterlijk behoorden ze tot de arbeidersklasse, dat wist ze, en zelf kwam ze soms wat slonzig over, maar ze had altijd gemeend dat ze er fatsoenlijk uitzagen. Misschien was dat niet zo. Misschien maakten ze een jaloerse, hebzuchtige, ordinaire indruk. Misschien leek ze inderdaad vijfenveertig tot zestig, was Frankie een beetje raar en John een verkrachter in de dop. Misschien was Marie dik en Joe een slijmerd. Ze was nog nooit eerder het geloof in haar kinderen kwijt geweest. Ze was er misselijk van.

279

Om te bewijzen dat ze een fatsoenlijk mens was, stond ze na drie uur slaap op om te zorgen dat ze allemaal hun bed uit kwamen, ontbeten en in schone, gestreken kleren naar school gingen. Toen kleedde ze zichzelf aan, borstelde haar haar en stapte op de bus naar Thorntonhall. Op het bovendek leunde ze met haar hoofd tegen het rammelende raam, en terwijl de gecondenseerde adem van vreemden in haar haar sijpelde, zwoer ze dat ze naar Margery zou luisteren zonder iets over de vorige avond te vertellen. Ze zou Margery een klopje op haar hand geven en zeggen dat ze zich geen zorgen moest maken. Ze zou niet aan zichzelf denken, en haar werk netjes en naar behoren doen.

Maar Margery's sleutel paste niet. Nadat ze een paar keer diep had ingeademd om zich enigszins te ontspannen, deed ze haar ogen weer open, draaide haar bovenlijf een kwartslag om en richtte haar blik op de openslaande keukendeuren.

Margery stond naar haar te kijken. Ze had haar armen over elkaar. Ze droeg haar gele pantalon, die dure, waarvan ze spijt had dat ze hem gekocht had, maar die ze prachtig vond. Ze droeg hem zelden, bewaarde hem voor speciale gelegenheden. Kanariegele wijde pijpen, al dertig jaar uit de mode.

Kay hief haar hand in een starre zwaai, maar Margery verroerde zich niet. Ze stond volmaakt omlijst in de ruit en keek haar recht aan. Kay wachtte tot ze naar het slot gebaarde of haar door de tuindeuren binnen nodigde. In plaats daarvan trok Margery haar arm los en wees naar het hek.

Kay keek achterom. Het hek was dicht, ze had het goed dichtgedaan. Toch bleef Margery daar stijfjes staan wijzen en haar lippen vormden het woord 'Nee' of 'Weg'.

Er was iemand bij haar.

Kay liet haar plastic tas op de dikke grindlaag vallen en rende naar de tuindeuren, rammelde aan de kruk, en in een poging de deuren te openen trok ze eraan in plaats van te duwen. Toen ze haar vergissing doorhad, draaide ze de kruk om, duwde en liet de glazen deur tegen het werkblad aan knallen.

Margery week terug en klampte zich vast aan het aanrecht. 'Ga weg!'

'Wie is hierbinnen?'

Kay liep naar de woonkamer.

'Niemand.'

Ze bleef staan. Ze luisterde. Ze kende de geluiden van dit huis, en op Margery na was er niemand.

'Ga weg.'

Kay zweette, ze hijgde, ze voelde zich kwetsbaar tegenover Margery, die koeltjes tegen het aanrecht leunde. 'Hoezo?'

Margery liep naar de tafel alsof het om iets zeer dringends ging en verzette een kristallen vaasje met één gele roos, schoof het een klein stukje op. Ze keek Kay aan en trok haar lippen terug in een glimlach zonder mededogen. 'De politie is weer geweest. En jij weet waarom.'

Heel even hoorde Kay alleen het doffe gebonk van haar eigen bloed. Ze voelde het bloed in haar wangen, in haar ogen, over haar hele gezicht.

Ze zag Margery Thalaine in haar keuken van dertigduizend pond staan en haar tanden ontbloten naar de hulp, en in één klap wist ze wat Margery zag: een mislukkeling, een schooier.

'U vergist zich,' fluisterde ze, terwijl ze wel had kunnen schreeuwen. 'Dat klopt niet.'

'Ga weg.' Margery klonk vlak, en wat ze bedoelde was: kom nooit meer terug, niet later en ook niet over een jaar.

Kay zou dingen kunnen zeggen om Margery te kwetsen, ze zou kunnen aanvoeren dat ze altijd als een vriendin voor haar was geweest, dat ze aardig was geweest zonder dat dat hoefde. Ze zou kunnen aanvoeren dat ze nog geld kreeg voor ragebollen en schoonmaakmiddel. In een zwak moment zou ze zelfs meneer Thalaines vlucht uit Berlijn in 1938 kunnen noemen en haar vragen hoe ze nu zo gemakkelijk de kant van de autoriteiten kon kiezen.

Maar ze deed niets van dat alles, want ze was te overstuur om een woord uit te brengen. In plaats daarvan liep ze via de tuindeuren naar buiten en deed ze zachtjes dicht, met haar blik op de kruk gericht in plaats van naar binnen.

Toen liep ze naar de voordeur en schoof haar hand door de

handvatten van haar plastic tas, die zich als een kind naar haar uitstrekte. Met opgeheven hoofd liep Kay het hek uit en de hoek om, naar de inham voor de vuilnisbakken, waar ze een sigaret opstak. Onder het roken keerde ze zich naar de heg toe om haar gezicht te verbergen.

Een diepe, schorre zucht hield de tranen tegen die zich verdrongen achter haar ogen. Ze had de rook nog maar nauwelijks uitgeblazen toen ze weer een trek nam. De paniek kwam niet door Margery, die haar vals had behandeld, die haar had gekleineerd. De paniek kwam doordat ze dat baantje nu kwijt was terwijl ze vier kinderen had die schoenen en eten moesten hebben en doordat de huur en die stomme gemeentebelasting betaald moesten worden. Het ging alleen om geld. Gewoon om geld. Ik krijg wel ander werk, hield ze zichzelf voor, maar ze wist dat de baantjes dun gezaaid waren, dat ze goed betaald kreeg en dat de werktijden haar goed uitkwamen. Ander werk betekende een avondbaan bij de supermarkt, zodat ze de hele avond weg was en de kinderen alleen thuis zouden zijn – ze zou niet eens weten óf ze thuis waren. Of wie er bij hen was.

Ze nam weer een trek. Nee. Er waren vast wel andere baantjes. Ze had de Campbells nog. Misschien kenden die iemand die een schoonmaakster nodig had. Misschien.

Ze liet de sigaret vallen, en vond het een hele prestatie dat ze hem in vier trekken had opgerookt. Ze trapte erop, riep zichzelf tot de orde, streek haar haar glad en liep de laan door naar het huis van de Campbells, waar ze zonder het gazon te betreden via de tuin naar de keukendeur glipte.

Molly Campbell was in de keuken. Ze wachtte haar op, stond op de uitkijk, en Kay wist het al. Margery was hier geweest, had haar hart gelucht en nu wilde Molly haar sleutel terug.

Met een treurig lachje deed Molly de deur open.

'Hallo, Kay.' Ze hield haar hoofd schuin en met een zucht week ze een stap terug om Kay binnen te laten; ze wees naar een stoel die ze voor Kay onder de tafel uit had getrokken. Kay nam plaats en probeerde te luisteren terwijl Molly Campbell haar ontsloeg, haar belastingsituatie uit de doeken deed en uitlegde waarom het beter voor iedereen was dat Kay nooit meer terugkwam. Het was de belasting: Margery had uitgelegd dat Kay haar dienst had 'opgezegd', en zonder dat baantje was dit baantje hier gewoon de moeite niet. Het was het beste voor iedereen. Ze had een schaal koekjes klaargezet.

Kay probeerde te luisteren, maar ze voelde het verlies van Joy Erroll als een golf van warmte en verdriet in zich opwellen. Ze voelde een knokig handje in de hare en zag Joy vrolijk lachen met haar door theeaanslag bruin geworden tanden. Tegen de tijd dat ze stierf, had ze nog vijf tanden over, kleine stompjes. Haar kaken waren geslonken en ze wilde haar kunstgebit niet langer in hebben. Weer voelde Kay Joys gewicht als ze haar van de wc tilde, met beide armen om haar magere lijf terwijl Joy haar armpjes om Kays nek sloeg, en hoe Joy dan verbluffend toepasselijk een oude bigbandsong ten gehore bracht en deed alsof ze samen dansten.

Kay barstte in tranen uit. Ze pakte haar spullen en stond op, deed de deur open en liep de tuin in.

'O nee.' Molly Campbell stak haar hand naar haar uit. 'Kay, het spijt me verschrikkelijk, kom alsjeblieft...'

Maar Kay wuifde haar weg. 'Nee, laat maar.'

'Kom alsjeblieft terug en ga nog even zitten.'

'Nee, nee.' Nog steeds huilend rommelde ze in haar tas, vol verlangen naar de warmte van Joys lichaam tegen het hare, naar de grote liefde die ze kwijt was. Ze vond de sleutel en legde die in Molly's uitgestoken hand. 'Het heeft hier niks mee te maken.' Ze voelde zich belachelijk want, jezus, het ging om twee ochtenden per week. 'Het heeft niks met het baantje te maken.'

Ze zette het op een rennen, weer om het gazon heen, om zo snel mogelijk weg te zijn en haar gezicht te kunnen verbergen.

Ze rookte terwijl ze op de bus stond te wachten, iets wat ze anders nooit deed. Straks reed Margery Thalaine nog langs en zag haar, maar dat kon haar niets meer schelen. Ze zou haar toch nooit meer zien.

Ze wist haar tranen te bedwingen en probeerde er niet aan te denken dat dit misschien de laatste keer was dat ze hier kwam. Ze had nu geen werk meer, en zonder referenties zou ze zelfs het baantje bij de supermarkt kunnen vergeten. Misschien dat Molly zich schuldig voelde en haar een referentie wilde geven.

Terwijl ze stond te wachten en haar gezicht gevoelloos werd van de regen ging haar telefoontje over in haar handtas; ze nam niet op, maar wachtte tot de bus kwam en ze zich op een stoel bij het raam had geïnstalleerd.

Donald Scott verzocht haar hem terug te bellen, met het oog op de afwikkeling van de nalatenschap van de Errolls. Ze moest diep in haar geheugen graven om de naam weer boven te krijgen. Hij was de notaris van de Errolls. Hij kwam altijd langs om Joy te spreken. Dan vroeg hij om een koekje bij de thee, maar at het nooit op. Hij klonk verwaand op het ingesproken bericht, en zei iets over de politie, de kom en het horloge. Tss, zei Kay tegen het telefoontje. Alsof een horloge en een kom er nog iets toe deden bij de afwikkeling van de nalatenschap. Maar toen bedacht ze dat ze Scott zou kunnen bellen om hem om referenties te vragen. Hij wist dat ze altijd goed had gewerkt voor mevrouw Erroll. Misschien kreeg ze een mooie referentie en kon ze aan de slag in een bejaardenhuis. Misschien kreeg ze dan wel een opleiding.

Het vonkje hoop vlamde op: Scott was notaris, zo'n referentie was niet mis. Deze keer keek Kay naar de weg en zag de vertrouwde hagen en bochten en bomen. Ze was weer wat kalmer en begreep wat ze fout had gedaan: Margery had er spijt van dat ze Kay in vertrouwen had genomen. Kay had naar haar geluisterd en de grens overschreden tussen werkneemster en vertrouwelinge, en het was gemakkelijker te rechtvaardigen als je een vertrouwelinge slecht behandelde. Margery had waarschijnlijk naar een excuus gezocht om haar te kunnen ontslaan, alsof je Kay bij de handvatten kon dichtbinden en in de vuilnisbak gooien.

Dat baantje stond toch al op de tocht. Margery zat aan de grond en het baantje bij de Campbells dekte amper de reiskosten, dus daar had ze ook ontslag moeten nemen.

Ze liet zich achteroverzakken, en voelde de sigaretten en het verdriet in haar longen branden. Een nieuw begin. Ze voelde zich weer competent en tot alles in staat. Moeder van vier kinderen. De enige schaduw die over haar stemming viel was de vorige avond. Ze zouden weer moeten opdraven voor een verhoor. Het kon op elk moment van de dag of de nacht gebeuren. Misschien ging de politie naar de school van de jongens en plukte ze uit de klas. Of ze verschenen bij het huis van een vriendje en plukten ze daar weg, en dat soort smetten bleef een jongen aankleven. Ze dacht aan de leraren die met een andere blik naar de jongens zouden kijken, en dat ze niet meer bij hun vrienden thuis mochten komen, dat ze uitgestoten werden.

Kay besloot er iets aan te doen, want passiviteit was een vaardigheid die ze nooit had aangeleerd.

Ze was weer thuis, samen met Frankie en Joe, en ze zaten dicht op elkaar gepropt aan het keukentafeltje. Joe en Kay hadden de stoelen gepakt en Frankie troonde op een keukentrapje, waardoor hij een eind boven de tafel uitstak.

'Jongens, ik ben vanmiddag weg,' zei ze gedecideerd, een en al gezag en zelfvertrouwen. 'Weet iedereen wat hij moet doen?'

Frankie keek naar zijn takenlijstje. 'Ik vind niet dat je ons hiervoor uit school had moeten slepen, mam.'

'Nee,' zei Joe, met een blik op zijn eigen lijst. 'De meesten van deze jongens zitten op school. Als ik met ze wil praten, moet ik toch wachten tot ze uit zijn.'

'Jongens,' zei ze, 'niet aan de kleintjes vertellen, maar ik ben me gisteravond rot geschrokken en ik wil dit vandaag nog uitzoeken. Ik heb de politie gebeld, en we moeten rond het avondeten weer opdraven, dus jullie zorgen dat jullie hier om halfvijf terug zijn zodat we samen de bus kunnen pakken.'

Joe tuurde naar zijn lijst en keek haar toen bevreemd aan. 'We weten dat je geschrokken bent, mam.'

'We zijn allemaal geschrokken,' zei Frankie zachtjes.

'Hoe komt het dat je niet op je werk bent?' wilde Joe weten.

Het was nog niet bij Frankie opgekomen dat Kay normaal bij mevrouw Thalaine zou zijn.

Kay wilde een sigaret pakken, maar bedacht zich en keek hen weer aan. 'Ik ga van baan veranderen. Ik wil verpleegster worden.'

Kay stapte bij de Squinty Bridge uit de bus en stak de rivier over naar Broomielaw. Vanaf de brede vlakte van Govan trok een pittige bries de rivier over en steeg op langs de hoger geleden flats. Zelfs in het diepe portiek tilde hij de achterflap van haar jas op en blies haar haar langs haar oren. Auto's stoven voorbij, en bereidden zich alvast voor op de snelweg, zo'n vijfhonderd meter verderop.

Kay zei tegen zichzelf dat dit een vergissing was, maar niettemin drukte ze op de zoemer.

Er werd opgenomen en een vrouwenstem vroeg: 'Wie is daar?'

Kay noemde haar naam en de vrouw vroeg of ze die wilde herhalen. Ze hing op en Kay wachtte. Een bus reed voorbij, minderde vaart en stopte na honderd meter. Kay overwoog ernaartoe te rennen, maar toen kwam de microfoon weer knetterend tot leven. 'Kom maar boven.'

Ze keek naar de glazen deuren en verwachtte een signaal, maar dat bleef uit. Ze drukte de deur met haar vingertoppen open en liep de hal in.

Het waren particuliere flats, dure flats, maar de hal was smerig vergeleken met die van haar. Ze bromde afkeurend toen ze de vloer voelde plakken en de sigarettenpeuken in de plantenpotten zag. Hier hoorde niet gerookt te worden, niet in een gemeenschappelijke ruimte. Er zaten zelfs sigarettengaatjes in de bladeren van de nepplanten. De kinderen bij haar in de buurt zouden dat wel laten. Wat zouden die op hun donder krijgen.

Ze liet de lift komen, stapte in, drukte op de knop, draaide zich naar de deuren toe en zag ze dichtgaan. Terwijl de lift opsteeg, kuchte ze en streek haar haar glad; ze keek naar haar spiegelbeeld in de deur en constateerde dat ze er oud, slonzig en afgeleefd uitzag: vijfenveertig tot zestig. De lift stopte, de deuren aarzelden even voor ze opengingen, en opeens had ze er spijt van dat ze gekomen was.

Eerst dacht ze dat het weer een hal was, want het was er groot en hoog als in de aankomsthal van een luchthaven.

Een wand van ramen over twee verdiepingen keek uit over de rivier tot aan de zee. De andere muren waren van geel zandsteen, en er stonden bijna geen meubels, alleen een grote bank. Maar toen zag ze de vrouw. Ze stond op drie meter afstand, op de diagonaal aan de andere kant van de ruimte. Het was een merkwaardige plek om iemand te ontvangen die net uit de lift was gestapt, want je blik werd niet meteen die kant op getrokken. Ze wilde dat de mensen haar zochten.

Gebleekt haar, roze lipstick, hoge hakken. Ze zwaaide als een kind, hief haar arm bij de elleboog en liet haar hand van de ene kant naar de andere wapperen. 'Hoi.'

Kay knikte en keek om zich heen om te zien of er nog iemand was.

'Ik ben Crystyl.'

'Oké.' Hier had Kay echt geen tijd voor. Ze hoopte dat haar vergissing snel duidelijk werd, dan kon ze opstappen, naar huis gaan en in alle rust een sigaret opsteken.

'Danny is binnen.' Crystyl hief haar hand in de richting van een deur aan de kant van de lift, en Kay stapte eropaf. De deur stond op een kiertje en ze gaf een duw, maar nu kwam de vrouw eraan snellen, wankelend op haar hoge hakken, en begon er een hele vertoning van te maken.

'Ik zeg wel tegen hem...'

Kay stak haar hand op. 'Ik red me wel.' Ze stapte de kamer binnen, al was het alleen maar om te ontsnappen aan god mocht weten wat dat mens mankeerde.

Het was een lage kamer, een soort privévertrek. Opzichtig felle halogeenlampen waren verzonken in het plafond. Er lag dik tapijt, de muren gingen schuil achter grenen schappen met aan de ene kant een grote ingebouwde spiegelbar. De grootste tv die ze ooit had gezien besloeg de hele achterste wand. De voetballers leken levensgroot.

Danny McGrath was niet veel ouder geworden. Hij had niet nachten lang temperatuurpieken bewaakt die uiteindelijk niets voorstelden, hij was nooit opgebleven om op het laatste moment nog kostuums te naaien voor schoolconcerten. Hij had nooit achter elkaar dubbele diensten gedraaid, de eerste om de oppas te betalen, de tweede voor de huur. Hij had niets van dat alles gedaan. Hij was zijn eigen gang gegaan en had gewerkt om de dingen te kopen die hij graag wilde hebben, zoals de grote tv waar hij nu voor zat, zoals de leren ligstoel waarop hij zich had uitgestrekt. De dure flessen drank, allemaal vol, die stonden te glinsteren op de glazen schappen achter hem. Hij zag er jong, fris en uitgerust uit.

Hij zette zijn stoel recht toen hij haar zag en met de afstandsbediening drukte hij de voetbalwedstrijd op pauze. Hij nam niet de moeite te gaan staan en bood haar geen stoel aan. Hij verwachtte niet dat dit lang zou duren.

'Kay, wijfie, hoe gaat het met je?'

Ze hield haar handen in haar zakken en keek knikkend om zich heen naar al zijn spullen. 'Mooi.' Maar Kay had een scherp oog, en ze wist dat het meubilair ordinair was, fabrieksspul, en dat het niet lang meeging.

'Wat kan ik voor je doen?'

Het was een vergissing, ze beging een vergissing. Ze hield haar adem in.

Ze keek naar de achterste muur en zei wat ze in gedachten in de bus op weg hiernaartoe had ingestudeerd: 'Ik wil je om een gunst vragen.'

Ze keken elkaar aan. Danny knikte. 'Wat dan?'

'Je zus,' zei ze, met een blik op de maanbleke buik die onder zijn T-shirt uit piepte. 'Je moet met haar gaan praten. Ze heeft het op mijn jongens gemunt, maar het zijn goede jongens, ze hebben niks gedaan.'

Danny schraapte zijn keel. 'Ik zie Alex nooit.'

'Ze verdenkt ze van moord. Ze hebben het niet gedaan.'

'Kay, wijfie, ik zie haar nooit. Ik laat haar met rust, en zij gaat met een grote boog om mij heen.'

Maar nu schoot Kay vol. Het was stom dat ze hiernaartoe was gekomen. In paniek had ze iets stoms gedaan. 'Je zou zeggen dat ze nu ze in verwachting is...' Ze begon te huilen. Bij iemand die ze respecteerde zou ze zich beter hebben kunnen inhouden.

Danny keek naar haar terwijl ze huilde. 'Is ze weer zwanger?'

'Van een tweeling.'

'Het is me helemaal niet opgevallen...'

'Je kunt het al zien.'

Zijn blik schoot naar de tv. 'Ach, nou ja, ze had toen een jas aan.'

'Je gaat dus niet met haar praten?'

Danny bromde wat, en schoof met zijn rug over de leren stoel. 'Alex wil niks met me te maken hebben. Als ik je kon helpen zou ik het doen. Als ik iets anders kan doen... Ik zal de advocaten wel betalen als ze aangeklaagd worden, wat vind je daarvan?'

Kay haalde diep en moeizaam adem. Onder haar voeten kraakte het dikke tapijt toen de vezels verschoven. Kay wilde weg. Ze had Danny nog nooit om iets gevraagd, en het was een vergissing geweest om nu hier te komen.

'Oké.' Ze liep weer naar de deur.

'Zestien?'

Kay hield haar adem in. 'Wat?'

'Hij is toch zestien?'

Haar hand lag al op de knop. 'Over wie heb je het?'

'Joseph. Is hij zestien?'

Ze draaide zich om en keek hem recht in zijn gezicht. 'Ja, Joe is zestien.'

Ze staarden elkaar aan. Danny's wenkbrauwen gingen langzaam omhoog.

'Tss,' zei Kay. 'Maak jezelf maar niks wijs, Danny, Joe is een knappe vent.'

Zo gemakkelijk liet Danny zich niet afschepen. Ze had het hem nooit verteld, maar op de een of andere manier wist hij dat Joe van hem was. Hij wendde zijn blik af en schraapte zijn keel. 'Wat is het voor jongen?'

Hij dacht aan JJ. Nu zag Kay hem pas goed. Zijn ogen waren roodomrand, hij had een buikje en zijn enkels leken een beetje gezwollen. Danny: vijfenveertig tot zestig.

Kay stapte op hem af en plooide haar hand om zijn wang; hij schrok, en toen zei ze: 'Danny, Joe is een prachtkerel,' en ze hield zijn gezicht in beide handen terwijl hij als een kind tegen een huilbui vocht.

Beschaamd stond hij op, duwde haar handen weg en keerde zich van haar af. Snotterend droogde hij zijn gezicht aan zijn mouw.

'Hé, knul,' zei Kay. 'Knul?'

Hij kon haar niet aankijken. 'Wat is er?'

'Ik had hier niet moeten komen.'

'Nee. Het geeft niet.'

Ze deed de deur open en wilde weggaan voor hij zichzelf weer onder controle had, maar hij stond al naast haar. Hij klemde een stapel twintig-pondbiljetten vast die hij haar probeerde toe te stoppen.

Kay keek naar het geld, maar haar handen bleven in haar zakken. 'Als je maar bij ons uit de buurt blijft,' zei ze, en toen vertrok ze.

32

Ze aten hun broodjes in Bannermans kamer en ondertussen praatte ze hem bij over de gesprekken in de Walnut. Hij luisterde niet. Ze vertelde hem maar niet over het feestje, dat soort persoonlijke informatie over Sarah wilde ze niet kwijt aan iemand die er duidelijk niet in geïnteresseerd was. Hij zat te wachten tot ze klaar was en hij zijn eigen theorie kon ventileren. Hij was er opgewonden van, kennelijk had hij opeens het licht gezien en nu was hij dolblij. Bannerman had helemaal geen zin om verstrikt te raken in het eindeloze vergaren van informatie die nergens toe leidde, en zijn theorie bood hun een kans dat lot te ontlopen. Morrow vond het buitengewoon onwaarschijnlijk.

Bannermans idee kwam op het volgende neer: de jongens Murray waren Glenarvon binnengekomen via het keukenraam, mogelijk op aanwijzing van hun moeder. Als ze inbraken zou het lijken alsof zij er niets mee te maken had, want zij had per slot van rekening een sleutel. Zonder vingerafdrukken achter te laten drongen ze de keuken binnen, maar toen ze de trap opgingen naar de slaapkamer van Sarah Erroll moest Frankie, de jongste, opeens naar de wc. Met zijn duim raakte hij de wc-bril aan en liet een gave afdruk achter. Vervolgens pleegden ze de misdaad en op weg naar huis gooiden ze hun kleren weg. Het geld hadden ze nergens kunnen vinden, en het enige wat ze meenamen waren een asbak en een horloge. Het zilveren eierdopje was inmiddels van de lijst met gestolen voorwerpen afgevoerd, want het was slechts verzilverd en had al jaren boven op de kast gestaan.

Morrow schudde haar hoofd. 'Dat ze inbraken om de indruk te wekken dat ze geen sleutel hadden, klinkt een beetje al te gecompliceerd. Misschien had de dader inderdaad geen sleutel?'

'Maar als ze wel een sleutel hadden, zouden wij denken dat ze die niet hadden.'

'Dat is wel erg geraffineerd voor dieven die door het lint gingen en haar hoofd intrapten, vind je niet?'

'En toen raakten ze in paniek en namen het horloge en de kom mee.'

'Nogmaals, iets te geraffineerd. Ze stoppen het horloge in een sok onder het bed van hun moeder en gebruiken de kom als asbak.'

Hij zag dat ze er niet aan wilde. 'Volgens haar zijn ze daar niet geweest.' Hij schoof haar een foto van de vingerafdruk toe. 'We hebben Frankies vingerafdruk op de wc-bril gevonden.'

'Maar nergens anders?'

'Nergens. Had hij handschoenen aan?'

'Waarom zou je handschoenen aantrekken en die dan weer uitdoen als je naar de wc gaat?'

Daar was Bannerman op voorbereid, dat zag ze aan zijn grijns. Hij stak zijn hand naar voren, met de handpalm naar beneden en de duim eronder, en deed alsof hij een wc-bril optilde. Hij trok zijn wenkbrauwen op. 'Hij moest plassen. Zo'n inbraak, dat is heel spannend, dan moet je opeens nodig...'

'Maar niet plassen.' Ze klonk vaag want ze dacht na. Harris zou meteen hebben geweten wat ze bedoelde, maar Bannerman zag het niet. Dieven en inbrekers ontlastten zich nogal eens in een huis, vaak op vreemde plekken, zoals op de vloer van de woonkamer of in een keuken. Door de adrenaline kwam alles in beweging en werd de dunne darm geprikkeld. Ze drongen een huis binnen en als de eerste golf van opwinding voorbij was merkten ze dat ze niet meer konden lopen omdat ze zo nodig moesten, dat ze de wc niet eens meer haalden. Het was niet – zoals veel slachtoffers dachten – uit minachting of om te pesten. Het was niet om een daad te stellen, maar gewoon uit fysieke aandrang. Het was onwaarschijnlijk dat ze naar de wc gingen om te plassen en keurig doortrokken, en vervolgens hun handschoenen weer aandeden en een moord pleegden. Er waren trouwens ook vinger-afdrukken op de telefoon aangetroffen. Die waren niet van Frankie. Anders zou Bannerman het wel gezegd hebben.

Ze keek naar de foto van de vingerafdruk op het witte kunststof. Het was een duimafdruk en aantoonbaar van Frankie: op de vingerafdrukanalyse die aan de achterkant was geniet stonden zestig punten van overeenkomst en dat terwijl het slechts een oppervlakkig onderzoek was geweest.

'Op het filmpje zegt ze dat haar jongens nooit in dat huis zijn geweest,' voegde Bannerman eraan toe.

Hij had gelijk, dat had Kay gezegd, maar het was wel een erg grote zaak om op één enkele vingerafdruk vast te pinnen.

'Shirley McKie,' zei Morrow zachtjes. Hij keek haar aan alsof ze hem een schop tegen zijn ballen dreigde te verkopen.

'Ik wil alleen maar zeggen,' vervolgde ze, 'dat het maar één afdruk is, en we zijn gewaarschuwd.'

De zaak van rechercheur Shirley McKie was een waar horrorverhaal onder politiemensen. De duimafdruk van de detective uit Strathclyde werd aangetroffen op de plek waar een moord was gepleegd, maar waar zij nooit was geweest. Het zou verder niet van belang zijn geweest, maar ook het forensisch bewijs tegen de verdachte bestond uit één enkele vingerafdruk op de plaats delict. Zijn veroordeling werd herroepen en de controversiële schorsing van McKie had het hele politieapparaat in rep en roer gebracht: als niet bewezen kon worden dat ze loog en dat ze daar wel degelijk was geweest, zou al het bewijs van de afgelopen veertig jaar dat gebaseerd was op vingerafdrukken ter discussie staan, en een gigantisch aantal zaken zou heropend worden. Tot hun schande besloten de leidinggevenden hun collega op te offeren. Shirley McKie nam een advocaat en won de zaak alsnog. Iedereen wachtte op het onvermijdelijke.

Bannerman sloeg een blaadje met aantekeningen om ten teken dat hij op een ander onderwerp wilde overgaan. 'Die "vriendin" van Leonard...' Hij keek op. 'Is ze...?'

'Is ze wat?' vroeg Morrow strijdlustig, alsof ze er zelf niet bij had stilgestaan. 'Aardig?'

Hij grijnsde en besloot het erbij te laten. 'Gewoon, ze lijken heel anders dan in de film.'

'Hoezo, bedoel je dat ze elkaar niet met smerige lange valse nagels de ogen uitkrabben? Wat is er met haar vriendin?'

Hij leek gepikeerd door haar suggestie dat hij weleens naar porno keek. 'Ik heb haar aan de telefoon gehad; ze is een presentatie voor ons aan het voorbereiden. We hebben de foto's laten vergroten en blijkbaar zit er een kras op een van de zolen. Zij denkt dat ze hun afdrukken van elkaar kan scheiden. Dat ze kan uitvogelen wie wat heeft gedaan.'

'Mooi. Dan kunnen we ze van samenspanning beschuldigen, als jij denkt dat ze het redt in het getuigenbankje.'

'Het is me nogal een giechel.'

'Aha.' Dat was mis.

'Ze klinkt alsof ze vijftien is.'

'Hoe oud is ze eigenlijk?'

'Drieëntwintig. Ik heb online een foto van haar gezien.'

'Zag ze er jong uit?'

'Op haar Facebook-foto zit ze topless op het strand. Maar ze zag er inderdaad erg jong uit.'

Als getuige-deskundige viel ze af als ze jong of dom overkwam. De jury zou niks met haar hebben, de hele aanklacht zou erdoor besmet raken, en de kranten grepen elk excuus aan om een foto van een topless meisje op de nieuwspagina's af te drukken. Reken maar dat die gebruikt werd als ze met concreet bewijs kwam. 'Hebben we niemand anders in het lab die een beetje presentabel is?'

'Nee, ze ontwikkelt de technologie zelf. Het klinkt trouwens interessant.'

Morrow dacht hardop na. 'Waarom verwerpen we eigenlijk de mogelijkheid dat een klant haar te grazen heeft genomen?'

Hij knikte en nam het serieus in overweging. 'Er gaat iets mis, bijvoorbeeld met een jongeman die hem niet overeind krijgt en kwaad op haar wordt. Hij zoekt haar op en vermoordt haar.'

'Het zou kunnen, toch?'

'Nee, dat slaat nergens op. Ze ontving thuis nooit klanten en ze beantwoordde de e-mails niet meer. Het feit dat het in haar huis is gebeurd, betekent waarschijnlijk dat het om iets anders gaat, niet?'

Hun gesprek werd onderbroken door een klop op de deur. Harris stak zijn hoofd om de hoek. Hij weigerde Bannerman aan te kijken.

'Ik heb een journalist aan de telefoon. Hij wil iemand van de leiding spreken.'

Ze keken hem allebei fronsend aan. Ze werden voortdurend door journalisten gebeld. Harris hoorde ze door te spelen aan de afdeling media en pers.

'Het is iemand uit Perth.'

'Waarom zou ik hem willen spreken?' vroeg Morrow.

'Hij weet dat Sarah Erroll geen slipje droeg toen ze stierf.'

Greum – hij spelde het voor haar – Jones was zo te horen van middelbare leeftijd, maar dat deed geen afbreuk aan zijn enthousiasme voor zijn vak. Hij werkte voor een kleine plaatselijke krant en had zich laten omscholen nadat hij een of andere baan was kwijtgeraakt die haar geen moer interesseerde. Hij had familie bij de politie. Hij had het verhaal nog niet gepubliceerd, maar wilde de informatie onmiddellijk doorgeven, voor het geval die van nut was.

Hij had aan een artikeltje gewerkt over de sluiting van een buurtcentrum. Normaal zou hij de moeite niet hebben genomen ernaartoe te gaan – ze waren een kleine krant met een redactie van vier, dus veel tijd hadden ze niet – maar het was bij zijn tante in de buurt en hij bedacht dat hij dan meteen even bij haar langs kon gaan. Aldus geschiedde. In het centrum werden dansmiddagen gehouden voor ouderen, maar de pastoor die alles organiseerde was dronken geworden en had het kleingeld gepikt om wodka te kopen. Er zou weleens een mooi verhaal in kunnen zitten.

Net toen Morrow zich begon af te vragen waarom ze het telefoontje had aangenomen kwam hij ter zake: hij zocht de pastoor op en trof de man dronken aan, huilend en met een krant voor zijn neus. Hij wees de journalist op het verhaal over de moord op Sarah Erroll. Hij zei dat ze in bed lag te slapen toen ze bij haar kwamen en dat ze geen slip aanhad. Greum had alle krantenartikelen over de zaak erop nagelezen, maar nergens stond iets over een slip. Klopte het? Had ze liggen slapen? Was ze van onderen bloot geweest?

Iemand die bij het onderzoek betrokken was, had zijn mond voorbijgepraat. Dat was duidelijk. Maar dat kon iedereen zijn: de agenten, de leiding, de technische recherche, secretaresses, de specialisten en artsen, iedereen. Misschien hadden ze het voor geld gedaan, maar het kon ook een machtsspelletje zijn dat met Bannerman en Harris had te maken.

Greum herhaalde zijn vraag: was ze van onderen bloot geweest? Morrow zei dat ze geen commentaar kon geven.

De pastoor had ook nadrukkelijk gezegd dat er niets uit het huis was ontvreemd. Al luisterend begon Morrow aantekeningen te maken. Ze hadden haar gezicht onherkenbaar kapotgetrapt, zo was ze aan haar einde gekomen. Een stukje oor was losgeraakt en op de tree onder haar schouder terechtgekomen.

Morrow stond abrupt op en snelde de gang door naar de recherchekamer. Ze keek naar het bord, naar de foto's van de plaats delict en ondertussen hield ze Greum aan de praat door hem naar de naam van de pastoor te vragen, waar hij werkte en of hij als zuiplap bekendstond. Op geen enkele foto stond het oorlelletje afgebeeld. Ze liep terug naar haar kamer en haalde de volledige fotoserie tevoorschijn. Slechts op een ervan stond het oorlelletje. De foto was genomen nadat het lichaam van Sarah Erroll was verwijderd. Geen van de rechercheurs had deze foto's gezien.

'Greum, volgens mij schieten we hier niks mee op.' Ze probeerde zo neutraal mogelijk te klinken. 'Deze gegevens zijn algemeen bekend.'

'O, echt?' Hij was teleurgesteld, maar reageerde sportief.

'Ja, helaas wel. Maar evengoed bedankt voor je telefoontje.'

'Ach, en ik had nog wel zo gehoopt. Ik dacht dat ik een groot verhaal te pakken had.'

'Tja, jammer. Zo te horen zit die man al genoeg in de problemen.'

'Dat kun je wel zeggen.'

Ze wensten elkaar goedendag en hij hing op.

Morrow dacht aan het wijwaterbakje achter de voordeur in Glenarvon. Om er zeker van te zijn dat Greum niet meer aan de lijn was, nam ze een ander toestel, belde de plaatselijke politie en liet zich doorverbinden met haar tegenhanger in Perth.

Rechercheur Denny was narrig en niet erg toeschietelijk. Hij zou een paar agenten op de pastoor afsturen, maar het was hem bekend dat de man een zuiplap was, en je ging toch niet op het woord van een dronken pastoor af?

Ze verbrak de verbinding en zocht Bannerman op.

'Bannerman.' Buiten adem hing ze in de deuropening.

Bannerman keek op.

'In Perth zit een pastoor die Sarah Errolls verwondingen tot in detail kan beschrijven...'

Hij leunde achterover en trok zijn wenkbrauwen op, en ze wist al wat hij wilde vragen. 'Nee, niet uit de krant. Uitgesloten, en ook al zou Leonards vriendin hebben gelekt, wat hij zegt staat niet op de foto's.'

'Dat denk jij?'

Bannermans stemming leek radicaal te zijn omgeslagen sinds ze vier minuten eerder de kamer had verlaten. Hij was kwaad, niet op haar, maar wel op iemand.

Morrow liet zich met een zucht tegen de deurpost zakken. Ze verkeerde niet in een positie om hem over wat dan ook aan te vallen, en al helemaal niet over zijn humeur, maar niettemin schudde ze haar hoofd en zei: 'Ik ga naar Perth...'

'Nee, dat ga je niet.'

'Ik kan dit onderzoek niet doen...'

'Je kunt doen wat ik zeg.'

Ze keken elkaar zo lang aan dat de tweeling onrustig werd.

'En wat zeg jij dan?'

'We volgen de Murray-lijn tot we weten wat daar gespeeld heeft,' zei hij.

Voor haar geestesoog zag Morrow een weelderig plafond boven een weelderig bed. 'Ik neem die tip uit Perth op in mijn rapport. Als die belangrijk blijkt te zijn, mag jij het uitleggen.'

Bannerman maakte een denigrerend handgebaar: ze kon oprotten. 'Ja hoor, moet je vooral doen.'

Ze trok de deur dicht voor hij op andere gedachten kwam.
Buiten op de gang kon ze een triomfantelijk lachje niet onderdrukken.

33

Kay zat naast Frankie aan de tafel en wachtte. Ze keek de kamer rond. Alles was kil: de kleuren, de inrichting. Dit hele gebouw leek te zijn ontworpen om vijandigheid uit te stralen, van de pilaren aan de straatkant tot de celachtige eenvoud van het kantoorvertrek waarin ze moesten wachten.

Frankie zat ineengedoken; zijn rug was zo gebogen dat hij onnatuurlijk rond leek. Met haar blik volgde ze de lijn van zijn ruggengraat, alsof ze controleerde of hij nog wel compleet was, van zijn nek naar beneden, tot aan de vethoopjes op zijn heupen. Dat kwam van de pizza's. Momenteel at hij drie keer per week 's avonds pizza; hij vond het heerlijk om geld te hebben en te werken, om te voelen hoe het was om een man te zijn en zijn eigen boontjes te kunnen doppen. Het was een goede jongen. Ze wreef over zijn rug, en onder het mom van een liefdevol gebaar corrigeerde ze zijn houding. Hij schudde haar hand af en keek op naar de camera in de hoek van de kamer.

'Nee.' Ze wees. 'Het lampje brandt nog niet, schat. De camera staat niet aan.'

Zodra hij zich van haar hand bevrijd had, ging hij nog verder vooroverhangen, met zijn handen voor zich uit.

'Laten we dit maar zo snel mogelijk afhandelen,' zei ze, hoewel ze het maar half geloofde. 'Dan gaan we naar huis en zetten er een streep onder.'

Hij keek haar aan, speurde haar gezicht af om te zien of ze het zelf geloofde, en zag dat dat niet zo was. Geërgerd haalde ze haar schouders op.

'Het was jouw idee om hiernaartoe te komen,' zei hij.

Kay stak haar handen op. 'Ik dacht bij mezelf: we kunnen braaf thuis blijven zitten tot we om tien uur mogen opdraven, maar we kunnen ook zelf op een redelijk tijdstip komen, dan hebben we het maar weer gehad.'

Maar dat was het niet. Ze was hier gekomen met haar jongens – gewassen en met geborstelde haren – en met de papieren die ze hadden opgesteld en de verklaringen die ze had verzameld, om te bewijzen dat ze fatsoenlijke mensen waren. Ze was slim genoeg om te weten aan wie ze dat wilde bewijzen.

'Nu ben ik te laat voor mijn werk.'

'Dat weet ik, jongen.' Dat waardeerde ze in hem. 'Dat weet ik. Het is maar voor één avond.'

Achter hen op de gang hoorden ze geluid, en toen ze zich om-draaiden zagen ze die man, Bannerman, met Alex Morrow in zijn kielzog, haar blik neergeslagen en met een stapeltje papier in haar hand. Kay stond op om hen te begroeten en ze gaf Frankie een por zodat hij ook opstond. Alex leek vandaag klein en rond achter die lange, slanke baas van haar, en Kay vroeg zich af of hij wist dat ze hen met haar eigen auto naar huis had gebracht. Waarschijnlijk niet.

Hij ging zitten, en Alex Morrow ging ook zitten, en geen van beiden maakten ze oogcontact met haar of met Frankie, of zei-den ze 'dag' of 'bedankt dat jullie gekomen zijn' of iets dergelijks. Meteen gingen ze druk met het cassettebandje in de weer. Een vrouw kwam binnen, controleerde de camera, gaf een teken dat alles in orde was en vertrok zonder Kay aan te kijken.

Het waren domme mensen. Alleen zo kon ze hun gebrek aan warmte en goede manieren verklaren. Margery Thalaine, Molly Campbell, Alex Morrow en nu deze zak hier aan tafel. Dom.

De man stelde zich weer voor, Bannerman, alsof ze zijn naam waren vergeten. Hij zei dat het een informeel gesprek was en be-dankte hen voor hun komst, maar hij keek er niet dankbaar bij en het voelde verre van informeel. Frankie had roze vlekken op zijn gezicht en hij krabde over de rug van zijn hand. Hij keek schuldbewust.

Ze porde hem in zijn middel zodat hij zich naar haar toe boog, en toen gebaarde ze dat hij rechtop moest gaan zitten. Hij wierp haar een woedende blik toe, maar ze was blij, want dat was al beter.

'Allereerst,' zei Bannerman, alsof het niets voorstelde, 'wat voor schoenmaat heb jij?'

Frankie keek Kay aan. 'Tweeënveertig,' zei ze.

Hij gaf het door. 'Ik heb maat tweeënveertig.'

Bannerman schreef het op. Hij wilde de avond dat Sarah Erroll was gestorven nog eens doornemen: waar Frankie was geweest, hoe lang alles had geduurd. Frankie overhandigde hem de splinternieuwe rode map die Kay hem had gegeven.

'Wat is dat?' vroeg Alex.

'Eh.' Frankie keek Kay weer aan. Waarom zei hij het niet gewoon? 'Dat zijn, eh, dingen die ik van mijn moeder moest verzamelen...'

Frankie was die middag naar Pizza Magic gegaan om fotokopieën te vragen van hun bonnetjes voor die avond. Fat Tam had hem een geschreven verklaring meegegeven, eigenlijk meer een krabbeltje, waarin stond dat Frankie de hele avond bij hem was geweest en dat hij nooit langer dan tien minuten de auto uit was geweest. De verklaring stond op de achterkant van een pizzabestelformulier, op goedkoop papier dat om een carbonnetje gevouwen moest worden, en het zag er niet erg officieel uit. Maar Tam had er met een zwierig gebaar zijn handtekening onder gezet, alsof het zo overtuigender was als bewijsmateriaal. Ook schreef hij – en hij onderstreepte zijn woorden – dat Frankies broer niet bij hen in de auto had gezeten en dat ze hem de hele avond niet hadden gezien.

Met schuin opgetrokken lip bekeek Bannerman Tams verklaring. Hij vouwde het papier open en las de tekst. Zijn wenkbrauwen schoten omhoog toen hij bij Tams forse handtekening was aangekomen.

'Dit hier' – hij hield het papier omhoog – 'is nog erger dan waardeloos. Je kunt niet zomaar iedereen vragen of ze een verklaring voor je willen schrijven.'

Gepikeerd raakte Frankie de map aan. 'Hoezo niet?'

'Omdat dat uitgelegd kan worden als het beïnvloeden van een getuige.'

'Wat moet ik dan doen?'

'Laat dat soort werk maar aan ons over.' Hij glimlachte bitter, eerst naar Frankie, toen naar Kay.

'De politie bij ons kun je niet vertrouwen,' zei Frankie geërgerd tegen Alex, en nu klonk hij weer als zichzelf.

Alex boog zich bemoedigend naar hem toe, keek even naar links, naar waar de camera aan het filmen was, en gaf hem een teken dat hij door moest gaan.

'Als er ingebroken is in de flats sturen ze één agent om een verklaring op te tekenen en naar de deuren te kijken en zo, en we hebben ontdekt dat dat betekent dat ze niks doen met zo'n klacht, want dan scoren ze veel te laag.'

Bannerman wilde dit niet horen en hij zette grote ogen op. 'Wat heeft dat te maken met...'

'Dus met permissie,' onderbrak Frankie hem – vijftien en nu al een heer, 'als ik niet helemaal geloof dat ik "dat soort werk" aan u kan overlaten, dan komt dat door mijn slechte ervaringen met de politie.'

Alex leunde achterover. 'Is dat ergens vastgelegd, Frankie?'

Zoals ze het zei, kreeg Kay het gevoel dat ze het had nagekeken en wist dat het inderdaad was vastgelegd. Er ging een schok van dankbaarheid door haar heen.

'Dat staat ergens, ja, het plaatselijke politiebureau...'

Bannerman boog zich naar voren, tussen hen in. 'Daarvoor zitten we hier niet.'

Frankie keek Kay hulpeloos aan. Hij had haar geloofd wat die map betrof en nu pakte het anders uit. Ze wist ook niet hoe het verder moest.

Bannerman nam opnieuw het woord. 'Zijn je broer en jij close met elkaar?' Zoals hij het zei klonk het als een dreigement.

Frankie kreeg die nerveuze blik weer in zijn ogen. 'Ja.'

'Zou je het erg close kunnen noemen?'

Dat klonk nogal onheilspellend en hij aarzelde. 'Ja, eigenlijk wel.'

'Gaan jullie veel met elkaar om? Doen jullie dingen samen?'

'We slapen op dezelfde kamer. We hebben geen keus.'

'Denken jullie hetzelfde over dingen?'

Frankie haalde zijn schouders op en keek verward. 'Ik geloof van wel.'

Bannerman knikte en schreef iets op. Alex likte over haar lippen.

'Dragen jullie dezelfde soort kleren?'

Frankie keek hem aan. Hij keek Alex aan en toen zijn moeder, en opeens was er geen spoor van nervositeit meer te bekennen. Hij lachte, jongensachtig en vrolijk.

Bannerman zag er de lol niet van in. 'Wat is daar zo grappig aan?'

'Bedoelt u soms de schoenen die u hebt meegenomen, die gymschoenen?'

'Ja, jullie hadden dezelfde gymschoenen – dragen jullie altijd dezelfde kleren?'

Weer lachte Frankie. 'Ik ben vijftien,' zei hij, en hij keek Kay aan alsof zij het maar moest zeggen. Zij lachte nu ook, niet omdat het grappig was, maar gewoon omdat ze zo opgelucht was hem te zien lachen.

'Meneer Bannerman,' zei ze, 'ik ben hun moeder. Ik koop hun kleren.'

Hij keek opgelaten. 'Waar hebt u de betreffende gymschoenen gekocht?'

'Ik heb vier paar bij de Costco gekocht, voor ieder een paar.'

Hij schreef het op. Kay zei: 'Ze zijn trouwens blij dat u ze meegenomen hebt, want ze hebben allemaal de pest aan die gympen.'

'Mam, het lijken net gezondheidsschoenen,' zei Frankie.

'Het zijn degelijke schoenen,' liet Kay hem weten, 'en ze zijn waterdicht.'

'Mensen van onze leeftijd geven niet om waterdicht, mam. Het zijn schoenen voor watjes.'

'Nou, mooi dan.' Ze lachten naar elkaar en Kay zag dat Alex meelachte. 'Dan krijgen watjes tenminste geen natte voeten.'

'Je hebt geen smaak, mam. Daarom heb ik dat baantje genomen, zodat ik ook eens fatsoenlijke spullen kan kopen.'

Ze keken elkaar grijnzend aan. Hij gaf het geld helemaal niet aan kleren uit. Hij maakte het elke week helemaal op als hij zijn broers of zijn zusje mee uit nam, of filmkopieën kocht, maar het was een opluchting om met elkaar te praten.

Bannerman nam de regie weer in handen, en hoogstgeïrriteerd vroeg hij naar allerlei bijzonderheden, maar de betovering was verbroken. Frankie stond weer aan haar kant, hij had zijn zelfvertrouwen terug, was weer helemaal zichzelf.

Nee, hij was nooit lid van een bende geweest. Hij spijbelde nooit. Hij wilde met alle plezier meewerken. Ze mochten wat hem betrof bij hem thuis komen als het moest, dan konden ze zijn spullen doorzoeken als ze wilden, en iedereen naar hem vragen.

Alex vroeg of hij ooit in Perth was geweest, wat Kay vreemd vond. Blijkbaar dacht Bannerman er ook zo over, want hij luisterde aandachtig naar haar vragen en was geïnteresseerd in Frankies antwoorden. Frankie was nog nooit in Perth geweest. Hij ging niet naar een kerk, hoewel hij twee jaar geleden naar een disco was geweest in de plaatselijke Orange Lodge, maar dat kwam omdat zijn vriend kaartjes had en telde dat ook als kerk? Alex zei van niet. Wat gegeneerd zei Frankie dat hij nu niet meer zou gaan, want hij vond het verkeerd. Hij was tegenwoordig trouwens Celtic-fan, ze mochten het aan iedereen vragen.

'Mogen jullie eigenlijk wel vragen over godsdienst stellen?' mengde Kay zich in het gesprek.

'Ja hoor,' zei Alex vriendelijk. 'Jij denkt aan sollicitatiegesprekken; dan mogen er geen vragen over godsdienst worden gesteld.'

Bannerman wilde weten of Frankie ooit in Glenarvon was geweest. Eén keer maar, zei hij. Wanneer was dat? Het was in de voorjaarsvakantie toen mevrouw Erroll was gestorven en hij niet naar school hoefde. Hij ging naar de begrafenis en ze vertrokken vanaf het huis omdat er plek in de auto was. Ze had niet veel familie en zijn moeder was zo van streek dat hij met haar meeging.

Bannerman deed alsof dit heel belangrijk was. 'Waar ben je toen precies geweest in het huis?'

Dat wist Frankie niet meer. Ze hadden vooral in de voorkamer gezeten.

'Ben je ook boven geweest?'

Hij knikte.

'Wat?' zei Kay. 'Wanneer ben je dan naar boven gegaan?'

'Ik moest naar de wc.'

'Maar waarom daar?'

'Ik kon de andere niet vinden.'

Bannerman stelde hem heel persoonlijke vragen: hoe deed hij dat altijd op de wc, plaste hij zittend of staand? Frankie werd verlegen, want zijn moeder was erbij, maar hij antwoordde toch: staand. Was de bril naar beneden toen hij binnenkwam? Dat wist hij niet meer. Deed hij de bril meestal omhoog als hij moest plassen? Hij dacht van wel. Kay zag hem onder de tafel een duwbeweging maken met zijn rechterhand terwijl hij erover nadacht.

Ze stopten abrupt en brachten Frankie naar buiten, waarop Joe binnenkwam en naast Kay ging zitten.

Hij voelde zich onzeker, merkte ze, want hij zette een charmeoffensief in. Hij schudde zowel Alex als Bannerman de hand en vroeg hoe ze het maakten. Alex glimlachte. Goed, zei ze, en hoe ging het met hem? Joe begreep niet dat ze het uit beleefdheid vroeg, en zei dat hij een beetje zenuwachtig was en ook een beetje moe na de vorige avond. Hij had eerder van school moeten gaan en nu was hij een beetje duizelig.

Ze namen dezelfde vragen met hem door die ze Frankie hadden gesteld: Joe wist zelf welke schoenmaat hij had: maat 43. Hij was de hele avond bij zijn vrienden geweest en hij had een blauwe map bij zich vol ingefluisterde getuigenverklaringen die weleens tegen hem gebruikt zouden kunnen worden als het tot een rechtszaak kwam. Bannerman zei dat ook hij het verkeerd had aangepakt.

'We wilden u tijd besparen,' legde Kay uit, ze hoopte dat het redelijk klonk.

Bannerman trok een ijzig gezicht, klapte de map dicht en schoof hem weer over de tafel naar Joe. 'Niet meer doen.'

Hij was nooit lid van een bende geweest, zijn moeder zou hem vermoorden.

'Ben je ooit in Perth geweest?' vroeg Morrow.

'Ja,' zei hij gedecideerd.

Kay keek hem aan. 'Wanneer dan?'

'Een paar maanden terug,' zei hij. 'Een uitwedstrijd van rugby.'

'Dat kan ik me helemaal niet herinneren.'

'Jawel, dat kun je wel. Je hebt toen nog broodjes voor me gesmeerd. Weet je nog dat we ruzie kregen over het reisgeld, omdat ik niet van tevoren gereserveerd had en er geen plek meer was in de bus?'

'Nee.'

'Ik moest het volle treinkaartje betalen omdat ik niet gereserveerd had en jij zei dat ik had moeten weten dat er geen plek meer was in de bus...'

'Dat was Carlisle.'

'O. Echt?'

'Ja, dat was Carlisle.'

'Ben je in Perth geweest?'

Hij keek vragend naar Kay. Die schudde haar hoofd.

'Nee,' zei hij, 'daar ben ik nooit geweest.'

'Ken je daar mensen?'

'Nee.'

Hij had nooit iets met wat voor godsdienst dan ook te maken gehad, hoewel hij fan was van de Gers en ooit verliefd was geweest op een katholiek meisje, telde dat ook? Nee, zei Alex, dat telde niet. Mooi, zei Joe, want hij had nooit met haar gepraat en het zou toch vreselijk zijn als je voor moord werd veroordeeld omdat je verliefd was geweest op iemand die je maar één keer op straat had gezien. Hij moest lachen en verwachtte dat ze mee zouden lachen, en toen ze dat niet deden, betrok zijn gezicht en keek hij bang.

Kay zat naar hem te luisteren en raakte zijn arm aan telkens als hij kwetsbaar of angstig overkwam. Haar woede begon te luwen. Geleidelijk aan ging ze beseffen dat Margery zich tegen haar gekeerd zou hebben ongeacht of Alex bij haar langs was geweest; dat Margery een snob was, een raar oud mens. Ze zou haar waarschijnlijk toch binnenkort ontslagen hebben. Ze kon zich geen schoonmaakster meer veroorloven, zeker niet vijf dagen per week.

Ze zag dat Alex af en toe haar buik aanraakte, ze zag dat ze op één bil ging zitten en stilletjes lachte als de baby's bewogen; Kays blik gleed over het tafelblad naar haar buik. Ze kon haar niet langer haten. En Joe had gelijk: dat ze hen gisteravond naar huis had gebracht, was heel aardig geweest.

Tegen de tijd dat de verhoren voorbij waren en ze naar buiten werden begeleid, waar hun de bushalte verderop in de straat werd gewezen, had Kay besloten om de volgende dag naar Danny te gaan en te zeggen dat hij het maar moest vergeten.

34

Ze waren de begrafenis aan het voorbereiden. Moira en Ellen zaten op het bed met een sprei over hun benen; op het bed, niet erin. Moira had een blocnote en pen op haar knieën gelegd en Ella zat in kleermakerszit met een reuzenpak marshmallows rechtop in de kom van haar dijen gelegd. Ze hadden een pantry gevonden die zo groot was als een inloopkledingkast, vol eten dat ze nog nooit hadden gezien en dat het personeel ongetwijfeld voor zichzelf had ingeslagen: allerlei goedkope koekjes, marshmallows en dozen vol chips.

Thomas wilde niet bij hen op het bed zitten, ook al was er plek, want dat voelde verkeerd; hij liep wat heen en weer langs de periferie van de ouderslaapkamer, een onbekende ruimte, waarvan hij soms door de open deur een glimp had opgevangen, maar die hij als kind niet had verkend. De toegang was hem nooit verboden, en hij zou niet kunnen zeggen waarom hij er nooit naar binnen was gegaan. Zelfs nu nog voelde hij een huivering van angst bij de gedachte dat Lars elk moment kon binnenkomen en dat hij hem dan bulderend en met opengesperde ogen een uitbrander zou geven.

In het midden van de kamer stond het grote gele sleebed van populierenhout, met aan het hoofdeind het gigantische raam.

Moira had besloten Lars in Sevenoaks te begraven. Het had iets wraaklustigs, vond Thomas. Hij zei dat Lars zelf misschien liever in de stad begraven wilde worden, want ze gingen verhuizen zodra ze het huis verkocht hadden en hij hield van de stad, maar Moira liet zich niet vermurwen. Volgens haar was het gepast, want hij had immers zoveel van dit huis gehouden? Achter haar ogen blonk echter een glimlach toen ze dat zei. Ze ging Lars opsluiten op de plek waar hij haar had opgesloten.

Ella zat heel langzaam te eten, met acht hapjes per marshmallow, en ondertussen struinde Thomas de kamer door, raakte dingen aan die van Lars waren geweest en vroeg zich af of hij precies dezelfde spullen in zijn andere huis had gehad. Hij keek naar Moira op het bed. Ze zat daar blijmoedig naast Ella en maakte aantekeningen over de begrafenis, wie er uitgenodigd moest worden en hoe het zou gaan. Hij had medelijden met haar, want hij wist dat Theresa elk moment kon bellen. Misschien wist Moira het al, maar het liefst ging ze confrontaties uit de weg. Misschien raakte ze opnieuw aan de antidepressiva en dan waren ze haar weer kwijt.

'Is er iemand van school die je voor papa's begrafenis zou willen uitnodigen, Tom?'

Thomas schudde zijn hoofd.

'Niet eens Squeak?'

'Nee.' Hij raakte een haarborstel aan. 'Te ver.'

'Hm.' Vroeger zou ze Squeak hebben laten ophalen met de Piper, zodat hij Thomas tot steun kon zijn, maar dit waren andere tijden. Dat soort dingen konden ze zich niet langer veroorloven.

'Kan zijn vader geen vliegtuig voor hem sturen?'

'Nee, laat maar.'

'En Donny dan? Heb je hem uitgenodigd?'

'Donny?' Hij keek haar aan alsof ze gek was geworden.

Moira tuitte haar lippen. 'Donny, met die stiefvader die kanker heeft, je hebt hem vanmorgen nog gezien...'

Thomas bloosde, hij voelde zich rot en misselijk, maar Moira dacht dat ze hem betrapt had, want ze lachte en knikte veelbetekenend.

'Je mag haar wel uitnodigen, als je wilt, je vriendinnetje.'

'Tss,' zei hij misprijzend, en toen wendde hij opgelaten zijn blik af, want Theresa zou nooit zijn vriendin kunnen zijn. Het was een enge gedachte en toch dacht hij het. In de trein op weg naar huis had hij aan weinig anders gedacht. Niet dat hij haar in zijn verbeelding aanraakte. Wel koesterde hij warme, sentimentele gedachten, aan haar dikke haar, aan de manier waarop ze onder het lopen haar schouders bewoog, aan die stomme pannenkoekentent waar ze zouden ontbijten nadat ze samen de nacht hadden doorgebracht. In de trein rukte hij zich snel even af op de wc, waarbij hij aan iets heel anders dacht, aan een film die hij had gezien, zodat hij verder veilig over haar kon dagdromen.

'Wil je haar niet uitnodigen?'

'Nee.'

Moira keek hem onderzoekend aan, en werd nu ernstig. 'Je had toch geen afspraakje met nanny Mary, hè?'

'Rot toch op!' beet hij haar toe, kwaad omdat ze het wist en er iets over had gezegd.

'Want dat mens heeft die foto's van je vader aan de krant verkocht.'

'Jezus, ik heb helemaal geen afspraakjes met nanny Mary...'

'Het is een slang.'

'Jezus christus, hou er eens over op.'

Moira bestudeerde zijn gezicht en zag dat hij het meende. Ze richtte haar aandacht weer op haar blocnote.

Uitgeput nu ze anderhalve minuut lang niet het middelpunt van ieders aandacht was geweest, nestelde Ella zich in de reusachtige kussens. 'Oké, wat voor liedjes?'

'Wélke liedjes,' verbeterde Moira haar.

'Nee hoor.' Ella roffelde met haar kleine hielen op het bed. 'Je mag best "wat voor liedjes" zeggen.'

Nu was ze bijdehand aan het doen en sprak een soort babytaaltje. Thomas bleef bij haar uit de buurt. Ze legde het er zo dik bovenop dat hij haar bijna een klap had verkocht. Haar stemming wisselde voortdurend – ze lachte als het even stil was, en ze stelde domme vragen: gaat het morgen regenen, wat is dat voor kleur?

Hij dacht aan Phils en zijn zusje, Bethany. Die zouden wel weten hoe ze dit moesten aanpakken. Hij zag zichzelf als norse Phils, als Phils de skateboarder, als Phils uit Chelsea. Thomas probeerde een soortgelijk iemand bij hem in de klas te bedenken, maar die was er niet, want Phils ging naar een dagschool en die lui waren altijd anders. En als Ella Bethany was, zou ze ook cool zijn. Ze zou eerlijk zijn tegenover Thomas-Phils. Ze zou zeggen dat ze verdrietig was omdat hun vader dood was, maar tegelijkertijd blij. Waarschijnlijk nam Bethany Theresa in vertrouwen en hoefde ze het er niet dik op te leggen of filmpersonages te imiteren omdat ze anders niet wist hoe ze zich moest gedragen. Bethany zou dat wel weten.

'"Star of the Sea"?'

'Nee,' zei Ella, 'iets...' – ze kon niet op het woord komen, maar wierp haar handen in de lucht alsof ze met confetti strooide – '... vrolijks!'

'Iets opwekkends,' zei Moira.

'Ja, iets opwekkends. Opwekkend, opwekkend.'

'"Jerusalem"?'

'Is dat een kerklied?'

Moira wist het niet zeker. 'Hij vond het anders wel mooi.'

Ella knikte. 'Opwékkend!'

'Oké.' Moira schreef het op. 'En na afloop. Moet er een begrafenismaaltijd komen?'

'Doen mensen dat?'

Hier tastte Thomas in het duister, want hij was nog nooit op een begrafenis geweest, en daarom luisterde hij.

'Eh, we kunnen een cateraar bestellen. Maar zou er iemand komen? Het is een soort diplomatieke onzekerheid. Papa zat in de problemen en niemand is meer bang voor hem...'

Ver weg, op de begane grond, ging de telefoon zachtjes over. Thomas was al bij de deur. 'Ik neem hem wel.'

'Nee.' Moira boog zich over het nachtkastje en nam op.

'Hallo?' Ze luisterde, keek eerst blij en toen verbaasd. Thomas' hart kneep samen. Hij wierp een blik op het klokje naast het bed. Het was nog maar halfzeven, en hij was om één uur bij Theresa weggegaan. Ze waren nog maar vijf uur geleden uit elkaar gegaan, vijfenhalf uur, en hij had aan weinig anders kunnen denken. Misschien gold dat ook voor haar. Misschien dacht ze op dezelfde manier aan hem en moest het zo zijn en zouden ze de obstakels die hen scheidden overwinnen, net zoals Lars en zij het obstakel van zijn andere gezin hadden overwonnen.

Moira keek Thomas met koele, heldere blik aan. 'Momentje.' Ze glimlachte en stak hem de telefoon toe. 'Voor jou.'

Hij nam de hoorn van haar over en trok zich terug naar de andere kant van de kamer voor hij die naar zijn oor bracht.

Uit de luidspreker klonk amechtig gehijg. Het was van een man, niet van Theresa.

'Thomas. Ben jij dat?' De stem was traag en vermoeid, de stem van een gebroken man. Lars, met een stem die veranderd was door de strop, en die hem vanuit het mortuarium belde. 'Ben jij dat?'

Thomas liep naar de overloop en trok de slaapkamerdeur voorzichtig achter zich dicht. 'Met wie spreek ik?'

'Thomas, je spreekt met pastoor Sholtham.'

Thomas hield zijn adem in. De naam bereikte hem van miljoenen jaren geleden. Pastoor Sholtham was de schoolpriester. Er gingen geruchten dat hij een dronkaard was geweest, dat hij bij de marine had gezeten voor hij priester werd, dat hij bokser was geweest, iemand gedood had. Hij had charisma en trok zich geen fuck van Doyle of de anderen aan: ooit had Thomas hem op het podium zien zitten tijdens een ouderbijeenkomst en toen had hij zijn hand in zijn broekzak gestoken en ongegeneerd over zijn ballen gekrabd.

'Pastoor?'

'Thomas, ben je daar nog?'

'Eh, ja, pastoor, ik ben er nog.' Hij voelde zich gevleid omdat pastoor Sholtham hem belde. Het bleef stil aan de andere kant van de lijn, maar Thomas wilde niet dat hij ophing. 'Hebt u – hoe komt u aan mijn nummer, pastoor?'

'Meneer Doyle...'

'O, ja natuurlijk.'

'Thomas... Ik weet niet hoe het zit...' De zin stierf weg en ging over in zwaar gehijg. Toen haalde hij zijn neus op en het klonk nattig, alsof pastoor Sholtham huilde, alsof hij in moeilijkheden verkeerde.

Thomas wilde niet hier met hem praten, niet op de trap naar de hal, hij wilde zich kunnen concentreren en met hem praten zonder dat hij de slaapkamerdeur in de gaten moest houden. 'Pastoor, wilt u even aan de lijn blijven?'

'Dat is goed.'

Met de telefoon in zijn hand rende Thomas de trap af. Hij wist dat stemmen boven goed te horen waren: hij had Lars en Moira verschrikkelijke dingen tegen elkaar horen zeggen terwijl ze in de woonkamer waren. Daarom snelde hij naar de keuken, daalde de trap af naar de koelruimte en ging in het donker op de onderste tree zitten.

'Pastoor?'

Pastoor Sholtham huilde nu en snotterde als een kind. 'Tom, Tommy? Kunnen we even praten?'

'Pastoor, waarom huilt u?'

'O, god!'

Thomas hield de telefoon op enige afstand van zijn oor, en opeens besefte hij wat er aan de hand was: de pastoor was ladderzat. Het was triest, teleurstellend.

'Thomas,' fluisterde pastoor Sholtham. 'Ik wéét wat je gedaan hebt.'

Thomas verstijfde. 'Sorry, pastoor, waar hebt u het over?'

'Met haar, die vrouw.' Hij begon weer te snikken. 'God in de hemel.'

'Pastoor, waar bent u?'

Nu werd hij boos. 'Nergens! Als je maar niet denkt... Ik wil niet dat je denkt...'

Hij was straalbezopen. Het zou niet moeilijk zijn hem van de wijs te brengen.

'U bent een beetje dronken, hè, pastoor?'

'Ja, dat wel.' Luid gesnuif. 'Ja.'

'Pastoor, u hoort hier niet over te praten, hè?'

'Thomas, er zijn zonden...'

'Als u het onder bepaalde omstandigheden gehoord hebt, kunt u geëxcommuniceerd worden als u erover praat...'

'Ik ben toch al verloren, Thomas. Ik ben liever verloren dan dat ik jou laat...'

'Oké. Luister. Of u nou dronken of nuchter bent, volgens mij hebt u hulp nodig. Volgens mij moet u hierover geestelijk advies inwinnen, pastoor, en heel snel.'

De pastoor hield zijn adem in. 'Ja, je hebt gelijk.'

'Er is nog geen schade aangericht, pastoor, en ik ga dit gesprek vergeten...'

'Geen scháde?' Hij kon amper praten. 'Is er geen scháde aangericht?'

'Ik bedoel wat dit betreft.' Thomas klonk heel resoluut. 'Over dít, dat u dit zegt. U moet heel binnenkort met iemand gaan praten.'

'Dat was ik ook van plan, ik wilde alleen wachten...'

'Tot u gestopt bent met drinken? Nou, misschien stopt u daar pas mee als u gedaan hebt wat ik zeg.'

Thomas had zijn ogen dichtgeknepen en hing gekromd over zijn knieën, die hij zo hard tegen zijn borst drukte dat de lucht uit hem werd geperst.

'Thomas?'

'Hm.'

'Ik vrees voor je.'

'Hm.'

'Ik ben bang dat je niet gaat biechten.'

Het was lachwekkend. 'Hoe waarschijnlijk vindt u het dat ik dat nu nog ga doen?'

Daar had pastoor Sholtham geen antwoord op.

'Pastoor?'

'Ja?'

'Wanneer hebt u het gehoord?'

'Hoezo?'

'Dat moet ik weten.' Het scheen hem niet te raken, want hij snoof, en daarom voegde Thomas eraan toe: 'Als u het me vertelt, ga ik biechten.'

'Echt?'

'Ja.'

'Want Thomas, biechten is niet genoeg, je moet oprecht berouw hebben...'

'Pastoor, ik heb toch ook berouw?'

Ze fluisterden nu, als door het rooster van een biechtstoel, als-of er op anderhalve meter afstand een kapel was, vol nieuwsgieri-ge smeerlappen.

'Ik kan niet over de telefoon de biecht afnemen, Thomas.'

'Dat weet ik, ik ga hier wel biechten, ik zoek wel iemand. Wan-neer hebt u dit gehoord, kunt u dat vertellen?'

Gedurende één dronken ogenblik – dat langer was dan een normaal ogenblik – dacht Sholtham na over zijn positie. 'Tijdens de middagpauze. Toen het koor bijeenkwam.'

'Dat is toch op dinsdag?'

'Om twaalf uur, ja, hoezo?'

'Had u toen gedronken?'

'God moge me vergeven, ja. Ga je biechten, Thomas?'

'Ik ga biechten als u dat ook doet.'

Bij die woorden begon de oude man te huilen. Hij huilde heel lang, waarbij hij uitdrukkingen prevelde die hij uit zijn priesters-uitzet opdiepte: God zegene je, God hebbe je ziel.

Thomas sprak hem kalmerend toe, liet hem beloven dat hij zou gaan biechten, en zwoer dat hij dat dan zelf ook ging doen.

Nadat hij had opgehangen, verroerde hij zich niet. Hij bleef voorovergebogen in de koelruimte zitten en keek naar de beton-nen vloer, roerloos van verbijstering.

Toen ze elkaar troffen op het kiezelstrand had Squeak het al aan Sholtham verteld. Sholtham was dronken geweest en hij had bij hem gebiecht en hem verteld dat Thomas haar vermoord had. Squeak had de hele tijd zijn eigen hachje proberen te redden.

Thomas wilde nu niet gepakt worden, niet nu Theresa zou bellen. Wat zou ze denken als ze dit over hem wist? Ze zou bang voor hem zijn. Ze zou hem een monster vinden, en hij zou nooit kunnen uitleggen wat er in die hal was gebeurd. Zelfs niet aan haar.

Iedereen zou je dat flikken als je onder lag, maar Squeak eerder dan anderen.

35

Brian Morrow keek nadenkend naar de heg in de achtertuin terwijl de wasmachine aan zijn laatste ronde bezig was. Hij had de kleren er niet goed in gestopt: het gewicht trok het apparaat uit balans waardoor het centrifugeren met veel lawaai gepaard ging, en het grote keukenraam trilde ratelend mee. De heg had plantenvoeding of iets dergelijks nodig. De bladeren werden geel, terwijl hij groen hoorde te blijven. Hij liep naar de tafel, waarop zijn lijstje lag, pakte een potlood en schreef onderaan 'iets aan heg doen'. Hij stopte en vinkte de dingen af die hij al gedaan had: de was, linnenkast opruimen, lunch. Tegenwoordig vergat hij niet meer te eten, maar hij had er 'lunch' bij gezet om nog iets te kunnen afvinken, zodat hij het gevoel had dat hij iets had bereikt. De therapeut had gezegd dat het belangrijk was om in de loop van de dag dingen te doen, en hij had hem aangeraden de avond tevoren een lijstje op te stellen, een bescheiden lijstje, en dan te proberen dat af te werken. Dan had hij een doel en het gevoel dat hij iets voor elkaar had gekregen. Eigenlijk had hij het lijstje niet meer nodig, maar hij vond het prettig.

De centrifuge was bijna uitgeraasd, en boven het gerammel uit hoorde Brian de deurbel. Hij legde zijn lijstje op de tafel en liep de gang in. Een schim achter de glazen deur. Een man, zonder pakje, geen bezorger. Een forse kerel.

Brian deed open.

De man was groot, aan de zware kant, en ging gekleed in een

donkere trainingsbroek en sporttrui. 'Wat kan ik voor u doen?'

Hij knikte en opeens zag Brian het gezicht van zijn vrouw: de kuiltjes in de wang, de kin, en de vertrouwde honingblonde kleur van de stoppeltjeskrans op zijn hoofd. Het was Danny McGrath. 'Ik ben...'

'Ik weet wie je bent.' Brian trok de deur iets dicht ten teken dat hij niet welkom was. Hij was hier gekomen in de wetenschap dat Alex aan het werk was, dat ze hem niet de huid vol kon schelden. Hij wist dat Brian thuis was. Waarschijnlijk wist hij dat Brian een inzinking had gehad en kwetsbaar was. In gedachten liep hij het huis door: ze bewaarden thuis geen geld, Alex hield niet van sieraden en hij had geen uitkeringscheques.

'Wat kom je hier doen?'

'Ik had iets over jullie gehoord,' zei Danny. 'Ik heb iets voor jullie meegenomen.'

Hij deed een stap terug. Achter hem, op de stoep, stond een gigantische doos met een Mamas and Papas-tape eromheen; aan de bovenkant zat een bonnetje geplakt. Het was een tweelingbuggy. Ze hadden online naar buggy's gekeken, en Brian wist dat dit de duurste was.

'O.' Hij trok de deur nog een stukje verder dicht.

Alex wilde geen babyspullen in huis, want stel dat ze de baby's verloor. Ze wilde niet dat Brian en Danny elkaar leerden kennen. Ze zou het vreselijk vinden dat hij hier was geweest.

Danny ging weer voor de doos staan en keek over Brians schouder de gang in. 'Mag ik even binnenkomen om met je te praten?'

'Nee, dat zou Alex niet prettig vinden.'

'Nee? Wil ze niet dat ik hier kom?' Geërgerd wendde hij zijn blik af.

Brian keek over zijn schouder naar de straat. 'Zou jij het leuk vinden als zij naar jouw huis ging wanneer jij niet thuis was?'

Danny antwoordde niet.

'Dat zou je niet leuk vinden. Je zou het niet vertrouwen als ze naar jouw huis ging wanneer ze wist dat je weg was.'

Danny keek Brian uit de hoogte aan, met neergetrokken mondhoeken, alsof hij van hem walgde. Hij draaide zijn hoofd weg en keek weer naar de straat. 'Is de kleine man in de crèche?'

'Kleine man?'

'Je zoontje.'

'Kom je me soms bedreigen?'

'Ik kom je helemaal niet bedreigen.' Hij boog zich naar voren. 'Ik vraag alleen naar je zoon.'

Brian knikte. 'Mijn zoon.'

'Ja, hoe heet-ie ook alweer? Gerald, toch?'

Brian staarde hem aan. *Hoe heet-ie ook alweer.* Hij liet zijn blik te lang op Danny's mond rusten. Hij was bang, maar omwille van Gerald rechtte hij zijn schouders. Het was een gestolen moment, uit een toekomst die hij nooit met Gerald zou delen. Het was het gebaar van een goede vader, die met één enkel schot de dolle hond op straat neerschoot, die de pestkoppen wegjoeg en een rotleraar op z'n nummer zette. Brian wees naar de doos met de tweelingbuggy. 'Weg met dat ding.'

Verbaasd keek Danny van de doos naar Brian, in afwachting van uitleg.

Brian hield zijn blik op de doos gericht. 'Gerald is dood. Al twee jaar.' De doos was marineblauw en grijs, wat wazig, met een foto van twee lachende identieke baby's. 'Hersenvliesontsteking. Heel plotseling.'

Danny kon Brian niet aankijken. Hij kuchte en bedekte zijn halve gezicht met zijn hand.

'Ja,' zei Brian, die deze reactie gewend was. 'Dus je kunt je voorstellen hoe gespannen we zijn over deze zwangerschap, en al helemaal nu het een tweeling is. Ik wil niet dat Alex van streek raakt. We kunnen dit er niet bij hebben.' Hij wees naar Danny, liet zijn vinger van boven naar beneden gaan, en toen hij besefte hoe beledigend het was, richtte hij hem op de buggy.

'Ja.' Danny keek naar de doos. 'En eh, sommige mensen hebben liever geen babyspullen in huis voor de baby er is.'

'Dat is het niet alleen,' zei Brian. 'Wat heb je hier eigenlijk te zoeken? Laat ons met rust. Ga weg.'

Maar Danny schudde zijn hoofd. 'Dat kan ik niet,' zei hij moeizaam. 'Ik heb jullie hulp nodig.'

Ze zaten in de keuken, waar ze oploskoffie dronken en moutkoekjes aten. Danny beefde helemaal en Brian had het niet over zijn hart kunnen verkrijgen om hem buiten te laten staan. Blijkbaar ging dit niet over Gerald – Danny had hem nooit gezien – maar ging het om een of ander persoonlijk leed.

Hij dronk met kleine slokjes van zijn koffie – slap met drie suikerklontjes. In de keuken leek hij kleiner. Niet bedreigend, alleen maar armoedig, alsof niemand hem ooit had verteld hoe hij zich moest kleden. Hij leek veel ouder dan Alex: niet zijn gelaatstrekken, maar zijn huid, die vermoeid en droog was. Een rokershuid, leek het.

'Mooi huis.'

Brian liet zijn blik door de keuken gaan. Het was een doodgewoon huis. Een twee-onder-een-kap uit de jaren dertig, met een rond raam in de gang en lange, brede ramen aan de voor- en achterkant.

'Ik heb altijd in zo'n soort huis willen wonen.'

Brian was in zo'n soort huis opgegroeid. Daarom had hij het ook zo mooi gevonden toen ze het gingen bekijken. Alex vond het mooi vanwege het licht – de tuin lag op het zuiden, en het huis stond op een heuvel, zodat het licht aan de achterkant naar binnen stroomde – en omdat het een rustige wijk was.

Ze veranderden er niets aan toen ze er gingen wonen, maar waren tevreden met wat ze hadden: de houten keuken uit de jaren tachtig, de eenvoudige badkamer, de oranje muren op de gang.

'Rustig hier,' zei Danny.

Brian schoof de koekjesschaal naar hem toe. Er lag er nog maar één. Danny keek hem aan, en Brian knikte hem bemoedigend toe. Hij pakte het. Het was een kinderkoekje. Ze kochten ze omdat Alex met haar spijsvertering tobde.

'Ze wil niet dat je hier komt.'

Danny nam weer een hapje. 'Ik wil hier ook helemaal niet zijn.'

'Waarom ben je hier dan?'

Hij kauwde op zijn koekje en nam weer een slok koffie. 'Vanwege mijn zoon,' zei hij.

Brian knikte. 'John?'

'Ja,' zei Danny. 'Ik wil dat ze met die vrouw gaat praten, ze moet weten wat die jongen allemaal heeft doorgemaakt, en je moet Alex een boodschap van mij overbrengen...'

'Ik weet niet of ik dat doe,' onderbrak Brian hem.

Danny dacht even na en knikte. 'Oké.' Hij dronk zijn koffie op, zette de kop voorzichtig op tafel en liet hem ronddraaien. Ze werkte aan een zaak, en iemand die erbij betrokken is, is met mij komen praten. Die wil dat ik druk op haar uitoefen om zich er niet langer mee te bemoeien.'

Brian snapte het niet. 'Wil je dat ze ermee stopt?'

'Nee,' zei Danny in alle oprechtheid. 'Ik wil haar waarschuwen. Als ze al bij mij komen, komen ze misschien ook bij anderen. Ik wil alleen maar tegen haar zeggen dat ze beter bij de jongens van Murray uit de buurt kan blijven.'

Brian zei het met enige aarzeling, en daarom laste hij eerst een pauze in. 'Wil jíj soms dat ze bij ze uit de buurt blijft?' vroeg hij, alsof hij ernaar raadde.

Danny keek sceptisch. 'Alsof dat iets zou uithalen; zo dom ben ik nou ook weer niet.'

Ze glimlachten naar elkaar, tot Danny zijn blik afwendde. 'Vertel het haar nou maar: er speelt van alles op de achtergrond waarvan ze niks weet. De jongens van Murray zijn goede jongens. Maar er is iemand wanhopig.'

Brian keek de Audi vanachter het raam van de voorkamer na. Het was een fourwheeldrive met getinte ramen: een gangsterauto. Hij keek hem na terwijl hij langzaam de doodlopende straat uit reed, aan het einde stopte, richting aangaf en de hoek omging, terug naar de stad.

36

Morrow meed Bannerman zoveel mogelijk, en daarom bleef ze in haar rustige kamer om nog wat losse draden van het onderzoek na te trekken. Terwijl ze naar het overgaan van de telefoon luisterde, verwachtte ze half dat ze het antwoordapparaat zou krijgen, maar toen werd er opgenomen door een meisje met een lichte, monotone stem.

'Hal-lo?' Op de achtergrond klonk een klassieke-muziekzender.

'O, hallo, eh, ik ben Alex Morrow, van de politie van Strathclyde, ik bel over...'

'O, god, Sarah! Ik was het even vergeten, Sarah-farah, god...'

'Ja, zou ik je kunnen spreken? Heb je een momentje?'

'Ja...' Morrow hoorde dat ze ging zitten en de radio zachtjes zette. 'Ja, tuurlijk.'

'Eh, eigenlijk wilde ik je alleen vragen wat voor iemand ze was.'

'Sarah?'

'Ja.'

'Heeft niemand u dan over haar verteld? U hebt vast met mensen gesproken die haar hebben gekend...'

'Hm.' Eigenlijk wist Morrow ook niet zo goed wat ze van haar wilde. 'Sorry, laten we nog eens overnieuw beginnen: zou ik je naam en adres mogen hebben, gewoon voor de goede orde? Momenteel weet ik alleen dat je de zus van Maggie bent...'

'Hálfzus. Ze is mijn halfzus.'

'Oké.'

'Ik heet Nora, en mijn achternaam is Ketlin. Haar achternaam is Moir. Ze heeft een andere vader.'

Kennelijk wilde ze dat heel graag vastgelegd hebben, en daarom herhaalde Morrow de namen alsof ze uitgebreid aantekeningen maakte. Ze schreef Nora's adres op en ze wisselden e-mailadressen uit voor het geval er later nog iets bovenkwam. 'Dus jullie hebben allemaal samen op school gezeten?'

'Met Sarah?'

'Ja.'

'Ja, ze zat in mijn jaar. Niet in hetzelfde leerlingenhuis. Op school kenden we elkaar niet erg goed, we hoorden bij verschillende groepjes, maar later, toen we van school waren, hebben we elkaar beter leren kennen. We hingen in Londen rond en wisten niet goed wat we wilden, dat soort dingen. Op school werden we min of meer op het huwelijk voorbereid, niet op de universiteit of zo...'

'Wat was Sarah voor iemand?'

'Ze was erg aardig.'

Morrow liet haar potlood vallen. 'Nora' – ze wreef in haar ogen – 'dat is het enige wat ik over Sarah te horen krijg: dat ze zo aardig was. Was ze eigenlijk saai?'

Nu wist Nora niet goed wat ze moest zeggen. 'Nee... ze is... nee, ze was niet saai. Sarah was...'

Een paar tellen lang luisterden ze naar elkaars ademhaling.

'Kijk' – Nora bracht haar mond dichter naar de hoorn en ze dempte haar stem – 'vergeet niet uit wat voor milieu Sarah kwam: het was geen oude familie, maar ze hadden een goede naam. Gereserveerd. Welgemanierd.'

'Wist je dat ze als escort werkte?'

'Ja, dat wist ik.'

Dat verbaasde Morrow.

'Ze heeft het me niet zelf verteld, maar op een keer zocht ik een boekwinkel op haar telefoontje, en toen stuitte ik op haar e-mailberichten. We hebben er nog ruzie over gehad.'

'Wat zei ze?'

'Dat ze het geld nodig had, dat ze niks had geleerd en niet slim was, maar dat ze niet van plan was met een of andere lul uit de City te trouwen en hem voor het geld te neuken. Ze zei dat ze op elk moment met het escortwerk kon stoppen. Als ze voor het geld met iemand getrouwd was, zou ze eerst moeten scheiden. En op deze manier was het geld echt van haar. Ze had het nodig om de zorg voor haar moeder te betalen...'

'Ze verdiende ongeveer drie keer zoveel als ze daarvoor nodig had, wist je dat?'

'Ja, dat wist ik. Ze spaarde hard voor haar nieuwe leven, voor als ze stopte. Dan zou ze naar New York verhuizen om daar een heel nieuw bestaan op te bouwen. Begrijp me goed: ze was bepaald niet zielig. Ze had prachtige kleren en reisde altijd eerste klas.'

Onwillekeurig glimlachte Morrow. 'Ze klinkt nogal stoer.'

'Nee,' zei Nora simpelweg, 'dat was ze niet. Wel was Sarah eerlijk. Ze zei dat ze dat van haar moeder had. Haar moeder zei altijd waar het op stond. Dat zal wel komen doordat ze al wat ouder was toen ze Sarah kreeg.'

'Hield ze van haar moeder?'

'Ze aanbad haar moeder. Het was alsof er voor Sarah op de hele wereld maar één iemand bestond, behalve, nou ja...' Ze zweeg. 'Ze waren heel close, ja.'

'Behalve wie?'

'Tja' – Morrow hoorde haar huiveren – 'eh, ze is...'

'Lars Anderson?'

Nora bromde en mompelde wat.

'Heeft Sarah je iets laten beloven?'

'Ja.'

'Dat je er niet over zou praten?'

'Ja.'

'Weet je dat hij ook dood is?'

'Ik heb het gezien.'

'Denk je dat zijn dood iets met die van haar te maken heeft?'

'Nee. Lars was een eíkel.' Het woord paste niet bij haar en ze spuwde het uit. 'Hij gaf geen reet om een ander, alleen om zichzelf. Eerlijk gezegd zou het hem niets kunnen schelen of ze dood of levend was.'

'Maar hield ze wel van hem?'

'Ze was gek op hem. Dat was zo walgelijk aan hem: hij gaf ze stuk voor stuk het gevoel dat ze de enige waren, dat hij echt deel van hun leven wilde zijn, snapt u, en dan verklaarde hij ze zijn liefde. Het was een goedkope truc. Dat heb ik nog tegen haar gezegd, ik zei: "Het is een eikel, Sarah, een vette ouwe eikel", maar ze wilde niet luisteren. Volgens mij verlangde ze gewoon naar iemand van wie ze kon houden en haar keus viel op hem.'

'Heeft ze geld van hem aangenomen?'

'Nee. Ze wilde zelfs geen sieraden van hem. Ze wilde hem duidelijk maken dat ze van hém hield, niet van zijn geld. Dat wist hij. Hij hield geld achter en gaf het aan haar zodat zij het voor hem kon verstoppen. Hij wist dat ze het uit principe nooit zou aanraken. Ze wilde zich onderscheiden.'

'Van wie?'

'Van iedereen, van de andere vrouwen, van zijn gezinnen. Hij had twee gezinnen. Dat heeft niet in de krant gestaan, maar iedereen weet het. Hij had één gezin weggestopt in Sevenoaks en het andere woonde in Londen.'

'Had hij kinderen?'

'Ja, vier voor zover ik weet.'

'Ook jongens?'

'Dat zal wel. Ik weet dat een van hen op zijn oude school in Schotland zat.'

'Waar in Schotland?'

'Eh, in Perth, meen ik.'

Ze zag Harris vanuit de recherchekamer naar haar kijken toen ze de gang overstak naar Bannermans kamer. Ze klopte aan en boog even naar achteren om Harris' blik te vangen en naar hem te lachen. Hij lachte niet terug.

Bannerman riep dat ze binnen mocht komen. Hij zat een rechercherapport in een manilla map te lezen.

Ze kwam meteen ter zake. 'Weet je nog van die pastoor in Perth?'

Hij zuchtte; hij had helemaal geen zin weer over Perth te moeten beginnen.

'Moet je horen,' vervolgde ze. 'Lars Anderson, die man op de iPhone-foto's. Die heeft twee zonen. Een van hen zit op kostschool in Perth.'

Ze deed een stap terug en keek hem glimlachend aan. En wachtte. Ze zag een waas voor zijn ogen trekken. Hij keek weer naar het papier dat voor hem lag.

'Ik wil dat je het antifraudebureau belt en wat achtergrondinformatie over Anderson verzamelt.'

Achtergrondinformatie verzamelen was agentenwerk, een vervelend klusje.

'Je wilt dit met alle geweld negeren, hè?'

'Morrow, dan moet je iedereen vragen of ze weleens in Perth zijn geweest; we hebben al naar Perth gebeld, Sarah Erroll is nooit in Perth geweest, je hebt uitgebreid aantekeningen gemaakt over het weinige dat we uit dat Perth-verhaal hebben kunnen loskrijgen, geef het nou eens op.'

Morrow liep achterwaarts de kamer uit en sloeg de deur met een klap dicht. Toen ze zich omdraaide, zag ze Harris bij de deur van de recherchekamer staan en naar haar kijken.

Een sceptische Londense politieman noteerde haar naam en zei dat hij haar terug zou moeten bellen via de telefooncentrale van het bureau, om er zeker van te zijn dat ze van de politie van Strathclyde was. Hij klonk behoorlijk strijdbaar, totaal niet collegiaal, en hij liet er geen misverstand over bestaan dat de informatie die hij eventueel met haar zou willen delen zeer beperkt was en dat ze blij mocht zijn als ze die al kreeg.

Hij was opgelucht toen ze hem liet weten dat ze geen specifieke gegevens over het bedrijf hoefde te weten. Hij was nog opgeluchter toen ze zei dat er weleens honderdduizenden ponden teruggewonnen konden worden uit de nalatenschap van Sarah Erroll.

'En, wat is het papieren spoor?'

'Eh' – ze probeerde een manier te bedenken om hem in de zeik te nemen, maar de wil ontbrak haar – 'wat wil dat zeggen?'

'Ontvangstbewijzen voor het geld, transactiebriefjes, dat soort dingen. Wat hebben jullie?'

'Hoezo, van een kassa bijvoorbeeld?'

'Handgeschreven is ook goed.'

'Eh, er is vrijwel zeker niets. Is dat slecht?'

Hij moest lachen. 'Ja, dat is het zeker, als er geen bewijs is kan het geld niet teruggevorderd worden.'

'Juist ja, en daarom lag het waarschijnlijk daar, hè?'

'Hebben jullie helemaal niets?'

'Tja, ze zijn samen gezien in een hotel in New York.'

'Daar kunnen we niks mee. Kunt u een foto van haar faxen?'

'Ja, krijg ik er iets voor terug?'

'Hm, wat dacht u van lijsten met ontbrekende fondsen?'

'Prima, en dan met name stapels euro's die in New York vermist worden?'

Hij aarzelde, en op de achtergrond hoorde ze een toetsenbord. 'Eh, ik sta op het punt naar huis te gaan, maar van wat ik zo zie zijn er verschillende grote bedragen aan euro's bij een filiaal van Manhattan Bank opgenomen.'

'Waarom zou hij dat gedaan hebben? Hij had het geld toch ook gewoon hier kunnen opnemen?'

'Er is daar minder toezicht, en hij wist dat we hem in de gaten hielden.'

'Dus New York was de gemakkelijkste optie?'

'Waarschijnlijk de veiligste. Maar dan moest hij het nog wel Groot-Brittannië in smokkelen.' Hij was iets aan het lezen, want ze hoorde hem 'eens even kijken' mompelen. 'Ja, dit is een persoonlijke rekening. Een depositorekening voor onkosten.'

'Wat wil dat zeggen?'

'Een geheim potje.'

'Een geheim potje? Wel allejezus veel geld voor een geheim potje.'

'Je wil niet geloven hoeveel geld dat soort lui erdoorheen jaagt.'

'Een soort kleingeld dus.'

'Precies.'

'Maar het loopt in de honderdduizenden.'

'Vertel mij wat. Op dit moment halen zakenlieden overal ter wereld dat soort rekeningen leeg. Niemand op kantoor houdt ze echt goed in de gaten. Meestal stellen die bedragen in hun ogen niet veel voor, dus er is weinig controle. Om de zoveel tijd wordt het bij elkaar opgeteld en wordt er gekeken of niemand van de bank het stiekem aftapt. Zolang hij het met enige regelmaat opnam en er ook voor uitkwam, werd er helemaal niet gecontroleerd.'

'Dus als er geen bonnetjes zijn, waar blijven wij dan?'

'Tja, bij ons komen jullie dan niet verder. We zouden trouwens graag alles willen inzien wat jullie over Sarah Erroll hebben: waar ze elkaar troffen, hoe vaak enzovoort.'

Zodra ze het gesprek met goed fatsoen had beëindigd belde ze de recherche van Perth om informatie in te winnen over de dronken pastoor. Ze werd van het kastje naar de muur gestuurd. Ze kende het geluid van een ketsende kogel maar al te goed: er was niemand bij hem langs geweest. Ze hing nog steeds aan de telefoon en luisterde wrokkig naar klassieke muziek toen Harris kort aanklopte, binnenstapte en de deur achter zich dichtdeed.

Hij dacht dat ze met iemand in gesprek was en gebaarde nogal overdreven dat hij zijn mond zou houden en zou wachten tot ze klaar was.

'Ik zit naar Vivaldi te luisteren.'

Hij keek naar de gesloten deur. 'Bannerman wil weten wat je aan het doen bent.'

Ze verbrak de verbinding.

Harris keek haar verwachtingsvol aan. Bannerman had zichzelf voor gek gezet met Frankie en Joe; nu wilde hij zich laten gelden bij zijn ondergeschikten en had het op haar voorzien om het nog een beetje eerlijk te doen lijken. Hij zat de harde werkers dwars en trok alles wat ze deden in twijfel. Het was om razend van te worden, zo onrechtvaardig. Het scheen niet bij de man op te komen dat politiemensen – eerder dan kantoorklerken, verzekeringsagenten of welke andere beroepsgroep dan ook – een aangeboren gevoel hadden voor de rechtvaardigheid van bepaalde zaken.

Harris trok zijn wenkbrauwen op. 'Weet je,' mompelde hij zachtjes, 'je bent niet de enige die er zo over denkt. De jongens...'

Meteen stak ze haar hand op. 'Ah!' Het was haar al eerder overkomen dat ze bij de ruzies van anderen werd betrokken.

'Sorry, maar je komt wat nijdig over.'

'Ik ben altijd wat nijdig.' Ze stond op. 'Wat mij betreft gaat dit niet over Bannerman. Ik heb nog nooit een chef gehad aan wie ik niet de pest had.' Ze pakte een pen en blocnote van haar bureau, stopte haar tas in de onderste la en luisterde of ze de klik van het slot hoorde toen ze hem dichtschoof.

Harris stond nog steeds te knikken toen ze weer opkeek. 'Ik anders wel.'

37

Thomas bleef nog een tijd in de koelruimte zitten om na te denken over het telefoontje van pastoor Sholtham. Hij wist niet hoe lang, maar het voelde als een eeuwigheid.

Squeak was misdienaar, maar hij was niet gelovig, hij zei dat hij het voor de uitstapjes deed. Hij was op dezelfde manier devoot als Lars. Voor Lars was het geloof een soort lidmaatschap van een hiernamaals-countryclub; hij keek neer op niet-katholieken en geloofde echt dat ze naar de hel gingen, en dat was maar goed ook. Thomas verzette zich tegen de aandrang te gaan bidden, vooral nu, nu alles zo hopeloos verward was. Misschien dat Squeak ook iets dergelijks doormaakte. Misschien was hij de volgende ochtend echt gaan biechten bij een dronken pastoor. Het was niet ondenkbaar dat Squeak in een vlaag van wanhoop zijn geloof had teruggevonden. Thomas schudde zijn hoofd. Squeak voerde iets in zijn schild. Daar was hij al mee bezig nog voor hun ontmoeting op het strand. Squeak wilde niet gepakt worden. Hij lag zo ver op hem voor dat Thomas al verslagen was nog voor de strijd was begonnen.

Hij stond op en sjokte de trap op naar de helder verlichte keuken.

Theresa had nog steeds niet gebeld. Thomas wierp een blik op de klok aan de muur. Tien over zeven. Ze kon nog bellen, maar ze had geen haast. Als het aan hem had gelegen, zou hij haar uren geleden al hebben gebeld. Het zorgeloze gevoel van die ochtend in de stad verdween en alles leek nu somberder.

Hij schonk cola in uit de fles in de koelkast, dronk het glas leeg en ging weer naar boven. Terwijl hij de trap op sjouwde, riep hij zichzelf tot de orde en verzon een verhaal voor Moira. Hij zou zeggen dat de vader van het vriendinnetje in de stad had gebeld. Hij had Thomas naar hun afspraakje gevraagd, want ze was te laat op school gekomen en nu moest de vader een brief schrijven om uit te leggen waarom ze niet bij gym was geweest. Zo zou het wel gaan op een dagschool, vermoedde Thomas. Je moest voor alles een briefje hebben. Dat over die gymles maakte de leugen geloofwaardiger, vond hij, en dat moest ook wel, want Moira was leugens maar al te gewend.

Hij liep de slaapkamer weer in en wist meteen dat zich een ramp had voltrokken. Ze leken zo volslagen onthecht van elkaar dat het was alsof ze zich in verschillende ruimten bevonden.

Moira zat bleekjes en angstig op de rand van het bed, met haar rug naar Ella toe, alsof er iets vreselijks, iets seksueels was gebeurd. Hij moest denken aan het depressieve meisje uit Kiev in die treurige kamer in Amsterdam.

Ella stond bij het raam achter het bed en staarde over het gazon.

Met een lijkbleek gezicht keek Moira op naar Thomas en vroeg of hij Ella mee naar beneden wilde nemen, naar de zitkamer, om samen een film te kijken of zo. Verward ging Thomas naast haar zitten; hij legde zijn hand op haar rug en probeerde door haar ontzetting heen te kijken. 'Mam?'

Moira lachte flauwtjes. 'Ella is...' Maar ze wist niet wat Ella was.

Thomas stond op en keek naar het spiegelbeeld van zijn zusje, dat zich net in het raam begon af te tekenen nu de zon onderging. Ze huilde, met open mond en neergetrokken mondhoeken, als een masker in een Grieks drama.

Ze begon met haar rechterhand te wapperen, heel snel, alsof ze iets heets had gegeten, en toen werden de gebaren groter tot ze met de rug van haar hand tegen het vensterglas sloeg, steeds harder en harder. Die onzin moest stoppen en snel ook.

'Ella?'

Ze luisterde niet. Ze zei iets, maar hij verstond het niet omdat ze nog steeds tegen het glas beukte.

Thomas liep naar haar toe, draaide haar met een ruk aan haar schouder om en riep 'Kappen!' maar dat deed ze niet. Ze bleef maar huilen en met haar hand wapperen, tot ze er allemaal overstuur van waren. Weer begon Thomas tegen haar te roepen, nu nog luider. 'Ella! Kap daarmee, godverdomme! Jezus, we zijn allemaal verdrietig. Het draait niet alleen om jou!'

Het gaf hem een goed gevoel, want dat was precies het probleem en hij had het perfect verwoord. Maar ze beefde, ze trilde over haar hele lichaam, alsof ze nu pas goed op gang kwam. Thomas hief zijn hand en sloeg haar keihard in haar gezicht.

Het beven stopte.

Thomas keek even op en zag zichzelf in het zijraam. Hij was groot en breedgeschouderd; de pezen in zijn armen stonden strak en hij torende boven het kleine meisje uit. Zijn gezicht stond verwrongen van ergernis. Hij leek net Lars.

Ella liet zich met uitgestrekte armen op de vloer vallen. Hij keek op haar neer. Haar polsen zaten onder de littekens, lelijke littekens, en ze waren bedekt met lange krassen.

Hij probeerde haar op te tillen. Ze plofte weer op de vloer en krulde zich rond zijn enkel, snikkend en terwijl de tranen in het blonde haar bij haar slaap rolden en haar wang nog nagloeide van de klap.

Thomas bukte zich, ging op zijn hurken zitten wachten tot Ella er genoeg van kreeg; het gesidder stopte en ze staarde met lege blik naar zijn enkel. Hij wist dat dit de echte Ella was.

Opeens begreep hij de bezorgde telefoontjes van school van het afgelopen jaar. Daarom gingen Lars en Moira veel vaker bij haar op bezoek dan bij hem. Daarom dempten ze hun stem als ze over haar spraken. Daarom hielden ze hen uit elkaar. Ze was al heel lang ziek. Ze was gek, ongrijpbaar en eng. Hij keek naar Moira en nu snapte hij waarom ze ervoor gezorgd had dat hij als eerste thuiskwam.

Ze hadden het hem moeten vertellen. Hij wist het niet, hij

dacht dat ze verwaand en verwend was, maar dat ze gestoord was wist hij niet. Ze hadden het hem moeten vertellen.

Hij raakte Ella's schouder aan, net als Doyle bij hem had gedaan, en zei: 'Het spijt me, Ella, ik dacht dat je deed alsof.' En daarna zei hij niets meer.

Ella wachtte tot Moira naar de badkamer ging en de deur dichtdeed. Toen stond ze langzaam op en bleef met hangende schouders staan, terwijl er af en toe wat tranen vanaf haar neus op de vloer drupten en putjes sloegen in het dikke tapijt.

'Kom,' zei hij. Hij pakte haar hand en voerde haar mee de slaapkamer uit. Ze zag haar eigen deur, de deur van haar slaapkamer, bleef staan en zette voorzichtig een teen in de richting van de drempel. 'Wil je daar naartoe?' vroeg Thomas.

Maar ze antwoordde niet, en omdat hij haar niet alleen durfde te laten, nam hij haar mee naar beneden en hielp haar op de trap door voor haar uit te lopen en haar beide handen vast te houden, alsof ze een heel oud dametje was. Nu zag hij de ribbels op haar polsen, hij zag dat sommige heel oud waren, wit en genezen, terwijl andere zo nieuw waren dat er nog droge korsten op zaten.

Toen ze onder aan de trap waren aangekomen, riep Moira naar beneden dat ze moe was en naar bed ging, en dat ze het morgen wel zouden uitpraten. Oké? Thomas? Schat?

'Oké, mam.' Hij hoorde haar de deur stevig dichtdoen en in zijn verbeelding draaide ze hem op slot, hoewel hij eigenlijk niet wist of er wel een slot op zat.

In de woonkamer zaten ze met hun schouders dicht tegen elkaar aan op de ijzig witte bank, en keken naar *Mission Impossible II*. Ella hield haar handpalmen omhoog, zodat haar littekens zichtbaar waren, en Thomas zei bijna iets afkeurends omdat het zo theatraal was, maar toen hij naar haar gezicht keek, zag hij dat het haar geen moer kon schelen of hij ze zag of niet. Ze zei niets, maar zat in zichzelf naar de film te knikken toen de personages hun gezicht afpelden.

'Het gaat niet goed met je,' zei Thomas tijdens de aftiteling.

Ella liet haar hoofd op haar borst zakken, alsof ze doodmoe was. Thomas bedacht dat hij nog nooit iemand gezien had die zo droevig was als zij.

'Ella?'

Ze keek hem niet aan.

'Alles komt goed. Ik ga voortaan voor je zorgen.'

Ze zei niets, maar hij zag dat ze hem gehoord en begrepen had en dat het belangrijk voor haar was dat hij dat gezegd had. Dat was het minste wat hij voor haar kon doen. Hij zou een soort Theresa voor haar kunnen zijn, een goede ouder, iemand die er altijd was en zorgde dat ze zichzelf geen pijn meer deed.

Hij liep met haar naar boven, naar haar eigen kamers, met zijn arm door die van haar en sturend met zijn elleboog. Ze liepen door de roze zitkamer naar het bed. Ze ging op de rand zitten en hij tilde haar kleine voeten op en legde haar neer. Hij ging in de andere kamer zitten, met de deur open, en keek naar het op en neer gaan van haar borst tot ze in slaap viel.

Thomas deed de lampen in de slaapkamer uit, maar hij liet het wandlampje in de zitkamer aan en zette de deur op een kier. Op de overloop bleef hij even staan. Door de deur van de ouderslaapkamer hoorde hij luid gelach van Moira's tv. Hij klopte, maar ze antwoordde niet.

En Theresa had nog steeds niet gebeld.

38

Morrow parkeerde haar auto op de steile oprit, trok knerpend de handrem omhoog en zette de wagen in z'n een. Ze vertrouwde hem niet op de helling.

De gordijnen van de woonkamer zaten dicht. Oranje licht sijpelde langs de randen en scheen helder en warm de avond in. Het licht in de gang brandde ook. Dit was haar op één na favoriete moment van de dag: als ze voor het huis stopte en wist dat Brian er was. Haar favoriete moment was in bed stappen. Rock-'n-roll.

Ze opende het portier en stapte uit, deed de auto op slot en keek om zich heen, naar de rustige buurt. Een fijne plek voor een gezin met opgroeiende kinderen. Ze glimlachte in zichzelf, liep naar het huis, stak haar sleutel in het slot en deed de deur open. 'Hoi!' riep ze, terwijl ze haar sleutels weer in haar zak liet glijden en naar de kast liep om haar jas op te hangen.

'Hoi.' Brian kwam de kamer uit. 'Hoe was het in Londen?'

'Rot. Van Bannerman mocht ik Harris niet meenemen, want hij ziet overal revolutie...'

'Hoe was die bar?'

'Mooie vrouwen, lelijke mannen. Ik heb Kay trouwens weer gezien, en haar jongens.'

'Ging het goed?'

'Ja, ze hebben zich er prima doorheen geslagen.'

Hij stond half in de gang, half in de keuken, met zijn hand aan de deurpost. Het was een merkwaardige houding voor hem. Het had iets heimelijks, iets verlegens, alsof hij een surpriseparty voor haar had georganiseerd en de keuken vol mensen zat.

Ze knikte naar hem. 'Wat is er?'

Brian ging conflicten altijd uit de weg. Morrow hield wel van een beetje stennis, maar niet thuis. Brian moest niets van strubbelingen hebben, in welke vorm dan ook. Hij ademde diep in. 'Kom eens binnen.'

Ze volgde hem de keuken in en verwachtte een verrassing zodra ze binnen was. De keuken zag er hetzelfde uit, met dezelfde tafel, hetzelfde saaie keukenblok dat het oude stel hun had nagelaten, met het keukendoekje dat zoals altijd over de kraan te drogen hing, en de schaal met eten die in de magnetron voor haar klaarstond.

Ze glimlachte. 'Wat is er aan de hand?'

Brian keek bezorgd. 'Ga eens zitten.'

Ze nam een stoel. Hij ging naast haar zitten en beet op zijn onderlip. 'Danny is hier vandaag geweest.'

Meteen keek ze om zich heen, alsof hij zich nog ergens ophield, en toen ze haar mond opendeed, merkte ze dat ze fluisterde. 'Hier?'

'Ja.'

'Dus je hebt hem ontmoet?'

'Ja.'

'Wanneer was dat?'

'Tegen de avond, om een uur of vijf, halfzes, zoiets.'

'Waarom heb je me niet gebeld?'

'Ik wilde je niet lastigvallen.'

Brian was niet gewond. Hij leek niet eens bang of ontzet. Ze raakte zijn wang aan en hij glimlachte toen hij zag hoe bezorgd ze om hem was. Ze zaten dicht tegen elkaar aan, ineengedoken, vol argwaan.

'Het staat me niks aan dat hij zomaar hier komt.'

'Dat weet ik.'

'Ik wil niet dat hij weet wie je bent.'

Hij pakte haar hand. 'Maak je om mij maar niet druk.'

Ze kneep in zijn vingers. 'Sorry.'

Hij kneep terug. 'Geeft niet.'

'Ging het over JJ?'

'Ja, en over Kay Murray.'

'Kay Murray?'

'Iemand is bij hem geweest en heeft gezegd dat hij jou moest waarschuwen: je moet de jongens van Murray met rust laten.'

'Wil hij me bij ze weghouden?'

'Nee, volgens hem wil iemand anders je bij ze weghouden.'

Ze snoof. 'Alsof hij me de wet kan voorschrijven.'

'Was dat zijn bedoeling?'

Morrow haalde haar schouders op. Zoiets had hij nog nooit eerder gedaan. Ze leunde achterover en liet alle mogelijkheden de revue passeren. Misschien sprak Danny de waarheid, maar dat was niks voor hem. Als hij loog moest ze zich afvragen waarom. Hij wilde dat ze bij de jongens van Murray uit de buurt bleef, zonder het rechtstreeks te zeggen. Opeens wist ze het: Joe was zestien. Alex was ze allebei uit het oog verloren, maar Danny en Kay gingen in die tijd waarschijnlijk nog met elkaar om. Even liet ze de mogelijkheid bezinken dat Danny de vader van Joe was. Maar Joe leek niet echt op Danny. Hij gedroeg zich al helemaal niet als Danny. En toen zag ze de flat voor zich, het weinige dat Kay bezat terwijl ze toch vier paar schoenen bij de Costco kocht omdat ze waterdicht waren en een hele winter meegingen. Ze werkte als schoonmaakster en ziekenverzorgster, en verdiende de kost voor zichzelf en haar kinderen. Ze nam niks van Danny aan. Maar Kay was trots. Die zou nooit iets van Danny aannemen.

Het zou kunnen kloppen, Danny zou haar kunnen waarschuwen dat iemand anders, niet hij, wist dat ze familie waren en wilde dat ze de Murrays met rust liet. Het kon Kay zelf zijn geweest.

'Ze vertrouwt ons niet,' zei ze.

'Wie vertrouwt ons niet?'

'Kay Murray. Die vertrouwt de politie niet.' Alex keek hoofdschuddend naar de tafel. 'Zou Danny zijn vader zijn? Joe is een prachtjongen.'

'O?'

'Kent hij Joe?'

'Zo klonk hij niet.'

'Hoezo, wat heeft hij gezegd?'

Brian haalde zijn schouders op. 'De jongens van Murray, hij had het steeds over de jongens van Murray. En dat iemand wil dat je hen met rust laat.'

Even was ze in gedachten verzonken, tot Brian zei: 'Ik heb een lekkere lamsstoofpot gemaakt. Zal ik hem opwarmen?'

'Ja, graag.'

Brian stond op, deed het deurtje van de magnetron dicht, stelde de tijd in op drie minuten, en ging met een lepel staan wachten. Morrow zag zichzelf en Kay in die laan, toen ze elkaar voor het eerst weer tegenkwamen, ze zag hoe mooi Kay het vond dat ze bij de politie werkte; misschien had ze op weg naar huis of in de trein aan haar gedacht, dat ze bij de politie werkte en dat dat een mooi alternatief voor haar zoon zou zijn.

Misschien was Joe haar neefje. Ze moest inwendig lachen. Als ze in de verte aan Kay verwant was, had ze dat graag willen weten. Het was een prachtig excuus geweest om in contact te blijven.

'Ping' deed de magnetron; Brian opende het deurtje, roerde even, deed het deurtje weer dicht en stelde de tijd opnieuw in. Met een glimlach ging hij zitten. 'Hij lijkt op jou.'

'Vind je?'

'Ja.' Hij raakte haar lippen aan. 'Dezelfde kin.'

'Hij hoeft me echt niet te vertellen...'

'Alex.' Brian boog zich naar haar toe en legde zijn hand plat op haar buik. 'Hij wil je helemaal niks vertellen. Hij vraagt om een wapenstilstand.'

'Je kent hem niet...'

'Nee, ik ken hem inderdaad niet, maar ik zie wel dat hij je om hulp vraagt en dat jij nee zegt.'

39

Thomas ging in de woonkamer zitten, met de telefoon in zijn hand, en zei tegen zichzelf dat honderd jaar geleden jongens van zijn leeftijd emigreerden. Op zijn leeftijd logen ze over hun geboortejaar, gingen bij het leger en vochten in de Eerste Wereldoorlog. Zoveel stelde het nou ook weer niet voor. Op school hadden ze altijd de mond vol van daadkracht, dat je daadkracht moest ontwikkelen, en dan ging het over de Duke of Edinburgh-onderscheiding en al die shit. Dit was een Duke of Edinburgh. Hiervoor zou hij een Duke of Edinburgh moeten krijgen.

Al plannend besloot hij de volgende ochtend een dokter te bellen over Ella. En nu wist hij tenminste dat Moira een lamlendige trut was, of ze aan de medicijnen was of niet. Hij bleef de telefoon vasthouden zodat hij eerder kon opnemen dan Moira. Hij had hem inmiddels zo lang in zijn hand dat de koele metalen hoorn zijn lichaamstemperatuur had aangenomen.

Theresa had kennelijk geen behoefte aan een gesprek. Anders had ze nu wel gebeld. Toch wilde hij nog steeds dat ze belde en met Moira sprak, hij wilde dat ze Moira liet weten dat ze helemaal niet zo fucking bijzonder was. Als ze zo fucking uitverkoren was geweest zou ze niet een meisje van twaalf negeren dat op instorten stond, dan zou ze haar niet wegsturen naar kostschool of naar beneden om een film te kijken.

Hij stond op, liep de gang in en pakte het jasje dat hij die ochtend aan had gehad. Dubbelgevouwen in de binnenzak zat het harde, in reliëf gedrukte memoblaadje van het bureau van Lars, met daarop het adres en telefoonnummer van Theresa. Onder aan de trap bleef hij staan luisteren. Uit Ella's kamer kwam geen enkel geluid. Moira had de tv nog aan, met het geluid nog even hard.

Op zijn tenen, zonder dat daar aanleiding toe was, sloop hij de trap af naar de koelruimte en deed het licht aan, en terwijl hij in de zoemende warmte zat, toetste hij het nummer in.

Hij hoorde de telefoon overgaan en zijn hart bonkte in zijn keel. Een jongen nam op. 'Ja?'

Thomas' mond ging open, maar het duurde even voor de woorden zich vormden. 'Spreek ik met Phils?'

'Ja. Met wie spreek ik?'

'Met Thomas Anderson.'

Een tijd lang luisterden ze naar elkaars ademhaling, halfbroers, en allebei wachtten ze tot de ander iets zou zeggen. Phils haalde de hoorn van zijn mond en zei op zo'n lijzig kaktoontje: 'Mama, het is die jongen – de zóón.'

Theresa nam de telefoon over. Ze klonk afgemeten. 'Hoe kom je aan dit nummer?'

Hij keek naar het kaartje. 'Ik heb gisteravond inlichtingen gebeld.'

'Waarom?'

Hij wist niet wat ze bedoelde. Ze leek opeens iemand anders. Het was zijn bedoeling geweest een gesprek met haar te beginnen, haar te vragen hoe haar dag was geweest, toe te werken naar het moment waarop hij haar beleefd zou vragen waarom ze Moira niet had gebeld. Hij had haar een excuus willen verschaffen, misschien was ze te moe geweest om te bellen? Dat was niet erg, ze kon morgen ook bellen.

'Waaróm, Thomas? Wat voer je in je schild?'

'Niks eigenlijk, je zei dat je mijn moeder zou bellen...'

'Je moeder? Waarom zou ik háár bellen?'

'Tja, weet ik veel, je zei dat je zou bellen...'

'Een vrouw' – nu klonk ze woedend – 'die zo in zichzelf opgaat dat ze zich medeplichtig heeft gemaakt aan het seksueel misbruik van een kind?'

Even dacht Thomas dat Phils was misbruikt, door Lars, maar dat sloeg nergens op. 'Wat bedoel...'

'Heb je je nanny geneukt of niet?'

Het klonk alsof ze tegen iemand anders sprak, alsof ze iemand anders was. Maar ze wachtte op antwoord.

'Theresa?'

'Ken je Mary Morrison of niet?'

'Nanny Mary?'

'Zij heeft je toch geneukt? Volgens haar moest dat van Lars. Hij zette haar onder druk. Wat zijn jullie voor mensen? Waag het niet ons ooit nog eens te bellen.' Ze hing op.

Thomas staarde naar de vloer, met de telefoon nog steeds tegen zijn oor, en luisterde naar het gezoem van de kiestoon. Wat was er in godsnaam gebeurd?

Hij nam in gedachten hun afscheid nog eens door – had hij haar soms beledigd? Had hij iets schokkends over zichzelf verteld, of over Lars? Ze had gezegd dat Lars eigenlijk een lul was, en dat was hij met haar eens geweest. Nou ja, eigenlijk ook weer niet, maar hij was niet voor hem in de bres gesprongen. Misschien was dat het. Misschien had ze van hem verwacht dat hij het niet met haar eens zou zijn. Misschien had dat haar teleurgesteld. Hij dacht aan haar prachtige rommelige gang en aan haar mooie ronde tieten, en had spijt van wat hij gedaan had, wat het ook was.

Ze had nanny Mary's woorden aangehaald. Nanny Mary had haar vast opgezocht en haar alles verteld, in de hoop dat ze er geld voor kreeg, maar het was pure onzin. Misschien had Lars haar betaald om hem te neuken, maar hij zou haar nooit onder druk hebben gezet. Bovendien was hij vijftien, hij was geen kind meer.

Hij stond op en deed het licht uit. Toen hij de trap op klom naar de keuken, ging de telefoon weer.

'Hallo?'

Theresa klonk nog steeds kortaf en onvriendelijk. 'Hoor eens,' zei ze. 'Ik heb nagedacht. We moeten dit uitpraten.'

'Niemand heeft Mary onder druk gezet.'

'Je bent nog maar een kind, Thomas.'

'Ik ben vijftien.'

'Dan ben je nog steeds een kind.'

'Ja hoor.' Hij zag haar weer voor zich, toen ze die ochtend de honkbalknuppel wegzette, haar arm door de zijne stak en met haar tepels langs hem streek terwijl ze over straat liepen. 'Je stond vanochtend anders mooi met je tieten naar me te zwaaien.'

Ze zweeg even, alsof ze het min of meer toegaf, en ging toen op vertrouwelijke toon verder. 'Dat geeft een bar slecht beeld van je moeder, al dat Mary-gedoe. Ze wordt nog altijd als slachtoffer gezien, maar als de mensen het wísten...'

'Bovendien wilde je me met een honkbalknuppel slaan voor je doorhad dat je me kende; zoiets doe je toch niet met een zielig jongetje?'

Ze hoorde de scherpe klank in zijn stem en riep: 'Denk maar niet dat Phils en Betsy van school worden gehaald, echt niet!'

'Dat heb ik ook niet gezegd...'

'En ik wil een deel van de opbrengst van het huis.'

'Welk huis?'

'Waar jij nu bent.'

Thomas had haar verteld dat het verkocht zou worden. Opeens besefte hij dat ze de hele ochtend naar informatie had zitten vissen. Ze had gezegd dat het vreemd was dat alles nu was veranderd, en waar gingen ze naartoe op vakantie? Naar welke school gingen de kinderen? Ging hij later in het buitenland studeren? Ze had zelfs medelijden met hem gehad toen hij zei dat ze alleen de Piper nog hadden. Waarschijnlijk kende ze nanny Mary van vroeger, wist ze alles en zat ze hem de hele tijd uit te horen.

'Zeg maar tegen je moeder dat mijn advocaat te zijner tijd contact met haar opneemt.'

'Rot op, vertel het zelf, Therésa,' zei hij, en hij verbrak de verbinding.

Hij legde de telefoon op het aanrecht, deed een stap naar achteren en keek ernaar. Bitch. Stomme bitch. Sarah Erroll was voor haar in de plaats gestorven, en het was allemaal haar stomme schuld.

Wat had hij haar nog meer verteld? Hij wist niet wat hij moest doen, hij kon niet voor Ella zorgen of in de rats zitten om Squeak, hij had geen idee wat hij moest doen. Terwijl hij opkeek naar het hoge plafond trok de nederlaag als een koude huivering door hem heen. Hij was nog maar een kind. Hij wist niet wat hij deed. Zijn verlies was nu nog iets van hemzelf, maar straks, als ze een advocaat in de arm nam en de pers het hoorde, kwam het allemaal in de openbaarheid. Stijve.

In paniek rende hij de trap op naar zijn moeder. Haar tv stond nog aan, maar hij sloop op zijn tenen langs Ella's kamer en klopte zachtjes aan. Meteen zweeg de tv en floepte het licht uit dat onder de deur door scheen.

Thomas voelde aan de kruk en de deur ging open. Hij keek niet naar binnen, bang dat ze naakt was of iets dergelijks.

'Moira?' fluisterde hij.

Het duurde heel lang voor ze antwoordde, met een gemaakt slaperige stem. 'Hm?'

'Ella... die slaapt nu.'

Zo gauw gaf Moira haar slaap-act niet op. 'Wa...? Wat zeg je, schat?'

Theresa had de hele ochtend tegen hem geglimlacht en ondertussen op informatie zitten azen. Hij had oprecht geloofd dat ze hem aardig vond. Moira kon niet eens overtuigend doen alsof ze sliep.

Boos stak hij zijn hand om de hoek en knipte het licht aan.

Moira had al haar kleren nog aan; ze zat boven op het bed met op haar schoot een asbak waar rook uit kringelde. Hij was verbaasd. Hij wist niet dat ze rookte. Heel even wist hij niet meer wat hij wilde zeggen.

Ze lachte flauwtjes. 'Ik ben zeker weggedommeld...'

'Ella slaapt.'

Ze probeerde te glimlachen, maar haar mond stond bitter. 'En dat zou jij ook moeten doen.' Ze zei het als een moeder in een voorleesboek.

'Wat is er met Ella?'

Ze keek verbaasd, alsof haar niet echt iets was opgevallen.

'Ze is gestoord,' zei hij voorzichtig. 'Wat heeft ze eigenlijk?'

'Ella is... nerveus.'

'Het is anders goed mis met haar.'

Moira grijnsde, haar blik meed de zijne en zocht hem toen weer op, en nu lachte ze nog triester dan eerst. Ze deed heel erg haar best. Hij zag dat ze haar best deed en dat ze al een hele tijd zwaar gedrogeerd was.

Het liefst zou Thomas haar alles vertellen. In Schotland is een vrouw gestorven. Ella is knettergek. Papa's andere vrouw heet Theresa. Dat is een echte haai. Ze is niet dom. Ze heeft ronde tieten en knappe kinderen. Ze vreet je levend op terwijl wij erbij staan en ik kan je niet redden, want ik ben nog maar een kind.

Maar hij zei niets van dat alles. In plaats daarvan zei hij wat Moira wilde horen, waar ze behoefte aan had. 'Welterusten, mam.'

Een warme, dankbare glimlach verspreidde zich over haar gezicht en ze liet zich iets onderuitzakken op het bed. 'Welterusten, schat.'

Voorzichtig deed Thomas de deur dicht, en toen stond hij alleen in de donkere gang.

40

Het zat haar niet lekker. Morrow opende de voordeur en stapte de frisse ochtend in. Ze liep naar de auto, deed die van het slot, wurmde langzaam en onhandig haar bizarre lijf achter het stuur en trok haar jas naar binnen voor ze het portier sloot, en al die tijd voelde ze iets naamloos op zich drukken. Ze startte de motor en omdat ze zich niet meer gemakkelijk vanuit haar middel kon omdraaien, keek ze alleen in het spiegeltje toen ze achteruit de weg op reed.

Onder aan de heuvel bleef ze staan. Ze ademde diep in, schudde haar hoofd en vroeg zich af wat haar mankeerde. Een gevoel van onbehagen, maar niet zoals ze dat wel kende, dit was anders. Ze reed weer door, maar langzamer dan gewoonlijk. Het gonsde op de radio van de fileberichten, kinderverjaardagen en geruchten dat er een ongeluk was gebeurd op de M8. Met een druk op de knop zette ze hem uit en reed de stad in, waar de straten op dat uur van de dag nog rustig waren.

Het was, zo besefte ze, alsof er iemand naast haar zat met wie ze ruzie had gehad. Maar ze was alleen. Stom.

Ze zette het van zich af en gaf zich over aan de eisen van de weg: de stoplichten, de voorrangswegen, remmen volgens het boekje als een voetganger gedachteloos overstak of andere automobilisten domme toeren uithaalden.

Tegen de tijd dat ze op het bureau arriveerde wist ze dat ze kwaad op zichzelf was, maar niet waarom. Het kwam niet omdat

Danny in haar huis was geweest of omdat hij Brian had ontmoet, dat was het niet waardoor ze zich besmeurd voelde. Het was Perth, het had met Perth te maken.

Ze parkeerde op het terrein achter het bureau, liep de hellingbaan op, langs de arrestantenbalie, riep 'hallo' naar de nachtploeg, en probeerde ondertussen de draad van haar gedachten vast te houden.

De hal door, naar de rechercheafdeling, waar Bannermans deur openstond; er brandde licht en de man zelf zat papieren door te nemen.

'Bannerman?'

'Morrow? Je bent vroeg...'

'Anders jij wel.'

Hij keek haar afwachtend aan, maar ze wist niet wat ze moest zeggen. 'Wou je iets vragen?'

Dat wist ze eigenlijk niet. 'Eh. Perth. Dat gedoe met Perth zit me niet lekker.'

Hij zuchtte zachtjes en tikte ongeduldig op de papieren die voor hem lagen. 'Prima, bel maar en vraag het na.'

'Ja,' zei ze, terwijl ze zich afvroeg waarom het niet goed voelde. 'Ik bel wel, ja...'

'Zou je me nu met rust willen laten?'

'Sorry.'

Ze liep zijn kamer uit, trok de deur dicht en stond er een tijdje naar te kijken. Hij zou ongetwijfeld zeggen dat het aan haar zwangerschap lag. Ze hoefde maar iets te doen wat niet meteen duidelijk was of het lag aan haar zwangerschap. Ze trok het zich niet eens meer aan.

'Morrow?' Ze draaide zich om en zag Harris de recherchekamer binnenlopen.

'Jij bent lekker vroeg.'

'Ja, mijn oudste zoon gaat op schoolreis naar Frankrijk. Ik moest hem al vroeg op de bus zetten.'

Ze keek hem na toen hij in de kamer verdween, en nog steeds had ze dat onrustige, wat onthechte gevoel. Ze liep haar eigen kamer in en zette de computer aan om de contactgegevens van

Perth op te zoeken. Tussen de afdelingsspam in haar inbox zat een lege e-mail verscholen van een zekere N. Ketlin. Er hoorde een attachment bij met een genummerde titel. Ze opende het bericht, downloadde een fors bestand en klikte het open.

Het was een vierentwintig seconden durend filmpje van Sarah Erroll, levend, aan een tafel in een tuin, met een dikke grijze kat die lui voor haar op het tafelblad lag en zijn staart om haar pols had geslagen.

Doordat het een zonnige dag was met diepe schaduwen was Sarahs gezicht moeilijk te onderscheiden, maar ze glimlachte en zong zachtjes tegen de kat, die op zijn rug lag te spinnen en te kronkelen terwijl ze hem over zijn buik aaide: *You are my sunshine, my only sunshine.*

Sarah leek net een kind, en ze bewoog zich ook als een kind, met de onhandige gratie van iemand die nog niet volledig tot bloei is gekomen. Naast haar op tafel lagen een geel zakje Kettlechips en de iPhone die op het bed was gevonden.

Terwijl ze nog steeds niet doorhad dat ze gefilmd werd, stopte ze met zingen en boog zich voorover om de zachte flank van de kat te kussen; toen ze zag dat ze opgenomen werd, keek ze geschokt, ze liet haar schouders zakken en riep: 'Nora! Rot op met die kuttelefoon!'

Achter de camera liet Nora een gorgelend lachje horen; Sarah keek recht in de lens en lachte terug. Het beeld bevroor.

Morrow sloeg haar hand voor haar mond en voelde de gal tot in haar keel opstijgen. Ze liet het allemaal op zijn beloop, ze verruilde Sarah voor vrede met Danny, vrede met Bannerman, en ze zat gewoon haar tijd uit. Ze staarde naar het plafond en deed het voor het geld.

Ze ademde diep in, stond op, trok haar deur open en riep Harris bij zich.

Geschrokken verscheen hij bij haar deur, alsof hij verwachtte dat ze op de grond lag en haar baby's lag te baren.

'Pak als de sodemieter je jas, Harris. We gaan naar Perth.'

41

Thomas stond in de keuken toen de zoemer bij het hek ging; hij haastte zich naar het videoschermpje bij de voordeur en zag een blonde man uit het raampje van zijn Mercedes hangen en iets in de microfoon roepen.

'Hallo?'

Thomas zette een lage stem op om wat ouder te klinken. 'Wie bent u?'

'Ik ben dr. Hollis.' Hij zag er Scandinavisch uit, groot, met een mooie, discrete zwarte auto. 'Ik heb vanochtend een afspraak met de heer Anderson.'

Thomas drukte op de knop om hem binnen te laten en keek toe terwijl de hekken openzwaaiden.

De dokter schoof weer op zijn stoel en de auto verdween uit het zicht.

Met de joystick liet Thomas de camera de hele ingang bestrijken. Er was verder niemand. Hij had half en half verwacht dat er zich een troep boze demonstranten zou verzamelen nu het nieuws over Lars' zelfmoord van de voorpagina was verdwenen, maar ze hadden vast iemand anders gevonden om hun haat op te botvieren. Er was zelfs geen graffiti bij gekomen, dus ze waren hier niet meer geweest.

Terwijl hij daar stond, hoorde hij de auto tot stilstand komen, een portier werd geopend en dichtgeslagen, en leren zolen schraapten over de traptreden. Hij deed de deur open.

'Anderson?' Hoewel hij nog jong was, had dr. Hollis grijs haar en grijze wenkbrauwen. Ook had hij een snor, maar wel een stoere snor, en onder zijn onderlip zat een plukje baard. Hij droeg vrijetijdskleding, een overjas van grijze tweed met een glimp van een roze voering, en een mooi wit overhemd. Hij maakte een schone, vriendelijke indruk.

Thomas deed de deur wijd open. 'Fijn dat u zo snel al kon komen.'

'Geen probleem.' Hollis veegde zijn voeten op de mat en stapte de gang binnen. 'Hoe gaat het vandaag?'

'Goed,' zei Thomas, bang dat de psychiater zijn verleden of zijn toekomst of iets dergelijks zag.

Dr. Hollis deed echter geen poging hem te doorzien. Hij zette zijn tas op de grond en liet zijn jas van zijn schouders glijden.

'Eh, mijn zus is boven.' Met twee treden tegelijk ging hij hem voor de trap op.

Dr. Hollis volgde hem op een drafje. 'Heb je haar vanochtend al gezien?'

Thomas knikte. 'Ja.'

'Heeft ze gegeten?'

Boven aan de trap bleef Thomas staan en keek achterom naar de fitte bergbeklimmer. 'Nee.'

Hollis nam de laatste drie treden in één keer. 'Door de telefoon zei je dat dit al een tijdje aan de gang is. Waarom denk je dat?'

Thomas wilde niet zeggen waarom. Dat waarom hield alles in wat hij haatte aan Ella: de vele bezoekjes die zijn ouders aan haar school brachten, dat ze halverwege een trimester thuis mocht komen, gezinsvakanties waarvoor hij niet werd meegevraagd. Hij wist niet of hij die dingen kon noemen zonder als een verbitterde eikel over te komen. Dus zei hij: 'Nou, omdat ze littekens heeft,' en hij gebaarde vaag naar zijn pols.

'Verder niets?'

Thomas haalde zijn schouders op. 'Ze doet raar.'

Hollis knikte, alsof hij het niet begreep, maar wel een poging deed. 'En jullie vader heeft zich onlangs...'

Ineengezakt tegen de trapleuning mompelde Thomas: '... ik

weet niet hoe ik het moet zeggen...'

En daarom zei Hollis het op de harde manier: 'Van het leven beroofd?'

'Ja.' Thomas was zich ervan bewust dat zijn mond nauwelijks bewoog. 'Afgelopen maandag.' Hij keek naar het tapijt en wist niet wat hij er verder nog over moest zeggen. 'Dus...'

Hollis wachtte even en knikte toen kort, zonder er een toestand van te maken. Hij bromde wat en met een knik in de richting van de overloop maande hij Thomas tot doorlopen.

Ze liepen haar zitkamer door naar de openstaande slaapkamerdeur. Ze zagen haar kleine gestalte in het grote bed. Thomas klopte aan, wachtte en draaide zich om. 'Voor het geval ze wil praten...'

Maar dat was niet het geval. Hij duwde de deur nog wat verder open.

Ella lag in bed, op haar zij, met haar rug naar hen toe; het was niet duidelijk of ze sliep.

Hollis keek naar de kamer, naar het grote raam en het meubilair. Een waarderend lachje speelde om zijn open lippen. Prachtig huis. Thomas gebaarde in de richting van Ella, om hem eraan te herinneren waarom ze daar waren.

Hollis liep om het bed heen en trok een stoel bij.

'Hallo, Ella, ik ben Jergen. Ik ben psychiater.' Hij sprak nu op een andere toon, zijn stem klonk zachter en kreeg iets bijzonders, een bepaalde vriendelijkheid die Thomas ongelooflijk ontroerend vond. Al luisterend knipperde hij zijn tranen weg en liep van de deur naar een plek bij het raam, waar Hollis hem niet kon zien, tenzij hij opkeek.

'Ella, we hebben elkaar nog nooit ontmoet, hè?'

Ze zei niets en verroerde zich ook niet, maar toch moest ze een teken hebben gegeven, want hij vatte het op als een 'nee'.

'Ben je weleens bij een psychiater geweest?'

Weer zag Thomas niets wat op een reactie leek.

'En wie was dat?'

Ze mompelde iets. Hollis schreef het op en liet het aan haar zien. Hij verbeterde het en liet het haar nogmaals zien. 'Als je wilt kan ik wel vragen of deze persoon nog eens bij je wil komen.' Hij gaf haar een moment om met haar ogen te knipperen, te kloppen of wat dan ook. 'Of anders kan ik je misschien helpen. Wat heb je liever?'

Hij bestudeerde haar een hele tijd, en op zijn gezicht volgden de uitdrukkingen elkaar in snel tempo op, alsof hij een geluidloos gesprek met haar voerde. Toen boog hij zich naar haar toe, sprak zachtjes een paar woorden en stond op; met zijn blik op Thomas gericht liep hij om het bed heen.

Op de overloop zei Hollis dat het niet goed ging met zijn zusje en hij vroeg toestemming om contact op te nemen met de artsen die haar hadden behandeld, om wat achtergrondgegevens te verzamelen.

'Wat is er met haar aan de hand?'

'Dat kan ik nog niet zeggen. Weet je ook of ze medicijnen gebruikt?'

'Geen idee. Maar ze is totaal van slag en ze lacht voortdurend. Ik hoor haar tegen mensen praten die er helemaal niet zijn. Stemmingswisselingen...'

'En je moeder?'

'Ja, die is ook aardig gestoord.'

'Nee, ik bedoel: waar is ze?'

'O, ze is met de taxi naar Sevenoaks gegaan.'

Hollis knikte. 'Juist ja. Ik heb haar toestemming nodig om toegang te krijgen tot Ella's medische dossiers. Wanneer komt ze terug?'

'Ze is de begrafenis aan het regelen, dus dat weet ik niet.' Hollis mocht niet de indruk krijgen dat hij aan zijn lot was overgelaten, en op medelijden zat hij al helemaal niet te wachten. 'Mijn vader wordt over drie dagen begraven...'

Maar er was geen zweempje medelijden op Hollis' gezicht te bespeuren.

'Zo hebben we allemaal onze behoeften,' zei hij op ernstige toon. 'Het zijn vast zware tijden voor jullie, voor jullie állemaal.' Zo zei hij het, met de nadruk op 'allemaal', maar Thomas wist dat hij het had gezegd om niet de indruk te wekken dat hij het specifiek over hem had. Hij klonk een beetje als Theresa, zoals hij op het juiste moment wist wat hij moest zeggen. Het bezorgde Thomas een onbehaaglijk gevoel. Opeens bedacht hij dat Hollis misschien een undercoverjournalist was die in het huis liep rond te snuffelen en stiekem foto's maakte. Erg waarschijnlijk was het niet, maar de mogelijkheid bestond en daarom wilde hij hem zo snel mogelijk het huis uit hebben.

Hij richtte zich in zijn volle lengte op en wendde zijn blik af. 'Gaat u weer...?'

'Zou je mee naar beneden willen komen?'

Deze keer ging Hollis voorop; hij snelde de lange overloop over en de trap af, alsof hij in een ziekenhuis was, op weg naar een spoedgeval. Beneden wachtte hij op Thomas, en hij keek om zich heen om te zien waar hij naartoe moest. Thomas hief zijn hand en wees naar de voordeur, maar Hollis zei: 'Ik wil met je praten.'

Thomas nam hem mee naar een grote blauwe zitkamer, waar ze aan de hoek van een enorme witte eettafel gingen zitten.

'Thomás,' zei Hollis, 'je zus is er erg slecht aan toe. Die littekens op haar polsen. Wat weet je daarvan?'

'Niks.'

'Hoe oud ben je?'

'Vijftien.'

'Ik moet onmiddellijk je moeder spreken. Heb je het nummer van haar mobiel?'

'Ze heeft geen mobiel.'

'Eh, hoe heet de begrafenisonderneming?'

'Weet ik niet. "Brothers". Iets met "brothers".'

Dr. Hollis zocht op zijn mobiel naar 'begrafenisonderneming', 'brothers' en 'Sevenoaks', belde een nummer, vroeg naar Moira en kreeg haar aan de lijn.

'Mevrouw Anderson, u spreekt met dr. Hollis, ik ben bij uw zoon. Ik vrees dat u onmiddellijk naar huis moet komen.'

Terwijl ze antwoordde kropen Hollis' wenkbrauwen langzaam omhoog.

'Ik heb uw toestemming nodig en een ziektegeschiedenis... Juist ja... ja... het is... juist ja. Zou u eventueel... ik snap het, ja.'

Hij keek op zijn horloge. 'Om vijf uur? Maar Thomas is alleen thuis. Is er niet iemand anders...' Hij wendde zich van Thomas af en keerde zijn gezicht naar de muur. 'Daar is hij veel te jong voor. Nee... ja, dat is hij wel. Hij is veel en veel te jong om alleen gelaten te worden in deze situatie... Nee.' Opeens was hij zeer resoluut. 'Zolang ik haar medisch dossier niet heb ingezien, kan ik niets doen... Dat kan me niet schelen, mevrouw Anderson. Die hele begrafenis van uw man kan me niet schelen. U moet onmiddellijk naar huis komen, bij uw kinderen.'

Ze verbrak de verbinding. Thomas hoorde de pieptoon. Hollis hield de telefoon tegen zijn oor en deed even alsof hij haar nog aan de lijn had. Hij keek naar het apparaat en maakte een misnoegd geluid, en toen hij het woord tot Thomas richtte, was hij een beetje roze in zijn gezicht en ook een beetje boos.

'Thomas, ik heb tegen je moeder gezegd dat je veel te jong bent om in deze situatie alleen gelaten te worden. Het is... het is echt niet goed.' Hij keek kwaad. 'Ze komt zo snel mogelijk naar huis.'

Hij keek om zich heen, zoog geërgerd lucht naar binnen en sloeg met zijn handen op zijn dijen. Thomas snapte het. 'Gaat u maar,' zei hij zachtjes.

'Ik moet naar een patiënt,' legde Hollis uit. 'Maar laat één ding duidelijk zijn: als er geen volwassen toezicht is in dit huis moet ik je zus ter observatie laten opnemen, want ik kan een suïcidaal kind niet onder de hoede van een ander kind achterlaten.'

'U kunt me anders best alleen laten.'

'Nee, dat kan ik niet. Je begrijpt me niet. Ik vraag niet om toestemming, ik zeg waar het op staat: dit is echt niet goed. Misschien bel ik maatschappelijk werk. Ella kan er weleens heel slecht aan toe zijn. Ze heeft al eens een poging tot zelfmoord gedaan, een serieuze poging. Ze heeft haar polsen doorgesneden, ze weet wat ze doet.'

Het enige wat Thomas hoorde was 'maatschappelijk werk'. Ze zouden meegenomen worden. De kranten zouden het horen. 'Ze maakt zich heus niet van kant.'

Hollis stond op en maakte zich gereed voor vertrek. 'Als in een gezin een van de ouders zelfmoord pleegt, wordt de kans dat een kind het ook doet, een stuk groter. Echt een stuk groter.'

'Alstublieft...' Thomas' stem was hoog en haperend. 'Wilt u alstublieft maatschappelijk werk niet bellen?'

Boos richtte Hollis zich tot Thomas, alsof hij Ella iets had aangedaan. 'Blijf bij je zusje tot ik er weer ben. Ik probeer zo snel mogelijk terug te komen.'

42

Morrow wilde Harris niet vertellen wat het doel van de reis was, of wat de gevolgen voor haar zouden zijn. Ze wilde hem er niet bij betrekken en had geen zin om de hele rit te gaan zitten bitchen over hun chef. Wel zag ze dat hij het heerlijk vond om het bureau te kunnen ontvluchten. Hij was zo blij dat hij er een beetje opgewonden van was; god, wat lekker om er even uit te zijn, liet hij zich een paar keer ontvallen. Kennelijk wist hij dat ze Bannermans wil getrotseerd had, en dat maakte hem wat nerveus.

Ze reden door het vlakke dal van Stirling, met de eindeloze hemel blauw als in een plaatjesboek. Aan de andere kant van een heuvel zag Morrow het kasteel verschijnen op zijn scherpe rotsige uitloper, en ze vroeg zich af waarom ze niet vaker de stad uit ging. Ze had haar telefoontje in haar hand, en ze wist dat het elk moment kon overgaan, dat Bannerman ziedend zou zijn, dat ze zich niks van hem zou aantrekken en toch naar Perth zou gaan. De hel zou losbreken als ze terug was in London Road. Zelfs als ze vanmiddag eigenhandig een bende moordenaars opbracht, zou ze bij terugkomst op haar donder krijgen, maar daar zat ze niet mee. Ze wist dat ze het voor Sarah deed. Dan werd ze maar geschorst voor de rest van haar zwangerschap, ging ze lekker met haar voeten omhoog thuiszitten. Daar had ze geen enkel bezwaar tegen.

Harris zag haar naar het telefoontje kijken. 'Verwacht je een belletje?'

'Ja.' Ze wendde haar blik af.

'Ik heb dorst als een paard,' zei hij. 'Zullen we...?' Hij knikte naar een benzinestation een eindje verderop.

'Ja, stop maar even.'

Hij liep de winkel in en kocht voor allebei een blikje fris en een zak toffees, die ze op het voorterrein opaten. Slechts een strook gras scheidde de benzinepompen van de snelweg, en vrachtwagens denderden voorbij met een vaart van honderdtien kilometer per uur, zodat de wind om je oren floot. Het was een koude dag, maar wel mooi en scherp, en zo helder dat je je ogen moest dichtknijpen.

Morrow nam een toffee en dronk haar blikje sinas leeg.

'Je moet dat soort troep eigenlijk niet eten,' zei hij over het dak van de auto heen. 'Je zou een gezonde lunch moeten eten.'

'Dat is nou zo leuk aan zwanger zijn...' zei ze, zonder dat ze de zin hoefde af te maken, want dit was Harris.

'Iedereen bemoeit zich ermee,' zei hij kauwend.

'Later wordt het nog erger, als iedereen aan je wil zitten.'

Hij gaf een knik in de richting van Glasgow. 'Ben je niet benieuwd wat we aantreffen als we terugkomen?'

Ze haalde haar schouders op, zich bewust van het zwijgende telefoontje in haar jaszak. 'Berg je dan maar. Ik had zo langzamerhand wel een telefoontje verwacht.'

Ze nam weer een toffee uit de zak en keek de weg op. Het was een vlak, laag dal, groen en weelderig; de weg kronkelde erdoorheen, langs de oude rivier die zich een weg zocht in de diepe schaduw van een kloof tussen plotselinge heuvels.

Geen van beiden hadden ze zin weer in de auto te stappen en verder te rijden, maar uiteindelijk zei Morrow kreunend: 'O, god. Kom, dan hijsen we ons er weer in.'

'Weet je,' zei Harris terwijl ze hun veiligheidsriemen vastklikten. Hij zweeg zodat ze wel moest reageren.

'Wat is er?'

Hij keek naar de heuvels.

'Harris? Wat is er?'

Hij haalde diep adem. 'Eigenlijk mogen we hier niet zijn, hè?'

'Maak je daar maar niet druk om.'

'Bannerman...'

'Ik krijg straks voor m'n kloten.' Ze ademde in. 'Het maakt helemaal niet uit...'

'Nee, de jongens... Ze kunnen hem niet uitstaan.'

Ze snoof. 'Dan moeten ze dat maar leren.'

'Je krijgt geen telefoontje.'

Ze werd misselijk, wilde het niet weten en probeerde het met een grapje af te doen. 'Je hebt hem toch niet laten vermoorden, Harris?'

Hij wilde het haar eigenlijk niet vertellen, en keek de andere kant op. 'Safecall.'

'Is er over Bannerman naar Safecall gebeld?'

Hij startte de auto niet, leek bang te zijn in beweging te komen. Met zijn ellebogen op zijn knieën en zijn vingers op de onderkant van het stuur zat hij naar de snelheidsmeter te staren.

Morrow keek naar hem. 'Lieve help, Harris.'

Safecall was een anonieme hulplijn voor politiemensen die getreiterd werden of die in alle veiligheid melding wilden maken van corruptie in het korps. Het was een fantastisch, achtenswaardig idee, maar zoals bij veel van dat soort dingen, zat er een door en door duistere kant aan. Meldingen konden leiden tot onmiddellijke schorsing, degradatie, of ontzetting uit alle functies, terwijl de bron van de beschuldigingen nooit bekend werd. Ook als de zaak niet bewezen kon worden, voelde zo iemand zich uitgespuwd, en was hij bitter, paranoïde en kapot.

'Wie heeft er met Safecall gebeld?' Meteen besefte ze dat de vraag ongeoorloofd was. Harris zou Safecall kunnen bellen en haar aangeven omdat ze het gevraagd had. 'O, kut, laat maar zitten.'

'Het wisselt...' Hij aarzelde. 'Allerlei mensen. Hij heeft een laptop mee naar huis genomen en niet meer teruggebracht...'

'Heeft Bannerman gestolen? Rot op!'

'En niet alleen dat...'

'Dat is belachelijk, zeg het hem dan in elk geval recht in z'n gezicht.'

'Nee, dan zul je 'm horen.'

Ze keerde zich naar hem toe. 'Hij is je chéf!' riep ze uit.

Harris keek uit het raampje. Dit was een smerige truc. Ze wist niet wat ze tegen hem moest zeggen. 'O, jezus. Start die stomme auto nou maar, dan gaan we naar Perth.'

Hij reed de snelweg op, scheurde weg en schoot naar de rechterbaan, vlak voor een vrachtwagen langs die een truck wilde inhalen en de hele zaak dreigde te blokkeren. Ze pakte nog een toffee en rukte boos de wikkel eraf. 'Dat had je me niet mogen vertellen. Dat soort dingen wil ik niet weten.'

Hij zei niets, maar ze zag dat hij blij was dat hij het toch had gedaan. Hij had het haar al die tijd al willen vertellen. Nu had hij haar er ook bij betrokken, en dat zou hij alleen maar doen als het einde in zicht was. Hij noteerde haar voor hun eigen team.

Terwijl ze de schaduwen van de heuvels in reden, probeerde Morrow zich het bureau zonder Bannerman voor te stellen. Het lukte haar niet.

Morrow vergat altijd weer dat Glasgow Schotland niet was. Ze was in Glasgow opgegroeid, ze woonde en werkte er, maar dit was Schotland buiten de naar aandacht hunkerende centrale zone: zachtgrijze stenen huizen, laag en sierlijk, aan brede straten waar de geschiedenis tot leven kwam.

Ze namen een verkeerde afslag en volgden de Tay, langs mooie bruggen en openbare gebouwen met dikke, gecanneleerde zuilen en frontons. Als Leonard erbij was geweest, zou ze hebben kunnen vertellen wat ze zagen.

Het lunchuur was voorbij en het was druk op de weg, zodat het even duurde voor ze weer door het centrum reden. Het afdelingshoofdkwartier was een witte kubus uit de jaren zestig, met ramen die erin waren geponst, een vierkant gebouw met afgeronde hoeken, waarvan de verhoudingen iets komisch hadden. Harris reed het terrein op en parkeerde op een gereserveerde plek vlak naast de voordeur.

Morrow keek hem met opgetrokken wenkbrauwen aan.

'Ze weten vast dat we eraan komen.' Harris deed het portier open en stapte uit.

Nadat ze twintig minuten in de receptie hadden zitten wachten, kregen ze te horen dat hoofdinspecteur Denny op dat moment niet beschikbaar was, maar dat iemand anders hen zou ontvangen. De dienstdoende agent verzuimde een naam te noemen. Een kwartier later kwam hij terug, tilde een klep in de balie omhoog en zei dat ze mochten doorlopen. Een roodharige rechercheur met kleine oogjes ging hun voor de trap op, door lange gangen en via een brandtrap naar een klein vertrek. Daar ging hij aan een bureau zitten en las hun in drie minuten vanaf een getypt blaadje een rapport voor.

Zijn agenten waren bij pastoor Sholtham langsgegaan, maar hij was te beneveld geweest om ondervraagd te kunnen worden. Hij was niet in staat geweest vragen over Sarah Erroll te beantwoorden.

'Was hij dronken of lag hij te slapen?'

'Dat vermeldt het verslag niet.'

Dit streek Morrow tegen de haren in, maar ze moest beleefd blijven. Ze kwamen uit Glasgow en iedereen verwachtte dat ze grof en opdringerig zouden zijn.

'Jammer dat jullie niet zijn teruggegaan om hem nog eens te ondervragen,' zei ze, 'want we zijn ervan overtuigd dat hij over belangrijke informatie beschikt.'

De rechercheur keek dwars door haar heen. 'We zijn ook teruggegaan. We zijn twee keer teruggegaan. We zijn er drie keer geweest en alle drie de keren was hij buiten westen of bezopen.'

'Had u hem daarvoor al eens ontmoet?'

'O' – opeens leefde hij op en zonder nog op zijn papier te kijken sloeg hij aan het roddelen – 'iedereen kent hem. Hij is heel lang van de drank af geweest, het is een goede kerel.'

'Hoe lang is hij van de drank af geweest?'

'Een jaar of tien.'

'Is er nog iemand anders die over informatie beschikt?'

'Waarover?'

Harris zuchtte hoorbaar en ze besloot er een punt achter te zetten. 'Goed, waar kunnen we hem vinden?'

De rechercheur vertelde dat Sholtham verkast was van de pastorie naar een huis dat bedoeld was voor bezoekende geestelijken. Hij gniffelde. 'Waarschijnlijk vonden ze het niet prettig dat parochianen die aanbelden begroet werden door een dronken pastoor in zijn onderbroek.'

'Dolkomisch,' zei Morrow droogjes. 'En u hebt ons geweldig geholpen.'

43

Het was een moderne wijk met huurwoningen: keurige huisjes die als puzzelstukjes in elkaar pasten, gebouwd van hetzelfde grijze steen als de oudere huizen in de stad.

De deur werd geopend door een jongeman met heel kort haar en een gekwelde blik in zijn ogen. Hij droeg een pantalon en een overhemd, die hem geen van beide goed zaten. Hij verwelkomde hen, nam hen mee naar de keuken, waar hij hun thee uit een stalen pot opdrong en een schaal met custardkoekjes van de Happy Shopper. Pastoor Sholtham was boven, maar hij kwam eraan. Hij wist dat ze er waren.

Toen liet hij hen alleen.

Na een tijdje hoorden ze voetstappen op de trap, geschuifel van sloffen. Voor de open deur bleven de voeten even staan. Pastoor Gabriel Sholtham liep naar binnen en stelde zich voor.

Morrow stond op, liep hem tegemoet, stelde zichzelf en Harris voor en schudde hem de hand. Ze keek omlaag: zijn handen waren groot en zacht, en op de rug van zijn rechterhand zag ze een blauwe, opgezwollen plek, waar hij ongelooflijk hard ergens tegenaan had gestoten.

Hij had een vierkant gezicht met grove gelaatstrekken, het soort gezicht dat bij een gezondere man vertrouwen en gehoorzaamheid zou hebben afgedwongen – een politiegezicht. Maar hij weigerde hen aan te kijken en met zijn blik op het aanrechtblad gericht schonk hij zich zwarte thee in en deed er twee suikerklontjes bij, terwijl zij vertelden dat ze uit Glasgow waren gekomen.

Hij droeg een grijze trui over een grijs T-shirt, een zwarte broek en blauwe pantoffels. De pantoffels waren een verhaal op zich. Ze waren van suède en zaten onder de vochtvlekken. Morrow vroeg zich maar niet af wat de herkomst van de spatten was.

Hij trok een derde stoel bij en ging aan tafel zitten.

'We zijn de rechercheurs die onderzoek doen naar de dood van Sarah Erroll,' zei Morrow. 'We hebben begrepen dat u daar informatie over hebt.'

Hij knipoogde naar zijn thee terwijl hij erin roerde – een nauwelijks merkbare tic. Ze wist niet of het een pijnscheutje in zijn oog was, die hij aan zijn kater had overgehouden, of dat het kwam door het noemen van Sarahs naam. Toen hij sprak, was zijn stem een zacht gerommel: de westkust, met een zweempje Iers. Wat hij zei klonk weloverwogen, alsof hij getuigenis aflegde in de rechtbank.

'Ik heb er in de krant over gelezen. Ik heb erover gepraat. Dat was dom van me. Ik heb uw tijd verspild door u hier te laten komen. Het spijt me.'

'Juist,' zei Morrow. Ze wist niet hoe hard ze het moest spelen. Hij maakte een zeer breekbare indruk. 'Dat is niet genoeg, meneer pastoor, want u weet dingen over de dood van het meisje die niet in de krant hebben gestaan.'

Dat wist hij al. Slurpend dronk hij van zijn thee, en hij keek nadrukkelijk niet naar hen op.

'Goed,' zei ze zachtjes, 'dan hebt u aandeel gehad aan de moord of u kent iemand die er aandeel aan gehad heeft.'

Hij wierp haar een vluchtige blik toe, keek snel weer weg en verschool zich achter zijn thee. 'Misschien heb ik inderdaad aandeel gehad aan de misdaad,' zei hij. In zijn ogen vlamde diepe droefheid op, die hij met een slok hete thee probeerde terug te dringen.

'Hebt u aandeel gehad aan de misdaad?'

'Ja,' zei hij tegen zijn theebeker.

Dat was interessant. Morrow pikte leugens en leugenaars er

feilloos uit. Ze wist hoe ze iemand die zogenaamd de waarheid sprak in de val moest lokken; dan vroeg ze naar bijzonderheden en later, als zo iemand allang vergeten was wat hij gezegd had, vroeg ze er weer naar en wees hem op de dingen die niet klopten. Ze had het meteen door als iemand gemakkelijk te beïnvloeden was, als hij loog terwijl hij niet wist dat hij loog; dan stelde ze bizarre vragen tot hij bij wijze van spreken toegaf dat hij Kennedy had doodgeschoten. Maar deze man probeerde een ander soort bedrog uit. Zijn benadering was theologisch van aard; hij ging uiterst behoedzaam te werk, sloop op zijn tenen om een dikke, vette leugen heen en liet zich liever moord in de schoenen schuiven dan dat hij opgaf. Ze had het gevoel dat hij de waarheid zou vertellen als ze het hem vroeg, maar dan moest ze wel de juiste vraag stellen.

'Wat hebt u gedaan?' Haar stem was heel zacht, uit eerbied voor zijn kater. 'Meneer pastoor, wat hebt u gedaan?'

Fronsend schudde hij zijn hoofd.

'Wat is dat "aandeel aan de misdaad" dat u op uw geweten hebt?'

Op die vraag moest hij het antwoord schuldig blijven. 'Ik weet het niet.'

'Goed, dan nemen we alles eens door: hebt u in haar huis ingebroken?'

'Nee.'

'Bent u door haar huis geslopen en naar boven gegaan, naar haar oude kinderkamer?'

'Nee.' Zijn stem was vlak, maar zijn blik schoot over de tafel terwijl hij de vragen vanuit alle hoeken in kaart probeerde te brengen om te ontdekken uit welke richting hij de aanval kon verwachten.

'Trof u haar slapend in bed aan, na een lange dag reizen, en hebt u haar toen wakker gemaakt en schrik aangejaagd?'

'Nee, dat heb ik ook niet gedaan.'

'Hebt u haar over de trap nagejaagd tot ze naar beneden viel?'

'Nee.'

'Stond u over haar heen gebogen en liet u uw hak keer op keer op haar gezicht neerkomen?'

'Nee.'

'Hebt u met uw hele gewicht haar neus gebroken en zo hard op haar gezicht gestampt dat haar ogen openbarstten...'

Huilend fluisterde hij: 'Nee, die dingen heb ik niet gedaan. Nee.'

Ze liet hem huilen. Harris sloeg zijn handen ineen op tafel. Ze reikte pastoor Sholtham een zakdoekje aan. Hij pakte het, bedankte haar en veegde zijn neus af. Ze stak weer van wal.

'Oké. Hebt u de mensen die het gedaan hebben met de auto weggebracht van haar huis?'

'Ik mag niet rijden, ik ben mijn rijbewijs kwijt...'

'Ze hadden net op gruwelijke wijze een onschuldige vrouw vermoord. Ik kan me niet voorstellen dat ze eerst uw rijbewijs gingen controleren.' Ze pakte een custardkoekje en nam een hap. Al kauwend bleef ze hem heel argeloos aankijken. 'Hebt u die mensen met de auto weggebracht...'

'Nee. Ik heb ze niet met de auto weggebracht. Ik was niet... Ik was in het ziekenhuis toen het gebeurde. Ik liet mijn tanden trekken.'

'Hebt u het ziekenhuis op enig moment verlaten op de dag van...'

'Nee. Er werden acht tanden en kiezen getrokken. Ik was onder algehele narcose. Het gebeurde poliklinisch, en om acht uur 's avonds stond ik buiten.'

'Waar bent u toen naartoe gegaan?'

'Terug naar de pastorie. Ik woonde daar nog... toen.'

Ze nam nog een hap van haar koekje, begon weer te kauwen en keek toe terwijl hij zijn gezicht afveegde. Hij propte het zakdoekje zo hard in zijn oog dat het werd samengeperst tot het formaat van een pepermunt.

'Mag ik naar uw drankgebruik vragen?'

Hij knikte.

'Hebt u daar eerder problemen mee gehad?'

'Ja.' Daar leek hij zich dieper en oprechter voor te schamen dan voor zijn bekentenis dat hij medeplichtig was aan moord. Hij sprak nu op fluistertoon en leek bijna te bedroefd om zijn mond te kunnen bewegen.

'Maar u hebt ook heel lang niet gedronken, toch?'

'Dat klopt. Heel lang.'

'Hoe lang?'

'Achtenhalf jaar.'

'Het is een duister oord, hè?'

Hij keek haar recht in haar ogen, zoekend naar medeleven zonder het te vinden. Teleurgesteld richtte hij zijn blik weer op het tafelblad.

'Wanneer bent u weer begonnen?'

'Een paar dagen geleden.'

'Hoeveel dagen geleden?'

Hij wilde antwoorden, maar kwam er niet uit. 'Wat voor dag is het vandaag?'

'Donderdag.'

Ze zag hem terugrekenen. 'Het is geloof ik op dinsdag begonnen.'

'De dag nadat Sarah werd vermoord?'

'Is dat zo? Ik greep naar de drank omdat ik geopereerd was... ik had pijnstillers gekregen... ik was in de war.'

Hij wist dat zijn excuus om weer te gaan drinken nergens op sloeg, en hij wist maar al te goed dat het de dag na de moord op Sarah was. Morrow keek hem verwijtend aan en beschaamd sloeg hij zijn blik neer.

Ze observeerde hem een tijdje; hij voelde haar kijken en nam een slok van zijn thee, die zo bitter was dat hij smakte met zijn lippen. Een man die gekweld werd door zijn geweten en die iemand in bescherming nam, dat was duidelijk. Ze wist niet waarom hij het deed, en dat vond ze irritant.

Ze tikte met haar vingertopje op tafel en zei: 'Blijft u maar hier.' Ze stond op en wenkte Harris mee.

Ze gingen via de gang naar buiten. De jongeman die hen had binnengelaten kwam door de woonkamer aanlopen en zwaaide in een poging hun aandacht te trekken en een praatje te maken, maar Morrow trok de voordeur achter hen dicht. Ze liepen terug naar de auto en stapten in.

'Hij liegt om iemand te beschermen,' zei ze. 'Volgens mij is het een andere geestelijke.'

'Nee,' zei Harris op besliste toon. 'Iemand heeft bij hem gebiecht, hij is dronken en heeft het er uitgeflapt en nu probeert hij zijn ziel te redden door de schuld op zich te nemen.'

'Hoe weet jij dat nou?'

Harris glimlachte. 'Omdat ik een paap ben.'

Ze wist niet wat ze daarop moest zeggen. Dat soort dingen gingen maar al te gemakkelijk fout, en tact was niet haar sterkste punt. 'O... dat is dan mooi.'

Harris moest lachen, want het was een belachelijke uitspraak en hij zag hoe ze haar best deed.

Ze hief haar handen. 'Ik weet niet wat ik moet zeggen, ik wist het niet.'

'Ach ja,' zei hij wat opgelaten. Zelf wist hij ook niet wat hij moest zeggen.

'Dat is dan mooi,' herhaalde ze. 'Eh... hoe gaat dat in zijn werk? Hij moet de schuld op zich nemen omdat iemand bij hem gebiecht heeft?'

'Nee. Hij heeft gezworen dat hij nooit zal doorvertellen wat mensen tijdens de biecht tegen hem zeggen. Maar dat heeft hij dus wel gedaan, en het is een vreselijke zonde om zo'n gelofte te breken. Een doodzonde. Hij probeert het goed te maken door zichzelf op te offeren.'

'Kan hij niet als verdediging aanvoeren dat hij dronken was?'

'Wanneer is dronkenschap ooit als verdediging geaccepteerd?'

Ze keken naar het huis en zagen pastoor Sholtham voor het keukenraam staan, en naar hen kijken.

'Nee, maar het is toch wel een verzachtende omstandigheid?'

'Niet voor dat soort zaken.'

'Dus, meneer de Paap, hoe gaat het verder?'

Harris reikte naar achteren en pakte zijn veiligheidsriem. 'We moeten uitvinden wie er gebiecht heeft.'

Terwijl ze wegreden keek Morrow achterom en zag dat Sholtham hen nakeek: een grote, trieste man achter een groot raam dat tot aan zijn knieën kwam. Zijn handen hingen los langs zijn zij, met slapjes gebogen vingers, en zo wachtte hij op het oordeel dat over hem geveld zou worden.

De pastorie was een stuk mooier dan het huurhuis. Het stond naast de kerk aan een straat in het centrum van de stad, en de naaldvormige spits van de kerktoren kwam terug in de smalle, puntige ramen en de scherpe punt van de deur. Het steen was echter afwijkend. De kerk was van lokaal grijs steen, terwijl het huisje ernaast uit rood steen was opgetrokken, met lichtgekleurd maaswerk rond de ramen.

'Praat je weleens met Leonard?' vroeg ze toen ze uitstapten.

'Soms.'

'Wat vind je van haar?'

'Aardig. Slim.' Hij zei niets over haar seksuele geaardheid, en dat waardeerde Morrow. 'Ze weet alles over gebouwen en antiek.' Morrow kwam naast hem lopen en samen wachtten ze tot ze de drukke straat konden oversteken. 'Ze is slim.'

Twee treden leidden naar de voordeur; ze waren steil en nodigden niet uit tot rondlummelen. Harris stak zijn hand op en belde aan. Het klonk als een doodstijding.

'Denk je dat ze kans maakt op promotie?'

Daar ging Harris liever niet op in. 'Zou kunnen.'

'Bannerman wordt vast geschorst wegens verdenking en dan moet iemand de functie van adjunct innemen,' zei ze, verwijzend naar hun gesprek bij het benzinestation. 'Ik wil jou, maar, je weet wel...'

Ze keken naar de deur.

Harris kuchte. 'Ik verdien meer... met overwerk, snap je?'

'Ja.' Ze hoorden iemand naderen door een stenen gang. 'Ben je niet bang om een coup te plegen als er niemand is die het overneemt?'

'Hoe bedoel je?'

'Tja, ik ben met zwangerschapsverlof. Er moet een adjunct komen. Dat eh... Safecall-gedoe.' Aan de andere kant van de deur knerpte een slot. 'Er komt vast iemand van buiten. Geen idee wat voor iemand dat is. Zo krijg je een machtsvacuüm.'

Harris glimlachte. 'Dat zijn letterlijk Leonards woorden. Ze zei dat dat ook gebeurde toen Napoleon aan de macht kwam.'

Hij gaf gewoon een interessante opmerking van Leonard door,

maar nu had hij toegegeven dat hij met andere collega's over Safecall had gepraat. Dat ging al aardig in de richting van een campagne. Ze keken elkaar aan.

'Dus je geeft toe dat het een coup is?' vroeg ze.

Harris keek benauwd.

De deur ging open. 'Waarmee kan ik u helpen?' Een heel
klein, al wat ouder vrouwtje in een viscose bloes en een onflatteuze plooirok keek naar hen op.

'We zijn van de politie van Strathclyde,' zei Morrow. 'We willen u graag spreken over pastoor Sholtham.'

De huishoudster wilde maar al te graag tot in detail vertellen over
de activiteiten van pastoor Sholtham op de dag na de moord op
Sarah. Ze was heel kwaad op hem, maar ze wekte dan ook de indruk dat ze 's ochtends altijd kwaad uit bed stapte. Ze bleef maar
vragen waarom een man van God zoveel dronk. Waarom deed
hij dat? Waarom zette hij zichzelf zo te kijk?

Pastoor Sholtham was nuchter geweest toen hij die ochtend
aan het ontbijt verscheen en om acht uur de mis opdroeg in de
kerk. Na de mis nam hij geen biecht af, dat was pas om vijf uur
's middags, maar hij was die ochtend al gaan drinken. Het viel
haar op dat hij zich vreemd gedroeg, maar hij zei dat hij grieperig
was. Hij maakte een wankele indruk. Hij gebruikte de lunch op
school. Toen kwam hij thuis en ging naar zijn kamer om te bidden. Hij had geen telefoontjes gehad; dat wist ze omdat de telefoon in de gang was. Morrow wilde graag meer weten over het
biechten aan het einde van de middag, maar de vrouw bleef maar
doorgaan over dat bidden in zijn kamer, misschien was er toen
een stop doorgeslagen, waarom zou iemand zo drinken, zichzelf
zo pijnigen... Morrow snoerde haar de mond.

'Wie kwam er voor de biecht?'

'Pastoor Haggerty.'

'Verder niemand?'

'Nee,' mengde Harris zich in het gesprek, 'ze bedoelt wie er
kwam biechten bij pastoor Sholtham.'

'Niemand,' zei de vrouw. 'Niemand. Pastoor Haggerty heeft
de biecht afgenomen.'

'Niet pastoor Sholtham?'

'Nee. Hij zou om vijf uur de biecht afnemen, maar hij ging een eindje wandelen en toen hij terugkwam was hij duidelijk heel dronken. Hij was helemaal niet grieperig. Daar had hij over gelogen. Pastoor Haggerty trof hem aan toen hij zich omkleedde voor de biecht, en die heeft hem hier gebracht. We hebben hem in bed gestopt. Sindsdien is hij al de hele tijd dronken.'

Ze kon hun geen lijst geven met de namen van de mensen die die ochtend – toen hij nog niet had gedronken – de mis hadden bezocht. Ze kwam pas om negen uur, en hoewel ze vaak 's ochtends voor het werk naar de mis ging, was ze die ochtend niet geweest.

Toen ze weer buiten stonden zei Harris dat er altijd een vaste kern was die dagelijks de ochtendmis bijwoonde, en dat ze aan hen konden vragen of iemand de pastoor na afloop apart had genomen of enige tijd met Sholtham had gepraat.

Hoewel ze er niet veel van verwachtten, gingen ze toch naar de school.

44

Volgens de gps lag het St. Augustus buiten de stad, veertien minuten rijden over een stuk snelweg dat hen over een kam van hoge heuvels voerde, een weelderig dal in met vruchtbaar boeren-
land, uitgestrekte akkers en mooie, in bosjes verscholen huizen.

Toen ze over de top van de heuvel reden, kwam een sluier van
regen hun tegemoet, van achteren geel belicht door de zon. Ze
zagen de bui het dal door jagen; de auto's en vrachtwagens doken
er recht in, grote druppels spatten uiteen op daken en motorkap-
pen, het stof werd van de weg gespoeld en toen was het voorbij.
Na afloop leek alles wat ze zagen helderder.

De gps leidde hen van de snelweg naar wegen die gemoedelijk
door het landschap slingerden, langs randen van dichte bossen,
om een heuveltje heen. Hij voerde hen over een brug met maar
één rijbaan, gebouwd van lokaal steen, en over een kronkelweg
met lage arbeidershuisjes die diepe ramen hadden en zwarte rie-
ten daken. Tussen de bomen door verscheen geleidelijk aan een
rode muur, die de weg steeds dichter naderde.

De muur boog af naar een brede cirkel, met aan weerszijden
identieke poorthuisjes en openstaande zwarte ijzeren hekken.

'Jezus christus,' zei Harris toen hij de oprijlaan insloeg, en dat
van een man die hoogstzelden vloekte.

Voorbij de poort slingerde een met gravel bedekte oprijlaan
door een bosje en vervolgens langs volmaakte gazons naar een
groot, elegant gebouw. Het stond niet recht naar de poort ge-

richt, maar wat afgewend, alsof het verlegen was. Met zijn drie verdiepingen en de bescheiden zuilengang aan de voorkant zag het er tegelijkertijd imposant en intiem uit. Er waren nieuwere bijgebouwen, maar die stonden allemaal dicht opeen aan de achterkant, zodat het vooraanzicht ongeschonden bleef.

Het gazon aan de voorkant liep glooiend af naar een beekje met een kleine boogbrug eroverheen en vandaar naar de tennisbanen en sportvelden verderop.

Harris zette de auto aan de kant. De voordeur was dicht en er stonden geen andere auto's. Terwijl hij naar tekenen zocht die op een parkeerterrein konden duiden, keek Morrow naar een troep jongetjes die de brug over kwamen. Ze droegen sportkleren – trainingspakken en grote blauwe fleecetruien – hun wangen waren rood en sommigen hadden vochtig haar van het zweet. Ze waren een jaar of tien, elf, en eigenlijk nog te klein om de atletiekspullen te torsen: ze worstelden met de horden en hielden ze tegen hun kin aan of droegen ze op hun schouders.

'Er moet hier ergens een parkeerterrein zijn,' mompelde Harris. 'Tenzij er een andere ingang is.'

De jongetjes waren inmiddels wat dichterbij gekomen en Morrow zag ze opgewonden kletsend in groepjes langssnellen. Ze namen het pad dat diagonaal het gazon doorsneed, naar de ingang van een kleedruimte aan de zijkant van het gebouw.

'Jongetjes, hè?' zei Morrow in zichzelf.

Een wat kleinere jongen rende achter de auto langs en probeerde zijn vriendjes in te halen. Blozend en buiten adem vloog hij voorbij, pompend met zijn korte armen om nog sneller te kunnen rennen. Hij zag de laatste van zijn kameraden door de deur verdwijnen, deed er nog een schepje bovenop en wierp zijn voeten zo hoog op dat de rode gravel alle kanten op spatte.

Op de zolen van zijn gymschoenen stond een bekend patroon: drie cirkels. Morrow stoof de auto uit. 'Hé, jij daar!' riep ze.

Nog steeds rennend draaide hij zich om; hij minderde vaart en draafde achterwaarts door.

'Kom eens terug.'

Dat deed hij niet. Wel bleef hij buiten de kleedruimte staan;

hij keek naar de deur en zei iets tegen een andere jongen, die modder van de zijkant van zijn zwarte schoen schraapte. De jongen riep iets naar binnen. Een stevige vrouw in een rood trainingspak kwam naar buiten. Om haar nek hingen een fluitje en een stopwatch.

Morrow liet haar penning zien. 'We zijn van de politie van Strathclyde. Die schoenen, horen ze bij het schooluniform?'

'Ja.'

'We zouden de directeur graag willen spreken.'

Ze schrok even, maar stelde geen vragen. 'Komt u maar mee,' zei ze, en ze ging hun voor door de deur van de kleedruimte.

Harris en Morrow volgden haar de gang door die langs de kleedkamers liep. De docente stak haar hoofd om de deurpost en zonder op te kijken riep ze als een sergeant-majoor: 'McLennan!'

Een hoog stemmetje antwoordde. 'Ja, mevrouw Losty?'

'Jij hebt de volgende tien minuten de leiding!'

'Ja, mevrouw.'

Met uiterste zelfbeheersing ging mevrouw Losty hun voor door de smalle gangen van de personeelsvleugel en de trap op naar het kantoor van de schoolsecretaresse. Ze vroeg niet één keer naar het doel van hun komst, maar voerde hen mee en droeg hen over aan een competente dame in een geelbruine bloes, glimlachte vluchtig en ging er weer vandoor.

De secretaresse verzocht hun op de gang te wachten, waarna ze de deur sloot en een telefoontje pleegde. Even later nam ze hen mee door een lange, donkere gang met een zwart-wit geblokte vloer naar een deur met het bordje DOYLE – DIRECTEUR.

Ze klopte aan, deed open, stak haar hoofd om de deurpost en zei dat de politie er was.

Wallis Doyle liep naar de deur, schudde hun de hand en stelde zich voor. Nadat hij de foto's op hun pasjes aandachtig had bestudeerd, nodigde hij hen binnen in zijn kleine kamer.

Het vertrek rook naar luchtverfrisser en nieuw tapijt. Het was er uitgesproken netjes. Op de vensterbank van Doyles kamer lagen stapels papieren en mappen, maar alles heel geordend en alsof het daar hoorde. Hij had zelfs een hergebruikhoek van lege chipsdozen, met een kleurencode voor de verschillende ronde openingen: een voor kranten, een voor blikjes en de onderste voor glas. Ook de inhoud van elke doos was netjes, alsof het geheel niet echt werd gebruikt, maar als voorbeeld diende.

Hij was voorkomend, liet ze plaatsnemen op gemakkelijke stoelen en bood thee aan. Ze bedankten, waarop de secretaresse wegging en de deur zachtjes achter zich dichttrok. Hij stond met samengevouwen handen naast zijn bureau en wachtte tot de deur dicht was. 'Welkom op het St. Augustus,' zei hij, alsof hij ouders toesprak. 'Wat kan ik voor u doen?'

'Tja, meneer Doyle,' zei Morrow. 'Sorry, het is toch meneer Doyle? Niet eerwaarde?'

'Nee, nee.' Hij moest erom lachen en toonde haar zijn trouwring. 'Meneer Doyle.'

'We wilden u een paar vragen stellen over het bezoek dat pastoor Sholtham dinsdag aan de school heeft gebracht.'

'En dat betreft...?' Afwachtend hield hij zijn hoofd schuin.

Harris keek naar Morrow.

'Hoe laat hij hier arriveerde, met wie hij gesproken heeft, wanneer hij weer is vertrokken.'

'En waarom vraagt u dat?'

Morrow kuchte. 'Omdat ik het wil weten.'

Ze staarden elkaar aan, en Doyles blik bekoelde. Hij stak zijn handen in zijn zakken en leunde met zijn achterste tegen het bureau. 'Pastoor Sholtham arriveerde om vijf over halfeen. Hij ging naar de zijkapel om het koor te vertellen dat de financiering van hun reis naar Malawi rond was: een van onze ouders had aangeboden het ingezamelde bedrag te verdubbelen. Aan elke duizend pond die bijeen werd gebracht zou...'

'U bent erg zeker van het tijdstip.'

'We verwachtten hem om twaalf uur, maar hij kwam later. De bus was te laat.'

'En wat gebeurde er toen?'

'We hebben nog even thee gedronken om het te vieren en toen is hij weer vertrokken. Ik heb hem uitgeleide gedaan.'

'Wat voor indruk maakte hij op u?'

Hij dacht even na. 'Wel goed, misschien wat terneergeslagen. Ik neem aan dat dit bezoek met zijn drankgebruik te maken heeft, maar hij was op dat moment absoluut niet dronken. Hij was de vorige dag onder narcose geweest en voelde zich niet lekker, maar hij stonk niet naar drank. Ik heb hem een halfuur later nog gezien, toen hij naar de bus liep, en er viel me niets aan hem op.'

'Wacht even,' onderbrak Harris hem. 'U hebt hem uitgeleide gedaan en toen zag u hem een halfuur later vertrekken?'

'Ja, vanuit de blauwe kamer. Die is op de eerste verdieping en ik zag hem over de oprijlaan lopen.'

Harris fronste zijn wenkbrauwen. 'Waarom zat er zoveel tijd tussen?'

'De bus stopt hier niet zo vaak. Hij heeft ongetwijfeld beneden in de hal zitten wachten. Het regende.'

'Heeft hij niet de biecht afgenomen?'

'Nee.'

'Met wie kan hij gesproken hebben terwijl hij beneden zat te wachten?'

'Met niemand.

'Niemand die toevallig langsliep?'

'O, ja hoor, dat wel. Het is pauze tot de lessen om kwart over een weer beginnen. De jongens hebben daar vrij toegang, maar dan zouden ze speciaal naar hem op zoek moeten zijn geweest. In dat deel van de school hangen ze normaal niet rond. De spelletjeslokalen en slaapruimtes zijn aan de andere kant van de campus.'

Harris knikte. 'Er was niemand bij hem toen u hem achterliet en u hebt ook niemand op hem af zien stappen?'

'Nee.'

'De biecht...' Harris ging verzitten. 'Dat gaat heel anders dan toen ik jong was. Tegenwoordig kun je dat overal doen...'

Doyle zei niets, maar glimlachte wat beduusd. Hij was ervan uitgegaan dat hun bezoek de pastoor gold.

'Maar,' zei Harris, 'als de pastoor erbij is, is het wel een biecht, ook al komt er geen biechthokje aan te pas...'

'Zeker. Het is weliswaar een sacrament, maar als de pastoor de regels van het sacrament in acht neemt, kan hij overal de biecht afnemen. Veel geestelijken geven er tegenwoordig de voorkeur aan het wat informeler aan te pakken, vooral bij jonge mensen.'

'Dat schrikt minder af,' opperde Harris.

'Ja.' Hopend op een aanknopingspunt keek hij hen om beurten aan.

Morrow boog zich naar voren. 'De vorige dag, maandag, hebt u toen 's middags leerlingen gemist?'

'Nee,' zei hij na enig nadenken.

'Was er die dag misschien een uitstapje naar Glasgow? Een sportevenement of een debatingwedstrijd of iets dergelijks?'

'Nee. Kunt u me vertellen waar dit over gaat?'

'Hebt u over Sarah Erroll gehoord?'

Doyle knipperde met zijn ogen. 'Nee. Geen van de jongens hier heet Erroll. Ik kan me trouwens vergissen. Tegenwoordig hebben ouders soms verschillende achternamen, de moeders... Waar gaat dit over? Wie is Sarah Erroll?'

Morrow mocht hem niet. Zijn houding stond haar tegen, evenals het feit dat hij hoofd van een particuliere school was, en dat zijn kamer even brandschoon was als het geweten van een dominee. 'Meneer Doyle, volgens mij bent u niet helemaal eerlijk. U weet wie Sarah Erroll is.'

Geïrriteerd haalde hij zijn schouders op. 'Is ze hier weleens op bezoek geweest?'

'U geeft geen antwoord op mijn vragen. Komt u alstublieft niet met uw eigen vragen aanzetten.'

Doyle was geen tegenspraak gewend. Met een kil lachje ontblootte hij zijn tanden; hij liet zich van het bureau glijden, liep eromheen en ging op zijn stoel zitten, zodat ze het brede eikenhouten blad nu tussen hen in hadden.

Morrow wees naar de toren van gerecyclede chipsdozen. 'Er liggen daar kranten waarin het verhaal uitgebreid aan de orde komt. Volgens mij wilt u geen rechtstreeks antwoord geven omdat u bang bent dat de school in een kwaad daglicht komt te staan.'

Doyle wierp een schuldbewuste blik op de chipsdozen. 'Ik kan me dat verhaal niet herinneren.'

'De uniformen die de jongens dragen,' zei Harris. 'Zijn die hetzelfde voor alle jaargroepen?'

'Ja.'

'En de sportschoenen: waar komen die vandaan?'

'Sportschoenen?'

'De schoenen die de jongens aanhebben bij gym, van zwarte suède.'

'Dat zijn doodgewone gymschoenen. Ik weet niet van welk merk...'

'Waar kopen de jongens hun uniform – in een speciale winkel?'

'Nee. Gewoon bij Jenners.'

'In Edinburgh?'

'Ja. Maar, hoor eens, elk onderdeel van het schooluniform is overal te koop. Alleen het schoolinsigne op de blazer en het jacquet wordt speciaal voor ons gemaakt. Die sportschoenen kan iedereen kopen.'

'Erg behulpzaam bent u niet, meneer Doyle.'

Er viel een stilte, waarin Morrow haar blik door de kamer liet gaan terwijl Harris Doyle aankeek. Doyle was de enige die zich niet op zijn gemak voelde.

Hij had een plannetje bedacht en stond op. 'Goed, nogmaals bedankt voor uw komst. Ik zal de klassenboeken doornemen om te zien of er die dag misschien iemand in Glasgow is geweest. Onze leerlingen mogen hier geen auto hebben, dus misschien loont het om navraag te doen op het station.'

'Ik ken mijn vak.' Morrow bleef vastberaden zitten.

'Ik zal de klassenboeken doornemen, maar ik moet u verzoeken om nu te vertrekken.'

Harris keek Morrow aan. Morrow keek naar Doyle en woog in alle rust de mogelijkheden af. 'Over drie uur bel ik u. Als ik de benodigde informatie niet krijg of als ik het vermoeden heb dat u niet meewerkt, kom ik terug in uniform en met een team, en dan gaan we de hele school doorzoeken. Duidelijk?'

Doyle wees met zijn hand naar de deur.

Morrow stond op en Harris volgde. Doyle probeerde als eerste bij de deur te zijn, maar ze was hem voor en deed hem zelf open. 'We weten de weg.'

'Nee, geen denken aan,' zei Doyle. Hij liet hen uit, trok de deur dicht en sloot hem af.

In de stilte klonk de klik van de pal luid en definitief.

Hij liet ze voorgaan en zwijgend liepen ze de donkere gang door, langs de kamer van de secretaresse en via een grote deur naar een ovale centrale hal. Het was er erg koud en leeg, op een glanzende notenhouten vleugel en een lege haard van wit marmer na. Op de verdieping erboven was een ovaal bordes, overkoepeld door een ovaal raam.

Doyle schudde hun de hand, waarbij hij hun blik meed, en nam hen mee door een deur boven aan een korte dubbele trap, waarvan elke helft in een boog langs de muur naar de voordeur liep. Vanaf het bordes keek hij hen na.

Toen Morrow de voordeur achter zich dichttrok, hoorde ze de ferme klik van het slot. De auto stond vlakbij geparkeerd en Harris had de sleutels al in zijn hand. 'Gaan we naar huis?'

Maar Morrow hield hem tegen. 'Waar zou de kapel zijn?' vroeg ze, terwijl ze achteromkeek naar het gebouw.

Ze liepen een eindje door en keken links en rechts. Zo'n drie meter verderop was de deur naar de kleedruimte. Daarachter was de kapel, een hoge, lichte schuur van een gebouw, iets teruggeweken ten opzichte van de voorgevel, met ramen van rood glas, die bovenaan een punt vormden, net als die van de pastorie. Ze bleven er even naar staan kijken. Harris wierp weer een blik op de voordeur om te zien of Doyle er nog was.

'Kom, we gaan eens rondkijken,' zei Morrow.

De bijgebouwen waren volgens een logisch tijdpad opgetrokken: de oudste en meest vervallen stonden dicht tegen de achterkant van het hoofdgebouw aan: een houten gang en een zaal die de indruk wekten dat ze tijdens de oorlog in elkaar waren gezet. Erachter bevonden zich de roodstenen constructies uit recentere jaren: een soort lokalenblok en een zwembad met grote schuiframen op metalen frames. Half verscholen ergens achteraan stond een wit betonnen blok, dat met zijn regelmatige ramen en uniforme marineblauwe gordijnen aan een goedkoop hotel deed denken.

Daarachter verrees de nogal opzienbarende nieuwste ontwikkeling. Een reeks rechthoeken van golfplaat, scheepscontainers, twee hoog, elk in een andere subtiele wittint gespoten en met een grijze metalen trap die naar boven en om het gebouw heen liep. Elke container had een wand met ramen die om privacyredenen gedeeltelijk van matglas waren, maar ze zagen dat in de onderste een gemeenschappelijke zitkamer was ingericht: vijf jongens lagen languit in leunstoelen, en aan de muur hingen een dartsbord en een plasma-tv. De containers ernaast en erboven waren klaslokalen, vol vrolijk meubilair: veelkleurige stoelen en tafels van gerecycled plastic. Een jongen die op de eerste verdieping bij een raam zat keek naar beneden, zag hen en wees.

Er ging een deur open in zijn blok, en een lange, magere man stapte het gangpad van de eerste verdieping op. 'Kan ik u helpen?' riep hij.

'Politie, Strathclyde,' riep Harris terug. Hij toonde zijn penning. 'We hebben zojuist met de heer Doyle gesproken. We zijn wat aan het rondkijken.'

De leraar ging zijn lokaal weer binnen en ze zagen hem door het glas terwijl hij iets tegen de jongens zei, waarna ze allemaal uit het raam keken. De jongens achteraan liepen naar voren om hen te kunnen zien.

Morrow en Harris keerden terug langs de zijkant van de container met de gemeenschappelijke zitkamer.

Op dat moment zagen ze het bord aan de zijkant, dat vermeldde dat de gebouwen geheel uit gerecyclede materialen bestonden, dat ze koolstofneutraal waren, gebruikmaakten van zonne-energie en geschonken waren door Sir Lars Anderson.

Morrow en Harris renden om het gebouw heen naar voren, langs hun auto, maar de voordeur zat op slot. Toen Morrow op de bel drukte, hoorde ze die binnen niet rinkelen.

'De kleedkamers,' zei Harris, en ze keerden op hun schreden terug.

'Zo verdwalen we nog.' Morrow keek Harris aan. Toen zag ze hem: een jongen die vanaf de bijgebouwen de hoek om kwam rennen. Hij was lang, een jaar of zestien, en zijn hoofd schoot alle kanten op, alsof hij wanhopig naar iemand op zoek was.

Hij bleef staan, met zijn schouder naar hen toe, en nam hen op. Hij was mager, had een korte neus en ronde baby-ogen. Zijn schedel was kaalgeschoren en zijn huid zongebruind. Morrow had hem in de klas van de nieuwsgierige leraar gezien. Hij was naar het raam gelopen om naar hen te kijken.

'Hé, jij daar,' zei Morrow. 'Hoe komen we weer binnen? We moeten meneer Doyle spreken.'

'U hoeft meneer Doyle niet te spreken.' Hij hijgde. 'U moet mij hebben.'

45

Thomas zat op een harde stoel op de overloop en hoorde Moira beneden de voordeur opendoen. Het kostte haar enige moeite, ze probeerde twee keer het verkeerde slot, maar ten slotte kreeg ze de sleutel erin en draaide hem om. De deur zwaaide open en even bleef ze staan. 'Hallo? Is er iemand thuis?'

Thomas liet haar wachten. 'Hierboven,' zei hij toen zachtjes.

'Thomas?' Ze liep naar de trap. 'Thomas? Ben jij daar?'

De haartjes op zijn armen en in zijn nek gingen overeind staan toen ze naderde.

'Tom?' Ze glimlachte, alsof ze verstoppertje speelden. 'Halloo?'

Ze hielden zich allebei heel stil, Thomas op de harde stoel bij Ella's open deur, en Moira onder aan de trap. Hij hoorde geschuifel en een knisperend geluidje dat versterkt werd door het trappenhuis, het zachte gefrommel van vloeipapier. Vloeipapier in een tas.

'Hierboven,' zei hij met vlakke stem.

'O.' Aarzelend zette ze een voet op de trap, op haar hoede door zijn toon, doordat hij zich niet had laten zien, doordat ze de woede in zijn stem voelde. Toch kwam ze, en hij hoorde het zachte geritsel van vloeipapier dat verschoof in een tas terwijl ze de trap op liep. 'Lieve hemel,' mompelde ze onder het lopen, 'het verkeer in de stad was een ramp.' En: 'Het lijkt wel of die trap steeds steiler wordt...' Zo keuvelde ze voort, alsof ze vrolijke vrienden waren die een allejezus gezellig gesprekje voerden.

Boven aan de trap aangekomen zag ze hem de wacht houden bij Ella's deur. Ze had een hele vracht tasjes bij zich, van karton en met lintjes als handvat, allemaal van chique kledingzaken. Ze zag hem kijken.

'Voor de begrafenis.'

Hij zei niets.

'In de uitverkoop... van mijn eigen geld...'

Thomas wendde zijn blik af en sloeg zijn armen over elkaar. Ze kwam niet dichterbij, maar draaide onbeholpen met haar heupen, deed haar mond open om iets te zeggen, wist niet wat en giechelde nerveus terwijl ze vluchtig naar haar slaapkamerdeur keek. Hij wist dat ze naar haar kamer wilde om haar nieuwe spullen te passen, maar ze durfde niet langs hem te lopen.

'Zit je hier al lang?'

Thomas keerde zich naar haar toe. 'Jezus, wat is er met jou?'

Ze schrok van zijn toon en zijn houding, en gekwetst draaide ze hem haar schouder toe. 'De begrafenis van je vader...'

'Ze heeft zelfmoordneigingen, Moira. Je bent weggegaan en hebt haar hier bij mij achtergelaten.'

Moira liet haar tasjes op de vloer vallen. 'Tom, je weet niet...'

'Ik hoor niet op haar te passen.' Nu schreeuwde hij het uit en hij was blij toe, want de ontlading was heerlijk.

'Schat, je hebt geen idee waarover je het hebt.'

'Dat klopt, stomme bitch.' Hij kwam overeind. 'De dokter komt hier, en ik weet niks van haar toestand af en zit maar een beetje uit mijn nek te kletsen. Sta ik mooi voor lul!' Bij die woorden verstijfden ze allebei. Het was een van Lars' uitspraken. Daar had Thomas het bij moeten laten, maar schaamte dreef hem voort. 'Wat ben je voor kutmoeder?'

'Ik moest de begrafenis van je vader regelen, de begrafenis van mijn man!' Huilend bleef ze boven aan de trap staan, terwijl de tassen aan haar voeten slap opzij zakten door het gewicht van de inhoud, en toen zag hij haar doen wat ze altijd deed als ze ruzie met Lars had: ze trok haar schouders in en liet haar kin op haar borst rusten. En zo kreeg hij de rol van slechterik toebedeeld.

Met grote stappen liep hij op haar af. 'Ik kon je niet eens bellen...'

Maar ze keerde zich naar hem toe en terwijl de tranen over haar wangen stroomden, zei ze jankerig: 'Stel je eens even voor hoe ik me voel, Tommy: ik ben bij de begráfenisondernemer, iedereen kijkt naar me, ze weten wie ik ben, en dan belt hij naar de balie en vraagt naar me.'

'Ik heb je mobiele nummer niet...'

'En waarom niet?' riep ze en ze liet haar armen door de lucht zwiepen. 'Waarom niet? Waarom heb je mijn mobiele nummer niet? Omdat ik mijn mobieltjes moest weggooien. Elke minuut hing er weer een andere journalist aan de lijn. Ik kan niet eens een mobiel hebben! Hoe denk je dat dat voelt?'

Hij stond nu vlak bij haar, zag dat haar hakken op de rand van de bovenste tree balanceerden en dat ze een enorme smak zou maken. 'Kwam het niet in dat minibrein van je op dat je misschien niet hoefde op te nemen als er een journalist belde? Er staat "onbekend" als er een vreemde belt. Dan hoef je die hele kuttelefoon nog niet weg te gooien.'

Moira wierp een blik op haar voeten, werd zich plotseling bewust van de diepte achter zich, keek verwijtend naar Thomas, die op een meter afstand stond en ging met haar rug tegen de muur staan.

Ze keken elkaar woedend aan; Thomas boog iets naar voren, alsof hij een roofdier was, terwijl Moira haar gezicht afwendde en naar de muur tastte.

'Wat héb ik eigenlijk aan jou?' vroeg hij, en dat was voor haar het teken dat ze zich uit de voeten moest maken.

Moira sloeg haar handen voor haar gezicht, maar met gespreide vingers zodat ze nog wel iets kon zien, en draaide zich om om de trap af te stormen, maar de kledingtassen lagen om haar voeten, en haar hak haakte in een handvat van dik blauw lint zodat ze vast kwam te zitten en begon te wankelen.

'Thomas?' Achter hem klonk een zacht stemmetje; het was Ella, nog net niet op de overloop, maar half weggedoken in de deuropening. Ze droeg nog steeds de kleren van de vorige dag, met kleverige roze en witte marshmallowvegen op de voorkant van haar T-shirt. Ze zag Moira wegglijden en vallen, met haar armen langs de muur en terwijl haar vingers zich kromden op zoek naar houvast.

Thomas draaide zich razendsnel om en hoorde een doffe bons. Moira lag voor hem op de vloer, languit op haar zij, met het linthandvat van de tas om haar hak gedraaid. De tas stond wagenwijd open.

Zwart vloeipapier scheurde knisperend open en een bruine leren broek viel eruit en ontvouwde zich traag terwijl hij al radslagen makend de trap af tuimelde en op de grond bleef liggen.

Er klonk een bel, het zachte, rustige getril van de huistelefoon, als het einde van een ronde bij een keurige bokswedstrijd.

Moira hees zich overeind en keek de overloop door in de richting van haar slaapkamer. 'Als het de dokter is, ben ik niet thuis.'

Terwijl ze zich aan de deurpost vasthield, keek Ella Thomas smekend aan met het ene oog dat zichtbaar was.

Thomas schonk haar een flauw glimlachje, liep naar Moira's bed en nam op: 'Hallo?'

'Hallo, Thomas, is je moeder thuis?' Het was niet dr. Hollis.

Verdoofd liep hij naar Moira op de overloop. Ze zat nu op de bovenste tree, waar ze het lint van haar hak peuterde, en zag dat hij haar de hoorn toestak. Op haar dooie gemak stond ze op, streek haar haar glad en nam de telefoon aan. 'Hallo?'

Ze luisterde. Theresa's stem aan de andere kant van de lijn klonk hard, luid en heftig. Moira's gezicht verstrakte onder het luisteren. 'O, deed hij dat?' zei ze op zeker moment terwijl ze Thomas woedend aankeek. Ze luisterde tot de monoloog was afgelopen en wachtte even, met samengeknepen mond. 'Is dat alles wat je wou zeggen?'

Weer luisterde ze. Thomas keek naar Ella's kamer en zag haar nog steeds in de deuropening staan; nieuwsgierig sloeg ze alles gade en even was ze zichzelf vergeten. Het deed hem goed en hij glimlachte, en toen hun blikken elkaar kruisten, lachte ze flauwtjes terug. Ze wist dat hij haar niet in de steek had gelaten, en dat was belangrijk. Heel even was Thomas vervuld van trots en eergevoel.

'Hm,' zei Moira, alsof ze naar een niet al te boeiend verhaal luisterde. 'Tja, als dat inderdaad het geval is, dan spijt het me zeer voor jou en je kinderen.'

De stem aan de andere kant van de lijn zwol aan, maar Moira ging er nog luider tegenin. 'Je moet één ding goed onthouden, schat: de wereld barst van de hoeren, maar in Engeland mag een man maar met één vrouw tegelijk getrouwd zijn.'

Ze verbrak de verbinding en gaf de telefoon aan Thomas terug, alsof die van hem was. Ze nam hem van top tot teen op en vervolgens bukte ze zich om haar tasjes met aankopen op te rapen.

Toen ze weer rechtop stond, leek ze ouder. 'Ik heb hoofdpijn en ik ga naar mijn kamer, lieve schatten. Praten jullie zelf maar met de dokter.'

46

Hij heette Jonathon Hamilton-Gordon. Hij stond voor de kleedruimte, met zijn blik op de horizon gericht, en vertelde het hele verhaal, en daarbij keek hij alsof hij elk moment kon overgeven: hij en zijn vriend Thomas Anderson waren 'm na gym gesmeerd. Ze reden naar Glasgow, naar Thorntonhall. Ze braken in bij Sarah Erroll, via de keuken. Ze wilden haar alleen maar bang maken, maar zijn vriend ging door het lint, trapte haar gezicht in en doodde haar. Jonathon klemde zijn borst vast en ademde hortend.

'Heb je astma?' vroeg Harris.

'Een beetje,' zei de jongen.

Harris liet hem vooroverbuigen en vroeg of hij een inhaler bij zich had, maar dat had hij niet. Terwijl hij de jongen bij zijn schouder vasthield en hem op adem liet komen, keek hij Morrow aan.

Hier zaten ze geen van beiden op te wachten: ze stonden strak van de adrenaline, hun vingers tintelden, ze waren klaar voor de jacht, maar de vos was naar hen toe gekomen en had zich voor hun ogen zelf neergeschoten.

De jongen kwam overeind, en hij ademde nu wat regelmatiger. Morrow zocht naar een vonkje emotie op zijn gezicht, maar vond niets.

Harris nam als eerste het woord. 'Waar was ze toen jullie het huis binnengingen?'

'Ze sliep,' zei hij, inmiddels gekalmeerd. 'Boven, in een kamer. Hij was rond, die kamer.'

'Hebben jullie haar daar vermoord?'

'Nee, nee, nee.' Hij week een stap terug en Harris dook op hem af in de veronderstelling dat hij ervandoor wilde gaan, maar de jongen stak zijn handen in de lucht ten teken dat hij zich overgaf. 'Nee, ik bedoel, ík heb het niet gedaan.'

Harris formuleerde de vraag opnieuw, met precies dezelfde intonatie. 'Heeft je vríend haar daar vermoord?'

'Nee.' De jongen richtte zich tot Harris, en Morrow maakte van de gelegenheid gebruik zich achter hem op te stellen om hem de vlucht te beletten; waarom wist ze niet, want in haar toestand kon ze niet achter hem aan gaan of hem onderuithalen. 'Ze rende de trap af. Daar heeft hij het gedaan, onder aan de trap.'

'Hoe weten we of je niet staat te liegen?'

'Mijn auto. Daar liggen babydoekjes met haar bloed erop.'

Ze hoorden een geluid en keerden zich alle drie om: een eind verderop naderde iemand, en hij had er flink de pas in. Een grote, forse kerel in een grijs pak stormde de hoek om en liet zijn gezag meteen gelden.

'Hamilton-Gordon, naar binnen.' Hij wrong zich tussen hen en de jongen in. 'Agenten, wat doet u hier nog op het schoolterrein? De heer Doyle heeft u verzocht te vertrekken.'

Morrow hield haar adem in. 'Neem me niet kwalijk, maar u bent...?'

'Cooper.'

'Oké, meneer Cooper. We nemen deze jongen mee naar boven voor een gesprek, en de heer Doyle of u mag erbij aanwezig zijn.'

'Nee.' Cooper hield zijn enorme hand opengespreid voor haar gezicht. 'Ik zal u vertellen...'

Morrow zat nog steeds vol adrenaline en ze was teleurgesteld omdat de jacht voortijdig was geëindigd. Ze sprak zo luid dat Harris en de jongen ineenkrompen.

'We nemen deze jongen in hechtenis in verband met de moord op Sarah Erroll. U kunt aanwezig zijn bij de procedure.

Als u liever niet aanwezig bent, zal er een andere bevoegde volwassene gezocht moeten worden om de procedure bij te wonen. Die bevoegde volwassene heeft als taak de gang van zaken toe te lichten, stap voor stap. Is dat duidelijk?'

Cooper trok zijn hand schielijk terug. Hij keek van Morrow naar de jongen. 'Jonathon, ik zal je vader bellen...'

'Wij hebben het gedaan,' zei Jonathon, zonder Cooper aan te kijken. 'Wij hebben het gedaan, meneer.'

'Jij...?'

'En Thomas Anderson.'

Boven op de kamer van Doyle was de jongen wat onderdaniger. Hij luisterde toen hij op zijn rechten werd gewezen, en knikte, alsof hij alles al wist. Toen begon hij weer te praten. Voorovergebogen, met zijn armen om zijn knieën, vertelde hij de bijzonderheden. Hij verdeed geen tijd met emotioneel gedoe en probeerde zichzelf niet vrij te pleiten, maar hield zich aan de kale feiten, aan het hoe en waar. Morrow keek toe, want de jongen had geconcludeerd dat Harris de baas was en hij richtte het woord tot hem. De bekentenis klonk ingestudeerd. Hij aarzelde niet, was niet onzeker, en hij hoefde niet naar feiten te zoeken. Hij had op zijn bekentenis geoefend, en dat zat haar dwars.

Doyle gaf haar een briefje met het huisadres van Thomas Anderson. Ze overhandigde het aan Harris, die de gang op glipte om te bellen naar de politie in de woonplaats van de andere jongen.

Morrow legde iedereen het zwijgen op tot hij terugkwam; de spanning was om te snijden en de woorden brandden op hun tong. Toen Harris weer verscheen, leek hij wat ontspannener; hij knikte naar haar en ze gebaarde dat hij het verhoor kon voortzetten.

'Hoe zijn jullie daar gekomen?'

'Ik heb een auto...' – Doyle en Cooper spitsten hun oren – 'in het dorp.'

'Waar staat je auto?'

'In een garage achter de Co-op.'

'Hoe kom je aan die auto?'

'Heb ik van mijn vader gekregen.'

Doyle was razend. 'Je bent nog maar zestien!'

'Tja, ik heb hem van m'n vader.'

Snuivend keek Cooper naar Doyle. Morrow tekende aan dat ze navraag naar de vader moest doen.

'Jonathon.' Ze ging wat dichter bij hem zitten. 'Heb je iemand hierover verteld? Nadat het gebeurd was, heb je toen met iemand gesproken?'

De jongen keek op; zijn ogen waren rood omdat hij er ineengedoken mee over zijn knieën had gewreven, en hij keek langs Morrow naar het raam. 'Ja,' zei hij luchtig. 'Ik heb gebiecht bij pastoor Sholtham.'

'En wat zei hij?'

'Hij zei dat ik Thomas moest bellen en dat we ons dan samen moesten aangeven.'

'Kan pastoor Sholtham dat bevestigen?'

Hij moest bijna lachen. 'Ik weet niet of hij mag vertellen wat ik heb gezegd, maar hij zal wel toegeven dat ik met hem gepraat heb.'

'Heb je Thomas gebeld en gevraagd of hij zich wilde aangeven?'

Starend in de verte beet hij op zijn vingertoppen.

'Jonathon, heb je Thomas gebeld?'

'Na de eerste keer nam hij niet meer op. Híj heeft het gedaan. Hij wilde zich niet aangeven. Als u zijn telefoontje onderzoekt zult u zien dat ik hem heel vaak gebeld heb.'

Ze keek naar zijn voeten. Hij droeg leren schoenen, schoolschoenen, geen gympen. 'Heb je ook sportschoenen, jongen?'

Hij haalde zijn schouders op. 'Ik heb nieuwe besteld bij mevrouw Cullis van de linnenkamer. Ze kunnen elk moment komen. Misschien vandaag nog.'

'Juist ja. Welke maat heb je besteld?'

'Ik heb maat 42. Dat heeft ze wel ergens staan. Ze moest het opschrijven en zo.'

'Oké.' Ze knikte en toen ze naar zijn gezicht keek, zag ze een bepaalde blik in zijn ogen – van triomf of van pret, dat wist ze niet.

'Wat is er met je andere schoenen gebeurd?'

'Die ben ik kwijt.'

'Sinds wanneer?'

Hij lachte zelfgenoegzaam. 'Sinds deze week.'

'Heb je dat nieuwe paar deze week besteld?'

'Ja.'

'Heeft Thomas dezelfde schoenen?' vroeg Harris.

'Ja.' Zijn antwoord kwam te snel, veel te snel. 'Zijn schoenen staan in mijn kamer.'

'Waarom staan ze in jouw kamer?' wilde Morrow weten.

'O, ik denk dat ik die van hem heb meegenomen omdat ik dacht dat ze van mij waren, en toen was ik de mijne kwijt en moest ik nieuwe bestellen. Ik zag pas dat zijn naam erin stond toen ik ze had meegenomen naar mijn kamer.'

'Juist,' zei ze onbewogen. 'Mag ik een van de schoenen zien die je nu aanhebt?' Ze stak haar hand uit. Hij aarzelde en nam er de tijd voor. Toen bukte hij zich, trok zijn veter los, deed de schoen uit en gaf die aan haar.

De leren instap was versleten, maar ze kon het getal nog lezen. Het was maat 43.

'Welke maat waren je vorige sportschoenen?'

'Zou ik niet weten.'

'Heeft mevrouw Cullis dat ergens opgetekend?'

'Nee. Ik heb ze van de zomer bij Jenners gekocht.'

'Juist.' Ze boog zich naar voren. 'Je bestelt toch geen schoenen in de verkeerde maat om ons te misleiden, hè?'

'Nee.' Hij leek verbijsterd omdat ze het doorhad. 'Dat zou ik nooit doen... echt niet.'

'Je hebt toch niet de schoenen van je vriend meegenomen en je eigen schoenen weggegooid om alle schuld op hem te schuiven?'

'Nee.' Weer te snel.

'Jonathon,' zei ze bedachtzaam, 'we nemen je mee naar Glasgow voor een officieel verhoor. Zullen wij je ouders bellen of heb je liever dat meneer Doyle dat doet?'

'Meneer Doyle.'

'Er moet een volwassene bij het verhoor aanwezig zijn – wie zou je daarvoor kiezen?'

Zonder erover na te denken wees hij Doyle aan. Hij hoefde er ook niet over na te denken, want dat had hij al gedaan. Jonathon wist dat hij zich bloot had gegeven; hij keek de kamer rond om te zien wie het had opgemerkt en zijn blik kruiste die van Morrow.

'Mijn vader zit namelijk in Hong Kong,' zei hij tegen haar, en hij bloosde licht, 'maar hij komt volgende week terug...'

Morrow keek hem doordringend aan. 'En waar staat de wagen?'

Het was een kleine garagebox achter een woonhuis. Hij stond aan het einde van de tuin, maar er liep een pad naar de straat en ook de zijdeur garandeerde absolute privacy. Jonathon gaf hun de sleutel, waarop ze de deur openmaakten; hij zei dat de lichtknop aan de zijkant zat, hoger dan je zou verwachten. Morrow knipte het licht aan.

Harris bleef buiten bij de jongen, terwijl Morrow naar binnen ging om een kijkje te nemen. Uit voorzorg, om niets aan te raken, stak ze haar handen in haar zakken – zoiets vergat je snel. De auto was een zwarte Audi Compact. Een A3, met verchroomde velgen. Hij was splinternieuw. Ze deed een stap naar achteren en keek nog eens goed. Het was een zeer geavanceerd model voor een jonge wegpiraat, maar ze besefte dat het voor een vader met een smak geld niet veel voorstelde, een bescheiden begin.

Ze tuurde in de cabine. Aan de passagierskant was de vloer bezaaid met bruin besmeurde papiertjes, en het zijvak zat er ook vol mee. Aan de kant van de bestuurder was alles schoon.

Achter haar ratelde de garagedeur open en het plotselinge licht was als een klap in haar gezicht. Buiten stond de politie van Tayside met een takelwagen die ze mochten lenen om de auto naar het lab te brengen. Morrow boog zich weer voorover en keek over de motorkap naar binnen; ze zag dat het stoflaagje op het dashboard in het midden ophield. Aan de bestuurderskant was alles schoongeveegd.

Harris kwam binnen en knikte lachend naar de Audi. 'Wat denk je?'

Morrow haalde haar schouders op.

'O, kijk niet zo blij,' zei hij wat geërgerd.

'Ik krijg van dat ventje een vieze smaak in mijn mond.'

47

Thomas zat op de bank in Ella's zitkamer, met zijn gezicht naar het grote raam. Een felle lichtbundel streek over het gazon. Soms overwoog hij in beweging te komen. Op te staan, iets te drinken te halen. Hij had ook trek. Maar er was zoveel te doen dat het hem verlamde. Eigenlijk moest hij de slaapkamer binnengaan om met Ella te praten. Er moest iets zijn wat hij tegen haar kon zeggen, iets waardoor ze eruit brak, hij zou haar smeken om op te staan, roepen dat ze moest stoppen met dat gelanterfant. Er moest een simpel zinnetje zijn dat zou helpen, maar hij kon niet helder genoeg denken om uit te vinden wat het was. En hij moest met Moira gaan praten, zijn verontschuldigingen aanbieden omdat hij het wist van Theresa, zorgen dat ze een advocaat in de arm nam om hen te beschermen. Ook moest hij Squeak bellen, uitvogelen waarom hij het zo nodig aan Sholtham moest vertellen. Hij moest dr. Hollis zien te vinden en vragen wanneer hij terugkwam voor Ella. Hij kon niet de rest van zijn leven de wacht houden bij haar slaapkamer. En hij had trek.

Allemaal kleine karweitjes, maar ze leken onoverkomelijk. Hij kon zich niet goed genoeg concentreren om te bepalen wat de eerste stap was die hij voor elk van die karweitjes moest zetten.

Alsjeblieft, maak jezelf niet van kant, Ella. Dat werkte niet. Het is zo erg voor Moira. Nee, dat haalde ook niets uit. Opeens en vanuit de grond van zijn hart kwam het bij hem op: *Laat me hier alsjeblieft niet alleen.* Hij begon te huilen, geluidloos, en zijn hele gezicht gaapte open. *Ik hou dit niet langer vol.*

Hij dwong zichzelf aan andere dingen te denken.

Knipperend naar het verblindende licht op het gazon zat hij naar het zachte gemurmel van de tv in Moira's kamer te luisteren. Reclame.

Ze wist het nu van Theresa. En ze wist dat hij het ook wist. Ze zat vast voor de tv te huilen, met haar nagels in haar hoofdhuid, en voelde zich in de steek gelaten door Lars, door hem, door iedereen. Ongetwijfeld rookte ze, misschien had ze een potje antidepressiva bij de hand. Het werd alleen maar erger. Theresa was slim en vals. Ze zou Moira voor de rechter slepen en al het geld krijgen. Er waren vast anderen die het wisten, niet alleen hij. Lars had Theresa vast meegenomen naar officiële ontvangsten en ze zouden allemaal hetzelfde hebben gedacht als hij: geef mij Theresa maar.

Hij keek Ella's slaapkamer in. Ze lag roerloos op haar rug op het bed, en hij kon haar blote voeten zien.

Zodra hij naar de wc ging of in slaap viel, zou Ella de trap af sluipen, het pistool pakken en zichzelf door het hoofd schieten. Lars had hun allemaal laten zien waar hij de sleutel van de kluis bewaarde. Waarschijnlijk zou ze het nog verkeerd doen ook: alleen haar oog eruit schieten en dan doodbloeden, of haar neus eraf schieten of iets dergelijks. Reken maar dat de hele wereld zou lachen, zou zeggen dat ze zelfs dat niet voor elkaar kregen, dit gezin, dat ze zichzelf niet eens voor hun stomme kop konden schieten. Stijve.

Er waren jongens van zijn leeftijd die emigreerden. Het was aan hem. Gedreven door verontwaardigde zelfverachting hief hij met een ruk zijn hoofd tot hij recht in het zonlicht keek. Hij keek erin tot hij witte flitsen zag en zijn ogen pijn gingen doen. Het was aan hem. Hij stond op en liep de kamer uit.

Met een waas voor zijn ogen van het felle zonlicht door het raam streek hij met zijn hand langs de lambrisering om op de tast de trap te vinden; hij stapte naar beneden en hield zich vast aan de leuning tot hij onderaan was. Verwoed knipperend probeerde hij zijn zicht terug te krijgen.

Lars' kantoor was een oase van rust. Thomas ging naar binnen en keek links en rechts, wat nogal dom was, want hij wist precies waar de kluis zat. Hij liep tot halverwege de kamer, tot net voorbij het bureau, en bleef toen staan om met zijn vingers over het bureaublad te strijken, waar Lars zijn handen had laten rusten vlak voor hij het gazon op liep. Hij voelde zich wat beter. Alsof Lars zijn goedkeuring had gegeven of iets dergelijks.

Hij stapte op de boekenkast af, naar het nepboek dat zich niet onderscheidde van de echte boeken, omdat die al even weinig kans maakten gelezen te worden. Hij drukte op het hemelsblauwe leer met gouden opdruk en de rug van het boek sprong naar hem toe. De sleutels zaten in een kleine inkeping van groen vilt.

Twee sleutels, niet groot, ouderwets en met een ring aan elkaar geketend. Thomas pakte ze en merkte dat hij zweette, zomaar eigenlijk, en dat zijn mond zich vulde met speeksel, alsof hij moest overgeven. Hij vroeg zich af of Lars dit had gevoeld toen hij zijn portefeuille in de bureaula legde en dat akelige zelfmoordbriefje schreef, waarin hij Moira de schuld gaf van wat hij op het punt stond te doen, waarin hij haar verantwoordelijk stelde voor zijn keus zichzelf de vernedering van de komende jaren te besparen.

Thomas drukte de rug van het boek weer dicht om te verbergen dat hij de sleutels had gepakt, voor het geval Moira een blik naar binnen wierp en zag dat hij in de kluis was geweest. Hij liep naar het bureau, ging op zijn hurken bij het voetengedeelte zitten en tilde de rand van het tapijt op, waaronder een koperen handvat zat dat in het parket was weggewerkt. Hij klapte het omhoog, nam het stuk vloer eruit en legde het aan de kant.

Daar was het beige metalen deksel met de vingergaten van rode kunststof. Hij schoof zijn vingers erin, tilde het op als het deksel van een koektrommel en zag de bovenkant van de kluis. Nog meer beige metaal, een goedkoop handvat van bruine kunststof en het sleutelgat als een navel in het midden. Hij stak de sleutel erin, draaide die om en nam het luik eraf. Hij boog zich voorover, wurmde zijn hand door de smalle hals naar de onderliggende ruimte van een halve vierkante meter. Papieren. Een boek. Wat sieraden in suède hoesjes. Thomas stak zijn arm er nog verder in tot die helemaal onder de vloer verdween en hij de scherpe rand van een doos voelde. Vol eerbied haalde hij de doos met twee handen naar boven en deed het deksel eraf: de korte Astra Sub, een compact, zwaar handwapen, waarvan greep en loop uit één stuk waren gegoten. Twee bijbehorende reservemagazijnen lagen er als bruidsmeisjes naast.

Een stom pistool. Een meidenpistool. Hij bekeek de loop: GUERNICA, stond erop, MADE IN SPAIN. Hij zag het paard van Picasso dat schreeuwde tegen de hemel; hij had het op school in een boek gezien, Beany had het hun laten zien, maar Thomas had niet echt geluisterd. Wat hij zich wel herinnerde was het beeld van het paard; hij wist dat het paard met de stripboekogen stervende was, dat het de gruwelen van de Tweede Wereldoorlog niet meer zou meemaken, en dat leek op de een of andere manier relevant, een vorm van genade.

Hij ging op zijn hurken zitten en keek naar het pistool. Guernica.

Alsof hij een filmpersonage was, stond hij op, stak het pistool in zijn achterzak en nam een bepaalde pose aan. Wijdbeens, met een spotlachje, in zijn volle lengte. Hij stak zijn hand achter zijn rug en trok heel langzaam zijn wapen – hij wist niet of de haan gespannen was – trok het heel langzaam uit zijn zak, hield het met beide handen vast en richtte op de deur naar de gang.

'Pioe,' zei hij, en bij de terugslag hief hij zijn handen in slow motion. Hij lachte heimelijk. Dat voelde beter. Hij deed het nog een keer. 'Pioe.'

Nog steeds met een flauw glimlachje keek hij naar het kleine zwarte wapen. Het was loodzwaar. Een betrouwbare kleine vriend. Hij legde het op het bureau, bukte zich en deed het luik van de kluis dicht zonder het op slot te doen; de sleutels staken nog omhoog toen hij het deksel en het vloerpaneel onder het bureau op elkaar legde.

Hij mocht de reservekogels niet laten rondslingeren, voor het geval er ergens een tweede wapen lag. Hij stopte de magazijnen in de voorzakken van zijn spijkerbroek. Ze waren zwaar. Zouden er zes kogels in elk magazijn zitten? Misschien acht, plus de kogel die al in het pistool zat. Het pistool. Hij tilde het op en bekeek het nog eens goed.

De trekker was van zilver en solide als een mes. Hij trok hem een heel klein eindje terug, voelde het kritieke punt, bij het vuurmechanisme, en liet weer los.

Zet je ellebogen niet op slot, herinnerde hij zich, van een film of een documentaire of iets dergelijks, zet je ellebogen niet op slot, want de terugslag kan je botten verbrijzelen. Was het een sciencefictionfilm? Misschien gold dat voor laserguns. Hoe dan ook, hij moest zijn ellebogen ontspannen als hij het wapen afschoot, wat hij niet van plan was.

Opeens stopte hij en liet een verbaasd lachje horen. Waarom zou hij het pistool afschieten? Hij moest alleen zorgen dat Ella het niet te pakken kreeg. Hoofdschuddend keek hij naar de vloer. Wat dacht hij toch?

Zijn blik vloog over de halvemanen en stippen van het populierenhouten bureaublad. Hij dacht aan hoe het zou zijn om iemand neer te schieten. Iets in hem dacht daaraan. Iets slechts, diep vanbinnen. Hij wist niet eens hoe hij moest schieten.

Zo moeilijk kon het niet zijn. In Oeganda dienden kinderen als soldaten in het leger. Ze hanteerden wapens, schoten mensen dood, hakten armen en benen af, en dat terwijl ze dronken waren of high van de lijm. Zo moeilijk kon het niet zijn.

Hij kwam hier klem te zitten, zoals hij boven op de bank ook klem had gezeten. Zijn blik bleef rusten op een omgekeerde komma op het bureaublad. Hij kwam weer klem te zitten. Ik kan het niet. Maar toch deed hij het. Hij had Ella gered van dit wapen. Hij deed het.

Hij keek naar het wapen in zijn hand.

Solide. Er zat één knop aan, een schuifknop vlak naast de trekker, waarvan hij vermoedde dat het de veiligheidspal was. Hij duwde hem omhoog en voelde de klik, waarna hij hem naar beneden en nogmaals omhoog duwde, en weer naar beneden en omhoog en naar beneden, en toen stopte hij het pistool in zijn achterzak.

Beter. Hij voelde zich beter. Wel was zijn broek nu heel zwaar.

Hij zette een paar stappen in de richting van de deur en merkte dat het gewicht hem niet hinderde bij het lopen. Het was echt beter. Hij voelde zich nu aan de grond vastgekluisterd, alsof hij wegzonk in de aarde.

Hij stond bij de deur van de studeerkamer, met zijn handen als een pistoolheld gespreid bij zijn heupen, zijn ellebogen gebogen zodat de terugslag ze niet kon verbrijzelen.

Vanboven klonk geruis: de stemmen en de muziek van Moira's tv.

Ik doe het, dacht Thomas, en hij liep de trap op.

48

Zodra ze op het bureau arriveerde, moest ze zich in Bannermans kamer melden. McKechnie wilde haar inlichten over het onderzoek naar Grant Bannerman.

Hij benadrukte dat er nog niets bewezen was wat tegen haar chef pleitte. De laptop was inderdaad bij hem thuis aangetroffen, maar dat wilde niet zeggen dat hij hem had willen stelen. De andere klachten waren echter ernstiger van aard: intimidatie, wangedrag jegens ondergeschikten, personeel zijn lunch laten halen... Nu verloor Morrow haar geduld.

'Wie?'

'Hoezo wie?' vroeg McKechnie gretig, waarschijnlijk in de hoop dat ze hem een aanwijzing zou geven.

'Wie heeft hij lunch laten halen?'

Hij keek in zijn papieren. 'Dat wordt niet vermeld.'

'Hij nam altijd broodjes mee, elke dag. Hij heeft een la vol mueslirepen, gods...' Ze hapte even naar adem. 'Hoor eens, ik heb boven twee mensen zitten die verhoord moeten worden, en ik geloof hier geen barst van. Kunnen we het hier later over hebben?'

Hij sloeg de map dicht. 'Ja.'

'Waar is hij nu?'

'Geschorst.'

'Zit hij thuis tv te kijken terwijl ik dit alles in m'n eentje moet opknappen?'

McKechnie zette grote ogen op. 'We hebben wettelijke ver-plichtingen, Morrow.'

'Ik moet ook nog terug naar Londen om die andere verdachte te verhoren.'

'Mensen hebben het recht om in alle veiligheid hun werk te kunnen doen...'

'Veiligheid? Het enige waaraan hij zich schuldig heeft ge-maakt, is dat hij niet geliefd is.'

'Tja, we moeten dit soort zaken onderzoeken, de klachten...'

'Met alle respect, maar die klachten zijn lulkoek. Hij komt hier niet terug, hè? Hierna. Ook al is hij nergens schuldig aan, toch komt hij hier niet terug. En tenzij u iemand kunt regelen, ben ik hier de hoogste in rang en ik ga straks met zwangerschaps-verlof.'

Dat alles wist McKechnie al. Ze voelde zich roekeloos toen ze opstond. 'Ik ga...' Ze zweeg even. '... maar weer eens verder met mijn werk.'

McKechnie stond ook op en stapte naar haar toe, met iets ver-ontschuldigends in zijn houding. 'Morrow, dat is nou eenmaal de wereld waarin we leven.'

'Ja.' Ze deed de deur open en stapte de instructiekamer bin-nen. Iedereen was er. De nachtploeg maakte zich gereed, de dag-ploeg bleef nog even hangen voor de laatste roddels. Alle ogen waren op haar gericht en sommigen glimlachten, in de veronder-stelling dat ze haar een dienst hadden bewezen.

Morrow keek hen een voor een aan. 'Stelletje lafbekken,' zei ze, en in haar verbeelding werden haar woorden al opgelezen voor een tuchtcommissie. Ze matigde zich, hield het vaag. 'Jullie kunnen je niet in de chefs verplaatsen, omdat jullie zelf nooit zo-ver zullen komen.' Weer liet ze haar blik rondgaan en ze zag dat ze nog steeds glimlachten, maar besmuikt achter handen en kopjes. 'We zijn straks een leger van alleen maar soldaten, omdat nie-mand van jullie promotie wil maken.'

Ze keek rond om te zien of haar woorden doel hadden getrof-fen, en ze wist meteen dat ze gefaald had. Er knapte iets bij haar. 'Harris?'

Hij zat achteraan en stond nu op. 'Ja?'

'Naar boven,' zei ze. 'Stomme klootzak,' voegde ze er in een plotselinge vlaag van woede aan toe.

Hoewel Jonathon Hamilton-Gordon om Doyle had gevraagd, had zijn familie daar een stokje voor gestoken en een gezinsvriend gestuurd om erbij aanwezig te zijn, gewoon een vriend, iemand die Jonathon persoonlijk kende. Toen Morrow de man zag, gingen er allerlei alarmbellen bij haar rinkelen. Zijn kleren waren te netjes, en hij maakte geen oogcontact met de jongen. Hoewel ze naast elkaar aan tafel zaten, was hun lichaamstaal kil. Ze wist zeker dat hij advocaat was. De bevoegde volwassene diende degene die hij bijstond te vertellen wat er aan de hand was, hij moest de moeilijke woorden uitleggen of dingen voorlezen die hij zelf niet kon lezen vanwege een leerprobleem. Het was niet de bedoeling dat hij hem listig van juridisch advies voorzag of van tips om een aanklacht te ontduiken.

Ze bestudeerde hen op het scherm in de observatiekamer, en zag ertegen op om met Harris naar binnen te gaan. Leonard stond achter haar; ook zij keek bedenkelijk.

'Die trui is van kasjmier,' zei ze, met een blik op de jersey van de keurige man.

Morrow keek naar de trui. Die zag er heel gewoon uit. Hij was groen, met een ronde hals. Eronder droeg hij een overhemd. 'Heb je röntgenogen of zo?'

'Ik zie het aan de manier waarop hij valt,' legde ze uit. 'Hij is dunner. Ik wil wedden dat hij zeker tweehonderd pond heeft gekost.'

'Nee! Truien kosten geen tweehonderd pond.'

Maar Leonard knikte, zeker van zichzelf.

Morrow keek nog eens. 'Ze zeiden dat hij een vriend van de familie is. Volgens mij hebben ze elkaar nooit eerder ontmoet, wat denk jij?'

De jongen en de man hadden evengoed vreemden kunnen zijn die naast elkaar in een bus zaten. In Londen.

Achter hen verscheen Harris; hij kneep zijn mond samen en

meed haar blik. Nog steeds woedend draaide Morrow zich om en rechtte haar schouders. 'En?'

Hij keek langs haar naar het scherm. 'Gaan we naar binnen?'

'Ja,' zei ze. 'Kom mee.' Ze stevende hem voorbij en liep voor hem uit de gang door.

De verhoorkamer was groot en schoon.

De man zat bij de muur en de jongen aan de andere kant van de tafel. Ze stonden op toen Morrow en Harris binnenkwamen en gaven hun een hand. Jonathons hand was droog en hij maakte een heel kalme indruk.

Ze liet Harris aan de kant van de muur plaatsnemen en legde haar map voor haar stoel neer; ze stopten de cassette in de recorder, startten de opname en wezen op de videocamera. Geen van beiden vroeg om nadere uitleg, hoe lang het ging duren of hoe het verderging. De man vroeg niet om toelichting toen ze de aanklacht voorlas en de jongen luisterde amper toen hem zijn rechten werden voorgelezen.

Het bleef een tijdje stil, tot Morrow naar de man keek, alsof ze zijn aanwezigheid nu pas opmerkte. 'Neem me niet kwalijk, maar hoe heette u ook alweer?'

'Harold.'

'Waar kom je vandaan, "Harold"?'

Hij knipperde met zijn ogen en keek van haar weg. 'Uit Stirling. Ik woon in Stirling.'

'Juist, ja, we hebben je adresgegevens beneden, toch?'

Weer knipperde hij met zijn ogen zonder haar aan te kijken.

'Mooi gebied daar, mooi hoor. Wat doe je voor de kost?'

Harold slaakte een zucht en keek dreigend naar Jonathon, die antwoord gaf: 'U zou míj toch verhoren?'

Ze keek hem schuin aan. 'O?' Weer keek ze Harold aan. 'Heb je echt nog iets toe te voegen aan alles wat je in aanwezigheid van meneer Doyle hebt gezegd? Aan alles wat je ons verteld hebt en het fysieke bewijs dat je ons hebt gegeven...'

Harris zat meesmuilend naast haar, en ze zag dat het de jongen stoorde.

'Ik wil hier zo snel mogelijk een punt achter zetten,' zei hij in een poging behulpzaam over te komen.

Morrow wierp een lome blik op haar aantekeningen. 'Jongen, heb je wel door wat hier gebeurt? Wat er hier ook gebeurt, denk maar niet dat je er snel even "een punt achter kunt zetten"...'

'Dat bedoelde ik niet,' zei Jonathon. 'Ik bedoelde deze vragen. Daar wilde ik snel een punt achter zetten.'

'Wat denk je dat er gaat gebeuren als we een punt achter deze vragen hebben gezet?'

Hij haalde achteloos zijn schouders op en keek even naar Harolds handen, die voorzichtig over elkaar werden gevouwen. Harold keek haar strak aan, uitdagend en trots. Hij was er oprecht van overtuigd dat hij Jonathon op borgtocht vrij zou krijgen. Dat had hij ook al tegen hem gezegd, wat niet van professionaliteit getuigde. Jonathon had hem niet over de auto verteld en hij had ook verzwegen wat hij allemaal al gezegd had, besefte ze.

'Hm.' Ze bestudeerde haar aantekeningen weer. 'Kijk je vaak naar politieseries op tv?'

De jongen keek vragend naar Harold, en die knikte. 'Nee. Ik zit op kostschool, we mogen niet zoveel tv kijken.'

'Je mag ook geen auto hebben.' Ze glimlachte naar hem. Hij glimlachte niet terug. 'Nee, ik wil dat namelijk weten omdat ik me afvraag of je weleens van het zogenoemde gevangenendilemma hebt gehoord.'

'Is dat een politieserie?'

'Nee.'

Jonathon scheen de wending die het gesprek nam nogal amusant te vinden, want hij duwde zich van de tafel af en wiebelde heen en weer op de achterpoten van zijn stoel. 'Wat is dat dan?'

'Twee mannen worden in twee aparte kamers over dezelfde gebeurtenissen verhoord. Oké?'

Hij knikte.

'Ze willen het allebei geheimhouden. Stel dat ze iets slechts hebben gedaan.' Ze keek hem doordringend aan. 'Als je je een dergelijk scenario kunt voorstellen.'

Hij zoog zijn wangen naar binnen alsof hij een glimlach smoorde.

'Deze twee mannen in de twee aparte kamers hebben samen iets slechts gedaan. En ze zijn gepakt...'

'Of ze hebben zichzelf aangegeven,' zei hij.

'Wat is het verschil?'

'Nou, in het ene scenario proberen ze eronderuit te komen,' zei hij gniffelend.' In het andere hebben ze – u weet wel – zelf al hun besluit genomen.'

'O.' Ze knikte naar Harold. 'Een interessant onderscheid. Die twee mannen zitten dus in twee verschillende kamers en ze weten geen van beiden wat de ander vertelt over wat er gebeurd is. Ze geven elk een andere versie. Ik was niet eens in de kamer, dat soort praat.' Ze dempte haar stem en met een samenzweerderig lachje, alsof ze een familierecept doorgaf, zei ze: 'Uit de tegenstrijdigheden herleiden wij wat er gebeurd is.'

Met een plof liet hij zijn stoel weer op de voorste poten neerkomen. 'Schuiven ze de schuld niet gewoon op elkaar af?'

'Eh, dat kan ook ja, soms, heel klassiek.' Ze knikte blijmoedig. 'Ze verlinken elkaar. De een zegt: "Hij heeft alles gedaan, ik ben onschuldig", en de ander zegt: "Nee, hij heeft het gedaan, ik ben onschuldig". Een hele puzzel voor de politie. In zo'n geval pakken we het fysieke bewijs en proberen we de stukjes aan elkaar te passen. Erachter te komen wat er gebeurd is. Het kost natuurlijk meer omdat de zaak voor de rechter komt en iedereen zegt dat ie onschuldig is en zo, maar je wordt er uiteindelijk wel voor beloond.' Ze smakte met haar lippen. 'De straffen zijn een stuk zwaarder. Het gevoel dat alles van alle kanten bekeken is, door en door onderzocht en uitgeplozen...'

Jonathon glimlachte, likte zijn lippen af, duwde zich naar achteren en liet zijn stoel weer wiebelen. 'Is dat hier aan de hand?'

'Nee, in dit geval beweer jij dat hij het gedaan heeft, en toevallig beschik je over heel veel fysiek bewijs dat hij het gedaan heeft. In jouw versie heb jij niets gedaan, en al het fysieke bewijs van wat jij hebt gedaan ontbreekt. Over geluk gesproken. Blijkbaar zat jij net je gebedje op te zeggen toen het gebeurde.'

Hij boog naar voren en knikte ernstig. 'Oké.'

Ze keek naar hem en naar Harold en ze zagen er allebei even

zelfvoldaan uit. Ze sloeg weer een bladzij van haar aantekeningen om. 'O.' Ze bekeek de pagina eens wat beter. 'O, lieve hemeltje. Op Sarahs zachte gezichtje zitten twee soorten voetafdruk.' Glimlachend keek ze op. 'Wat is dat eigenlijk voor gebedje? Ik ben niet godsdienstig, dus...'

Jonathon schoot naar voren. 'Nee...'

'Oké.' Harold stond op. 'We nemen even pauze.'

Morrow keek beduusd.

'Dat,' zei hij, 'is een agressieve, intimiderende manier om een minderjarige te ondervragen.'

Heel langzaam kwam ze overeind, met haar hand op haar buik, en ze schonk hem een roofzuchtige glimlach. 'Harold, ben je toevallig advocaat?'

Harold snoof verontwaardigd. 'We willen even pauze.'

Morrow sloeg de map op het bureau dicht. 'Neem er alle tijd voor. Ik ben klaar. Je wordt mee naar beneden genomen en in staat van beschuldiging gesteld.'

Jonathon stond op. 'Mag ik daarna naar huis?'

Morrow keek Harold met grote ogen aan. 'Nee, Jonathon, daarover beslist de rechter.'

'En laat die me naar huis gaan?' Plotseling raakte hij in paniek en met tranen in zijn ogen keek hij van Harris naar Morrow naar Harold.

Niemand zei iets. Tijdens die stilte zag Morrow iets sterven in de ogen van Jonathon Hamilton-Gordon.

Ze wendde zich af, beschaamd over de vreugde die ze voelde nu ze alle hoop zag sterven in de ogen van een kind. Ze pakte haar map. 'Je wordt meegenomen naar beneden en in staat van beschuldiging gesteld voor de moord op Sarah Erroll...'

49

Een muur, een grijze muur, niet de auto. Niet meer in de auto, uit de auto. Een grijze muur in een kale cel. Alleen een korte bank, bevestigd aan de muur. Toen hij erop plaatsnam, zat hij met zijn gezicht naar de deur met een handvat en een slot, een groot slot met schroeven erin en een schuif om door naar binnen te kunnen kijken, en het was te veel informatie en daarom sloot hij zijn ogen en keek niet meer, en toen merkte hij dat hij kon ademen. Het was een kleine kamer. Thomas knikte in zichzelf. Het was een kleine kamer.

Buiten, op de gang, liepen mensen; ze schuifelden en soms zeiden ze iets. Dat was te veel. Hij gleed weg.

Voetstappen naderden zijn deur, een hand streek over het metaal, waarna een sleutel blindelings naar het slot zocht. Thomas bleef met gesloten ogen zitten en huiverde.

De deur ging open, licht brandde op hem in, hij trok zijn kin in van ontzetting omdat hij bekeken werd, en een gebiedende, vaderlijke stem zei: 'Opstaan, maat. Meekomen.'

Hij rilde. Zijn handen waren versmolten met de bank, zijn enkels verslapten bij de gedachte dat hij moest opstaan, dat hij naar buiten moest, de wereld in, waar iedereen hem kon zien. *Ik kan dit niet.*

'Kom op, naar buiten.'

Thomas stond op. Even wankelde hij, maar hij bleef overeind en opende zijn ogen ver genoeg om naar de grond voor zijn voeten te kunnen kijken. Hij schuifelde over de drempel, het daglicht in, de gang op, waar anderen waren.

'Ze zitten boven op je te wachten. Schotten. Twee vróúwen.' Hij zei het alsof hij bofte, alsof hij van geluk mocht spreken omdat hij door twee vrouwen verhoord zou worden. Thomas bleef staan. Blijkbaar keek de man naar hem, want hij zag dat zijn voeten zijn kant op wezen. 'Er is een bevoegde volwassene bij om met je te praten. Die vertelt hoe het in z'n werk gaat.'

Hij keek hem strak aan; Thomas vond dat hij moest laten zien dat hij niet gek was. Hij keek op naar de politieagent – een dikke man – en tot zijn eigen verbazing hoorde hij zichzelf 'Oké' zeggen.

Opgelucht zette de agent zich in beweging en stevende op een zijdeur af, waarbij hij Thomas voor zich uit liet lopen. Hij nam hem mee de gang door naar de kamer waar het gesprek zou plaatsvinden, en stuurde hem de goede kant op door hem telkens een por te geven met zijn dikke vinger.

Een kamer in, een grotere kamer, zonder ramen. Hoog in de hoek was een camera, op een hoekplank van triplex. Bij de tafel stond een man. Grauw haar, grauw gezicht, grauwe nagels.

De man stonk naar sigaretten. Hij liet zijn schouders hangen, net als Thomas. Ze gingen elk aan een kant van de tafel zitten, met hun knieën van de tafelpoten afgebogen en hun gezicht van elkaar afgewend. Thomas had moeite met luisteren. De politie van Strathclyde ging hem ondervragen over een moord. Hij kon antwoord geven of niet, maar in beide gevallen zag het er niet goed voor hem uit. Hij had een wapen en kogels bij zich gehad. Dat was een slechte zaak. Hij zou het moeten uitleggen. Uitleggen. Hij, de sigarettenman, de muffe, rokerige, neerslachtige man, zou het hem telkens uitleggen als er iets gebeurde. Thomas luisterde niet langer. Toen hij even later toch weer luisterde zei de man dat hij vragen kon stellen. Hij had eigenlijk geen idee wat voor vragen hij moest stellen, maar zijn lippen waren te zwaar om om opheldering te vragen.

'Thomas!' De man wilde zijn aandacht. Die kon hij krijgen. 'Begrijp je wat ik zeg?'

Zijn tanden waren geel als gerookte haring, alsof hij op zijn si-garetten had gezogen nadat hij ze in gele wijn had gedoopt, de bruine teer had opgezogen en langs zijn tanden had laten rollen. Hij was walgelijk. Hij trok zijn grauwe wenkbrauwen op tot een grauwe vraag. Thomas knikte om een einde aan al dat gevraag te maken. Hij knikte en knikte, tot hij besefte dat het te veel was en toen stopte hij.

De man stond langzaam op, liep om de tafel heen naar de muur achter Thomas en trok een stoel bij. Thomas keerde zich niet om, maar hoorde dat hij bij de muur ging zitten. Toen hij zich toch omdraaide om te kijken, had de man een spiraalschrift bij de eerste bladzij opengeslagen, en hij hield zijn pen gereed, klaar om te schrijven. Hij leunde met zijn hoofd tegen de muur en sloot zijn ogen. Thomas wendde zich af.

En zo zaten ze een hele tijd in de stille kamer te wachten.

Ella was meegekomen naar de deur. De politie was gearriveerd. Moira liet hen binnen, nam hen mee naar boven en zei: 'Daar is ie' of 'Hij is daar', iets simpels, en ze kwamen bij hem staan en prevelden een soort gebed. Ze gaven hem even tijd om te reage-ren en toen pakten ze hem beet, hesen hem bij de ellebogen van Ella's bank overeind en zeiden 'Opstaan' en 'Kom, in de benen'.

Het klopte helemaal dat ze er waren. Als schoolmonitoren die een verdwaalde eersteklasser in een gang aantroffen en hem naar zijn klas brachten. Als een kind zonder begeleider aan de hand van een knappe stewardess. Het was te veel om te verwerken, al die informatieborden met vluchtgegevens terwijl hij nog niet goed kon lezen, al die tijdzones, want Mexico City was heel ver weg en hij wist niet eens wanneer hij moest eten. De dag nadat hij aankwam, moest Lars weg voor zaken.

De schoolmonitoren zagen dat zijn broek afzakte. Wat heb je daar in je zak? Sorry, armen wijd, ja, heel even maar, nee, zo blij-ven staan. Bedankt. Verder nog iets? Heb je naalden bij je?

Ella kwam haar bed uit. Ze stond in de deuropening tussen haar zitkamer en haar slaapkamer, en ze keek naar hem en ving zijn blik, en toen zag ze dat hij was waar zij was, maar hij had de kans niet gekregen om het te zeggen of het haar te vertellen. Ze ving zijn blik en ze spraken met elkaar terwijl twee onbekende mannen in uniform zijn benen en zakken beklopten en de patroonhouders vonden. Ze keek toe terwijl het pistool uit zijn zak werd gehaald, en ze likte haar lippen af en wierp hem weer een blik toe. Ze leek gekwetst, te gedeprimeerd voor leugentjes om bestwil. Ze leek gekwetst, maar ze knipperde met haar ogen en perste haar lippen op elkaar, deels verwijtend, deels verontschuldigend.

Moira had zich omgekleed. Ze had de leren broek van op de trap aangetrokken en een crèmekleurige bloes met allemaal ruches aan de voorkant. Ze hapte naar adem en rukte aan de ruches, en ondertussen bungelde er aan de achterkant een prijskaartje aan het label.

Ze kon niet meekomen, zei ze tegen de politie-stewardessen, want haar dochter was ernstig ziek en ze had de dokter gebeld en die kon elk moment komen. Er was verder niemand. Om met hem mee te gaan. Er was verder niemand. Ze rukte zo hard aan de ruches van haar bloes dat de voorkant van haar bh zichtbaar werd en daaronder, bij haar maag, een rimpelige vouw als een glimlach. Er was verder niemand.

Toen was hij opeens buiten, in de open lucht, en er was een hand op zijn hoofd die hem hard naar beneden drukte zodat zijn knieën wegdraaiden, en ze zetten hem op de achterbank en sloegen het portier dicht. Hij keek weer naar de deur en zag haar, Ella. Heel klein. Ze stond in de gigantische deuropening en met slappe mond en haar wangen nat van de tranen keek ze hem na terwijl hij wegreed. Moira stond achter haar en legde een hand op haar schouder, en als een wild dier zette Ella haar tanden in Moira's hand.

In de stille kamer ging de deur open. Er kwamen twee vrouwen binnen: de een even rond als de Kerstman, de ander slank. Hij keek op. Twee pakjes, marineblauw en zwart. Slank was klein, met een grote neus, knap. De ander was blond, lang, met brede schouders en kuiltjes in de wangen. Krijgshaftig. Zwanger. Streng.

Een map op tafel. Een map van groen karton met gelinieerd A3-papier, met de hand beschreven. Foto's van dingen. Hij kon de bovenkant van de foto's zien.

Ze stelden zich voor. Namen. Cassettebandjes. Die had hij nog nooit gezien. Zo uit het cellofaan in een apparaat. Een wespachtig gezoem vulde de kamer en de zwangere vroeg hoe hij heette.

'Thomas Anderson.' Het verbaasde hem hoe goed het praten hem afging. Met zijn stem was niks aan de hand.

Ze stelde hem weer een vraag, of hij wist wat er aan de hand was of iets dergelijks, en hij zei ja. Maar toen ging het over datums, over afgelopen maandag, en hij had eigenlijk geen idee waarnaar ze vroeg. De zinnen waren te lang, hij kon de kop niet vasthouden tot ze bij de staart van die lange, kronkelige zinnen was aangekomen.

Ze keken elkaar een tijdje aan. Ze vroeg of het wel ging. Ja, zei hij.

'Ken je Jonathon Gordon-Hamilton?'

Hij hield zijn adem in en haalde één schouder op.

'Op school wordt hij...' – ze wierp een blik op haar aantekeningen – '... Squeak genoemd.'

'Ik zit bij hem op school.'

'Ken je hem?'

Hij keek naar de vrouwen. De zwangere keek hem doordringend aan, met blauwe ogen onder half geloken oogleden. De knappe staarde naar de tafel. Dit was een belangrijke vraag. Misschien hing zijn toekomst ervan af, maar hij kon zich niet concentreren. Dit was een val.

'Nee. Ik ken hem niet.' Dit was een val val val.

'Hij zegt dat hij jou kent.'

'We kennen elkaar niet.' Dat was waar.

'Heb je hem gesproken sinds je dinsdag van school bent vertrokken?'

'Nee.'

'Hebben jullie elkaar niet gebeld?'

Gewoon nee zeggen. Nee zeggen. 'Nee.'

'Heeft hij jou gebeld?'

De simkaart lag in de wc van Biggin Hill Airfield. Ze konden niet bewijzen dat Squeak hem gebeld had of dat het zijn mobiele nummer was. Het kaartje lag in de wc.

'We kennen elkaar niet.' Maar Donny McD. had zijn nummer ook. Lieg maar tegen ze. Gewoon nee zeggen. 'Hij heeft me gebeld, maar ik ken hem niet, ik heb niet eens opgenomen. Ik ken hem niet.' Dat was waar. Dat gedeelte was waar.

'Ken je hem echt niet?'

'Nee.' Hij zei het vol overtuiging, in de wetenschap dat hij vaste grond onder de voeten had, in de wetenschap dat het waar was.

'Hoe weet je dat hij je gebeld heeft als je niet opgenomen hebt?'

'Nou...' Hoe wist hij dat? 'Nou, omdat zijn naam op het schermpje stond.'

'Wat stond er?'

'Er stond "Squeak".' Thomas bloosde, want hij kon wel raden wat ze ging zeggen.

'Je kent hem niet, maar zijn nummer stond wel in je telefoontje, onder zijn bijnaam?'

Thomas bloosde en huiverde. Stijve. Kwetsbaar. Hij had dingen te verbergen. Was betrapt. Hij voelde zich zijwaarts wegglijden, alsof hij smolt, alsof zijn halve gezicht was weggesmolten door zijn brandende schaamte en nu smolt hij zijwaarts weg door de kamer, als een plasje kwik dat terugweek voor haar hand. Maar de vragen bleven komen terwijl hij heuvelafwaarts stroomde, over maandagavond en Sarah Erroll, tot hij de woorden uit zijn mond voelde vliegen.

'Haar adres stond in Lars' telefoon.'

Stilte. 'Wanneer vond je dat?'

'In januari.'

'Maanden geleden dus. Waarom ben je naar haar huis gegaan?'

'Lars...'

'Heeft Lars je gestuurd?' Gretig liet ze de antwoorden komen en ze onderbrak hem toen hij diep in zijn binnenste naar een zin zat te vissen. Hij keek naar haar handen, draaide zijn ogen weg om aan te geven hoe moeilijk het was, praten, en ze leunde achterover om hem lucht te geven.

'Lars heeft me mee uit genomen. Op zondag. De zondag voor die maandag. Om ijs te gaan eten.'

Lars nam hem mee om ijs te gaan eten. IJs! Alsof hij Ella was. En in die ijstent zaten andere mannen in pak, mannen met kinderen, ongelukkige mannen met ongelukkige kinderen die in de verte op elkaar leken, als in een grooming-salon voor incestueuze pedo's. Thomas was veruit de oudste. Lars kocht de grootste ijscoupe voor hem die er was, en toen wist hij dat er slecht nieuws kwam. Hij was bang dat Lars kanker had. Maar het was geen kanker.

'Wat heeft hij die zondag tegen je gezegd?'

Toen hij eraan terugdacht, kreeg Thomas zo'n loodzwaar gevoel dat hij amper zijn schouders kon ophalen.

Bij het strooisel: ik heb nog een vrouw. Terwijl hij zich een weg groef door de bloedrode saus en de bolletjes vanille-ijs die met ijskristallen aan elkaar vastplakten. Andere kinderen. Wil je graag aan ze voorstellen. Philip. Fillip. Fillip. En een foto, van een lachende flip. Zo'n strandfotoglimlach. Naar het fruit op de bodem, zinloos, alsof de schade veroorzaakt door het misselijkmakende ijs verzacht kon worden door ingeblikte ananas, versneden tot kleine straaltjes stroopzon. Hij gaat ook naar het St. Augustus. Jullie worden vast vrienden. En iedereen weet dan wat een lul je bent. En iedereen zal je recht in je stomme gezicht uitlachen omdat je nooit de Enige Zoon bent geweest, de enig verwekte. En Thomas vroeg aan zijn vader: waarom heb je me verloochend? En zijn vader zei dat hij niet zo kinderachtig moest doen en wenkte de serveerster om af te rekenen.

In het heden, in deze kamer, keken de vrouwen hem aan, ze spitsten hun oren om zijn gedachten te kunnen horen. Hij begon te praten: 'Hij had nog een gezin. Nog een zoon. En die zou bij míj op school komen. Ik vond het vreselijk. Ik dacht dat zij het was.' Hij keek naar de groene map. 'Sarah.'

'Heb je Squeak erover verteld?'

'Alleen omdat hij die auto had. We kennen elkaar niet.' Dat was ook zo. Ze kenden elkaar echt niet.

'Ging je ernaartoe om haar te vermoorden?'

'Nee. Om haar bang te maken. Lars.' Hij verviel in gemompel, halve zinnen zwevend in de ruimte – indruk op hem maken – zich laten gelden – niet in de zeik laten nemen – hij zou het vast prachtig vinden.

Had hij Sarah Erroll vermoord?

Wegzwevend in woorden, een wolk van gemompel, een stormwolk vol kolkende woorden en een klap op tafel en keihard: *Had hij Sarah Erroll vermoord?*

Thomas keek naar de zwangere vrouw, naar deze maagd vervuld van de belofte van nieuw leven, blond, net als Maria in de kerstvoorstelling, blond, en zijn gezicht begon te huilen, zijn ogen begonnen te huilen en hij vertelde haar wat hij dacht. 'Nog erger. Stond erbij. Te kijken. Deed niéts. Dat is nog erger.'

Ze liet hem foto's van het huis zien, van de slaapkamer, de keuken, van Sarah Erroll onder aan de trap, haar gezicht kapot, haar hoofd kapot, haar leven kapot, en hij dacht aan het paard in Guernica en hij dacht aan de wespen die blij mochten zijn dat ze stierven en hij raakte al zijn woorden kwijt. Behalve één woord. En dat woord herhaalde hij telkens weer, telkens met dezelfde intonatie, als in een bezwering: erger.

En toen brachten ze hem terug naar het kleine kamertje en lieten hem slapen.

Morrow stond op Gatwick Airport in de rij voor de veiligheidscontrole, met nog zeventig mensen voor zich, en terwijl ze haar laptop en een plastic zakje met een eenzame lippenbalsem vasthield, wachtte ze op haar beurt. De laatste vlucht naar huis. Ze hadden geluk. Leonard stond achter haar met de aantekeningen. De baby's dansten op haar bekken, als cheerleaders voor het leven, en spoorden haar aan niet op te geven, zich niet naar beneden te laten zuigen.

Het was het moeilijkste verhoor dat ze ooit had afgenomen. Ze was al gedeprimeerd voor ze begon, was al moe voor ze begon, en ze zag de wanhoop bij Thomas Anderson en wist wat hij dacht, hoewel hij erg weinig zei. Lars had hem gedood daar in die ijssalon. Lars had zijn betekenis en zijn identiteit weggevaagd daar in die ijssalon. Hij had de betekenis van zijn moeder weggevaagd. Er was een ander. Hij had zijn betekenis weggevaagd door een andere zoon te hebben, door van een andere zoon te houden, en uit eigen ervaring wist ze dat hij nog het meest werd gekweld door het vermoeden dat zijn vader van de andere zoon hield, aardig tegen hem deed, trots op hem was. Danny had diezelfde blik in zijn ogen, een gemis, een vermoeden dat er op de wereld kinderen waren van wie gehouden werd, terwijl niemand van hem hield. Dat was het in hem wat ze niet kon aanzien. Dat was het wat ze al die jaren gemeden had.

De rij schuifelde naar voren. Om haar heen begonnen mensen alvast uit te pakken, riemen los te maken, veters los te knopen.

Het bloedbad was de schuld van haar vader. De schuld van Lars Anderson, niet van Thomas, niet van Danny. Ze hadden te vroeg te horen gekregen dat ze er niet toe deden, dat hun goddelijke moeders gewoon sloeries waren. Sarah Erroll was niet Thomas' schuld. Ze kon zijn schuld niet zijn, want hij was te jong om te weten dat er maar één verweer was, en dat was het doorbreken van de cyclus van vernietiging, die een halt toeroepen en de andere jongen als zijn echte broer zien.

De rij schoof op naar de veiligheidspoort en Leonard boog zich naar haar toe. 'Sprak hij de waarheid?'

Ze wond er geen doekjes om. Dat waardeerde Morrow aan haar. Ze haalde haar schouders op. 'Ik denk het wel. En jij?'

Leonard rechtte haar rug en smakte met haar lippen. Ze dacht even na. 'Denk je dat hij alleen maar heeft toegekeken?'

'Wat denk jij?'

'Ik weet het niet... misschien is hij helemaal geflipt nu zijn vader ook dood is.'

'En bovendien is zijn zusje ziek, volgens de agent die hem begeleidde.' Opeens zag ze zichzelf als klein kind op de speelplaats, terwijl Danny toekeek met die gekwelde blik in zijn ogen, en ze begon als een klein meisje te huilen, sloeg snikkend haar hand voor haar mond en probeerde haar tranen met haar mouw weg te vegen. 'Godsamme.'

Leonard gaf haar een pakje zakdoekjes en deed alsof ze het niet zag.

Toen ze de poort waren gepasseerd, nam de veiligheidsbeambte Morrow apart om haar te fouilleren. Ze was een moederlijke vijftiger met een door de zon gerimpeld gezicht, en ze streek voorzichtig over haar buik. Morrow zag haar naar haar rode ogen kijken. Toen ze zich bukte om met lange, uitgesproken niet-seksuele halen over haar benen te strijken, vroeg ze: 'Gaat het?'

'Ja hoor, het gaat wel.'

De vrouw stond op en keek naar haar buik. 'Hoe ver ben je?'

'Vijf maanden.'

Ze hield Morrows blik vast. Ze geloofde haar niet, ze dacht dat ze aan boord glipte om daar te bevallen.

'Het is een tweeling,' legde Morrow uit.

'O.' De vrouw glimlachte. 'Geen wonder dat je moet huilen.'

Met een klopje op haar rug en 'succes gewenst!' was het onderzoek afgelopen, en Morrow pakte haar tas. Ze liepen naar een restaurantje vlak bij hun gate.

'Koffie?' vroeg Leonard.

'Doe mij maar thee. Ik moet nog even bellen.'

Leonard liep weg en Morrow haalde haar mobiel tevoorschijn. Geen gehoor. Het was al laat en daarom sprak ze een bericht in. 'Hallo, met Alex Morrow, ik heb een boodschap voor Val MacLea. Ik heb me bedacht en wil toch wel met je over John McGrath praten... over mijn neefje, John McGrath. Als je denkt dat ik van nut kan zijn, wil ik graag met je praten wanneer het je uitkomt. Bel maar terug.'

50

Thomas zat in de bibliotheek een boek over de Tweede Wereldoorlog te lezen toen ze hem kwamen halen.

'Anderson, Thomas,' riep McKut vanuit de deuropening.

Thomas stond onmiddellijk op, in een reflex, en keerde zich
naar de deur toe. McKut was een aardige man, zijn bijnaam was
liefdevol bedoeld, om te verhullen dat ze hem aardig vonden omdat hij niet pretendeerde iets anders te zijn dan een gevangenbewaarder en ze altijd een waarschuwing gaf voor hij ze rapporteer-
de, zodat ze er nog onderuit konden komen.

'Meekomen,' zei McKut. Hij deed een stap terug zodat Thomas erlangs kon.

Een vragende hand gleed over de tafel in de richting van het
boek dat Thomas had zitten lezen.

Thomas schoof het over de tafel. De andere jongen had zijn
hoofd kaalgeschoren om te kunnen pronken met de littekens die
hij in de strijd had opgelopen. Ze lazen allebei hetzelfde boek,
maar ze zaten niet vaak samen in de bibliotheek, en Thomas was
die dag het eerst geweest. Ze hadden over het boek gepraat, maar
Thomas vermoedde dat ze het om verschillende redenen lazen,
dat ze niet aan dezelfde kant stonden.

'Moven,' zei McKut, deze keer wat luider.

Thomas liep naar hem toe, glipte de donkere gang op en draaide zich afwachtend om. McKut deed de deur dicht, luisterde
naar de klik van het slot en keerde zich toen naar hem toe, met

een vriendelijk knikje dat aan een kopstoot deed denken.

Thomas keek aarzelend van links naar rechts. 'Waar ga ik naartoe, meneer?'

McKut knikte naar links. 'Je hebt bezoek, jongen.'

Op dit tijdstip van de dag was er nooit bezoek, maar Thomas wilde niet dwars doen en pas toen hij de gang al een eindje door gelopen was, zei hij: 'Maar het is geen bezoekuur.'

McKut bromde iets en loodste hem voor zich uit. 'Ja, maar toch zit er bezoek op je te wachten.'

Thomas' maag kneep samen en hij bleef staan. McKut knalde bijna tegen hem op. 'Het is toch niet mijn moeder, hè?'

'Nee,' stelde McKut hem gerust, 'nee, het is advocatenbezoek, gewoon advocatenbezoek.'

'O.'

Met neergeslagen blik liep Thomas verder de gang door. Het linoleum was glanzend opgewreven door de schoonmaakploeg, maar de geur van het zware ontsmettingsmiddel dat bij het dweilen gebruikt werd, hing nog aan de plinten. De geuren in de afdeling voorarrest waren allemaal zeer penetrant; het rook er naar stront, pis, sperma, het stonk er naar uien of gehakt, en dat alles geconcentreerd, overweldigend, allesverzwelgend. In het begin vond hij het vreselijk, alsof hij erin verdronk, maar nu vond hij het wel lekker.

Thomas was nog niet aan de beurt voor advocatenbezoek. Zijn door de rechtbank toegewezen advocaat was lui en slordig. Er was vast iets gebeurd. Hij vroeg zich af of Squeak zich van kant had gemaakt.

Ze liepen naar de deur helemaal aan het einde van de gang, dwars door een wolk naar ei ruikende beslaglucht die uit een ventilatieopening van de keuken kwam. Zelfs hier hing die warme, vochtige voorjaarsdamp, die wonderbaarlijke geur van groeiend gras. Door de muur van holle betonblokken aan hun linkerkant zag hij de jongens van de separeerafdeling rondjes rennen. Boven het gedonder van hun voeten uit zag Thomas Squeak aan een touw bungelen, bloedend op de grond liggen, en hij had medelijden met hem; hij was blij voor de anderen, maar vond het zielig voor Squeak, domme, kapotte, hondse Squeak. *Ik zal ze niet vertellen wat je gedaan hebt,* alsof ze zelf niet wisten wie wat had gedaan met Sarah Erroll, alsof morele schuld net zoiets was als tikkertje en Squeak die kon doorgeven door het uit te spreken. Zijn gedachten werden onderbroken door het gebrul van de instructeur, dat door de muur heen te horen was.

Ze bereikten de gesloten deur aan het einde van de gang, en McKut riep 'Stop!', wat nogal overbodig was.

Thomas glimlachte en toen hij zich omdraaide zag hij dat McKut gniffelend zijn hand naar het plaatje bij de deur uitstak en omhoogkeek naar de camera.

Er klonk gezoem, McKut trok de deur open en deed een stap terug om Thomas door te laten. De gang was hier mooier. Minder luchtjes, maar ook minder glans op de vloer, want hier werden de schoonmakers geklokt als ze bezig waren en mochten ze niet blijven hangen, want de bewaking was er minder streng.

Muren van lichter grijs, ramen die uitkeken op een binnenplaats waar gras groeide, en ook de verf bladderde hier minder.

Ze liepen naar de deuren van de bezoekerskamers. Aan het einde was de gemeenschappelijke bezoekersruimte, maar die was goed afgesloten, want hij voerde rechtstreeks de gevangenis uit. Daarvóór waren vijf deuren, alle van hetzelfde grijs en met een raam dat groter was dan normaal, tot taillehoogte en gedeeltelijk van matglas.

McKut haalde de sleutels uit zijn broekzak, liet zijn hand over de ketting aan zijn riem glijden, deed deur nummer 3 van het slot en hield hem open.

Thomas bleef in de deuropening staan. Het was niet zijn rimpelige advocaat met het grauwe gezicht. De man die aan de tafel zat – zo fors, gezond en welvarend dat hij bijna de hele ruimte vulde – was Squeaks vader.

Hij stond op. 'Thomas.' Geen zweem van tranen in zijn ogen, niets roods, geen smartelijke lege blik. Squeak was niet dood. 'Hallo,' zei hij met zijn rommelende, sigaar-doorrookte stem, machtig als cognacsaus, en van een aangename, onbekende, deftige zangerigheid. Iedereen hier sprak een ruig soort Cockney of

Manchesters, sommigen hadden het rollende accent van de westkust van Afrika, anderen dat van West-Indisch Londen, maar niemand sprak het keurige Engels van een nieuwslezer.

Met een knik liet McKut hem de kamer binnengaan. Toen Thomas twee passen had gezet, ging de deur achter hem op slot, maar McKuts schim bleef achter de ruit staan.

'U bent mijn advocaat niet.'

'Ga zitten.'

Thomas liep om de tafel heen en nam de stoel die meneer Hamilton-Gordon hem wees, en hij besefte dat gehoorzaamheid al een gewoonte bij hem was geworden. Op bevel liep hij ergens naartoe en op bevel bleef hij zitten. Hij was inmiddels volledig geconditioneerd, en daar moest hij mee uitkijken.

Hamilton-Gordon was advocaat, herinnerde Thomas zich. 'O, u bent *een* advocaat,' zei hij.

Hamilton-Gordon ging ook zitten. 'Hoe is het, Thomas? Goed, naar ik hoop?'

Het was prettig om naar dat romige accent te luisteren, naar het zachte, zangerige timbre van zijn stem. Thomas kende Squeaks vader al bijna zijn hele leven, hoewel hoofdzakelijk van foto's. Hij keek altijd humeurig, en wat kleding betrof deed hij geen enkele concessie aan het klimaat. Zijn jasjes waren altijd van onverbiddelijk tweed, of hij nu dineerde op St. Lucia, op een jacht voor de kust van Monaco zat, of ergens at in Hong Kong. Hij was dik, maar droeg maatpakken, die hem zeer flatteerden. Nu droeg hij een jasje van groen tweed en een roze broek. Geen das. Weekendkleren voor thuis. Zijn haar was zilvergrijs, met hier en daar nog een spoortje zwart, dik en sterk haar, aan de lange kant voor een advocaat, weelderig. Hij leek te kleurrijk voor de saaie grijze kamer.

Hij keek Thomas peinzend aan. Zijn wenkbrauwen groeiden omhoog, maar waren door een kapper gesnoeid: weerbarstige geweitakken die stomp waren gemaakt.

'U bent mijn advocaat niet,' herhaalde Thomas.

'Nee, inderdaad.' Hij sloeg zijn armen over elkaar.

'Waarom bent u hier?'

'Om met je te praten. Dit'– en nu bewoog hij zijn vinger tussen hen heen en weer – 'zet kwaad bloed. Dat heeft geen zin. We moeten één lijn trekken. Het samen uitwerken.' Hij sloeg het ene been over het andere, en met zijn uitgestrekte voet zette hij Thomas klem tegen de muur, alsof hij hem terugvorderde van de gevangenis. Hij liet zijn voet langzaam heen en weer zwaaien, als de pendule van een eerbiedwaardige klok.

'Mee eens? Thomas?'

'Yes, sir,' zei hij werktuiglijk, scherp en snel, maar Hamilton-Gordon was geen gevangenbewaarder, Thomas hoefde hem niet met 'sir' aan te spreken, het was een domme vergissing. Hij zei 'sorry' en de forse, elegante man knikte en keek fronsend naar de tafel, alsof hij het begreep. 'Het leger,' zei hij, wat eigenlijk nergens op sloeg, maar Thomas snapte hem wel: Squeaks vader plaatste het in een voor hem begrijpelijk referentiekader.

'Thomas, laat ik allereerst zeggen hoe erg ik het vind van je vader.' Hij had één hand op tafel liggen en een been aan de andere kant van Thomas gelegd, en zo omvatte hij hem in een geformaliseerde omhelzing. 'Het was een bijzondere man.'

'Kenden jullie elkaar?'

'Jazeker,' zei hij treurig. 'Jazeker.'

'Waarvan?'

'Van school.'

'O ja.'

'Ik zat ook op het St. Augustus, twee klassen lager dan je vader. Hij was altijd al bijzonder. Maar hij had zijn gebreken.' Hij keek van onder zijn wenkbrauwen omhoog om te zien of Thomas dat wel eerlijk vond, en dat was het geval. 'Ja, hij had zijn gebreken.' Hij tikte met zijn wijsvinger op het tafelblad. 'In de tijd dat ik hem kende, was zijn moeder ernstig ziek.'

'O?' Lars noch Moira was een type voor familieverhalen. Het enige wat hij over Lars' moeder wist, was dat ze dood was.

'Ze heeft zelfmoord gepleegd.' Weer keek hij Thomas gespannen aan vanonder zijn wenkbrauwen.

'Dat wist ik niet.'

'Je vader was jonger dan jij nu bent. Hij was destijds op school.

Het was heel moeilijk voor hem.' Hij keek naar zijn vinger, die een bepaald ritme tikte, en toen stopte hij. 'Denk niet te hard over je vader, wil ik maar zeggen. Hij had zijn gebreken, maar hij moest ook veel overwinnen. En dat heeft hij gedaan. Op schitterende wijze.'

Thomas knikte uit beleefdheid, maar ondertussen dacht hij dat Lars, wat hij ook allemaal had meegemaakt, nog steeds een gore klootzak met een grote bek was.

'Vergeet niet wat hij allemaal heeft moeten overwinnen.'

'Ja,' zei Thomas. 'Oké.'

'Ben je kwaad op hem?' Zijn glimlach was vreugdeloos.

Thomas liet de vraag bezinken. 'Ik denk helemaal niet meer aan hem.'

Weer lachte hij, een flits van tanden, tandvlees, starre ogen. 'Juist ja. Gaat het wel goed met je?'

'Ja hoor, prima,' zei hij, en toen dacht hij aan Squeak, of het goed met hem ging. Zou hij toch dood zijn? 'Hoezo?'

'Tja.' Luidruchtig, door een jungle van neushaar, verliet de lucht het lichaam van de dikke man. 'Het is erfelijk, hè, zelfmoord.'

'Echt?'

'Ja.' Heel nuchter. Een wetenschappelijke constatering. 'Van de ene generatie op de andere. Zodra de gedachte heeft postgevat, is de mogelijkheid altijd aanwezig...' Het klonk alsof Hamilton-Gordon suggereerde dat Thomas het ook maar eens moest proberen.

'Ik ga het heus niet doen,' zei Thomas, en hij wachtte op een reactie. Die bleef uit.

'Ik heb met je moeder gesproken. Ze is erg bezorgd over je.'

'Ik zit in de gevangenis op beschuldiging van een walgelijke moord. Geen wonder dat ze bezorgd is.'

'Ze maakt zich ook zorgen om je zusje. Ella is van de antipsychotica af.'

'O, godzijdank.' Door die pillen kon ze niet eens meer praten. Thomas belde haar één keer per week; de verpleegster hield de telefoon bij haar gezicht en dan ademde ze, en alleen al aan haar adem kon hij horen hoe verdrietig ze was.

'Ze is naar een privékliniek overgebracht.'

'Hebben ze haar daar van de pillen gehaald?'

'Het is particulier. Heel duur. Een collega van me is lid van het bestuur.' Hij keek weer op. 'Je moeder zit momenteel zonder geld, ik weet niet of je van haar situatie op de hoogte bent, of ze met je gepraat...'

'Ze praat niet met me.'

'Hm.' Dat scheen hem niet te verbazen.

'Hebt u wel met haar gesproken?'

'Ja. Ze maakt het naar omstandigheden goed. Gezien het feit dat jij hier zit en Ella zo... ziek is.'

Thomas kon een spotlachje niet onderdrukken. Moira's grootste zorg betrof nooit hem of Ella, zag hij nu. Moira's grootste zorg betrof altijd Moira. En toch hunkerde hij naar haar aandacht. Ook al weigerde ze de telefoon op te nemen of hing ze op als ze doorhad dat hij het was. Ook al wist hij dat ze geen geldig excuus had om hem zo aan zijn lot over te laten. Er zaten jongens op de isoleerafdeling die zedenmisdrijven hadden gepleegd, en toch kwam hun familie soms op bezoek. Zo ver weg woonde ze nou ook weer niet. Hij had de afstand in kaart gebracht toen hij haar op een keer erg miste.

'De zorg die Ella nodig heeft, is buitengewoon duur. Ze zou er weleens heel lang moeten blijven.'

'Wie heeft dat geregeld?'

'Ik.'

'O, dank u...'

'Ik ben heel kwaad op je, Thomas.' Het was abrupt, maar nog steeds was zijn stem emotieloos. 'Ik ben kwaad op je omdat je Jonathon hebt meegenomen naar dat huis. Dat snap je wel, hè?'

Op dat moment zag Thomas dat Squeaks vader niet gewoon kwaad op hem was. Hij was godsallemachtig razend op hem. Hij was zo razend dat het zweet hem uitbrak. Piepkleine transpiratie-druppeltjes prikkelden uit vergrote poriën op zijn voorhoofd. Met zijn wijsvinger begon hij weer een dansje op het tafelblad te tikken. 'Je moet anderen niet bij je persoonlijke problemen betrekken, Thomas. Dat is onbehoorlijk.' Hij zweeg en bromde zachtjes achter in zijn keel om de dingen tegen te houden die hij maar beter niet kon zeggen. Toen haalde hij diep adem. 'Maar nu zitten we ermee. Wie gaat je vertegenwoordigen?'

'Wanneer?'

'Wie is je advocaat?'

'Waarom vraagt u dat?'

Langzaam gingen de wenkbrauwen omhoog. 'Je hebt een goede advocaat nodig. Niemand kan zonder een goede advocaat. Heeft je familie een vast advocatenkantoor?'

Thomas was ervan overtuigd dat ze zich dat niet meer konden veroorloven, ook al hadden ze er een. 'Ik geloof het niet, niet meer, nee.'

'Het is duur.'

'Vast.'

'Je moeder verkoopt het huis toch?'

'Ik meen van wel.'

'Dat zal dan wel maanden te koop staan. De markt is erg traag. Grote huizen, minder kopers, moeilijker te verkopen.'

'Ja.'

Hamilton-Gordon boog zich nu heel vertrouwelijk naar voren, en zijn vinger trippeltrappelde op de tafel vlak bij Thomas' blote arm. 'Over de uitkomst gesproken,' zei hij op ernstige toon. 'Voor iemand die voor iets dergelijks terechtstaat en die een goede advocaat heeft betekent het een verschil van twaalf jaar vergeleken met iemand met een prutsadvocaat. Besef je dat wel?'

'Zoveel?' Thomas veinsde verbazing en Hamilton-Gordon ging er grif op in. 'Ja, twaalf jaar langer in de gevangenis, zonder kans op voorwaardelijk. Zonder een goede advocaat kom je in plaats van op je vijfentwintigste pas op je zesendertigste uit de gevangenis.' Hamilton-Gordon leunde achterover. Hij schraapte zijn keel en sloeg toe. 'Thomas, ik regel een advocaat voor je. En ik betaal de zorg voor Ella. In ruil daarvoor moet je iets voor mij doen. Ja?'

Thomas keek wezenloos voor zich uit.

'Ja?' Nou, nou. Hamilton-Gordon keek naar Thomas' mond

alsof hij de bevestiging van zijn lippen wilde trekken. Thomas zei niets. In de verte, achter muren en deuren, snerpte het wiel van een karretje als een varken dat klem zat.

'Wat dan?' vroeg Thomas.

'Jij gaat namelijk zeggen dat jij verantwoordelijk bent. Dat jij Jonathon hebt meegenomen. Dat hij erbij stond en je probeerde tegen te houden. Snap je? In ruil daarvoor zal ik Ella en je moeder financieel ondersteunen tot jij daar zelf toe in staat bent. Naar verluidt ben je een slimme jongeman, en dit is echt niet het einde van de wereld – je hebt nog een toekomst voor je, dat staat vast. Vind je dat een eerlijk voorstel?'

'Ja.' En dat was ook zo, echt. Hij had Squeak meegenomen, dus hij was in zeker opzicht verantwoordelijk. Het leek inderdaad eerlijk, ook al was er iets wat hem dwarszat. Hij kon niet bedenken wat het was, maar het was iets hinderlijk irritants, iets hardnekkigs, even onontkoombaar als ontstoken koortsuitslag.

'Goed, Thomas, ik ben blij dat we tot dit vergelijk zijn gekomen, en later, als je ouder bent en terugkijkt op deze gebeurtenissen, zul je merken...'

Hij praatte door, maar Thomas werd afgeleid door een minieme beweging op zijn hoofd: het haar van Hamilton-Gordon bewoog.

Linksboven op zijn kruin verschoof een dikke zilvergrijze pluk, uit zichzelf, want Hamilton-Gordon verroerde zich niet, maar zei met zijn zachte rommelstem dat iedereen zich erin zou kunnen vinden en dat alles in orde zou komen en dat het binnenkort allemaal voorbij zou zijn.

Het haar ging langzaam omhoog tot het als een auto-antenne overeind stond en naar het plafond wees. Het zag er zo bizar uit dat Thomas niet hoorde wat de man zei, alleen maar kon kijken.

'... menig vermogend man die terugkijkt op een jeugdige misstap...'

En toen, terwijl Thomas toekeek, verscheen er tussen het haar door een gezicht boven de horizon van zijn hoofd, zo volledig verlicht en zo volmaakt scherp dat Thomas de rorschachvlek op zijn kop kon zien.

Een wesp, die door zijn dikke haar kroop, een wesp.

Hamilton-Gordon zag hem naar zijn hoofd kijken, voelde opeens iets bewegen en raakte in paniek. Hij haalde uit naar zijn hoofd en sloeg zichzelf. Een geel-zwart lijfje tuimelde met wriemelende pootjes ondersteboven naar beneden. Het landde op zijn schouder, stuiterde, viel weer en kwam onder de tafel terecht. Thomas kon het horen: bzzbzz.

Plotseling stond Thomas op; zijn stoel kletterde op de grond en hij keek naar de vloer, naar de wesp, die verdoofd was maar toch overeind probeerde te krabbelen. Bzzbzzbzz. Thomas kon zijn blik er niet van losmaken.

Een klap op tafel. Hamilton-Gordon was woest. '... en ik probeer nog wel een serieus gesprek met je te voeren...'

Grijnzend keek Thomas vanuit de hoogte op Squeaks vader neer, zich ervan bewust dat de machtige man bang voor hem was. Langzaam stak hij zijn hand uit en gaf zelf een klap op tafel, een harde klap, met zijn vlakke hand, die bzzbzz deed door de kracht waarmee hij neerkwam.

Hamilton-Gordon kwam overeind en stelde zich tegenover hem op. Maar hij was kleiner dan Thomas, reikte slechts tot zijn kin, en Thomas keek op hem neer. Het was niet eens een analogie. Op de een of andere manier had hij op nog een wesp zitten wachten, alsof het allemaal weg zou gaan als ze terugkwamen, deze luchtbel van tijd, alsof het zou kloppen, maar de wesp was gewoon een wesp. Het was geen goddelijke openbaring, het was geen analogie.

'Thomas!' riep Hamilton-Gordon. 'Het is maar een wesp.'

Thomas begon te lachen. Het betekende niets. Het waren allemaal willekeurige dingen en doden. Hij bleef maar lachen, tot Squeaks vader op de deur bonsde om eruit gelaten te worden. Hij lachte nog steeds toen hij werd teruggebracht naar de bibliotheek.

En zelfs toen hij die avond in bed lag en in slaap viel, lag er een vette, warme glimlach op zijn gezicht, want niets van dat alles had een diepere betekenis. Het was een en al willekeur wat er gebeurde.

51

Het had maanden geduurd voor Leonards vriendin haar eerste bevindingen met betrekking tot het bloedspatpatroon had opgesteld. Ze had ze op dvd gezet en opgestuurd met een uitleg van veertig pagina's die niet voor een proefschrift onderdeed. Elk punt was van voetnoten voorzien, elke autoriteit werd aangehaald. Ze had zelfs een begeleidende brief bij de dvd en het proefschrift gevoegd, waarin ze uitlegde dat haar grafische werk geleend was van de afdeling computergames, en dat ze mettertijd haar eigen afbeeldingen zou ontwerpen, maar om de tijd zo efficiënt mogelijk te benutten ten behoeve van de zaak waaraan ze werkten, had ze haar toevlucht genomen tot...

Morrow legde de brief en het proefschrift in haar postbakje en stopte de dvd in de drive van haar computer.

Een scherm met een keuzemenu waarvan alle vakjes leeg en blauw waren, behalve het eerste, waar ZAAK 1* bij stond. Ze klikte het aan.

Een foto van de trap in Glenarvon, van onderaf gezien, een bewerkte versie van de foto's van de plaats delict, met Sarahs lichaam verwijderd en vervangen door een stuk groen, dat er van hoger op de trap op was geënt. Het scherm stond even stil en toonde toen een luchtaanzicht van de trap, met bovenaan drie stel voeten, afdrukken van voeten. Blote voeten, van Sarah, naast de leuning, met de tenen diep weggezonken in het tapijt, duidelijk te onderscheiden van de voetzolen. Aan de andere kant van de trap, bij de muur, een paar schoenen met als merkteken de drie cirkels van de schoenen die op het St. Augustus werden gedragen. Er liep een streep over een van de zolen, de linker. Iets achter Sarah, tussen haar en de schoenen met de streep, was een ander paar. Dit paar had een duidelijk zichtbare stip op de hak. Morrow wist wat het was: een zwart steentje van de oprit van Glenarvon. Het was in Thomas' rechterschoen gevonden, van het paar dat Jonathon met zorg had ingepikt en op zijn kamer had verstopt.

Ze was er niet op voorbereid toen Sarahs voeten de trap af gingen: ze schoot een stukje overeind en keek gegeneerd de kamer rond.

Toen ze haar blik weer op het scherm richtte, gebeurde alles in slow motion: Sarahs voeten vlogen de trap af, met twee treden tegelijk en toen, uit het niets, viel er haar uit haar onzichtbare hoofd; ze zag het niet maar Morrow voelde hoe Sarahs hoofd naar achteren werd gerukt toen iemand haar bij haar haren vastgreep, en er hele plukken uit trok en die sierlijk op de grond liet dwarrelen. Streepschoen had haar bij haar haren gegrepen, toen was Sarahs onzichtbare achterste op het tapijt gesmakt, haar voeten verdraaiden zich tegen het groen en haar rug landde op de treden, als een geest die wegzonk in groen marsepein.

Voeten verschenen naast haar, schopten haar, en sierlijke rode slierten vlogen over het tapijt en vlijden zich als sjaals over elkaar heen. Eén stel voeten bewoog zich vlak bij haar, hield zich in evenwicht door gewicht te verplaatsen, stapte op een tree, ging een tree terug, klemde de leuning vast. Het andere stel sloop naar beneden, langs de muur, dicht langs de muur.

De hakken van Jonathon Hamilton-Gordon drukten tegen de plint aan, bewaarden zoveel mogelijk afstand, probeerden er op zeker moment langs te glippen en zich terug te trekken, terwijl Thomas Anderson schopte en schopte, al het rood uit Sarah schopte, tot ze was uitgewist.

52

Kay zat in de receptieruimte, op een bank die te laag bij de grond was om er met enige waardigheid op te kunnen zitten. De receptioniste was aardig, maar evenals Kay wist ze dat ze op alle punten won: ze zag er beter uit, had mooier haar, betere kleren. Ze waren van ongeveer dezelfde leeftijd: vijfenveertig tot zestig.

'Kan ik u thee aanbieden? Of koffie misschien?'

Kay maakte een afwerend gebaar. 'Nee, dank u.'

Ze wilde naar binnen en dan zo snel mogelijk weer naar buiten en weg.

Het was trouwens een mooi kantoor, met overal houten lambrisering, en er lag ook mooi, eenvoudig tapijt. Het maakte een heel rustige indruk, wat Kay prettig vond, alles leek gedempt. Het had heel lang geduurd, en nu was ze blij. Ze had nog even van de kom kunnen genieten. Ze gebruikte hem niet langer als asbak.

Ze schoof haar hand in haar open handtas, en terwijl ze haar gezicht heel onschuldig op het raam gericht hield, waren haar gedachten en haar hart bij haar vingertoppen. Ze volgde een slingerende zilveren spiraal door poelen van schitterend blauw en rood, rood diep als een omhelzing, diep als bloed, diep en lichtgevend als de liefde. Haar vingertoppen hobbelden over de ronde stippen langs de rand, en ze dacht aan een vrouw, een wasvrouw of een boerin, die met koude, vermoeide handen thuiskwam, het patroon op haar lopers borduurde en er de volgende morgen naar keek en wist dat het mooi was, dat ze iets moois had gemaakt. Ze dacht aan een grote vrouw die over een zandpad liep, met grote laarzen aan en in grijze kleren, in een lange rok met een rand van zware modder, en met een gelukzalige glimlach op haar ruwe gezicht, want ze had iets moois gemaakt en het zei iets over haar. Ze wist dat het een mooi, goddelijk iets was. En ze vond het prachtig wat het over haar zei, want ze was meer dan het gedierte dat op aarde kruipt of de vernederingen van het leven. Deze vrouw vond het niet erg dat haar werk door anderen werd nagemaakt en dat ze vergeten zou worden, want zij vond glorie in de reis die haar creatie zou maken. Ook zonder dat ze die bezat, zou haar creatie blijven bestaan. Ze had een lelijke wereld met iets prachtigs verrijkt.

Kay trok haar vingers uit haar tas, en ze hield haar gezicht naar het raam gewend tot de droefheid was weggetrokken. Auto's reden onder het raam door, een bus, een man op een fiets worstelde de heuvel op en bleef hijgend bij de stoplichten staan.

'Mevrouw Murray?' Kay keerde zich naar de receptioniste toe. 'U kunt nu naar binnen gaan.'

Ze pakte haar spullen: haar eeuwige plastic tas, haar jas en haar handtas. Ze wilde de kom weer aanraken, nog één keer, maar ze zei tegen zichzelf dat het nu genoeg was. De receptioniste stond bij haar bureau en stak haar hand uit naar de gelambriseerde gang achter zich.

'De eerste deur,' zei ze, en ze keek Kay na om er zeker van te zijn dat ze zich niet vergiste.

De deur was open, en Scott stond naast zijn bureau, op en top zichzelf, een keurig lulletje, met zijn blik verborgen achter zijn stomme brilletje.

Hij schudde haar hand alsof hij een arts was. 'Mevrouw Murray, wilt u niet gaan zitten?'

Dat wilde Kay niet. Ze liet haar tassen op de stoel ploffen, stak haar hand in haar handtas en pakte eerst het horloge. Ze had het in een stuk keukenpapier gewikkeld zodat ze het niet meer hoefde te zien, want het deed haar aan Joy denken en aan Haar Sterfdag. Ze dacht niet dat het haar al te veel verdriet zou doen om in dit donkere kantoortje dat laatste voorwerp van mevrouw Erroll te overhandigen. Ze vond dat stomme horloge niet eens mooi.

427

Toen ademde ze diep in; ze zag de ruwe Russische boerenvrouw troostend glimlachen, en stak haar hand in haar tas om de kom te pakken. Zonder ernaar te kijken zette ze hem op het bureau. Ze trok haar hand met een ruk terug, pakte haar spullen op en kuchte.

'Dat is het dus?'

'Mevrouw Murray.' Scott leek blij te zijn dat het zo soepel was gegaan, dat er geen heisa om de spullen was geweest. 'Mevrouw Murray, ik heb verrassend nieuws voor u.'

Ze keek hem aan en zag een blijde glimlach op zijn gezicht gloren. Hij haalde diep adem. 'Joy Erroll heeft alles aan u nagelaten.'

Ze begreep het niet. 'Hoezo alles?'

'O, het huis, het geld, Sarah had veel spaargeld – er is een enorm bedrag aan cash in haar huis aangetroffen – alle roerende goederen, het bezit van het land dat is verpacht aan de hondenkennel, het saldo van Joys spaarrekening, dat ook niet gering was...'

Terwijl hij aan het woord was, richtte Kay al haar aandacht op de achterste muur. Ze huilde, haar gezicht was nat, ze was verblind en zag alleen nog maar het gezicht van Joy.

'In Joys testament staat dat als Sarah sterft zonder een testament na te laten, de hele erfenis naar u gaat.'

Nee. Nee, dat was onmogelijk. 'Joy Erroll was gek. Dat klopt toch niet?'

'Sarah had een volmacht en zij heeft het testament mede ondertekend tijdens het eerste jaar dat u daar werkte. Alles gaat naar u.' Hij schoof op zijn stoel, met een gretig lachje op zijn gezicht. 'Wat boft u, hè?' Hij had een papier voor zich liggen en met zijn wijsvinger tekende hij een acht in de bovenhoek.

Kay wees naar de kom. 'En die?'

'Ja, die hoort ook bij de nalatenschap.'

Kay stak haar hand uit en liet hem boven de rand zweven. Zonder ernaar te kijken pakte ze de kom en klemde hem vast.

Een ruwe Russische vrouw zakte op een zandpad in elkaar, begroef haar gezicht in haar bemodderde rok en snikte het uit.

Dankbetuiging

Ik ben heel veel dank verschuldigd aan Jon, Jade en Reagan, die de tweede helft van dit boek hebben geordend, want die was nogal, ahum, rommelig. Ook aan iedereen bij Orion die me moed heeft ingesproken, en aan Peter en Henry voor hun harde werk en hun steun.

Ook bedank ik Stevo, Edith, Fergus en Ownie.

Wat die zogenaamde Schotten betreft: mogen jullie branden in de hel voor wat jullie me hebben aangedaan.